Haberl, Franz Xaver

Musica sacra : Monatschrift fuer Kirchenmusik

Haberl, Franz Xaver

Musica sacra : Monatschrift fuer Kirchenmusik

Inktank publishing, 2018

www.inktank-publishing.com

ISBN/EAN: 9783750136328

All rights reserved

MUSICA SACRA.

Gegründet von Dr. Franz Xaver Witt († 1888).

. . . . . .

Monatschrift

für

Hebung und Förderung der kathol. Kirchenmusik.

.. ..

Herausgegeben von Dr. Franz Xaver Haberl, Direktor der Kirchenmusikschule in Regensburg.

—◆◆◆—

Neue Folge XVI., als Fortsetzung XXXVII. Jahrgang.

Mit 12 Musikbeilagen.

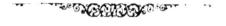

Regensburg, Rom, New York und Cincinnati.

Druck und Verlag von Friedrich Pustet.

1904.

Inhaltsübersicht

vom 37. Jahrgang 1904 der Musica sacra.

*) Die Kompositionen und Werke, welche in den mit * bezeichneten Abteilungen besprochen wurden, sind in eigenen Sachregister pag. IV—VIII kurz aufgezählt.

Ortsnamen - Register.

Alphabetisches und Sachregister

der im 37. Jahrg. (1904) der Mus. s. angezeigten und besprochenen
Kompositionen und Werke.

Casimiri, Raph., Op. 9, Nr. 1, Matthäus - Passion. 2 gl. St. (Harm. ad lib.) S. 36.
— — Op. 9, Nr. 2, Johannis - Passion. 2 gl. St. (Harm.) S. 36.
Dagnino, Ed., 5 kirchliche Kompositionen. 2 st. m. O. S. 51.
Eder, Viktor, Op. 7, 8 u. 9, Lateinische (u. deutsche) Gesänge, teils gem., teils gl. St. S. 15.
Franssen, Elb., 2 lat. Gesänge. (O Doctor optime, 5 st.; Cantantibus Organis, 4 st.) S. 51.
Griesbacher, Pet., Op. 56, Fest - Gradualien. 3 u. 4 Frst. m. O. S. 122. (1.—8. Musikbeilage.)
— — Op. 76, Gradualia festiva (9). 4 gem. St. S. 85.
— — Op. 77, Antiphon Haec dies. (6 Nummern verschiedener Besetzung.) S. 85.
Gruber, Jos., Op. 143, 2 Gradualien. 4 gem. St. m. Orch. od. O. S. 35.
Haberl, Dr. F. X., (s. Palestrina u. Victoria). S. 35 u. 80.
Haller, Mich., Op. 54, 12 kirchl. Gesänge. 2 gl. St. (C. u. A.) S. 37.
— — Op. 89a, „Exempla Polyphoniae Ecclesiasticae.“ 4 gem. St. S. 86.
— — (s. Marenzio, 6 Motetten.) S. 68.
Heuler, Raim., Op. 6, Tu es Petrus. 6 Mst. (Blasinstr. ad lib.) S. 87.
Kreitmaier, Jos., Tu es Petrus. 4 gem. St. (nach Hallers Op. 49.) S. 134.
Koramüller, P. Utto, 15 Offertorien aus dem Comm. Sanctorum. S. u. A. m. O. (1. Aufl.) S. 80.
Marenzio, Luca, 6 Motetten (Nr. 22—27). 4 gem. St. S. 68.
Meurers, Pet., Op. 6, 8 Offertorien. 4 Mst. m. O. S. 134.
Mitterer, Ign., Op. 122, Festgraduale und Offertorium für 8. Dez. 4 gem. St. m. Orch. S. 135.
Pagella, G., Op. 38, Motett Sancta Maria, Virginum piissima. (O.) S. 135.
— — Op. 39, Motett Signum magnum. 4 gem. St. (O.) S. 135.
Palestrina-Haberl, Motett Super flumina Babylonis. 4 gem. St. S. 35.
— — Offert. Super flumina Babylonis. 5 gem. St. S. 35.
— — Offert. Exaltabo te Domine. 5 gem St. (Ten. 1 u. 2.) S. 80.
Picka, Fr., Op. 37, 10 Gesänge für die Charwoche. 4 gem. St. S. 81 u. 87.
Polzer, Jul., Op. 106 u. 149, 2 Vidi aquam. 4 gem. St. (Org.) S. 81 u. 87.
— — Op. 147 u. 148, 2 Asperges me. 4 gem. St. (Org.) S. 81 u. 87.
Quadflieg, Jak., Op. 24, 7 Offertorien und 1 Pange lingua. Vereinigte Ober- u. Unterst. m. O. S. 37.
Ravanello, Or., Antologia vocalis. 122 lat. Gesänge. 3 gl. St. (Mst.) S. 36.
Thaller, J. B., Op. 18, Ave Maria. 4 gem. St., kleines Orch. u. O. S. 81 u. 87.
Victoria, Lud. da Resp. O vos omnes. 4 gem. St. S. 35.
Wiltberger, Aug., Op. 105, 8 lat. Motetten. 4 gem. St. S. 81.

5. Latein. Hymnen, Psalmen, Litaneien etc.

Aichinger, Gregor, Regina coeli. 6 gem. St. (2 S., 2 B.) bearbeitet von C. Thiel. S. 121.
Allegri, Miserere. 5 gem. St. (2 Ten.) bearbeitet von C. Thiel. S. 121.
Arts. Ant., Op. 10, 4 mar. Antiphonen. 1 Ave Maria, 1 Tantum ergo. 4 Mst. S. 80.

Bäuerle, Herm., Op. 27, Adoremus. 10 lat. euchar. Gesänge. 4 gem. St. S. 122. (9.—12. Musikbeilage.)
Engelhart, F. X., Laur. Litanei. (s. Witt.) S. 89.
Filke, M., Op. 98, Laur. Litanei. a) 4 gem. St., Orch. od. O. b) 3 Frst. Orch. od. O. S. 34.
— — Op. 102a, Regina coeli. 4 gem. St. u. Orch. od. O. S. 86.
— — Op. 102b, Salve Regina. 4 gem. St. u. Orch. od. O. S. 86.
— — Op. 103 b, Salve Regina. Für Frauenchor u. O. S. 81 u. 85.
Freitag, Br. Lambert, Op. 1, Herz Jesu - Litanei. 4 u. 5 gem. St. S. 67.
— — Op. 2, Namen Jesu-Litanei. 5 gem. St. S. 67.
— — Op. 3, Namen Jesu-Litanei. 5 gem. St. S. 67.
George, A., Op. 7, 4 Tantum ergo. 4 gem. St. (3), u. 3 Frst. (1). S. 34.
Joos, Osw., Op. 19. Votiv-Vesper z. E. der allersel. Jungfrau. (2. Aufl.) S. 133.
Mercanti, Gius., Tantum ergo. S., A., Bar. u. Bass m. O. S. 86.
Nekes, Fr., 3 mar. Antiphonen. 6 gem. St. (2 Ten., 2 Bässe). S. 67.
Picka, Fr., Op. 35, Te Deum. 4 gem. St. u. O. Tantum ergo. 4 gem. St. S. 81 u. 87.
Pillaud, Fr., Op. 49, Laur. Litanei. 4 gem. St. Unisonochor u. O. S. 35.
Plag, Joh., Op. 40, Completorium. 4 Mst. S. 80.
Polzer, Jul., Op. 57—64. 8 Pange lingua. 4 gem. St. S. 81 u. 87.
Stein, Br., Op. 20, „Cantuarium sacrum“. 85 lat. Kirchengesänge f. 4 Mst. S. 123.
Thiel, Karl, (s. Aichinger u. Allegri.) S. 121.
Veith, J. J., Op. 5, Te Deum. 4 gem. St. m. O. od. Blasinstr. S. 67.
Wiltberger, Aug., Op. 107, Te Deum. 4 gem. St. (Zweistimmige Wechselchor.) S. 136.
Witt, F. X., Op. 28b, Laur. Lit. 4 gem. St. (Engelhart.) S. 89.

6. Mehrstimmige deutsche Kirchengesänge und Volksgesangbücher.

Bäuerle, Herm., Op. 18, 10 Marienlieder. 3 u. 4 gl. St. (2. Aufl.) S. 62.
Blasel, H., Op. 6, 2 Marienlieder. a) Für Sopransolo u. Orgel. b) Für gem. St. S. 15.
Bürgenmaier, Sylv., Op. 19, „Am Grabe.“ 10 Trauergesänge. 4 gem. St. S. 14.
Deischl, Jos., 20 Hymnen in deutscher Übersetzung. 1 st. m. O. od. Harm. S. 140.
Detsch, Karl, 2 Marienlieder. 4 gem. St. S. 15.
Eder, Viktor, Op. 7, 8 u. 9, Lateinische u. deutsche religiöse Gesänge. Verschiedene Besetzung. S. 15.
Engelhart, F. X., „Der englische Gruß“ u. „Abendgebet“. 3 Ausgaben. S. 147.
Ficsel, G., Op. 11 b, 3 Marienlieder. 4 Frst. (auch 4 Mst. S. 89.
— — Op. 12a, 3 Marienlieder. 4 gem. St. S. 89.
— — Op. 12 b, 3 Marienlieder. 4 Frst. S. 89.
Forche, P., Op. 4, 3 Begräbnisgesänge. 4 Mst. S. 15.
— — Op. 5, 2 Begräbnisgesänge. 4 Mst. S. 15.
Gloger, Julius, Ritus beim Begräbnis Erwachsener u. „Grabgesänge“, teils Choral, teils 4 Mst., teils gem. St. S. 15.
Goller, Vinzenz, „Der Makellosen ein Edelweiß“. Sammlung. 22 Gesänge f. 4 gem. Chor, teils mit teils ohne O. S. 88.

8

9. Kompositionen für Schule, Haus, Konzert etc.

1904. Regensburg, am 1. Januar 1904. N.º 1.

MUSICA SACRA.

Gegründet von Dr. Franz Xaver Witt († 1888).

Monatschrift für Hebung und Förderung der kathol. Kirchenmusik.

Herausgegeben von Dr. Franz Xaver Haberl, Direktor der Kirchenmusikschule in Regensburg.

Neue Folge XVI., als Fortsetzung XXXVII. Jahrgang. Mit 12 Musikbeilagen.

Die „Musica sacra" wird am 1. jeden Monats ausgegeben, jede der 12 Nummern umfasst 14 Seiten Text. Die 12 Musik-beilagen (48 Seiten) werden den Nummern 3 und 6 beigelegt. Der Abonnementpreis des 37. Jahrgangs 1904 beträgt 3 Mark; Einzelnummern ohne Musikbeilagen kosten 30 Pfennige. Die Bestellung kann bei jeder Postanstalt oder Buchhandlung erfolgen.

Breve Pius X. an Se. Eminenz Kardinal-Erzbischof von Cöln.

Bekanntlich[1] hat Se. Eminenz Anton Fischer, Kardinal-Erzbischof von Cöln, die Huldigungsadresse, welche der Gesamtvorstand des Cäcilienvereins beim 50. Katholiken-tage in Cöln an Se. Heiligkeit Papst Pius X. gerichtet hat, mit eigenem Begleitschreiben im Oktober v. J. nach Rom gesendet. Am 1. Dez. erfolgte nachstehendes Apostolisches Breve als Antwort Sr. Heiligkeit. Dasselbe wurde zuerst unter Nr. 210, S. 159 im kirchlichen Anzeiger für die Erzdiözese Cöln im lateinischen Wortlaute abgedruckt und wird im Cäcilienvereinsorgan in deutscher Übersetzung den Mitgliedern des Vereines zur Kenntnis gebracht werden. Der Heilige Vater schrieb, wie folgt:

Breve Apostolicum Societatem Caecilianam concernens.
PIVS PP. X.

Dilecte Fili Noster, salutem et Apostolicam benedictionem. — Societatem Caecilianam iamdudum apud vos ex instituto id agentem, ut cantus gregoriani scientiam peritiamque in usum sacrorum late promoveat, merito tu quidem ac iure Nobis commendasti. Dignum enim omni commendatione studium est hominum, in re elaborantium, quae quum ad sanctissimas caeremonias, ea qua par est religione, peragendas conferat, magnopere ad fovendam pietatem publicam valet. Ex istorum autem a S. Caecilia sodalium sollertia industriaque fructus evenire, ubicumque germanicus sermo obtinet, laetos atque uberes, quamquam non ignotum Nobis erat, iucundum fuit ex tuis quoque litteris cognoscere. Nominatim didicimus libenter, ipsorum operam in finibus dioecesis tuae proficere et valere plurimum. Itaque non potest esse dubium, quin Caeciliana ista Societas aeque probetur Nobis, ac decessoribus Nostris Pio IX et Leoni XIII fel. rec. probaretur: nec Nos minus habemus certum, fore ut illa novis praescriptionibus, quas in hoc genere dandas censuerimus, eadem voluntate et fide obsequatur, qua obsequi Sedis Apostolicae mandatis consuevit. Eidem interea non exiguas nec vulgares laudes, quas meretur, Nostro etiam nomine tribuas, volumus; simulque divinorum munerum auspicem ac bene-volentiae Nostrae testem habe tibi, dilecte Fili Noster, Apostolicam benedictionem, quam laudatae quoque Societati universae et clero populoque tuis curis credito peramanter in Domino impertimus.

Datum Romae apud S. Petrum die 1. Decembris MDCCCCIII, Pontificatus Nostri Anno primo. **Pius PP. X.**

[1] Siehe Musica sacra 1904, S. 119 und 148; Cäcilienvereinsorgan 1904, S. 83.

Vom Bücher- und Musikalienmarkte.

I. Bücher und Broschüren. „Alte und neue Vorschläge zur Vereinfachung unserer Tonschrift" macht **K. W. Bässler** in Zwickau (Sachsen, Selbstverlag des Verfassers) auf 10 Seiten und einer autographierten Tafel. Referent ist der Ansicht, daß auch dieser Versuch des „Neuen, regulären 5 Liniensystems, Nonplusultra-Notensystems, Regelmäßigen Zweinotensystems, Idealpunktnotensystems und Diatonisch-chromatischen Notensystems" unsere bisherige internationale Tonschrift nicht verdrängen werde.

„Palestrina muß populärer werden und zwar auf breiterer, dabei zeitgemäßer Grundlage. Leichtverständliche Worte der Einladung an strebsame Dirigenten und eifrige Anhänger einer heiligen Musik, in heiligem Ernste und bester Absicht offen ausgesprochen am Anfang des 20. Jahrhunderts von **Hermann Bäuerle**." Regensburg, 1903, A. Coppenrath (H. Pawelek).

Referent findet den Mangel an der Popularität Palestrinas weniger in den „alten, verrosteten Schlüsseln" als in den Schwierigkeiten, welche die selbständige Rhythmik und die Dynamik der einzelnen Stimmgattungen voraussetzt und vom größten Teile unserer Kirchenchöre erst überwunden werden muß. Der Verfasser ist von seinem „Berufe, von Palestrinas Werken im angehenden 20. Jahrhundert zu retten, was noch zu retten ist," so sehr überzeugt, daß es grausam wäre, sein „hellsehendes Auge" durch irgendwelche, wenn auch noch so bescheidene Gegenbemerkungen und Zweifel zu verletzen. Das jedoch wagt Referent zu behaupten, daß ihm nichts lieber und erfreulicher sein kann, als wenn Palestrinas Werke auf unseren katholischen Kirchenchören wieder aufleben, aber nicht als „Schmetterlinge", sondern als dauernd wertvolle Perlen, welche bei richtiger Fassung durch Dirigenten und Sänger mit ihrem milden Schimmer die heiligen Mysterien zu erhellen geeignet sind.

Im „Pastor bonus", der Zeitschrift für kirchliche Wissenschaft und Praxis, welche in Trier (Paulinusdruckerei) erscheint, hat der Redemptoristenpater J. Bogaerts zwei Artikel veröffentlicht: „Kanonistische Würdigung der neuesten Choraldekrete". Sie sind im kirchenmusikalischen Jahrbuch 1903, das im Januar 1904 versendet werden wird, vom nämlichen Autor erweitert und vermehrt, zum Abdrucke gekommen und auch in Separatausgabe durch Fr. Pustet in Regensburg zu beziehen. Bei dem aktuellen Interesse, das die Choralfrage im Jahre 1904 erregen wird, und der Menge von Anfechtungen und Verdächtigungen, denen das Dekret „Quod sanctus Augustinus" von 1903 seit 1903 ausgesetzt war, ist es lehrreich, die Stimme eines gewiegten Kanonisten in dieser Frage zu vernehmen.

„Musikalische Silhouetten von Camille Bellaigue. Mit Autorisation aus dem Französischen übertragen von Margarete Toussaint. Nebst einem Vorwort von Adam Röder. Mit Illustrationen von Arthur Lewin. Leipzig und Kattowitz, Karl Siwinna." Preis 4 M 50 ₰, in elegantem Einbande.

51 Bilder, mit feiner Hand gezeichnet, in geistreicher Weise geschildert und meisterlich in die deutsche Sprache übersetzt, bringen uns in Berührung mit großen und kleinen Meistern der Musik, mit interessanten Persönlichkeiten, die über Musik schrieben oder solche schufen. Den Anfang des überaus pikant geschriebenen, durch geistvolle und überraschende, teils gemütvolle, teils sarkastisch eingestreute Sentenzen fesselnden Buches bilden Jos. Haydn, Mozart, Gluck und Beethoven. Ihnen folgen: Rossini, Weber, Mendelssohn, Schumann, Auber, Berlioz, Meyerbeer und Rich. Wagner. Systematisierung oder chronologische Ordnung ist also nicht beobachtet. Auch Heilige unserer Kirche kommen vor: Cäcilia, Alphons von Liguori, Augustin, Thomas von Aquino usw. Von älteren Meistern sind J. S. Bach, Händel, Dom. Scarlatti, Monteverdi und Victoria zu nennen. Das herrlich ausgestattete Werk verdient wärmste Empfehlung, nicht etwa als Geschichts- oder Quellenwerk, wohl aber als ein sinniges, von edler Liebe und Begeisterung für die Musikkunst diktiertes, der Belehrung und Unterhaltung in der anregendsten Weise Rechnung tragendes Buch.

Der römische Musiker Alb. Cametti, ein tüchtiger Kenner Palestrinas, hat im 10. Band, 3. Heft der „Rivista musicale Italiana" (bei Fratelli Bocca in Turin 1903) den Wortlaut des Testamentes der Großmutter von Giovanni Pierluigi da Palestrina veröffentlicht.

Dasselbe stammt vom 22. Okt. des Jahres 1527 und vermehrt in dankenswerter Weise die mageren Notizen über die Jugendzeit des römischen Meisters. Diese Jacobella Pierluigi nennt darin als ihren Enkel den Johannes, sowie als Söhne den Francesco und Sante (Vater von Giovanni), als Töchter Nobilia und Lucretia, als Schwiegertochter die Gemahlin von Francesco, Palma, endlich als Schwestern Perna (Klosterfrau) und Geronima. Der junge Enkel Giovanni erhielt von der Großmutter väterlicherseits „7 zinnerne Gefässe" und „1 Matraze." In der Hinterlassenschaft werden „15 Matrazen," „ein Dutzend Leintücher, Bettdecken usw." aufgeführt, sowie „80 zinnerne Gefässe. Cametti schliesst hieraus nicht ohne Grund, daß die Jacobella Inhaberin einer Herberge war. An Geld verteilte sie kaum 100 Lire, was in der damaligen Zeit der Plünderung Palestrinas und Roms nicht auffallend ist. — Die interessante Studie ist auch in Einzelabdruck, 11 Seiten, erschienen.

Ein Sonderabdruck aus der holländischen Zeitschrift für Musik „Cäcilia" handelt von „De Toekomst der Katholike Kerkmuziek" (Die Zukunft der katholischen Kirchenmusik) und hat Herrn J. C. Hol zum Verfasser. Die Rede, welche Edgar Tinel beim Kongresse in Brugge (August 1902) über die figurierte Musik in der Kirche gehalten hat, bildet die Veranlassung zu diesen Artikel in holländischer Sprache und zu ruhigen, einschränkenden und berichtigenden Bemerkungen.

„Fis-Ges? Eine gemeinverständliche Abhandlung über die für die musikalische Praxis in Betracht kommenden Unterschiede gleichnamiger und enharmonischer Töne von Robert Hövker. Cöthen, Otto Schulze, 1903. 1 M 50 ₰, mit 12 Figuren, 11 Notensätzen, 56 Seiten. Für Freunde akustischer, rein theoretisch-mathematischer Beobachtungen und Studien enthält die Broschüre reiches Material. Die Notwendigkeit besonderer Intonationsstudien, Dur- und Molltonleitern, Chromatik, melodisch reines Tonsystem, gleichschwebende Temperatur sind auf physikalischem Wege erläutert, — für die Praxis jedoch scheint wenig gewonnen zu sein.

„Der Musiker und seine Ideale." Eine Studie von Th. Humpert, Konzertsänger. 8°. 40 Seiten. 60 ₰. Stuttgart. Strecker & Schröder.

Das Büchlein verfolgt den Zweck, zu zeigen, daß die Kunst, insbesondere die Musik, in der Welt eine sittliche Mission, eine moralische Aufgabe zu erfüllen hat. Indem es den Ursprung der Musik auf „Gott" zurückleitet und wiederum aus ihrem wunderbaren Wesen und den noch wunderbareren Wirkungen einen Gottesbeweis konstruiert, zeigt es den Künstler als „Arbeiter im Heiligtume", nämlich an einem den höchsten Kulturzwecken dienenden und die höchsten sittlichen Aufgaben erfüllenden Werke." Wer dem idealen Verfasser zu folgen Lust hat, verdient den Namen eines Idealisten, wird aber von der erdrückenden Menge der Musiker scheel angesehen werden.

J. S. Bachs großes *Magnificat* in D-dur und die für die Anlage der Komposition maßgebenden günstigen und ungünstigen Faktoren. Von Martin Kobelt aus Birnbaum. Greifswald, F. W. Kunike, 1902. Diese Inauguraldissertation zur Erlangung der Doktorwürde an der philosophischen Fakultät zu Erlangen ist mit vielem Fleiße ausgearbeitet und geht mit peinlicher Genauigkeit und philologischer Akribie auf Text des *Magnificat* und Behandlung durch Bach ein. Die religiösen Anschauungen des jungen Kandidaten darf man nicht genauer prüfen, dennoch aber darf nicht unterlassen werden, gegen eine Ausdrucksweise zu protestieren, wie sie Seite 62 über das *Magnificat* zu lesen ist: „Wir müssen gestehen, daß ein aus solcher Situation hervorgehendes Lied für unser deutsches Empfinden überhaupt unmöglich und anstößig ist; wenn es auch dem orientalischen, ja vielleicht dem romanischen Geschmack nicht zuwiderläuft."

„Der Musikführer", der bei Hermann Seemann Nachfolger, Leipzig erscheint, bespricht über 300 klassischer Kompositionen, welche heute noch in Konzerten uns älterer und neuester Zeit aufgeführt werden. Gleich ähnlichen Führern ist er bestrebt, das hörende Publikum gleichsam auf dem Wege der Hypnose für das betreffende Tonstück vorzubereiten. Für Musiklaien ist diese pädagogisch suggestive Methode sehr empfehlenswert, wenn der Interpret selbst guter Musiker ist. Der Redaktion liegen drei Hefte à 20 ₰ vor, nämlich: 1) J. Seb. Bach, Violinkonzerte in A-moll und E-dur, erläutert von Dr. Walter Niemann; 2) L. van Beethoven, Quartett in F-dur (Op. 135) erläutert von Professor Dr. Hugo Riemann; 3) Ermanno Wolf-Ferrari, Das neue Leben *(La vita nuova)* erläutert von Hermann Teibler.

In der Reihe der illustrierten Katechismen, welche Max Hesse in Leipzig seit Jahren ediert, wurde der Redaktion das 16., 17. und 33. Heft zugesendet. Das 10. bildet die 2. vermehrte und verbesserte Auflage der „Anleitung zum Generalbaßspielen" (Harmonieübungen am Klavier) von Dr. Hugo Riemann broschiert 1 ℳ 50 ₰, gebunden 1 ℳ 80 ₰. Die aus Unglaubliche grenzende Tätigkeit des Herrn Professors für Musik an der Universität Leipzig faßt hier auf ein Gebiet erstreckt, das in den letzten Dezennien leider an unseren Musikbildungsanstalten stark vernachlässigt worden ist. Der Verfasser gibt Melodien mit bezifferten Bässen, bezifferte Bässe ohne Melodien, bezifferte Melodien ohne Baß und Melodien ohne Bezifferung in 117 Beispielen. Für das Verständnis der Bezeichnungsweisen mit Buchstaben und Ziffern wird die Methode „Riemann", d. h. dessen Handbuch der Harmonielehre vorausgesetzt. Vom gleichen Autor ist Band 17, „Grundlinien der Musikästhetik". Unter dem Titel: „Wie hören wir Musik?" wurde diese Schrift zuerst 1888 ediert. Sie entstand aus drei Vorträgen: 1) über die elementaren Faktoren des musikalischen Ausdrucks: Tonhöhe, Tonstärke, Bewegungsart; 2) über die formgebenden Prinzipien: Harmonie und Rhythmus; 3) über associative Momente: Charakteristik, Tonmalerei, Programm-Musik. Preis wie Heft 10. Das 33. Heftchen, 85 Seiten, broschiert 1 ℳ, bringt die „Geschichtliche Entwicklung der evangelischen Kirchenmusik", bearbeitet von Wilhelm Stahl, Organist in Lübeck. Wenn der Verfasser im Vorwort bemerkt, daß durch diese Schrift eine fühlbare Lücke in der vorhandenen Literatur ausgefüllt werde, so muß man ihm beistimmen; wenn er aber versichert, daß er die neuesten Forschungen und die besten Quellen benutzt haben, so muß man entgegnen, daß ihm die evangelische Literatur nicht ganz bekannt ist, da er sogar die treffliche Zeitschrift Siona von Dr. Max Herold, die bereits in den 29. Jahrgang eintritt, und speziell für die Liturgie durch Wort und Beispiel wirkt, nicht anführt. Die Literatur der Katholiken hat er gänzlich umgangen, denn nicht einmal Dr. Bäumkers Werk führt er an; übrigens befleißiget sich der Autor einer objektiven Geschichtsschreibung. Die Entstehung der evangelischen Liturgie aus der katholischen Messe, Mette und Vesper, den Gebrauch der lateinischen Sprache, teilweise bis in das 18. Jahrhundert herauf, die Ausführung durch sog. „Liturgen" (statt der „Priester") den Chor und erst später die Gemeinde, die Umwandlung der liturgischen Gesänge in Gemeindelieder usw. schildert Stahl wohl kurz, aber ziemlich richtig, ebenso die Zeit des Rationalismus in der 2. Hälfte des 18. Jahrhunderts und den sich anschließenden Verfall der Liturgie. Ein Namen- und Sachregister und der angeführten Melodientexte ist beigefügt.

„Der liturgische Choral von Dr. Benedikt Sauter, O. S. B., Abt von Emaus in Prag, herausgegeben von seinen Mönchen." Freiburg i. B., Herder, 1903. 80 S. 1 ℳ, gebunden 1 ℳ 50 ₰. Als 1865 im Verlag von F. Hurter in Schaffhausen das Buch „Choral und Liturgie", 174 S. herauskam, dem deutschen Episkopate in Ehrfurcht und Demut gewidmet von einem Benediktinermönche zu Beuron, konnte Referent als junger Priester bei der Lektüre und dem Studium des kostbaren Buches nicht müde werden, obwohl ihm mehrere Aufstellungen unklar blieben oder zu einseitig und rigoros schienen. Nunmehr ist eine neue Auflage dieser Schrift, besser ein ganz neues Buch des damaligen ein-

14

fachen Benediktinerpaters, nunmehrigen Abtes von Emaus, das „der erblindende Nestor der monastischen Kantoren" nach fast 40 Jahren diktierte, erschienen, dessen Inhalt, durchaus geläutert, die höchste Bewunderung und innigste Freude erregen muß. In 9 Kapiteln wird nach wenigen einleitenden Worten der „liturgische Dienst", das „liturgische Wort und Gebet", der „liturgische Gesang", meditierend besprochen, S. 1—40. Dann folgt der „gregorianische Choral", dessen „Vortrag und Pflege" und zum Schluß die „Orgelbegleitung". Geistvoll und bezeichnend sind die Schlußworte des wirklich frommen und „Friede" atmenden Mönches: „Indem wir nun die Kapitel dieses Buches überblicken, kommt uns der liturgische Choral vor wie ein schöner, kräftiger, blüten- und früchtereicher Baum, gepflanzt im Garten der Kirche Gottes. Das Erdreich, aus dem er hervorwächst, ist „der liturgische Dienst"; sein kräftiger Stamm ist „das liturgische Wort". Das lebenspendende Mark, welches den ganzen Baum innerlich durchzieht, ist „das liturgische Gebet"; das reichgegliederte Geäste und Gezweige, das dem lichten Firmamente entgegenstrebt, ist „der liturgische Gesang"; die feine, ganz exquisite Sorte dieses Gewächses ist „der gregorianische Choral"; die schönen Blüten und süßen Früchte sind „die Ausführung des gregorianischen Chorals"; die Liebe aber, der wonnigliche Genuß dieses heiligen Gesanges, das ist seine „Pflege" in den hiezu berufenen „Gartenbeeten" der Kirche Gottes.

So verstanden, so geübt und so genossen wird der heilige Choralgesang ein wahrer Lebensbaum, von dessen Früchten viele Tausende Labung und Segen ziehen, „auf daß in allem Gott verherrlichet werde".

Die Gedächtnisrede, welche **Dr. Otto Schneider**, Professor am Gymnasium zu Küstrin, bei der vom akademischen Gesangverein zu Berlin zum Andenken an den am 10. April 1903 † Dr. Bellermann am 3. Mai 1903 gehalten hat, ist mit dem Bilde Bellermanns in Heliogravüre samt einem Verzeichnis seiner Kompositionen und Werke bei Julius Springer in Berlin erschienen. 18 Seiten in groß 8. Im Cäcilienvereinsorgan Seite 44 wurde das Versprechen gegeben, die Tätigkeit Bellermanns als Vertreter des strengen musikalischen Stiles usw. im kirchenmusikalischen Jahrbuch 1903 eingehender zu würdigen. Das ist auch geschehen. Es mag genügen, hier auf die pietätvolle Gedächtnisrede eines seiner ehemaligen Schüler hinzuweisen.

Eine neue Geschichte der Musik von **Dr. Karl Stork**, mit Buchschmuck von Dr. Fr. Stassen und dem Bilde Beethovens, ist in der Muthschen Verlagshandlung zu Stuttgart im Erscheinen begriffen; die erste Abteilung, Seite 1—144, liegt vor, ungebunden 2 ℳ, die vier Abteilungen, also das ganze Werk, werden bis Herbst 1904 vollendet sein und 8 ℳ kosten. Geschichtsforscher oder Lernbegierige, die nach mehr Literaturangabe verlangen, können des Buches entbehren; Dilettanten jedoch und Freunde einer fließend und sprachlich schön geschriebenen, mit viel Fleiß ausgearbeiteten Zusammenfassung der hauptsächlichsten Momente in der Musikgeschichte werden das Buch gerne und mit Nutzen lesen. Die vorliegende 1. Abteilung hat folgenden Inhalt: Einleitung: Musik. Musikgeschichte. — Überblick über die gesamte Entwicklung. I. Buch: Die Anfänge der Musik. — Die Musik in der Natur. — Ursprung der Musik. — Die Musik der Zigeuner. II. Buch: Die asiatischen Kulturvölker der Gegenwart. — Chinesen und Japaner. — Inder und Araber. III. Buch: Die Musik der Kulturvölker des Altertums. — Bedeutung der Musik für die Gegenwart. — Ägypter. — Hebräer. — Meder, Perser. — Phönizier. — Die Musik der Griechen. II. Teil: Die Musik im Dienst und Pflege der Kirche. — Die Periode der Einstimmigkeit in kirchlicher und weltlicher Musik.

Zu der in *Musica sacra* 1903, S. 131, besprochenen Klavierschule (1. Teil 3 ℳ, 2. Teil 5 ℳ) von **Karl Zuschneid** ist bei Chr. Fr. Vieweg, Berlin, Großlichterfelde W. Ringstraße 47a, ein methodischer Leitfaden (1 ℳ, 64 Seiten) erschienen. In demselben sind die mechanischen Grundlagen des Klavierspieles von der Elementarstufe bis zur Mittelstufe klar und bündig dargelegt; die progressive Anordnung des Unterrichtsstoffes durch Angabe passender Klavierstücke ist sehr praktisch, die Ratschläge für Entwicklung der Technik, System und Praxis des weiteren Unterrichtes zeugen von pädagogischen Geschicke des Autors.

Unter **Miscellanea** faßt die Redaktion alle Zusendungen von Katalogen und Broschüren zusammen, welche für den einen oder anderen unserer verehrlichen Leser von Interesse sein können. — a) Antiquariatskataloge mit Musikliteratur sendeten: Rich. Bertling in Dresden, A. Viktoriastraße 6, Katalog Nr. 48, Hymnologie, alte und neue Kirchenmusik usw. (579 Nummern); Leo Liepmannssohn, Berlin, S. W. Bernburgerstraße 14, Katalog Nr. 153; Oswald Weigl, Leipzig, Königstraße 1; — Dr. Attilio Nardecchia, Rom, Via della Università bietet in Katalog Nr. 30 Musikdrucke zu hohen Preisen, so beispielsweise nur für den Cantus des 5. Buches der 5stimmigen Motetten Palestrinas von 1601 verlangt er 30 Lire! — b) Die Musikalienverzeichnisse von C. F. Schmidt in Heilbronn a/N. enthalten in Nr. 305 Musik für Klavier, Orgel und Harmonium, in Nr. 309 für Streichinstrumente mit Piano, Nr. 310 für Streichinstrumente ohne Piano, Nr. 311 Bücher über Musik. — Zu den Monatsberichten des Musikalienverlages von Breitkopf & Härtel in Leipzig gesellte sich unter dem Titel „Die großen Meister" ein starker, durch Portraits und eingehende Inhaltsangabe wertvoller Band aller Gesamtausgaben von Palestrina, Lasso, Victoria, Sweelink, Haßler, J. H. Schein, H. Schütz, J. S. Bach, G. F. Händel, W. A. Mozart, L. van Beethoven, Fr. Schubert, Fel. Mendelssohn, Rob. Schumann, C. Löwe, Mor. Hauptmann, H. Berlioz, sowie der Schöpfer des Musikdramas, der Klaviercembalisten, der Meister heiterer Musa, der Denkmäler deutscher, bayerischer und österreichischer Tonkunst — ein wahres Arsenal für Musikfreunde. — c) C. F. Kahnts Nachfolger in Leipzig hat zu Franz Liszts Legende der heil. Elisabeth ein neues Textbuch durch Theodor Müller-Reuter in Crefeld herausgegeben, in welchem die gregorianischen, kirchlichen und ungarischen Melodien in Liszts Oratorium als dankenswerte Erläuterung und als Kommentar enthalten sind. Die im gleichen Verlag erscheinende seinerzeit von Rob. Schumann 1834 gegründete

„Neue Zeitschrift für Musik" tritt mit dem Jahre 1904 in den 70. Jahrgang. Redakteur Dr. A. Schering. Vierteljährlich 2 ℳ. — d) Die Glockengiesserei von Fritz Hamm in Augsburg legt bei Gelegenheit des 25jährigen Bestehens das Verzeichnis über 1017 Glocken vor, die in allen Tönen und Gewichten vom 27. März 1876 bis 22. Juni 1901 von ihr geliefert worden sind; im Anhang sind die anerkennenden Zeugnisse usw. — e) In einer Broschüre aus der Buchdruckerei von Peter Bieberstein in Bonn sind die Urteile der Presse über die Leistungen des Bonner Männer-Gesangvereins auf dem Gesangs-Wettstreite in Frankfurt a. M. zusammengestellt. — f) Der süd-russische Kalender „Hausfreund", gedruckt von A. Schultze, Langeronstraße 86, Odessa, dient den zahlreichen deutschen Kolonien dortselbst für das Schaltjahr 1904 und bringt auch, wie in früheren Jahren die liturgisch-musikalischen Vorschriften in praktischer Verteilung auf das Kirchenjahr. Er ist mit den Bildern von Pius X. und des neuen Bischofs von Tiraspol, Eduard Baron von der Ropp geschmückt, in dessen Diözese die genannten deutschen Kolonien sich befinden.   F. X. H.

(Fortsetzung folgt.)

Instrumentalmusik und Cäcilienverein.

Ungeachtet bereits oftmaliger Aufklärung wird in vielen Kreisen noch immer die Behauptung herumgeboten: Die Cäcilianer verwerfen jedwede Instrumentalmusik zur Begleitung kirchlicher Tonwerke. Daß hiedurch dem Fortschritt des Reformwerkes große Hindernisse bereitet werden, vor allem dort, wo die Instrumentalisten schon lange „erbeingesessen" auf dem Chore sind, liegt auf der Hand. Diese absolut falsche und, wenn böswillig verbreitet, unwahre Behauptung soll hier kurz durch zwei Kronzeugen widerlegt werden.

I. Die Normalstatuten für Diözesan-Cäcilienvereine und die General-statuten des Allgemeinen Vereins enthalten in § 2 folgenden Passus: „Der Zweck des Vereins ist: Hebung und Förderung der katholischen Kirchenmusik im Sinne und Geiste der heiligen Kirche auf Grundlage der liturgischen Gesetze und Verordnungen. Der Sorgfalt des Vereines obliegt daher. . . . 5. Die Pflege der der kirchlichen Gesangs-werke begleitenden Instrumentalmusik dort, wo letztere im Gebrauche ist."

Heißt das: die Instrumentalmusik rundweg ausschließen? Wo sie bereits einge-bürgert ist, will sie der Verein auch nicht verdrängen; aber wohlgemerkt, so lange sie sich in den Schranken kirchlicher Vorschriften, liturgischer Gesetze hält, so lange sie kirchlicher Zucht sich unterwürfig zeigt; wenn sie nicht die Dominante angeben will, den Vokalgesang nicht in eine dienende Stellung herabdrückt: dann, nur dann sind auch die „strengen" Cäcilianer für Instrumentalmusik zu haben. Wo also bisher Instru-mente im Gebrauche waren, können und dürfen sie auch trotz der Reform weiterhin gebraucht werden. Nur sollen die verantwortlichen Dirigenten für Tonwerke mit würdiger, nicht gegen die kirchlichen Vorschriften verstoßender Instrumentierung sorgen.

Der Grund, weshalb die obige Behauptung so hartnäckig festgehalten wird, scheint zu liegen in der Verwechslung mit der Tatsache: der Verein will Instrumental-musik dort, wo sie nicht eingeführt ist, nicht einführen. Warum? Aus ver-schiedenen Gründen.

1. Weil Instrumentalmusik von der Kirche nur geduldet ist. Dies erhellt ganz deutlich aus der Enzyklika Benedikt XIV,[1] aus dem *Caeremoniale Episcoporum*, das bis in die neueste Zeit den Satz enthielt „es sollen außer der Orgel keine anderen Instrumente angewandt werden."[2] Erst um die Mitte des 18. Jahrhunderts wurde den Bischöfen gestattet, dort, wo Instrumente bereits eingeführt seien, dieselben zu erlauben, aber unter bestimmten Kautelen. Mit ihrer Vervollkommnung fand die Instru-mentalmusik im Laufe der Zeit (vom Ende des 16. Jahrh. an) den Eingang in die Kirche, artete aber bald in theatralische Leichtfertigkeit, ja Gassenhauerei aus, so daß ernste Vorschriften über ihren Gebrauch nötig wurden. Die Instrumente genießen aber nicht, wie die Orgel, wirkliches Heimatrecht in der Kirche. Die Beantwortung der Frage, warum die Kirche die instrumentale Musik nur duldet, nicht als Freigeborene anerkennt, gibt zugleich die weiteren Gründe an, warum die Cäcilianer, die ja in allem dem Geiste und dem Willen der Kirche folgen, sie auch nicht neu einführen wollen.

---

[1] Krutscheck, Kirchenmusik. 5. Auflage. S. 152.
[2] J. Selbst, Der kathol. Kirchengesang. 2. Aufl. S. 135. Beide Werke bilden die Grundlage des Artikels.

2. Weil die eigentliche Kirchenmusik — *musica ecclesiastica genuina* — der Vokalgesang ist. Es bleibt oberstes Gesetz aller Kirchenmusik, daß der Text die Hauptsache ist.

3. Weil gerade dem Vokalgesang an Vollkommenheit, dem Texte an Deutlichkeit unter dem Einflusse der Instrumente nicht wenig Abbruch geschieht. Wer sich instrumentierten und darauf reinen Vokalgesang anhört, wird allen Zweifel ablegen.

4. Weil die Instrumente nach Erfahrung immer eine große Gefahr für die Würdigkeit der Kirchenmusik in sich bergen. Sie sind geeignet, den Gottesdienst zu verweltlichen. Vielleicht wäre, wenn die Instrumente niemals Einlaß gefunden hätten, eine Reform überhaupt nicht erforderlich gewesen.

5. Sie bieten Gefahr für die Vereitlung des Zweckes der Kirchenmusik, nämlich der Erbauung der Gläubigen. Instrumente tragen in sich mehr den Charakter der Ergötzlichkeit, der Sinnlichkeit als der Erbauung.

6. Weil gute Instrumentalmusik in den meisten Kirchen weit schwieriger aufzuführen ist als reiner Vokalgesang. Es mangelt meistens an guten Instrumentalisten.

Dies die Hauptgründe für die Cäcilianer, Instrumentalmusik nicht neu einzuführen. Krutschek schreibt: „Bei keinem modernen Komponisten spielen wohl die Instrumente eine so hervorragende Rolle, wie bei Richard Wagner. Gleichwohl bekämpft er die Instrumentalmusik in der Kirche und bezeichnet ihre Einführung als ersten Schritt zum Verfall des echten Kirchengesanges."[1] Er wußte eben auch, daß „die menschliche Stimme das erste, geeignetste und würdigste Instrument zum Lobe Gottes sei."

Dies möge genügen, um die Cäcilianer als Gegner der Instrumentalmusik ins **rechte** Licht zu setzen.

II. Kirchliche Tonwerke mit Instrumentalbegleitung kann aber ein jeder finden im Cäcilienvereins-Katalog, der also die Behauptung, die Cäcilianer seien absolute Gegner der instrumentalen Kirchenmusik, als zweiter Zeuge widerlegt. Instrumentierte Messen, Litaneien, Offertorien, Hymnen zählt der Katalog unter 3000 Nummern allein 142! Manches harte und ungerechte Urteil über die Wirksamkeit des Cäcilienvereins und dessen Tätigkeit für gute Kirchenmusik müßte schwinden, wenn sich unsere Gegner die Mühe nehmen wollten, dem Cäcilienvereins-Katalog und den Urteilen der Referenten Aufmerksamkeit zu schenken oder wenigstens die vier so bequemen und billigen Sachregister, diesen unentbehrlichen Ratgeber und Wegweiser für katholische Chorregenten, Kirchenvorstände, Organisten und Sänger, zu studieren.[2]

Möchten also gewisse Kreise jene falsche und unwahre Behauptung doch einmal aufgeben und mit Ernst an die Reform herantreten. Mit Vorurteilen oder gar Unwahrheiten werden der *Musica sacra* schlechte Dienste geleistet! *Viribus unitis* auch hierin, nicht nur *in politicis!* Oeno-Danubius.

Die Rhythmisierung des gregorianischen Chorales.

Von **Alex. Lutschounigg**, Domchordirektor zu Klagenfurt. (Selbstverlag 1903.)[3]

Eine merkwürdige, aber beachtenswerte Arbeit. Sie ist ein „praktischer" Lösungsversuch des Problems, den Choralvortrag durch einen strengen, taktartigen Rhythmus zu regeln. L. bedauert mit vielen, daß die hohe Schönheit der Choralmelodien zu wenig verstanden und anerkannt werde, und findet den Grund darin, daß der Rhythmus nicht bezeichnet und scheinbar der Willkür überlassen sei; wenige Sänger würden und diese erst nach langer Übung durch ein sicheres Gefühl geleitet. Der wahre Rhythmus aller (nicht metrischen) Choralgesänge beruht nun nach ihm auf der Gliederung in Triolen, also auf einer rhythmischen Dreieinheit. Diese glaubt er zunächst in den die ursprüngliche Gliederung wahrenden Gradale von Solesmes entdeckt zu haben. Den gefundenen Schlüssel wandte er sodann mit noch größerer Leichtigkeit auf die Mediäa an, weil hier die Melodien „mit größerer Sorgfalt nach dem Rhythmus der Sprache konstruiert sind." Den Rhythmus der gehobenen (rednerischen) Sprache legt eben L. auch dem Choral zugrunde. Ungefähr ist dies das von den Benediktinern und noch entschiedener von den Cäcilianern aufgestellte Prinzip der Rhythmisierung: Singe wie es der natürliche Rhythmus des Textes verlangt, singe wie du sprichst. Daher wird mancher gute Sänger beider Richtungen, wenn er die von L. rhythmisierten

---

[1] S. 161. [2] Die vier Hefte über die 3000 Nummern sind um den geringen Preis von 2 ℳ 5 ₰ im Verlag von Fr. Pustet erschienen und durch jede Buchhandlung zu beziehen. [3] Die Red. wird bemüht sein, die Kernfrage der Rhythmisierung des gregorian. Chorals nach verschiedenen Gesichtspunkten durch objektive Darstellungen, besonders im Jahre 1904, den verehrlichen Lesern zu Gemüte zu führen. Die eigenen Grundsätze sind durch den *Magister choralis* hinlänglich bekannt.

Melodien sieht, gestehen, daß er nicht viel anders zu singen pflege. „In der Choralmelodie erscheint eben die natürliche Sprachmelodie, von der Sphäre der Natur in die Sphäre der Kunst erhoben. ... So wie aber die Choralmelodie ein Bild der natürlichen Sprachmelodie ist, so muß sich auch im Choralrhythmus der natürliche Sprachrhythmus widerspiegeln. Der Choralrhythmus muß wesentlich Sprachrhythmus sein." Das Prinzip ist einleuchtend, sobald man die Choralmelodie wesentlich als Sprach- oder Sprechgesang auffaßt. Auch die Musiker, welche die Medicäa redigiert haben, können kaum ein anderes leitendes Prinzip gehabt haben: ihr Bestreben, die Melodie mit dem natürlichen Vortrag des Textes in Einklang zu setzen, ist aus den am alten Choraltext vorgenommenen Änderungen deutlich abzulesen. Etwas verschieden liegt die Sache bei dem Choral von Solesmes; hier zeigt sich wohl die Gliederung des Textes in vollster Übereinstimmung mit der Gliederung der Melodie; aber der Textakzent ist vielfach ein ganz verschiedener, die Melodie wahrt sich eine große Selbständigkeit.

Überraschend ist der Nachweis, daß der Rhythmus der gewöhnlichen, etwas getragenen Rede annähernd eine Zeitteilung in gleichwertige Abschnitte erkennen läßt. Während aber die Versfüsse in der Poesie nur aus zwei oder drei Silben bestehen, verbinden sich in der Prosa öfter auch mehrere Silben zu einer Einheit; die Stimme gleitet dann um so rascher darüber hin. Die Kunst regelt nun diesen Rhythmus in vollkommener Weise, die Poesie im Texte, die Musik in Text und Melodie. Die dreiteilige Einheit kann nach L. beiderseits als normal angesehen werden; sie wechselt aber häufig mit der langsamer vorzutragenden zweiteiligen. In der Musik ergibt sich so die als drei Achtel und als ein Viertel und ein Achtel geschriebene Triole. Die Musik ist aber in der Gliederung der Zeiteinheit freier als die Poesie, (wie die Prosa in der die Zeiteinheit darstellenden Silbenzahl), nur daß die Musik doch immer die strengere Zeiteinheit der Triole einhält, mit anderen Worten: die Triole ist bei völlig gleichem Dauerwerte durch zwei, drei und mehr Noten darstellbar. Gegen alles das ist wenig zu erinnern. Jeder wird auch bei einiger Aufmerksamkeit leicht heranshören, daß sich im Choral ganz vorwiegend so drei oder zwei Noten zu einer Einheit verbinden.

Die Frage, ob der Choral ursprünglich, d. h. in den dem elften Jahrhundert vorausliegenden Zeiten, bereits mensuriert gesungen wurde, will die neue Theorie nicht unmittelbar lösen; sie bietet nur einen „praktischen" Versuch, für die jetzt vorliegenden Choralmelodien einen in der musikalischen Natur derselben und im Sprachrhythmus begründeten Rhythmus wiederherzustellen. Die Voraussetzung ist aber immer zu machen, daß die Choralmelodien ihren Rhythmus wesentlich aus dem Texte ableiten. Eine „praktische" Bedeutung darf dieser Versuch wirklich beanspruchen. Mancher Dirigent dürfte in der geschickt vorgenommenen und in moderner Notenschrift fixierten Rhythmisierung zu seiner Freude eben das veranschaulicht finden, was er dunkel selbst empfunden hat. Mancher Sänger aber wird unter Anleitung der rhythmisch deutlichen Notenschrift, wenn er sie vollständig benützt, ungleich schöner singen als zuvor. Es muß allerdings beigefügt werden, daß im Anfang, vielleicht auch später noch, die Ausführung einzelner Figuren Mühe machen wird, und daß selbst der Spieler sich erst mit einer gewissen Gewalt von der gewohnten Vortragsweise losmachen muß, bis er sich dem tatsächlich geringen Zwang der strengen Regel ganz unterwirft. Außerdem gibt es ja auch Musiker, die beim Choral schon vor der modernen Notenschrift zurückschrecken.

L. hat bis jetzt herausgegeben: *Commune Sanctorum* (Medicäa). a) Orgelbegleitung, 102 Seiten, 3 ℳ 70 ₰, b) Singstimme, 87 S., 1 ℳ 42 ₰. *Ordinarium Missae* (Medicäa und Solesmes). a) Orgelbegleitung, 110 S., 3 ℳ 70 ₰, b) Singstimme, 80 S., 1 ℳ 42 ₰. Die Bestellung ist direkt an den Verfasser zu richten; die Zusendung (n. z. portofrei) kann nur gegen vorhergehende Einsendung des Betrages oder gegen Postnachnahme erfolgen.

Die Orgelbegleitung ist einfach; nur an einigen Stellen dürfte die Ausführung mit dem Pedal Ungeübten Schwierigkeiten machen. Beim *Ordinarium Missae* ist aus der Solesmenser Ausgabe vieles aufgenommen. Auch dadurch sucht L. zwischen den „Parteien" zu vermitteln. Als Proben der Ausführung mögen hier ein Offertorium der Ausgabe von Solesmes (Fest des heil. Aloisius) und den Introitus *Laetabitur* der Medicäa stehen:

P. G. Gietmann.

⊰ ♫ ⊱

Vermischte Nachrichten und Mitteilungen.

t. † Leipzig. Requiem von H. Berlioz. Ein außergewöhnliches Interesse nahm die Aufführung von Berlioz Requiem am Bußtage, dem 18. Nov., durch den hiesigen Riedelverein in Anspruch. Eine der größten Kirchen Leipzigs, die herrliche Thomaskirche, worin Bachs unsterbliche Weisen ihrer Zeit zuerst erklungen sind, erwies sich als zu klein, um all die Tausende von Zuhörern in sich aufzunehmen, die von nah und fern herbeigeeilt waren, um dieses vielbesprochene, vielbewunderte, aber auch viel angegriffene Werk zu hören.

Der unermüdliche, umsichtige und vielerfahrene Dirigent, Herr Hofkapellmeister Dr. Göhler, hatte einen gewaltigen Apparat in Bewegung gesetzt, dieses monströse Werk zur vollen Geltung zu bringen: 16 Pauken, 4 Nebenorchester mit etwa 40 Trompeten, Posaunisten, Tubabläsern und einer möglichst reichen (sonstigen) Batterie. Hiezu noch das erste Sinfonie-Orchester, nämlich das Orchester des Gewandhauses und des Stadttheaters. Um diesem gerüsteten „Gegner" die Spitze zu bieten, war der Singchor auf etwa 500 Mitwirkende verstärkt worden.

Kein Wunder, daß der aufs Große gehende Dirigent mit diesem Rieseninstrumente des Sänger- und Instrumentenchores Wirkungen durch die Stärke der Chormassen, aber auch durch die außerordentliche Ausdrucksfähigkeit seiner wirklich künstlerisch empfindenden Sängerschar erzeugte, die sich einesteils schwer und erschütternd, ja erdrückend auf die staunenden, atemlos lauschenden Zuhörer niedersenkten und die andernteils in wundersamer Melodik die Herzen der großen Kunstgemeinde mächtig emporhob.

Mögen die strengen Kritiker recht haben, die da sagen, daß das Werk ungleiche Stellen aufweise: Die Eindrücke der allseitig als gelungen bezeichneten Partien sind aber so grandiose und nachhaltige gewesen, daß sie den „Beschauer" in gleicher Höhe — oder Tiefe bis ans Ende gehalten haben und so bewirkten, daß dieses Werk viele Zuhörer auch an den Stellen immer noch fesselte, wo der Mangel an kontrapunktischen Ausarbeitungen immerhin merklich zu Tage trat. Der Gesamt-Eindruck aber war ein starker. Von besonderem Interesse war, festzustellen, wie sich dieses Opus Fünf, das der Komponist als sein bestes Werk selbst erklärt hat, zur Liturgie der katholischen Kirche stellt. Man muß bedenken, daß dieses Riesenwerk eine „Gelegenheits"-Arbeit war, anläßlich des Todes eines französischen Generals in den dreißiger Jahren des vorigen Jahrhunderts — und somit gewiß wenigstens wohl einmal als Requiem tatsächlich gesungen worden ist. Jedenfalls gibt diese Art Entgegenkommen seitens der katholischen Geistlichkeit von Paris Anlaß zu mancherlei Gedanken; denn alles, was wir bisher an klassischer „Kirchenmusik" gehört haben, übertrifft dieses Requiem an Außergewöhnlichkeit von der ersten bis zur letzten Note. Was aber das hier Entscheidende ist: kein Werk verfährt so frei mit dem kirchlich festgelegten Texte, wie dieses Requiem: Weglassung ganzer Teile: so des ganzen Benedictus — liturgisch unerlaubte Wiederholungen; das Sanctus ist doppelt komponiert von Anfang bis Ende — Umstellungen ganzer Abschnitte: das Te decet erscheint nach dem Agnus, gleichsam als Post-Communio — willkürliche Zutaten, das Requiem schließt mit einem Amen, statt mit pius eu — das alles und dazu noch seine Länge von nahezu zwei Stunden macht das Werk für geordnete kirchliche Verhältnisse unannehmbar, auch wenn sonst der Charakter des Werkes vom rein kirchlich-musikalischen Standpunkte dem liturgischen Gebetscharakter entspräche, was aber eine jede Einschränkung zu verneinen ist.

Es bleibt uns ein Rätsel, wie es möglich gewesen ist, dieses Werk tatsächlich als Requiem zur kirchlichen Feier der heiligen Messe zu verwenden. Denn wiederholt stellte sich hierbei die Frage: „Wie ist es denkbar, daß diese Musik noch einen Rest von Aufmerksamkeit für die heilige Opferhandlung im „Zuschauer" übrig läßt?" Eine nur irgendwie zufriedenstellende Antwort könnte er sich an keiner Stelle geben. Wir wagen zu behaupten, daß die heilige Messe bei solchen Darbietungen als Begleitung zum Musikwerke erscheinen muß; ja, daß die kirchlichen Zeremonien gewiß nur stören würden, da diese Art Musik nichts neben sich duldet und das ganze Interesse für sich ungescheut beansprucht.

Wer aber nach Fixierung dieser psychologischen Grundfrage achtlos an dieser Riesenschöpfung vorübergehen wollte, brächte sich um den „Anblick" eines auch in seinem Barokstile monumentalen Kunstwerkes, als welches diese sinfonische Dichtung wohl jedem tiefer Empfindenden gelten muß.

Alles wahrhaft Große in der Kunst überhaupt hat Berührungspunkte zueinander. So auch hier. Darum wird dieses Werk jeden packen, mag er Palestrinas Marcellusmesse oder Bachs Matthäuspassion für die höchste Offenbarung musikalischen Genies ausgeben, oder Händels Messias, oder Mozarts Jupiter Sinfonie, oder Beethovens Solemnis, oder Liszts Granermesse, oder Wagners Parsifal, oder vielleicht dessen Tristan und Isolde, oder Bruckners „Neunte"; alle die Verehrer sogenannter Größen werden sich auch hier beugen vor der Macht und Größe des Eindrucks, den das Werk auf den vorurteilslosen und ungestörten Zuhörer machen muß. Im höchsten Grade frappierend hat Berlioz es verstanden, die gedrückte Stimmung einer Trauerversammlung in plastischer Naturtreue wiederzugeben, selbst an jenen Stellen, die der Kritik den meisten Anlaß boten, sich gegen diese Partien aufzulehnen, wir meinen die Abschnitte, wo gegen 6 Posaunen drei Flöten die oberen Töne des auseinandergerissenen Akkords erklingen lassen. Kann das nicht bedeuten: Im Schmerze die Hoffnung auf baldige Erlösung?

Wir wollen damit nicht dem Grundsatze huldigen, als ob etwas allein deswegen schön sei, weil es außergewöhnlich erscheint. Gewiß nicht. Wir wollen aber ebenso entschieden nicht in das Gegenteil verfallen: Etwas als „unschön" zu verwerfen, weil es uns neu, weil es „unerhört" ist. Und wenn wir in diesem Sinne an die Gesamtwirkung z. B. des Dies irae denken, so wird jeder zugeben, daß die außerordentliche Wirkung, insbesondere des Tuba mirum sowie des Lacrymosa, für den Zuhörer von unvergeßlichem Eindrucke bleiben wird — besonders bei einer so

19

reichen Besetzung von derartig geschulten Mitwirkenden und unter so günstigen akustischen Verhältnissen. Es war das Gewaltigste, was bisher bei Massenaufführungen über die Seele eines ergriffenen, beinahe erschreckten Zuhörers hinweggeflutet ist. So ging es wohl allen Besuchern.

Wär nach diesen Eindrücken noch eine Steigerung möglich? Für den, der betrachten gelernt hat, ja! Man denke: der erste Vers des textlich langen Offertoriums wird, mit einer kleinen Ausnahme zum Schlusse hin, nur auf einem einzigen Motive $\overset{(a\ b\ nb\ a)}{\diagdown\ \diagup}$ rezitiert, begleitet von einem Reichtum an orchestralen Wendungen, die ihresgleichen suchen. Dieser Satz trägt einen ausgesprochenen Bittcharakter. Man muß staunen, wie Berlioz diese Stimmung meisterlich getroffen hat. Das motivische Material ist so einfach und die Wirkung so groß.

Immer wieder muß man, um einem solchen Werke gerecht zu werden, sich in die Absicht des Künstlers vertiefen, sich fragen: was hat er gewollt — und dann zu erforschen suchen: mit welchen Mitteln hat er seine Absicht zu erreichen gesucht. Immer wieder muß man sich an die Forderung halten: „Nehmt alles nur in allem!" Wenn wir auch von beinahe allen Seiten hörten: „Das ist theatralischer Pomp;" wenn manche Kritiker auch seufzend und ächzend den „Spektakel" beklagten . . . fragen wir nach der Grundstimmung, so ist zu sagen: Wenn Berlioz die Absicht hatte, durch sein *Requiem* die Trauerstimmung zu erzeugen, so hat er diese seine Absicht — man könnte sagen: furchtbar — erreicht.

Aber wir, Freunde einer wahrhaft liturgischen Musik, verstehen uns alle gleich wieder, wenn wir hinzusetzen, daß es nicht die Absicht der Kirche ist, bloß eine gedrückte Stimmung zu erzeugen. Und insofern ist es interessant, was ein kunstsinniger, geistvoller Hesucher diesbezüglich äußerte: „Wenn ich einmal gestorben bin, glauben Sie, daß ich mir zu meinem *Requiem* diese Musik von gestern wünsche? — Niemals! Wissen Sie warum? Aus Rücksicht für die Leidtragenden. Die Kirche hat bei der Feier ihres Totenamtes wohl die Absicht, mit den Trauernden zu trauern; aber das nicht allein. Sie ist bemüht das Leid der Betroffenen zu verklären, die leidtragenden Herzen zu erheben und mit himmlischem Troste zu stärken.

Das tut das gestrige *Requiem* nicht. Man kommt gerade so gedrückt und trostlos heraus, wie man hineingegangen ist."   Hugo Löbmann.

2. § Jettingen, 4. Dez. Was Hingebung an eine Sache, jugendliche Begeisterung, Fleiß und Ausdauer vermögen, davon konnte man sich wieder am Abend des 25. Nov. v. J. in Jettingen überzeugen. An genanntem Abend veranstaltete nämlich der dortige Pfarr-Cäcilienverein unter Mitwirkung des Kirchenchors, des Männergesangvereins und einiger auswärtigen Musiker ein Cäcilien-Konzert. Das reichhaltige — wir zählten 15 Nummer — gewählte, mannigfache Abwechslung bietende Programm war mitunter mit recht heiklen Piecen gespickt, wie „Im Maien" von Deigendesch, „An die heilige Cäcilia" von Grießmayr, „Rosenzeit" und „Der Rose Begräbnis" von H. Epp; aber alle Nummern wurden geradezu durchgeführt. Lebhafter, länger andauernder Beifall der zahlreich erschienenen Gäste wurde den Mitwirkenden nach den einzelnen Aufführungen zuteil; denn das lag ja klar auf der Hand, daß solche Aufführungen viel Fleiß, große Mühe und manche Probe voraussetzen. Ungeteiltes Lob darum allen, welche mit so großer Opferwilligkeit zum Gelingen des Ganzen beigetragen haben. Alle Anerkennung aber ganz besonders dem unermüdlich tätigen, mit jugendlicher Begeisterung schaffenden Leiter und Dirigenten der ganzen Cäcilienunterhaltung, Herrn Lehrer und Chorregenten J. Holzmann von Jettingen, ob seines uneigennützigen musikalischen Bestrebens. Möge ihm das gute Gelingen dieser schönen Aufführungen, der lebhafte Beifall, sowie die Dankesworte des Herrn Vorstandes des Pfarr-Cäcilienvereins, des Hochwürd. Herrn Pfarrers Alb. Alberstötter, eine kleine Entschädigung sein für die vielen Mühen und Opfer, die ihm sowohl die Veranstaltung dieser jährlichen „Cäcilienunterhaltungen", als auch die wirklich mustergültigen Aufführungen auf dem Kirchenchor bereiten.

3. ☐ Der Cäcilienverein Konstanz erfreute seine zahlreichen Hörer durch eine ungemein gelungene Wiedergabe von Rheinbergers Weihnachtskantate „Stern von Bethlehem". Das Werk spiegelt das tiefe Empfindungskraft und das aus dem Vollen schöpfende Kompositionstalent des vor nicht langer Zeit verstorbenen Tondichters in besonders treuer Weise wieder: Stellen wie „Gotteskind, Erlöser der Welt, Licht, das alles Dunkel erhellt. Trost und Balsam für Leid und Qual, sei gegrüßt viel tausendmal" gehören unstreitig zum Schönsten in der neueren religiösen Musik. Willig überläßt sich der Hörer dem tiefen Eindruck dieser Musik, die ihm in wunderbarer Tonmalerei die Ereignisse von Bethlehem zu Herzen führt. In der ungemein sorgsamen Einstudierung der Chöre durch den Dirigenten, Herrn Musikdirektor v. Werra, war dem prächtigen Werke ein Rahmen gegeben, der sich dem Inhalt ebens anpaßte und das mannigfachen Schönheiten der Komposition glänzend zur Geltung brachte. Die Soli hatte Herr Konzertsänger K. Diezel von Ellwangen übernommen, dessen mühelos quellender Tenor den tiefen poetischen Gehalt der Komposition restlos ausschöpfte. Die diskrete Klavierbegleitung des Herrn Chordirektors Schwenk von Bregenz erhöhte den Reiz des duftigen Werkes, dessen Wirkung auf die Hörer sich in einem lebhaftem Beifall am Schluß offenbarte. (Konstanzer Zeitung.)

4. ☉ Montabaur, 30. Nov. Die Zöglinge des hiesigen Kgl. Lehrerseminars veranstalteten am 25. Nov. unter der Leitung des Herrn Seminarlehrers und Inspektors K. Walter in der Anstaltsaula ihr diesjähriges Wohltätigkeitskonzert mit folgendem Programm: 1a. *Gloria*, Männerchor mit Orgelbegleitung von Al. Kohler. 1b. Trio für Orgel von A. Wiltberger. 2. *Dixit Dominus*, gemischter Chor von Caes. de Zachariis. 3. Festpräludium für Orgel von H. Pauli. 4. *Exaudi Deus*, gemischter Chor von Kaiser Ferdinand III. 5. Largo für Violinchor, Orgel und Klavier zu 4 Händen von G. F. Händel. 6. Singet dem Herrn, Psalm 98, gemischter Chor mit Orgelbegleitung von L. Ebner. 7. Marsch für Streichquintett, Klavier und Harmonium von A. Wiltberger. 8a. Im Frühling, Quartett für Männerstimmen von Fr. Abt. 8b. Stirb Lieb und Freud, Männerchor von F. Silcher. 9. Festpräludium für Orgel von A. Hesse. 10a. Durch Nacht zum Licht, Männerchor von P. Alb. Zwißig, Ord. Cist. 10b. Toccata und Fuge für Orgel von Joh. Seb. Bach. 11. Kommt ein Vogel geflogen. Thema mit Variationen im Stil von Bach, Mozart, Haydn, Beethoven, Mendelssohn-Bartholdy, Strauß, Wagner, Brahms, Verdi und als Militärmarsch für Violinchor und Klavier zu 4 Händen bearbeitet von K. Burchard. 12. Vögleins Abschied, Volkslied für Männerchor von A. Wiltberger. 13. Idylle für Klavier zu vier Händen von Th. Koschat. 14. Der Rebe Hulden, Männerchor (Op. 8) von K. Cohen. — Obwohl die Aufführung an einem Werktage (Mittwoch-Nachmittag) stattfand war und noch auswärts so stark, daß die Aula nicht alle Personen aufnehmen konnte und viele wegen Mangels an Platz an der Saaltüre wieder umkehren mußten. Über den Verlauf des Konzertes berichtet das hiesige Kreisblatt in Nr. 142 u. a. „Die gesanglichen Leistungen waren musterhaft und boten reiche Abwechslung. Auch das Volkslied kam zu seinem Recht. Wahrhaft rührend war das herrliche Lied: „Zu Augsburg steht ein hohes Haus" von Silcher. Es kamen ferner zum Vortrag verschiedene Männerchöre, ein Quartett und mehrere Gesänge religiösen Inhaltes für gemischten Chor. Der Vortrag sämtlicher Gesänge war tadellos und hielt die Zuhörer unatemloser Spannung. Ebenso war auch der instrumentale Teil des Konzertes recht wirkungsvoll. Besonders stellte eine „Toccata und Fuge" von Bach für Orgel hohe Anforderungen an die technische Fertigkeit des Spielers. Ein schönes Trio bot einen wahren Genuß für ein musikalisches Ohr. Zwei Festpräludien für Orgel ließen die herrlichen Klänge der Seminarkonzertorgel in mannigfacher Abwechslung zur Geltung kommen. Die Violinchöre mit Klavier- und Orgelbegleitung griffen so harmonisch ineinander und wurden so gefühlvoll vorgetragen, daß man förmlich hingezogen wurde. Das Seminar hat auch diesmal wieder gezeigt, daß es auf der Höhe der Zeit steht und vor der Kritik mit Ehren bestehen kann."

5. Die Leipziger Sing-Akademie gemischter Chor-Verein — führte am Freitag, den 13. November, das Oratorium „Paulus" von Fel. Mendelssohn auf und errang im Verein mit den Solisten einen unbestrittenen Erfolg unter der sicheren, ruhigen, zielbewußten Leitung ihres Chormeisters des Herrn Gustav Wohlgemuth.

Dieses Oratorium hat wohl mit am meisten den Ruhm seines Schöpfers begründet. Seit 70 Jahren ist es der Welt bekannt und hat bis heute noch nichts von seiner reichen Schönheit verloren. Kraftvolle Erfindungsgabe tut sich hier dem Hörer überall kund, und Soli mit den herrlichen Chören streiten um die Palme. Wie wunderschön sind die Rezitative gehalten, an denen man lernen kann, wie das Wort durch Deklamation zur Musik gleichsam von selbst wird. Wenn wir solche herrliche Chöre, wie z. B. „O welch eine Tiefe" hören, so taucht in uns immer und immer wieder die Frage auf: „Wie weit ist in der katholischen liturgischen Musik der Subjektivismus erlaubt? Denn wir sind der Meinung, daß jede liturgische Musik um Kunstwerk darstellen soll — dieses Kunstwerk notwendigerweise den Stempel des Persönlichen, des Eigenartigen an sich tragen muß, wenn es als ein Schritt nach vorwärts betrachtet werden soll. Und doch will es uns oftmals scheinen, bei Betrachtung neuerer Durchschnittskompositionen, als ob eine der andern gliche, mehr oder weniger wie ein Ei dem andern. Man meint, alles schon einmal gehört zu haben. Komponisten solcher Werke sagen zur Erklärung: „Die Verleger wollen selbständigere Werke nicht aufnehmen." Ob wohl die Verleger hier wohl bestimmende Erfahrungen bei Beurteilung ihrer musikalischen Verlagswerke gemacht haben? Jedenfalls ist das Eine wahr: Entscheidend für die Wirkung einer Komposition ist ihr Gesamt-Eindruck. Der Komponist sollte beim Entwerfen auch eines liturgischen Musikstückes einen gewissen, bestimmt ausgeprägten Seelen-Eindruck in die Komposition hineinlegen, damit das Werk bei der Wiedergabe wieder einen bestimmten Eindruck mache. Aber an dieser charakteristischen Eigenart fehlt es bei vielen neueren Sachen.

Wie schön waren bei der in Frage kommenden Aufführung die Chöre ausgearbeitet und die einzelnen Kehlen einer Stimmgattung zu einem wohltuenden Gesamttone verschmolzen. Wenn man solche edle Wettstreite in Tönen hört, vom zarten Tiefe der Bässe bis zur heiteren Höhe der Soprane, so begreift man nicht die ungeheure Vorliebe für das Einerlei der Männerchöre. Wie kann sich mit solchen singenden, klingenden, leichthinwogenden und wiederum gewaltig ausholenden Tonwellen und -massen mit ihren recht harten Kombinationen und Farben ein sich anstrengender, abquälender Männerchor vergleichen? Darum ist es dem ehemaligen Lehrer und jetzigen Dirigenten Wohlgemut doppelt hoch anzurechnen, daß er seinen als ebern bekannten Willen durchsetzt, trotz mannigfachem Männerschwund, und seinen prächtigen Chor zielbewußt weiterführt in Stimmenschönheit und Größe der Unternehmungen. Möchte es ihm denn einer so glänzenden Aufführung immer vergönnt sein, solches Glück mit seinen Solokräften zu haben. Das Land, was er bebaut, ist heiliges Land — ist ein großes Stück ehrlicher Arbeit: Die Kunst hineintragen ins Leben des Volkes. H. L.

6. Danzig. Der Cäcilienverein von St. Joseph hatte in dem großen Saale des St. Josephshauses ein Wohltätigkeitskonzert veranstaltet, dessen Ertrag als Weihnachtsgabe für das Knaben-Waisenhaus bestimmt war. Schon dieser gute Zweck und dann wohl auch die glückliche Wahl der Aufführung der Kantate „Die Flucht der heiligen Familie" hatten genügt, den Saal bis zum letzten Platz zu füllen. Es war ein total ausverkauftes Haus erzielt worden. Den Abend eröffnete mit der Fantasie *impromptu* die Klavierlehrerin Frl. Kodlin, welche die Chopinsche Komposition formvollendet zum Vortrage brachte. Dann sang der gemischte Chor eine „Weihnachtshymne" sowie das „Muttergotteskirchlein" recht sicher und gut. Herr Gerichtssekretär Matthes trug als Solo das „geistliche Abendlied" von Krause vor. Frau Majewski-Langfuhr erntete mit

ihrem Gesangsvortrage vielen Beifall in dem „Weihnachtslied" von Berger; auch das Rezitativ und die Arie „Nun beut die Flur das frische Grün" aus der Haydnschen „Schöpfung" wurde mit vielem Geschick gesungen. Ein Kinderchor sang hierauf das Engelterzett aus „Elias" und das Erksche „Morgengebet", worauf Herr Gerichtsassistent Herr auf dem Cello zwei Sachen, „Nokturnes" und „Abendlied" spielte, welche vielen Beifall fanden.

Nach einer kleinen Pause begann der zweite Teil, welcher das größere religiöse Musikwerk „Die Flucht der heiligen Familie", Kantate für Soli, gemischten Chor, Kinderchor, lebende Bilder mit Klavier- und Harmoniumbegleitung von X. Metzroth enthielt. Die recht ansprechende und stimmungsvolle Musik ist von August Wiltberger. Schon mit dem Eingangschore „Inbelt auf in Harfentönen" bewies der Cäcilienverein von St. Joseph, daß er, wenn auch nicht gerade über einen recht großen, so doch über einen gut geschulten Chor verfügt. Abwechselnd mit den Gesängen des gemischten Chores und einem Kinderchore wurde der übrige Text von Fräulein Helene Sommer gesprochen, während die beiden Solopartien von Herrn Matthes und Frau Majewski vertreten wurden. Recht wirkungsvoll belebt wurde die ganze Aufführung des Werkes durch sechs lebende Bilder, welche von Herrn Majewski-Danzig recht gut gestellt waren. Der Cäcilienverein von St. Joseph unter der rührigen Leitung seines Dirigenten, des Herrn V. Levandowski, mag neben dem Bewußtsein einer recht guten Aufführung dieses Werkes aber auch den Dank für die Veranstaltung entgegennehmen; ist doch durch den recht reichlichen Überschuß ein ansehnlicher Geldbetrag zur Weihnachtsbescherung der Knaben des katholischen Waisenhauses im Stadtgebiet erzielt worden.

7. ✝ **Feldkirch,** „Stella Matutina", den 12. Dezember 1903. Am Tage der Unbefleckten Empfängnis Mariä begingen die Zöglinge unseres Hauses in herkömmlicher Weise ihr Schutzfest. Die kirchliche Feier besteht in Kommunionmesse, Hochamt, Predigt und einer Segensandacht, welche der Hochwürdigste Herr Bischof abzuhalten pflegt.

Während der Kommunionmesse sang der Männerchor u. a. das *O salutaris hostia* aus den *Hymni eucharistici* von A. Wiltberger, und Sakramentsmotetten von F. Koenen; in der Festmesse hörten wir auch den Choralgesang und das 4stimmige Graduale von F. Koenen. Der gemischte Chor brachte zum erstenmal A. Wiltbergers Messe zu Ehren der heil. Familie zur Aufführung. Die Witterung war der jungen Stimmen gerade nicht sehr günstig und es entsprach die Ausführung nicht ganz den Erwartungen, die man nach den vorausgegangenen Proben hegen durfte, doch kamen manche Sätze zur vollen Geltung und verfehlten ihre Wirkung, besonders das dem Text so sinnig entsprechende Allegro im *Credo: et resurrexit ... sedet ad dexteram Patris*, das fromme, von frohem Jubel getragene *Sanctus* und die kräftige, nachdrucksvolle Bitte: *Dona nobis pacem*. Was Wiltbergers Opus 90 noch besonders empfiehlt, ist die weise Begrenzung und leichte, abwechselnde Führung der Stimmen, sowie der Umstand, daß die Messe nicht viel Zeit in Anspruch nimmt, wodurch jede übermäßige Anstrengung und Ermüdung vermieden ist. Die lapidaren Unisonostellen, welche seinen Männerchören oft so schwungvollen Ausdruck verleihen, finden hier mäßige Verwendung, doch fehlt der Messe nicht die seinen Kompositionen eigene, kernige Kraft, wie sie uns auch wieder in seinem neuen Opus 100 entgegentritt.

Bei dieser Gelegenheit sei es uns verstattet auf eine kleine, sprachliche Unebenheit hinzuweisen, die uns hier in Nr. 1 *Tuae repletum est gaudio os nostrum* und auch in einer anderen trefflichen Arbeit des Meisters aufgefallen ist. Er schreibt:

et lin-gu-a no-stra · oder · et san-gu-is

findet man dort häufig *la-ua bras* aber fast nur in Italien, während *gu* immer als Konsonant angesehen wurde. Es wäre demnach folgende Schreibweise zu wählen:

gebraucht also *lingua* und *sanguis* als Dreisilber, wie sie als solche weder in der klassischen Latinität noch im Kirchenlatein des Mittelalters behandelt werden: wohl

et lin-gua no-stra · und · et san-guis

„Für die Aufnahme" nicht nur der Stempel des „Kirchlichen" des „Schönen in der Kunst" ausgestellt. —

Es bilden aber gewiß die 2 Motetten Wiltbergers, die uns im Opus 100 geboten werden, eine dankbare Nummer im Cäcilienkatalog und es ist ihnen, wie auch seinem Opus 90 in den Worten: aufgedrückt, sondern auch das Zeugnis

Beim Einzug des Bischofs sangen wir vor der Predigt gemeinsam den Hymnus *Veni creator*. Die Segensandacht ward mit der schönen Pensionatshymne von Stark *Stella matutina* eingeleitet, woran sich der feierliche Weiheakt an die Unbefleckt empfangene Gottesmutter schloß. Sodann sang der Chor das 5st. *Jubilate* von Aiblinger, das *Signum magnum* (4st. mit Orgelbegleitung), eine hübsche Vertonung des verstorbenen P. Theodor Schmid und ein *Tantum ergo* für Doppelchor von L. Perosi.

Im Kirchenchor singen dieses Jahr 24 Soprane, 15 Alt, 10 Tenöre und 15 Bässe. Die Zahl der Chorsänger hat zugenommen, aber die guten Solisten, die uns im Herbst verließen, sind durch keine andern ersetzt. A. M. Braun, S. J.

8. ○ **Chemnitz.** Programm der Cäcilienfeier vom 18. Nov. 1903. Präludium von E. Eberlin. *Kyrie* aus *Missa Lauda Sion* von Palestrina. *Sanctus* und *Benedictus* aus *Missa Quarti toni* von L. Vittoria. Choral: *Introitus* und *Graduale* vom Feste der heil. Elisabeth. Orgel-Trio von J. G. Vierling. *Ad te levavi* von F. Witt. Zwei alte Kirchenlieder: Weihnachten: *In dulci jubilo*; Ostern: Also heilig ist der Tag. *Jubilate Deo* von Orl. Lasso. *Ave Maria* von Fr. Witt. *Adoro te* von J. Quadflieg. Fuge von Abbé M. Stadler. Der Kirchenchor „Cäcilia"-Chemnitz.

9. — **Amsterdam.** Anton Averkamp veranstaltete mit seinem Vokalchor am 13. Dez. 1903 eines jener großen, die klassische Kirchenmusik bevorzugenden Konzerte, welche zum Segen des guten Geschmackes seit Jahren gewesen sind. Das Programm enthielt das 4st. *Jubilate Deo* von Orlando di Lasso, die ganze 4st. Messe *Jesu nostra redemptio* von Palestrina, sowie dessen 6st. *O magnum mysterium*, das Motett *Jerusalem surge* von Jak. Clemens (non Papa), ein 8st. *Agnus Dei* von Hans Leo Haßler und ein 4 8st. *Ave Maria* von Anton Bruckner, † 1896.

10. † **Breslau.** Der Bohnsche Gesangverein veranstaltete am 29. November 1903 das 93. historische Konzert. Es wurden Duetten, Arien, Chöre und Lieder aus deutschen romantischen Opern von E. T. A. Hoffmann, C. M. von Weber, L. Spohr, H. Marschner, P. J. von Lindpaintner, K. Kreutzer, C. G. Reißiger vorgetragen. Das 94. historische Konzert fand am 13. Dezember statt und führte 16 Weihnachtsgesänge aus dem 16.—19. Jahrhundert vor. Es begann mit dem 8st. *Hodie Christus natus est* von Palestrina, welchem das 5st. *In dulci jubilo* von Joh. Eccard, ein vierst. „Christliedlein" von Mich. Prätorius, das einst. Lied mit *Basso continuo* von J. W. Franck folgten. Außerdem waren die Namen K. H. Graun, Franz Gruber mit der 5st. harmonisierten Melodie über „Stille Nacht!", H. Berlioz, F. Mendelssohn (Chor aus Christus: „Es wird ein Stern aus Jakob aufgehn"), Peter Cornelius, das Weihnachtslied der italienischen Pifferari, 2 Kinderlieder und Kompositionen von Emil Bohn, Weihnachten für 4 Männerstimmen. Hugo Wolf (einst. mit Klavier) und Max Bruch (die Flucht der heiligen Familie) folgten.

11. * P. **Utto Kornmüller,** Prior des Benediktinerklosters Metten, geb. 5. Januar 1824 zu Straubing, zum Priester geweiht 16. Juni 1858, als Komponist, Referent, Geschichtsforscher usw. seit Bestehen des Cäcilienvereins durch hervorragende Tätigkeit rühmlichst bekannt, bis Juli 1901 auch Cäcilienvereinspräses der Diözese Regensburg, Kgl. geistl. Rat, Novizenmeister, Jubelpriester und Chorregent der Klosterkirche Metten wird am Tage der Vigil des heiligen Dreikönigsfestes (5. Januar) das 80. Lebensjahr vollenden. — Die Redaktion bittet die freundlichen Leser, den würdigen Greis nicht etwa durch Zuschriften und Glückwünsche in seiner Bescheidenheit und Zurückgezogenheit zu stören, sondern seiner am genannten Tage beim Gebete und heiligen Opfer zu gedenken.

12. **Inhaltsübersicht von Nr. 12 des Cäcilienvereinsorgans:** Papst Pius X. und die Kirchenmusik. Vereins-Chronik: Diözesanvorstandschaft; Jahresbericht des Cäcilienvereins der Grafschaft Glatz; Wirges (Diöz. Limburg); Marienkolleg Hamburg; Cäcilienverein Murnau, Stegaurach, Landau. — Nochmals: Warum wird es nicht besser? — Vermischte Nachrichten und Notizen: Drei Anregungen Kirchenmusikalien betr.; Personalnotizen: Homeyer, Göhler, Henschel, Walter, Berlioz. Ludw. Ebners kirchenmusikalische Werke; Inhaltsübersicht von Nr. 11 und 12 der *Musica sacra*. „Abonniert euere Zeitungen bei der Post!" — Abonnements-Einladung. Titel und Register zum Jahrgang 1903. Anzeigeblatt.

Offene Korrespondenz.

Die herzlichsten **Glückwünsche zum neuen Jahr** den freundlichen Lesern mit dem besten Danke an die ehemaligen Schüler und alle Personen, welche zum 3. Dezember, zu Weihnachten und Neujahr so zahlreich sich des Unterzeichneten erinnerten. Ein anderer Weg des Dankes und der Erwiderung ist durch die Arbeitsfülle unmöglich gemacht.

Die für 1904 aufgenommenen Herren der **Kirchenmusikschule** werden hiemit ersucht, den Tag ihrer Ankunft vor dem 15. Januar durch Korrespondenzkarte anzuzeigen.

Das kirchenmusikalische Jahrbuch für 1903 wird Mitte dieses Monats zur Versendung gelangen. An größeren Artikeln enthält es: 1) Eine übersichtliche Zusammenfassung der Musiktraktate des Johannes Tinctoris von P. Utto Kornmüller; 2) Lebensgang und Schaffen des römischen Komponisten Felice Anerio (mit Porträt), eine bio-bibliographische Studie von F. X. H.; 3) Kanonistische Würdigung der neuesten Dogmen von P. J. Roesch; 4) Kapitel aus P. Meinrad Spieß; 5) F. J. Habermann und G. F. Händel von Dr. Max Seiffert; 6) Über Textunterlage und Textbehandlung, historisch-kritische Studie von Jak. Quadflieg; 7) Joh. Ignaz von Felbiger, seine Anweisung „Vom Singen" von Karl Walter. — Im 2. Teil folgen eingehende Referate von Jos. Auer über die neuesten Bände „Denkmäler der Tonkunst in Deutschland, Bayern und Österreich", sowie den 1. Band der Gesamtausgabe von Victoria's Werken. Antikritik von F. Jos. Weidinger zur Redaktion von P. R. Molitors Broschüre „Eine neue Geschichte" u. a. — Die Musikbeilage bringt den Schluß der von Mich. Haller in moderner Partitur redigierten 4-stimm. Motetten von Luca Marenzio, sowie ein 3stimm. Magnifikat und ein 6stimm. *Adoramus te Domine Jesu Christe* von Felice Anerio. Außerordentlich viele Musikbeispiele illustrieren die Hauptartikel dieses 28. Jahrganges von früheren Cäcilienkalender. Preis 3 .K.

Bausteine für die Cäcilienorgel (Kirche). Übertrag aus *Musica sacra* 1903, S. 118: 8996 .K 90 5. A. Sch. in M. (Pos. d und f) 20 .K; Z. in D. (H gedeckt 8') 3 .K; I. B. in V. 10 .K und F. L. in R. 20 .K (Prinzipal 16' b und A); K. L. S. Cl. in R. (Vorn. 4') 20 .K; K. W. in L. (in D) 10 .K und Th. S. in M. (Pos. 16' c und a) 10 .K; A. und W. B. in M. 20 .K und H. in R. 10 .K 30 .K (Tibia 8', c̄—f̄). **Summe:** 9119 .K 90 5. Bleibt demnach Schuldrest: 2880 .K 10 5. Vergelt's Gott! F. X. H.

Druck und Verlag von **Friedrich Pustet** in Regensburg, Gesandtenstraße.
Nebst Anzeigeblatt.

Ausgegeben am 1. Januar 1904.

Beiblatt zur Musica Sacra.

Inserate, welche man gefl. 8 Tage vor Erscheinen der betreffenden Nummer einsenden wolle, werden mit 20 ₰ für die 1spaltige und 10 ₰ für die 2spaltige (durchlaufende) Petitzeile berechnet. Es werden nur solche Inserate aufgenommen, welche der Tendenz dieser Zeitschrift entsprechen.

-

Die „**Ostschweiz**" vom 17. Oktober v. J. enthält folgenden, auch weitere kirchenmusikalische Kreise interessierenden Artikel:

Stehles „Salve-Regina"-Messe.

Ausgabe für gemischten Chor.

Es ist ein monumentales kirchenmusikalisches Werk, das unser tongewaltige Maëstro Stehle mit seiner „Salve-Regina"-Messe in neuer Instrumentation schuf. Das war der Eindruck, den die gestrige Aufführung bei Kennern und Laien hervorbrachte. Wir möchten das Ganze eine wundervolle Symphonie über das heilige Opfer, das erhabene Mysterium, nennen, dessen Verherrlichung es mit der innersten Inbrunst des Herzens dient. Gloria und Sanktus, Credo, Benediktus usw. sind nicht bloß Einzelwerke für sich, trotz ihrer vollendeten künstlerischen Abrundung, sondern Glieder eines Ganzen, Bausteine eines musikalischen Tempelbaues von majestätischer Schönheit. Es ist klassische Schule und moderne zugleich, ist cäcilianisch und geht darüber hinaus, hat ergreifende lyrische und mächtige dramatische Anklänge – das ist der Meister, der, vom engeren Schul- und Stilbegriffe emanzipiert, aus sich selber mit voller Souveränität des Könnens schöpft und nur im einen aufgeht, in der Größe und Heiligkeit des Stoffes, den er behandelt. Und wieder weiß man nicht, soll man mehr die Vollendung, mit der der orchestrale Teil behandelt ist, bewundern, oder mehr die Vollendung der Behandlung des vokalen. Indem wir dem Komponisten den Tribut dankbarer Verehrung für sein Opus zollen, seien aber auch jene nicht vergessen, die das Meisterwerk meisterlich zur Aufführung brachten, der Domchor und das Orchester.

Hieran knüpfen wir die Mitteilung, daß **Se. Heiligkeit Papst Pius X.** die Dedikation einer Komposition, der Preismesse „Salve Regina" von Stehle, mit Freuden angenommen hat. Herr Kardinal Steinhuber wurde mit dieser Mitteilung an den verdienten Komponisten beauftragt und ermächtigt, den apostolischen Segen zu senden.

Musikalien

aus dem Verlage von MARCELLO CAPRA in Turin,

zu beziehen durch alle Musik- und Buchhandlungen.

Neuigkeiten:

Ravanello, O., Op. 63. *Missa in hon. S. Josephi Calasantii* für 2 stimm. Chor (gl. St.) mit Orgel.
Partitur u. Stimmen . 2.50
Jede Stimme . . . . —.25

Remondi, R., Op. 71. Empirische Begleitungsschule des Gregorianischen Chorals nebst

leicht und praktischen Leitfaden zur Transponierung der Gregorianischen Melodien . . . 3.20

Casimiri, R., Op. 5. Komplette Vesper für zwei Männerst. mit Orgel. (*Domine ad adjuvandum.* - *Dixit Dominus* — *Confitebor . . . in consilio.* *Beatus vir.* - *Laudate*

pueri. - *Laudate Dominum.* *Magnificat.*)
Partitur u. Stimmen . 2.80
Jede Stimme 25

Pollerl, G. B., 3 sehr leichte Harmoniumstücke . . . 1.20

Walczynski, Mgr. F., Op. 51. 12 sehr leichte Harmoniumstücke für Kirche und Haus 1.60

Empfohlene Werke:

Renner, Jos. jun., Op. 52. Zweite einstimm. Messe (d-d).
Partitur u. Stimmen . 1.85
Einzelne Stimmen . . .25

Capocci, F., *Missa Mater amabilis* für 3 stimmigen gem. Chor, S., T., B., mit Orgelbegleitung.
Partitur u. Stimmen . 3.12
Jede Stimme 21

Cicognani, G., Op. 16. *Missa in hon. S. Caeciline V. M. ad 3 voces viriles com. org.* (**Preismesse.**)
Partitur u. Stimmen . 2.72
Jede Stimme 24

Haller, Kan. M., Op. 69 a. *Missa duodevicesima in hon. S. Maximi, primi episcopi Taurinensis, ad 3 voces inaeq.* (altus, tenor et bassus) *org. com.*
Partitur u. Stimmen . 2.16
Jede Stimme 24

Ravanello, O., Op. 34. *Missa in hon. S. Petri Orseoli Ducis Venetiarum ad 3 v. viriles, org. com.*
Partitur u. Stimmen . 2.16
Jede Stimme 24

Mitterer, Ig., Op. 76. *Missa in hon. SS. Sindonis D. N. J. Ch. ad 4 voces viriles org. com.*
Partitur u. Stimmen . 2.56
Jede Stimme 24

Ravanello, O., Op. 41. *Missa in hon. S. P. Joseph ad 4 voces inaeq. com. org.*
Partitur u. Stimmen . 2.56
Jede Stimme 24

Foschini, G. F., Op. 128 b. *Missa in hon. S. Augustini Ep. Conf. für 3 Männerst. m. Orchesterbegl.* (Orgel ad lib.) (Besetz.: Flöte, Oboe I, II, Klarinette I, II, Fagott I, II, Hörner I, II, Pauken, Geigen I, II, Bratsche, Cello u. Kontrabass.)
Partitur u. Stimmen . 10.—
Gesangstimmen . . je .24
Streichquintettstim. je .24
Partitur mit Gesang. . 2.72

Ravanello, O., Op. 49. *Missa pro Defunctis cum Seq. Diesirae Responsorioque Libera ad 2 voces aeq. org. com.*
Partitur u. Stimmen . 2.64
Jede Stimme 32

Bottazzo, L., Op. 119. *Missa pro Defunctis cum Seq. Diesirae Responsorioque Libera ad 3 voces aequ. org. com.*
Partitur u. Stimmen . 3.36
Jede Stimme 32

Ravanello, O., Op. 57. *Der Pfarrkirchen - Organist.* Eine Harmonium - oder Orgelsammlung enthaltend: 5 Messen (jede: Prälud., Offertor., Elevation, Communio, Ite missa est). Zum Spielen währ. der Stillen Messe: ferner 5 Prälud., 1 Festmarsch und 1 Trauermarsch. 1 Band von ca. 50 Seiten 4.80

Ravanello, O., Op. 53 Nr. 1. *Die heilige Messe.* 5 Harmoniumstücke (Präludium, Offertorium, Ele-

vation, Communio, Postludium) 1.20

Italienisch-klassische Orgelanthologie. Sammlung von 100 Orgelwerken berühmter ital. Meister aus früherer Zeit. Von **G. F. Foschini** gesammelt, durchgesehen und auf Dreilinienorgelsystem gesetzt . . . 3.20

L'Organista Italiano. *Der Ital. Organist.* Sammlung von 20 Orgelpräludien Italien. Komponisten der Gegenwart. Ein Band 4.—

Ravanello, O., Op. 46. *Der liturg. Organist.* 30 Orgelpräludien u. Versetten zu gregorianischen Melodien komponiert: I. Zur Messe. II. Zur Vesper. III. Zum Segen . . . 2.—

Bottazzo, L., Op. 113. *Präludium* für Orgel . . . . 1.—

Bottazzo, L., Op. 123. *Elevation* . . . . —.40

Bottazzo, L., Op. 132. *4 Orgelstücke* 1.60
1. Preludio fugato. 2. Melodia. 3. Choral. 4. Preghiera (Gebet).

Bossi, M. E., Op. 113. *Offertorium, Graduale, Canzoncina a Maria Vergine, In memoriam, Laudate Dominum.* Sammlung von fünf Werken für Harmonium 3.20

Carissimi, G., (1601—1674). 42 Harmonium - Versetten in den 8 Kirchentonarten 1.80

Über das neue Diözesan-Gebetbuch lesen wir im Brixner Diözesan-Blatt Nr. 5, Jahrgang 1903:

Das neu erschienene Diözesan-Gebetbuch.

In unserer Diözesan-Synode (P. II. cap. IV, 4) wird der Wunsch ausgedrückt, es möge in den Kirchen der Diözese, neben dem Choral und dem mehrstimmigen lateinischen Gesang auch das deutsche, kirchliche Volkslied mehr gepflegt werden, wie das nachweislich auch in früheren Jahrhunderten schon geschah — leider aber durch mißliche Zeitströmungen außer Übung gekommen ist. Um diesen Wunsch der Verwirklichung näher zu bringen, wurde nach dem Vorgang mehrerer Nachbardiözesen auch für diesen Kirchensprengel die Herausgabe eines Gesangbuches veranlaßt, welches bei Fel. Rauch in Innsbruck erschienen und um den Preis von Kronen 1.60 gebunden erhältlich ist. Das Buch ist sowohl in Bezug auf den gesanglichen als auf den Gebetteil von tüchtigen Fachmännern geprüft und tauglich befunden worden. In betreff der Auswahl der Lieder war der Verfasser bestrebt, die richtige Mitte zwischen allzugroßer Strenge und allzu weitgehender Nachgiebigkeit gegenüber einem verderbten Volksgeschmack einzuhalten, indem einerseits die schönsten älteren Gesänge dem Buch einverleibt, andererseits aber auch Lieder aus neuerer Zeit, insofern sie kirchlichen Anstand wahren und beim Volk manchenorts in Übung stehen, nicht weggelassen wurden. Es ist aber dringend zu wünschen, daß besonders die kernhaften, schönen Lieder aus früherer Zeit allmählich unserem Volk wieder mundgerecht gemacht werden. An den hochw. Diözesanklerus ergeht hiemit die Aufforderung, auch seinerseits nach Tunlichkeit dazu beizutragen, daß der Volksgesang in der Diözese, der durch die Ungunst der Zeiten fast gänzlich außer Übung gekommen, in würdiger Weise wieder auflebe. Der Anfang wird mit den Schulkindern gemacht werden müssen und da werden die Herren Katecheten sicher Gelegenheit finden, durch Empfehlung, Aufmunterung zum religiösen Gesang, Erklärung der Liedertexte, vielleicht auch durch sonstige Einflußnahme auf den Gesangunterricht förderlich für diese gute Sache zu wirken. Das hochwürdigste f.-b. Ordinariat wird sich für den Anfang auch bereit finden lassen, aus Kirchenmitteln das Nötige zu bewilligen, um eine Anzahl von armen Kindern mit Gesangbüchern zu versehen. Ein eigenes „Orgelbuch" zum Diözesan-Gesangbuch ist bereits in Vorbereitung und wird binnen kurzem erscheinen. Schließlich wird noch bemerkt, daß dieses Gesangbuch als die einzig zulässige Vorlage für die Diözese Brixen zu betrachten ist.

F.-b. Ordinariat Brixen, am 10. August 1903.　　　**Simon.** Fürstbischof.

Druck und Verlag von **Friedrich Pustet** in Regensburg.

1904. Regensburg, am 1. Februar 1904. **№ 2.**

MUSICA SACRA.

Gegründet von Dr. Franz Xaver Witt († 1888).

Monatschrift für Hebung und Förderung der kathol. Kirchenmusik.

Herausgegeben von Dr. Franz Xaver Haberl, Direktor der Kirchenmusikschule in Regensburg.

Neue Folge XVI., als Fortsetzung XXXVII. Jahrgang. Mit 12 Musikbeilagen.

Die „Musica sacra" wird am 1. jeden Monats ausgegeben, jede der 12 Nummern umfasst 12 Seiten Text, die 12 Musikbeilagen 48 Seiten, wovon den Nummern 3 und 6 beigelegt. Der Abonnementpreis des 37. Jahrganges 1904 beträgt 3 Mark;
Einzelnummern ohne Musikbeilagen kosten 30 Pfennige. Die Bestellung kann bei jeder Postanstalt oder Buchhandlung erfolgen.

Das dreissigste Semester der hiesigen Kirchenmusikschule

wurde programmäßig am 15. Januar eröffnet. Der Unterzeichnete konnte dem Lehrerkollegium achtzehn Schüler, darunter acht Priester, vorstellen und eröffnete zum 30. Male
den sechsmonatlichen Kurs, diesmal mit ernsten, schmerzlichen Worten dankbaren
Andenkens an den Mitbegründer der Schule, H. H. Domdekan Dr. Georg Jacob, der
am 12. Juli 1903 im Herrn entschlafen ist, und dem viele Schüler des 29. Kurses am
15. Juli noch das Geleite zum Grabe geben konnten. Die drei Lehrgegenstände:
Liturgie, Kirchenmusikgeschichte und Ästhetik wurden auf zwei Schultern verteilt; die
Ästhetik hat in zuvorkommender Weise der Hochwürdige Herr Kgl. bayr. Lyzealprofessor
Dr. Joseph Endres dahier übernommen, die beiden anderen Fächer der Unterzeichnete.
Kontrapunkt doziert der H. H. Stiftskanonikus Mich. Haller seit Beginn der Schule
im Jahre 1874. Gesangunterricht erteilt der H. H. Domkapellmeister Fr. X. Engelhart, Harmonielehre der fürstl. Hofkaplan H. H. Hermann Bäuerle, lateinische
Kirchensprache und Liturgie der H. H. Stiftskapellmeister Karl Weinmann, Orgel-
unterricht Herr Domorganist Jos. Renner, die übrigen Fächer (außer Musikgeschichte
und Liturgie noch Choral, Partitur, Direktion und Kirchenmusikrepertoire alter und
neuer Zeit) der Unterzeichnete.

Von den 8 Priestern, die im Auftrage ihrer Hochwürdigsten Bischöfe am heurigen
Kurse teilnehmen und von denen drei schon 1903 zugegen waren (2 aus den kroatischen
Diözesen Agram, 1 aus Zengg) gehören 2 der Diözese Chicago (Amerika, 1 der
von Elphin (Irland), 2 der von Haarlem (Holland). Die 10 Laien verteilen sich auf die
Diözesen: Breda, Breslau, Gnesen-Posen (2), Haarlem, Leitmeritz, München,
Münster (2), Regensburg.

Schmerzlich berührte es, daß nicht mehr der beredte Mund des seligen Domdekan
Dr. G. Jacob eine Eröffnungsrede an Lehrer und Schüler richten konnte. Der Unterzeichnete beschränkte sich, anknüpfend an das Wort „Kirchenmusikschule", auf
einige Sätze über „Kirche", über die Ehre und Gnade, derselben dienen zu dürfen,
besonders nachdem der Heilige Vater in Rom ein so heiliges und warmes Interesse für
die Kirchenmusik in seinem *Motu proprio* vor der ganzen katholischen Welt bekundet
habe. Was der Cäcilienverein und die Kirchenmusikschule seit Dezennien für die *Musica
sacra* angestrebt, gelehrt und geübt haben, sei nunmehr mit geringeren Schwierigkeiten
zu erstreben und auktoritativ gebilligt, nicht mehr reine Geschmackssache und dem
Gezänke von Parteien preisgegeben; wenigstens könne man es von Katholiken erwarten

28

Die „Musik" sei die einzige unter den sogenannten Musenkünsten, welche von der Kirche ausgezeichnet und zunächst für den liturgischen Dienst herbeigezogen sei; sie vereinige auch in ihrer idealen Vollkommenheit die Eigenschaften aller Musenkünste: Gesang, Sprache, Rhythmus in gebundener und ungebundener Form, Aufbau, Farbentöne, Harmonie, Vortrag, Schönheit des Ausdruckes. Das Wort „Schule" gelte nicht nur den Lernenden, sondern auch für die Lehrer in vollem Maße. „Durch Lehren lernen und lernten wir." Durch den Wunsch des Heiligen Vaters und das Dekret der heiligen Ritenkongregation ist auch die Notwendigkeit und Pflicht herangetreten, beim Choralunterricht, nicht mehr bloß historisch und in kurzen Umrissen, wie bisher, sondern eingehend und praktisch, die traditionellen, vor dem Ende des 16. Jahrhunderts in der Kirche üblichen Lesearten und Melodien darzustellen und in den würdigen Vortrag derselben einzuführen, wenn sämtliche Schüler aus Diözesen stammen, in denen die bisher offiziellen Bücher seit Dezennien im Gebrauche sind. An den betreffenden Oberhirten werde es liegen, wann und wie der Wunsch des Heiligen Vaters zur Tat werden könne. Die Hauptgrundsätze über Tonart, Wesen, Vortrag usw. des traditionellen und des seit 30 Jahren gelehrten „offiziellen" Choralgesanges seien die gleichen, der Unterricht könne also in Theorie und Praxis wie bisher erteilt werden. Statt der gekürzten, mehr dem Sprachgesang und größerer Deutlichkeit und Verständlichkeit des Textes zuneigenden Leseart und Melodien solle nach drei Monaten auch die Leseart der verschiedenen traditionellen Melodien gelehrt werden. Die Vortragsart werde auch nach Herstellung und Festsetzung der einheitlichen Leseart von Seite des römischen Stuhles für lange Zeit Sache des Studiums bleiben, also auch für die Lehrer eine Schule sein." —

Nachdem Pius X. in seinem *Motu proprio*, Zff. 28, den bedeutungsvollen Wunsch ausgesprochen hat, daß höhere Schulen für Kirchenmusik unterstützt und gehoben werden sollen, und daß es überaus wichtig sei, daß die Kirche selbst für die Ausbildung ihrer Kapellmeister, Organisten und Sänger nach den wahren Grundsätzen der heiligen Kunst sorge, nachdem Pius X. den für die hiesige Kirchenmusikschule erbetenen Segen am 13. November 1903 mündlich und schriftlich zu erteilen sich gewürdigt hat, können wir mit Zuversicht annehmen, daß dieses Institut, welches seit 30 Jahren nur als Privatunternehmen bestanden hat, nicht umsonst zur Ehre Gottes wirkte, und daß dessen Zukunft als wirkliche Kirchenmusikschule, ja als Schule für kirchliche Musik gesichert sei. F. X. H.

Vom Bücher- und Musikalienmarkte.

(Schluß aus Nr. 1.)

II. Kirchliche, religiöse und weltliche Kompositionen. L. **Bonvin,** Der 103. Psalm. „Lobpreise, meine Seele, den Herrn!" mit deutschem und englischem Texte für gemischten Chor, Sopransolo und Orchester oder Piano. Klavierauszug 3 ℳ, 4 Chorstimmen à 30 ₰, Partitur und Orchesterstimme in Abschrift, Op. 64, Breitkopf & Härtel in Leipzig. Ein packendes, rhythmisch scharf ausgeprägtes, deklamatorisch hochpathetisch fortschreitendes, religiöses Tonwerk, das leistungsfähigen Instituten auf das Beste empfohlen werden kann, hat der im modernen Stil fühlende und sich aussprechende Komponist geboten. Der Solosopran fordert im Wechsel von ³/₄ und ⁴/₄ Takt zum Lobpreise auf, der Chor aus H-dur folgt in einem Fugatosatz von großer Schönheit, tritt bei Verkündigung der Großtaten des Herrn mit einem scharfen Ruck nach B-dur, dann wieder zurück, immer unter Führung der Solostimme, nach B-dur und bald darauf nach G-dur (E-moll). Ein Chorzwischensatz für Sopran und Tenor lockt bald auch Alt und Baß herbei und bildet eine liebliche Überleitung zu dem Maestoso in B-dur über die Worte „Aufgerichtet hat der Herr im Himmel seinen Thron" und den Schlußchor „Lobpreiset den Herrn!" Für die Klavierbegleitung ist ein gewandter Spieler notwendig; bei großbesetztem Chor ist das Orchester zweifellos herbeizuziehen.

Zwei Weihnachtslieder von C. **Boyde,** Lehrer und Organist in Halle a. S., Op. 6, Nr. 1 für Violine, Sopran und Klavier, Nr. 2 für Sopran und Klavier vertonen in lieblicher Weise die kindlichen Texte. Leipzig, C. Merseburger, 1. Heft 1 ℳ, 2. Heft 75 ₰.

„Am Grabe" ist der Titel des Op. 19 von **Sylv. Bürgenmaier** und enthält 10 Trauergesänge für vierstimmigen gemischten Chor, vom Herausgeber teils neu komponiert, teils harmonisiert mit je einer Nummer von Johann Diebold und J. B. Männer. Preis 20 ₰, so daß Einzelstimmen entbehrlich sind. Verlag der Aktiengesellschaft Konkordia, Bühl, Baden, 1903. Diese einfachen Tonsätze werden nach den liturgischen Begräbnisgesängen die tiefernste Stimmung erhöhen.

„Lateinische und deutsche religiöse Gesänge" ist der Generaltitel von Op. 7, 8 und 9 des Benediktinerpaters **Viktor Eder** im Verlag von A. Böhm & Sohn in Augsburg und Wien. 1903. Op. 7, ein Festchor für 2 Sopran, Alt, Tenor und 2 Bässe, also 6stimmig, ist mit 2 verschiedenen lateinischen und einem deutschen Texte versehen und kann anläßlich einer Papstfeier, Ehrung eines Bischofs oder Priesters mit passender Veränderung einiger Textworte wirksam verwendet werden. Partitur und Stimmen 1 ℳ 50 ₰, 1 Stimmen à 20 ₰. Op. 8 besteht aus 2 Heften, Nr. 1 „Herz Jesulied" für 4 Frauen- oder auch Männerstimmen, Partitur und Stimmen 80 ₰, Stimmen à 15 ₰; Nr. 2, „Ave-Glöcklein", gleiche Besetzung und Preis. Beide Nummern tragen den Charakter religiöser Musik. In Nr. 2 sind Triolen sehr vertreten. Op. 9, Nr. 1, lateinisches *Ave Maria*, mit Schluß bei *ventris tui* ist für gemischten Chor mit Orgelbegleitung oder statt dieser für Streichquintett und 2 Hörner komponiert; ein wohlklingender Satz im modernen Stile. Ausgabe mit Orgel 1 ℳ 80 ₰. Ausgabe für 4 Singstimmen und Orgel 1 ℳ 20 ₰. Op. 9, Nr. 2, mit gleichem Text für gemischten Chor ist ein würdiger Satz zum Offertorium der betreffenden Marienfeste.

Zwei „Sehnsuchtslieder" (Friede und Heimat) für gemischten Chor mit deutschem und dänischem Texte komponierte **Jak. Fabricius**. Verlag Kopenhagen und Leipzig, Wilhelm Hansen. 1903. Jede der beiden Nummern wird auch bei schwacher Besetzung, aber gutem Vortrag milde, ja reizende Stimmung erzeugen.

Fünf Begräbnisgesänge von **P. Forche** mit deutschem Texte sind bei Ant. Böhm & Sohn in Augsburg und Wien verlegt. Op. 4 besteht aus 3 Nummern: 1) An der Bahre eines Erwachsenen, 2) Am Grabe von Vater oder Mutter, 3) Am Grabe eines Vaters. Jede Nummer für Männerchor kostet in Partitur und Stimme à Heft 1 ℳ. Die Texte sind religiös verschwommen, besonders in Nr. 1 mutet die 1. Strophe, „Wohl auf, zum letzten Gang!" oder die 2. „Tragt ihn nun sanft ins Schlafgemach!" mit dem Schluß „Hab' gute Nacht, die Erde ist kühl!" weder poetisch noch religiös an. — Op. 5, mit den Nummern: 1) Bei der Beerdigung eines Erwachsenen, 2) Am Grabe einer Mutter, haben die Preise von Op. 4 und sind für gemischten Chor geschrieben. Auch hier sind die Texte modern. Der Liedertafelstil beherrscht die 5 Nummern.

Julius Gloger, Kgl. Seminarmusiklehrer, gab außer dem liturgischen Ritus beim Begräbnis Erwachsener, S. 1—38, teils Choral, teils 4stimmiger Männerchor, im 2. Teile der „Grabgesänge" noch 37 vierstimmige Choräle, Lieder und Chöre mit deutschen Texten heraus, teils harmonisierte Kirchenlieder, teils Kompositionen von E. Kloß, F. B. Benecken, C. Schneider, F. Kuhlau, R. Kügele, F. Sering, A. Kothe, Jos. und Bruno Stein, R. Unger (auch Mendelssohns „Es ist bestimmt"), Graun, Schnabel, Spohr usw.; Breslau. H. Handels Verlag, 1 ℳ 40 ₰, gebunden 1 ℳ 75 ₰. Beim 2. Teile wird nicht jeder Kirchenvorstand die Erlaubnis zum Vortrag in geweihten Räumen geben können, — hauptsächlich der unpassenden oder verwaschenen Texte halber.

Zehn Herz Jesulieder für 3 und 4 gleiche Stimmen von Lehrer **Franz Gräbener** in Arnsberg komponiert, sind mit kirchlicher Druckerlaubnis (Selbstverlag des Autors). Preis 25 ₰) erschienen. Sie eignen sich für Kloster- und Institutsgemeinden.

Von den beiden Sammlungen, welche **Fr. Hamma** besorgt hat, 1. *Adoremus*, 100 *Cantica sacra* für 3 gleiche Stimmen, Op. 23, Preis gebd. 1 ℳ 80 ₰. Regensburg, nunmehr Verlag Martin Cohen, ist 1902 die 7. Auflage, von Op. 24, *Aula Cantorum*, 80 *Cantica sacra* für 4 Männerstimmen. Preis 2 ℳ, nunmehr Verlag Ernst Gehrmann & Co. in Regensburg, ist 1904 die 2. Auflage erschienen. Über Op. 23, auch im Cäc.-Ver.-Kat. unter Nr. 1816 aufgenommen, verweist Referent auf *Musica sacra* 1895, S. 46; über Op. 24 (Cäc.-Ver.-Kat. Nr. 2234) auf *Musica sacra* 1888, S. 226.

Aus den 2 Serien, welche Anton Böhm & Sohn, Augsburg und Wien, mit dem Titel: „Beliebte Männerchöre" publizieren, liegen vor: Serie I, Nr. 19, ein frischer Begrüßungschor zur Einleitung von Sängerfesten. Op. 9 von **Gregor Ebner**. Part. und St. 1 ℳ 40 ₰, St. à 20 ₰; Nr. 20, „Mein Lied" von **Cr. Kristinus**. Part. und St. 1 ℳ, St. à 15 ₰; Serie II, Nr. 21, „Du liebes, treues Mutterherz", Op. 7 von **Alf. Burger**. Part. und St. 1 ℳ, St. à 15 ₰. Durch die 3 Nummern werden also kräftige, zärtliche und zarte Gefühle erweckt.

Die gleiche Firma sendet Heft 13—17 der 2. Folge „Marienblumen", Lieder zu Ehren der allerseligsten Jungfrau Maria. Jedes Heft kostet in Part. und St. 1 ℳ, Heft 15 jedoch 80 ₰. Heft 13, „Du bist mein Trost" und 14, „O Maria, sei gegrüßet!" sind von **Karl Deisch** für gemischte Stimmen ohne Begleitung komponiert. Heft 15 für Sopran und Orgel, und 16 für 4 gemischte Stimmen, Op. 6 von **H. Blasel** und Heft 17, für 4 Männerstimmen von **E. Welcker**. Den Texten fehlt die kirchliche Approbation, die Form des Liedes schildert öfters zu sehr ins Romantische und läßt nur durch das Kleid des Textes die intendierte Stimmung erkennen.

Aus dem nämlichen Verlage erwähnt der Redaktion empfehlend Op. 2 von **Ernst Matthes**, 2 melodische Vortragsstücke für Violine und Pianoforte (Albumblatt und Romanze) 1 ℳ 80 ₰, sowie 5 Stücke für Violine mit Begleitung des Pianoforte, Op. 50 von **Johann Sluníčko**. Preis 4 ℳ. In Einzelausgabe kostet Nr. 1 und 5 (Meditation, Mazurka und Nocturne) je 1 ℳ 25 ₰, 3 und 4 (Intermezzo und Bolero) zusammen 1 ℳ 50 ₰. Diese schönen, Sr. Kgl. Hoheit Prinz Ludwig Ferdinand von Bayern gewidmeten Salonstücke setzen tüchtigen Violinspieler und seinem Tonsinn ebenbürtigen Klavierspieler voraus und werden dann schöne Erfolge als Intermezzi bei Vereinskonzerten erzielen.

In Kommissionsverlag der Jägerschen Buchhandlung zu Speyer erschien 1902 ein vierstimmig gemischter Chor von **Karl Maupal** mit deutschem Texte, „Die heiligen 5 Wunden", dessen musikalischer Eindruck entschieden besser ist als die für unsere Zeit ungewohnte Autographische Ausstattung. Der Preis dieses Opus 22a ist in Partitur 30 ₰, Stimmen à 5 ₰.

6 deutsche Lieder zum hochheiligsten Herzen Jesu nach der lateinischen Bearbeitung von J. Bante, Pfarrer der Diözese Osnabrück, komponierte **Pet. Piel** für 2 gleiche Stimmen mit Begleitung der Orgel oder des Harmoniums als Op. 111. Partitur 1 ℳ 50 ₰, 2 Stimmen à 20 ₰. Düsseldorf, L. Schwann. 1903. Meisterliche Vor-, Zwischen- und Nachspiele und tadellose Harmonisierung des 2stimmigen zarten Gesangsatzes sind diesen andächtigen Liedern besonders nachzurühmen.

Th. H. Polman edierte bei Jul. Rotenanger, Amsterdam, (für Deutschland auch Tonger, Cöln und Forberg, Leipzig), als Op. 20 ein *Ave Maria* für 1 Singstimme mit Orgel- oder Pianobegleitung mit lateinischem, deutschem und französischem Texte, das sich wohl nicht in der Kirche verwenden läßt, aber in christlicher Familie oder weiblichen Instituten gefallen wird. Preis 1 ℳ. — Vom gleichen Komponisten erschienen beim nämlichen Verleger a) ein Geburtstaglied, einfach und nett, mit deutschem und holländischem Texte 90 ₰, b) der Seekadettenmarsch für 2 Hände 1 ℳ 50 ₰, der in der Reklame als „neuer Schlager!" bezeichnet wird.

Von **Wilhelm Rudnick** erschienen bei Eugen Feuchtinger in Regensburg 4 Weihnachtslieder, aus der Sammlung „2stimmige religiöse Gesänge": a) „Hörst du, wie die Glocken läuten?" für Sopran und Tenor, Schluß auch für gemischten vierstimmigen Chor mit Piano oder Harmonium. Partitur 1 ℳ 20 ₰, 2 Stimmen à 10 ₰; b) „Sei gegrüßt, du Fest der Liebe!" für Sopran und Alt mit Piano. Partitur 80 ₰, 2 Stimmen à 10 ₰; c) „Kommt, Kinder, kommt zur Krippe!" für Sopran und Alt mit Piano. Partitur 60 ₰, 2 Stimmen à 10 ₰; „Du Friedensziel mit reichem Segen!" für Sopran und Alt mit Piano. Partitur 60 ₰, 2 Stimmen à 10 ₰. — Aus der gleichen Sammlung stammt das Adventlied: „Ein Himmelshauch weht uns entgegen" für Sopran und Alt mit Piano. Partitur 80 ₰, 2 Stimmen à 10 ₰.

Im gleichen Verlag erschien Op. 118 von **W. Rudnick**, eine Weihnachtshymne, für vierstimmigen gemischten Chor mit Begleitung eines kleinen Orchesters und der Orgel oder Orgel allein. Die lithographierte Orchesterpartitur 1 ℳ 80 ₰, 5stimmiges Streichorchester, eine Flöte, je 2 Klarinetten und Hörner 1 ℳ 50 ₰, die 4 Chorstimmen à 15 ₰; Ausgabe B enthält die gestochene Orgelpartitur 1 ℳ 50 ₰. Für den Gebrauch in der Kirche eignet sich die Weihnachtshymne nicht, sehr gut aber für Institute oder Vereine. Veraltet ist wohl das Zusammenbalken von 12 Achtelnoten zu 6 Gruppen über die Worte „Laßt uns unserm Gott lobsingen" und „in des Himmels hohe Chöre".

Ein Weihnachtslied. Op. 12a und b, komponierte **W. Schöllgen** in 2 Ausgaben: a) Für Sopran, Alt, Tenor, Baß und 1]; b) für 3 Frauenstimmen mit Orgelbegleitung. Preis à 40 ₰, von 10 Exemplaren ab je 25 ₰. Düsseldorf, L. Schwann. Diese Begrüßung des göttlichen, süßen Kindes, überaus einfach und andächtig gehalten, wird bei einer Christbaumfeier eine sehr willkommene musikalische Gabe sein.

Ein Weihnachtslied von **Karl Schotte**, Op. 33, Verlag von Ch. F. Vieweg, Berlin, Großlichterfelde, ist freundliche, freudige Vertonung des schönen Gedichtes von F. A. Muth für eine Singstimme mit Begleitung des Piano oder Harmoniums. Preis 1 ℳ.

„Sängergruß", deutsche Volkslieder für gemischten Chor, herausgegeben von **Jos. Schulz** als Op. 5, liegt in 3. Auflage vor. Die erste ist bereits 1897 erschienen, die 2. 1894 mit 22 Liedern; in der vorliegenden 3. bietet das 1. Heft drei Nummern, nämlich Sängergruß und Cäcilienhymne von Jos. Schulz und Papsthymne von Ant. Seydler. Die Chöre sind für kleinere Cäcilienvereine geschrieben und trotz der Einfachheit frisch erdacht. Der Komponist bemerkt richtig: „Die Landchöre sollen für gewöhnlich ihre Zeit und Kraft den leichteren Kompositionen zuwenden." Kommissionsverlag von Herder, Freiburg i. B. 1903. Partitur der 3 Lieder 30 ₰; Einzelstimmen sind nicht hergestellt.

18 neue Weihnachts-, Marien-, Herz-Jesu- und Sakramentslieder, Op. 4 von **Friedr. Schrader**, sind bereits in *Musica sacra* 1903, S. 130 angekündigt und empfohlen. Die Frage, ob Stimmen erschienen sind, beantwortet der Verleger L. Steffen in Hildesheim mit Zusendung derselben. Sopran und Alt in einem Heftchen kosten 40 ₰.

Ein *Tu es Petrus* für gem. Chor, Op. 21 von **Alex. Seiffert**, war 1903 bei Al. Maier in Fulda zum silbernen Papstjubiläum Leo XIII. komponiert, eignet sich jedoch für alle Zeiten als wirksamer Gesang bei irgendwelcher Papstfeier in Vereinen. Preis 15 ₰, in Partien von 20 Exempl. à 10 ₰.

Aug. Wiltberger komponierte als Op. 101 eine Motette für vierstimmigen Männerchor, Baritonsolo mit Orgel- oder Klavierbegleitung, ein „Gebet für den König" in drei Sätzen mit deutschem Text nach Worten der heiligen Schrift. Bei patriotischen Festen kann die packend und effektvoll geschriebene Komposition auch dem liturgischen Gottesdienste mit großem Eindrucke zur Aufführung gelangen. Düsseldorf, L. Schwann. Partitur 1 ℳ 20 ₰, 4 Stimmen à 12 ₰, Klavierstimme 60 ₰.

F. X. H.

Nachschrift. Sämtliche in Nr. 1 und 2 der *Musica sacra* unter dem Titel „Vom Bücher- und Musikalienmarkte" besprochenen Werke waren bereits für *Musica sacra* 1903 bestimmt, konnten aber wegen Überfülle vordringlicheren Materials nicht mehr untergebracht werden. Die Redaktion muß deshalb, besonders für die „Weihnachtsliteratur", um Entschuldigung bitten, kann jedoch mit dem Hinweis trösten, daß auch 1904 Weihnachten gefeiert wird, und daß Vorsorge besser ist als Versäumnis.

Papst Pius X. und die Kirchenmusik.

In Nr. 1 des Cäcilienvereinsorganes ist das *Motu proprio* des Heiligen Vaters über Kirchenmusik, datiert vom Cäcilientage 1903, im italienischen Originaltext mit deutscher Übersetzung abgedruckt worden, und zwar nach dem Wortlaut im offiziellen *„Osservatore Romano"* vom 28. Dezember 1903. Ebenso wurde inhaltlich der Brief des Heiligen Vaters vom 8. Dezember 1903 an den Generalvikar der Diözese Rom (S. 9) mitgeteilt, sowie das Dekret der Ritenkongregation vom 8. Januar 1904, durch welches die bisherigen von der Kongregation der heiligen Riten besorgten, zuerst 1614 in der medicäischen Druckerei zu Rom hergestellten, seit 1870 bei Pustet in Regensburg auf Veranlassung Papst Pius IX. durch eine päpstliche Kommission neu bearbeiteten und durch die seit jener Zeit in der Kirche eingeführten Feste vermehrten Choralbücher ihren offiziellen Charakter verloren haben.[1]

Bei der Wichtigkeit, welche diese beiden für die ganze katholische Kirche bestimmten Dokumente mit Recht beanspruchen, dürfte es auch angezeigt sein, den Brief Sr. Heiligkeit an den Kardinalvikar von Rom, Se. Eminenz Respighi, nicht nur inhaltlich, sondern in getreuer Übersetzung vollständig kennen zu lernen. Der Heilige Vater hat als Bischof von Rom das *Motu proprio* vom 22. November seinem Generalvikar zur Bekanntmachung und allmählichen Durchführung übergeben mit nachfolgendem Begleitschreiben:[2]

Herr Kardinal! Der Wunsch, überall die Würde, Erhabenheit und Heiligkeit der liturgischen Funktionen wieder aufblühen zu sehen, hat Uns bestimmt, Unseren Willen betreffs der heiligen Musik, die so vielfache Verwendung beim Gottesdienste findet, in einem eigenen Schreiben kund zu tun. Wir hegen dabei die Hoffnung, daß jedermann der von Uns verlangten Erneuerung zustimmen wird, und zwar nicht nur mit einer blinden Unterwürfigkeit, welche aus Im Geiste des Gehorsams auch schwere und dem eigenen Denken und Empfinden zuwiderlaufende Befehle annimmt — was ja immerhin auch lobenswert wäre —, sie werden vielmehr mit Unseren Gedanken eingehen mit jener Bereitwilligkeit, welche aus einer inneren, aufrichtig verstandenen, klaren, zwingenden und unanfechtbaren Gründen fußenden Überzeugung hervorgeht, daß man so handeln müsse.

Wer auch nur ein wenig darüber nachdenkt, zu welchem heiligen Zwecke die Kunst zum Gottesdienste Zutritt hat, und wer erwägt, daß es höchst geziemend ist, Gott nur Gutes, ja dort wo es möglich ist nur Ausgezeichnetes zu bieten, dem wird sofort klar, daß die kirchlichen Vorschriften betreffs der heiligen Musik nur ein Ausfluß der beiden eben berührten Grundprinzipien sind. Sind Klerus und Kapellmeister von diesen Grundsätzen durchdrungen, so wird die gute Kirchenmusik wie von selbst erblühen, wie man schon längst vielerorts beobachtet hat und immer noch beobachten kann. Wenn jedoch jene Grundprincipien verdunkelt werden, dann reichen weder Bitten noch Ermahnungen, weder strenge und häufig eingeschärfte Befehle noch Androhungen kanonischer Strafen aus, die heilige Musik zu verbessern. So sehr ist Voreingenommenheit oder blöde und unentschuldbare Unwissenheit darauf bedacht, Mittel und Wege zu finden, den Willen der Kirche zu umgehen und Jahr für Jahr die gleiche tadelnswerte Praxis beizubehalten.

Diese Bereitwilligkeit werden Wir aber, dessen sind Wir sicher, ganz besonders beim Klerus und bei dem Volke dieser Unserer geliebten Stadt, dem Zentrum der Christenheit und dem Sitze der höchsten Autorität der Kirche, finden, in Rom. In der Tat, es sollte wohl niemand den Einfluß Unserer Stimme besser fühlen als jene, welche sie unmittelbar aus Unserem Munde vernehmen; es sollte wohl niemand mit größerem Eifer das Beispiel einer zarten kindlichen Unterwürfigkeit unter Unsere väterlichen Anordnungen geben als der erste und vornehmste Teil der Herde Christi, als die Kirche von Rom, die ganz besondererweise Unserer bischöflichen Hirtensorge anvertraut ist. Dazu kommt noch, daß ein solches Beispiel vor der ganzen Welt gegeben werden muß. Denn beständig kommen von allen Weltteilen Bischöfe und Gläubige hierher, um dem Statthalter Christi ihre Huldigung zu bezeugen, um durch den Besuch Unserer Basiliken und Märtyrergräber, durch andächtige und inbrünstige Teilnahme an den Feierlichkeiten, welche zu jeder Jahreszeit mit größter Pracht und reichstem Pompe in Unserer Stadt begangen werden, ihren Geist zu erneuern. *Optamus ne moribus nostri offensi recedant"* sprach seinerzeit Unser Vorgänger Benedikt XIV. in seiner Enzyklika: *Annus qui",* wo er gerade von der heiligen Musik sagt: Wir wollen nicht, daß sie in ihr Vaterland zurückkehrend Ärgernis nehmen. Und wo er spricht von dem mit Instrumenten getriebenen Mißbrauch, spricht er: „Welches Bild wird der von Uns gewinnen, welcher von einem Lande kommt, in welchem musikalische Instrumente in der Kirche

[1] Der betreffende Artikel (S. 1—11) wurde auch in dem soeben erschienenen kirchenmusikalischen Jahrbuch für 1903, jedoch ohne den italienischen Text, aufgenommen und wird vorliegender Nummer beigelegt. Extraabdrücke (100 Exempl. 3 ℳ, 1000 Exempl. 20 ℳ) werden durch die Verlagsbuchhandlung und den Kassier des Cäcilienvereins, H. Franz Feuchtinger dahier versendet; 1 Exempl. 5 ₰.

[2] Die Übersetzung ist der Nummer 1 vom 1. Januar 1904 der in der Graz, Verlagsbuchhandlung „Styria", erscheinenden Monatschrift für Kirchenmusik und Liturgie „Gregorianische Rundschau" entnommen.

nicht zur Verwendung kommen, wenn er bei Uns in Kirchen nicht mehr und nicht weniger zu hören bekommt, als was gewöhnlich in Theatern und an anderen weltlichen Orten aufgeführt wird? Es mögen gewiß auch Leute von solchen Ländern kommen, wo in bezug auf Gesang und Musik dieselben Gebräuche sind, wie in Unseren Kirchen. Allein, wenn sie Leute von Einsicht sind, so werden sie es beklagen, daß sie in Unserer Kirchenmusik kein Heilmittel für das Übel ihrer eigenen Kirche gefunden hätten, das sie doch auf ihrer Reise nach Rom suchen wollten." Zu anderen Zeiten mag man vielleicht an der Musik, welche gewöhnlich in Unseren Kirchen aufgeführt wurde, den Verstoß gegen die kirchlichen Anordnungen und Befehle weniger herausfühlen, und das Ärgernis mochte vielleicht kleiner gewesen sein, da das Unpassende weiter verbreitet und allgemeiner war. Aber jetzt, wo hervorragende Männer so großen Eifer darauf verwendet, die Stellung der Liturgie und Kunst im Gottesdienste zu beleuchten, jetzt, wo in so vielen Kirchen der ganzen Welt die Erneuerung der Kirchenmusik so tröstliche und nicht selten großartige Erfolge zu verzeichnen hat, ungeachtet der größten Hindernisse, welche sich entgegenstellten, die aber glücklich überwunden wurden, jetzt wo endlich die Überzeugung der Notwendigkeit einer durchgreifenden Änderung der Dinge sich aller Herzen bemächtigt hat, jetzt ist jeder Fehler in dieser Richtung unerträglich und muß darum verbessert werden.

Sie, Herr Kardinal, werden daher, dessen sind Wir gewiß, gemäß Ihrem wichtigen Amte als Unser Stellvertreter in geistlichen Angelegenheiten für Rom mit der Ihnen eigenen Milde, aber auch nicht weniger mit Entschiedenheit darauf dringen, daß die Musik, welche in Kirchen und Kapellen vom Welt- oder Ordensklerus dieser Stadt aufgeführt wird, ganz und gar Unseren Bestimmungen entspreche. Viele Dinge werden wohl auch in den Gesängen der Messe, der Lauretanischen Litaneien und des Hymnus zu Ehren des Altarssakramentes abgeschafft oder verbessert werden müssen; allein was hauptsächlich einer gründlichen Reform bedarf, das ist der Gesang der Vespern, welche in verschiedenen Kirchen und Basiliken gesungen werden. Den liturgischen Vorschriften des *Caeremoniale Episcoporum* und den edlen musikalischen Traditionen der klassischen römischen Schule begegnet man hierbei nicht immer. An Stelle der frommen Psalmodie des Klerus, an der sich auch das Volk beteiligte, sind endlose, musikalische Kompositionen über die Psalmentexte getreten, welche alle im Stile der alten theatralischen Musik geschrieben und welche sehr oft von so geringer künstlerischer Bedeutung sind, daß man sie nicht einmal in profanen Konzerten mittelmäßigen Ranges zulassen würde. Zur Beförderung der christlichen Frömmigkeit dienen sie gewiß nicht. Sie nähren vielleicht die Neugierde einiger weniger Halbgebildeter, aber die große Mehrzahl empfindet Ekel und nimmt Ärgernis daran und wundert sich, daß ein so großer Mißbrauch immer noch fortdauere. Daher wollen Wir, daß dieser Mißbrauch gänzlich verschwinde und daß die feierlichen Vespern durchaus von Uns gegebenen liturgischen Normen entsprechend gehalten werden.

Die Patriarchalbasiliken werden, dank der eifrigen Sorge und dem klugen Eifer der Herren Kardinäle, die denselben vorstehen, mit gutem Beispiel vorangehen. Mit diesen werden die kleineren Basiliken, Kollegiat- und Pfarrkirchen nicht weniger als die Kirchen und Kapellen der religiösen Orden wetteifern. Und Sie, Herr Kardinal, sollen keine Nachsicht üben und keine Verzögerung mit der Einführung dieser Vorschrift gestatten. Ein Anschub verringert die Schwierigkeit nicht, vergrößert sie vielmehr, und da der operative Eingriff gemacht werden muß, so mache man ihn sogleich mit Entschiedenheit. Alle mögen auf Uns bauen und Unser Wort vertrauen, welches von der Gnade und dem Segen von oben begleitet ist. Im Anfang wird die Neuerung bei einigen Staunen erregen; ein oder der andere unter den Kapellmeistern oder Chordirigenten mag vielleicht darauf nicht vorbereitet sein; aber nach und nach wird die Sache von selbst besser und in dem vollkommenen Einklang der Musik mit den liturgischen Gesetzen und der Natur der Psalmodie werden alle eine früher vielleicht nie empfundene Schönheit und Güte erstrahlen sehen.

Die Feier der Vespern wird allerdings auf diese Weise um ein beträchtliches verkürzt. Aber wenn die Rektoren der Kirchen aus gewissen Gründen die Feierlichkeiten etwas verlängern wollen, um das Volk zurückzuhalten, das mit so lobenswertem Eifer zur Vesperzeit der Kirche zueilt, in welcher ein Fest gefeiert wird, so hindert sie nichts, im Gegenteil, es bedeutet einen Gewinn an Frömmigkeit und Erbauung der Gläubigen, der Vesper eine Predigt folgen zu lassen und sie mit einem feierlichen sakramentalen Segen zu beschließen.

Zum Schlusse sprechen Wir noch den Wunsch aus, die kirchliche Musik möge mit ganz besonderer Sorgfalt und in den gehörigen Grenzen in allen Seminarien und kirchlichen Kollegien Roms gepflegt werden, in welchen eine so zahlreiche und auserlesene Schar von jugendlichen Klerikern aus allen Teilen der Welt zusammenkommt, um sich die wahre Wissenschaft und den wahren kirchlichen Geist dort anzueignen. Wir wissen, und das gereicht Uns zu großem Troste, daß in einigen Anstalten der Kirchengesang sehr blüht, so daß diese anderen zum Vorbild dienen können. Aber andere Seminarien und andere Kollegien lassen infolge der Sorglosigkeit der Oberen oder auch infolge der geringen Begabung oder des schlechten Geschmackes jener, welche mit dem Unterricht in der Musik oder mit der Leitung derselben betraut sind, sehr viel zu wünschen übrig.

Sie, Herr Kardinal, wollen auch dafür Sorge tragen und darauf bedacht sein, daß der gregorianische Gesang nach den Vorschriften der Kirchenversammlung zu Trient und ungezählter anderer Provinzial- und Diözesankonzilien der ganzen Welt mit besonderer Sorgfalt studiert und in der Regel beim öffentlichen wie beim Privatgottesdienst jeder andern Musik vorgezogen werde.

Es ist freilich wahr, es gab Zeiten, wo die meisten den gregorianischen Gesang nur aus fehlerhaften, entstellten und verkürzten Büchern kannten. Aber ein exaktes, jahrelanges Studium, welches hervorragende und um die heilige Kunst bestverdiente Männer demselben zuwandten, hat die Sachlage geändert. Der gregorianische Gesang in so befriedigender Weise auf seine ursprüngliche Reinheit zurückgeführt, erscheint in jener Fassung, welche von Unseren Vätern überliefert ist und welche in den verschiedenen Handschriften Unserer Kirchen sich findet, süß, angenehm, leicht faßlich und von einer so neuen und unerwarteten Schönheit, daß er, wo immer er eingeführt wird, bald die Begeisterung der jungen Sänger sich erobern wird. Wo aber die Lust der Pflichterfüllung zu Hilfe kommt, da schafft man mit größerer Emsigkeit und der Erfolg ist ein anhaltender. Wir wollen demnach, daß in allen Kollegien und Seminarien dieser hehren Stadt jener altehrwürdige römische Gesang von neuem eingeführt werde, von welchem schon früher Unsere Kirchen und Basiliken widerhallten und der die Freude der vergangenen Geschlechter in den schönsten Zeiten der christlichen Frömmigkeit bildete.

Und wie schon ein anderes Mal durch die Kirche von Rom dieser Gesang in den Kirchen des Abendlandes Verbreitung fand, so geht Unser sehnlichster Wunsch jetzt dahin, daß die jungen Kleriker, welche unter Unseren Augen unterrichtet werden, denselben in ihre Diözesen aufs neue zurückführen und ihn dort verbreiten, wenn sie dahin zurückkehren, um als Priester ihr Wirken zur Ehre Gottes zu beginnen. Es erfüllt Unser Herz mit Freude, daß Wir diese Unsere Verfügungen jetzt treffen können, wo Wir eben im Begriffe stehen das dreizehnhundertjährige Gedächtnis des Todes des glorreichen und unvergleichlichen Papstes Gregors des Großen zu feiern, dem eine vielhundertjährige kirchliche Überlieferung die Abfassung dieser heiligen Melodien zuschreibt, und von welchem auch ihr Name, gregorianische Melodien, abstammt. In diesen mögen sich Unsere teueren Jünglinge fleißig üben. Es wird Uns sehr angenehm sein, sie zu hören, wenn sie sich, wie Wir erfahren haben, anläßlich der bevorstehenden Jahrhundertfeier zusammenscharen, um das Grab des heiligen Papstes in der Vatikanischen Basilika, um die gregorianischen Gesänge während der heiligen liturgischen Feier vorzutragen, welche Wir, so es Gott gefällt, bei diesem erhabenen Anlasse halten werden.

Empfangen Sie indessen, Herr Kardinal, zum Zeichen Unseres besonderen Wohlwollens den Apostolischen Segen, welchen Wir vom ganzen Herzen Ihnen, dem Klerus und Unserem ganzen geliebten Volke erteilen.

Aus dem Vatikan am Feste der Unbefleckten Empfängnis im Jahre 1903.

Pius PP. X.

Der Kardinalvikar von Rom hatte schon im Januar 1901 eine siebengliederige Kommission für die römische Kirchenmusik aufgestellt, deren Tätigkeit aber konnte in keiner Weise praktische Resultate erzielen; sie war durch Berge von Schwierigkeiten behindert und gehemmt. Der römische Kardinalvikar versendete das *Motu proprio* Pius X. noch vor Schluß des Jahres 1903 an sämtliche Pfarrer, Rektoren und Kirchenvorstände des Regular- und Säkularklerus Roms, auch an alle Kapellmeister der ewigen Stadt, an die Oberen der Seminarien, Kollegien und kirchlichen Institute Roms und forderte in einem Rundschreiben die Durchführung der im *Motu proprio* niedergelegten Anweisungen.

Die Versendung dieser päpstlichen Instruktion, welche Pius X. selbst als „Rechtsbuch der Kirchenmusik" bezeichnet, wurde mit dem Dekrete der Ritenkongregation vom 8. Januar d. J. an sämtliche Diözesen des katholischen Erdkreises verfügt. Was unsere Hochwürdigsten Oberhirten in den bisherigen Verhältnissen anzuordnen oder zu ändern beschließen werden, wollen wir gehorsam und willfährig nach Kräften auszuführen suchen und in unserer bisherigen Tätigkeit nicht erlahmen, wenn auch einzelne Verfügungen für den Augenblick undurchführbar scheinen.

Die Redaktion wird seit Beginn dieses Jahres mit so vielen Anfragen, Zweifeln, Bedenken, Jammerbriefen, ja ungebührlichen Ausbrüchen der Entrüstung und pietätloser Kritik überschüttet, daß sie Mühe hat, den Kopf noch über Wasser zu halten. Besonders häufig kehrt die Frage wider: „Welche Bücher sind jetzt die offiziellen?"

Die Beantwortung lautet: So lange Ihr Hochwürdigster Oberhirt keine anderen Weisungen erteilt, bleiben Sie bei den Lesearten, deren Sie sich bisher bedient haben." Weder Pius X. noch die Ritenkongregation haben bisher eine bereits existierende Choralausgabe, auch nicht die von Solesmes, ausdrücklich vorgeschrieben. Man hüte sich also vor Überstürzung, denn diese richtet bei allen plötzlichen Ereignissen weit mehr Schaden, Unglück und Verheerung an, als bei ruhiger Überlegung stattzufinden pflegt. Die *Voce della verità* (Rom, 10. Januar 1904) schrieb als Einleitung zum Breve vom 8. Januar wörtlich:

„Se. Heiligkeit erlaubt, daß die neueren Formen des gregorianischen Chorals (damit ist offenbar der bisherige offizielle Gesang in erster Linie gemeint F. H.) beibehalten werden, wo sie bereits eingeführt sind, bis man statt ihrer eine Leseart einführen kann, die den Codices entspricht und vom Heiligen Stuhl approbiert sein muß." [1]

Tatsache ist, daß Pius X. dem neuen Erzbischof von London, welcher anfangs November 1903 in persönlicher Audienz anfragte, ob er die in der Kathedrale durch seinen verstorbenen Vorgänger eingeführten Choralbücher von Solesmes beibehalten könne, hohes Lob für diese Änderung gespendet hat, daß dieselben in der sixtinischen Kapelle, sowie in den meisten römischen Kollegien nunmehr eingeführt sind usw. Tatsache aber ist auch, daß die jetzige Parole der Ritenkongregation und hervorragender Führer und Urheber des *Motu proprio* Pius X., den Wortlaut des Heiligen Vaters festhaltend, lautet: „Nach den alten Handschriften zu singen." Tatsache ist, daß Pius X. auf die Nachricht des Herrn Universitätsprofessors Dr. Peter Wagner in Freiburg i. Schw., er wolle die traditionellen gregorianischen Gesänge nach deutschen Handschriften in St. Gallen, Karlsruhe, München usw. herausgeben, in einem eigenhändigen Briefe vom 1. Jan. d. J. den Wunsch aussprach, „derselbe solle in seinen edlen Studien und seiner Propaganda für die kirchliche Musik und zumal den traditionellen Choral der römischen Kirche fortfahren und aus der günstigen Übereinstimmung die süßeste Ermunterung ziehen". Tatsache ist, daß in Frankreich besonders jene Diözesen, welche sich der Ausgaben von Reims-Cambrai, Digne, Dijon [2] und ähnlicher, nach französischen Handschriften hergestellter Ausgaben bedienen, der Ansicht sind, „der Wunsch des Heiligen Vaters könne sich unmöglich auf sie beziehen."

Bei dieser Sachlage wäre es daher höchst unüberlegt, das Bestehende wegzuwerfen, ohne besseren und bestimmten Ersatz zu haben, und daher wird man es dem Unterzeichneten nicht als Mangel an promptem Gehorsam vorwerfen können, wenn er die Ansicht vertritt: „Wir warten, ohne in Agitation oder Opposition einzutreten, auf die positive, durch die Hochwürdigsten Diözesanbischöfe und den römischen Stuhl uns zugehende Weisung und werden uns dann in wirklichem Gehorsam, in wahrhafter Unterordnung und energischer Tätigkeit für eine neue offizielle Ausgabe, auch wenn sie ein *Sacrificium intellectus* kosten würde, nicht übertreffen lassen."

Schließlich sei noch bemerkt, daß die bisherigen Ausgaben von Solesmes nur das *Graduale* und *Vesperale Romanum* (mit Anhang der sogenannten *Horae diurnae*), das *Officium Nativitatis* und *Hebdomadae sanctae* umfassen, daß also die größere Hälfte des gregorianischen Choralcodex, wenn auch wahrscheinlich schon bearbeitet, noch nicht der Öffentlichkeit übergeben ist, — abgesehen vom Mangel einer päpstlichen oder bischöflichen Approbation. Diese und ähnliche Erwägungen über die Schwierigkeiten einer einheitlichen, für die ganze katholische Welt geltenden gregorianischen Leseart zwingen dem objektiven Forscher und Kenner all der Varietäten vom 9. bis 15. Jahrhundert — der Zeit vor 900 gar nicht zu gedenken — die Überzeugung ab, daß eine Einheit im liturgischen Gesang nur durch die Autorität des römischen Stuhles geschaffen werden kann. Über 30 Jahre hindurch haben sich viele Tausende mit voller Überzeugung und heiligem Eifer zu dieser Autorität geflüchtet. Sie werden es wieder tun, wenn dieselbe die Zeit gekommen glaubt, alle Kirchen neuerdings um sich zu scharen.　　　　　　　　　　　　　　　　　　　　　　　F. X. H.

[1] „La Santità Sua poi permette che si ritengano le forme più recenti di canto gregoriano dove furono introdotte, sino a che non vengano sostituite da un testo conforme ai codici o da approvarsi dalla Santa Sede."

Leider hat sich die gleiche römische Zeitung in Nr. 1 dieses Jahrganges in einem Leitartikel hinreißen lassen, den Unterschied zwischen den bisherigen offiziellen und dem traditionellen Gesang von Solesmes in Sätze zu kleiden, die weder der Wahrheit, noch der literarischen Höflichkeit entsprechen. Sie nennt erstere abgekürzte Gesänge, denen die Melodie und ursprüngliche Schönheit fehlt, deren Ausführung sehr verwickelt und schwerfällig sei usw.; verwechselt also, wie alle bisherigen Gegner, die Leseart mit der Ausführung.

[2] Auch die Ausgaben von Lambillotte (Cod. 359 von St. Gallen), Hermesdorff (Trier), G. Houdard, P. Dechevrens (besonders dessen Hartker-Vesperale aus dem 10. Jahrhundert), die Manuskript-Codices von Bamberg, Mainz (speziell die für Kiedrich neu gedruckten), Münster, Brixen, Cöln usw. können bei der allgemeinen Fassung des päpstlichen Wunsches vielleicht in Betracht gezogen werden!

Organaria.

I. Literatur. Von der in *Musica sacra* 1903, Seite 143, angekündigten Harmonisierung aus dem *Liber Gradualis* von Dom Pothier durch **Giulio Bas**, der nunmehr von Teano bei Caserta nach Rom als Hilfskraft für die kirchenmusikalischen Reformen in der ewigen Stadt und in der Redaktion der *Rassegna Gregoriana* übergesiedelt ist, liegen zwei neue Hefte vor mit den wechselnden Gesängen der 3. Weihnachtsmesse und des Festes der heiligen drei Könige. à 50 Cents.[1])

Das Repertorium für liturgisches Orgelspiel, von **Or. Ravanello** redigiert (*Mus. s.* 1903, S. 144), enthält in Nr. 11 und 12 fünf Figurationen über Choralthemate als *Cantus firmus* in leichtem Stile und 17 Kadenzen und Versetten als Opus 68 Nr. 1—6 des Herausgebers. Der neue Jahrgang, 1904, beginnt mit 4 kleinen Sätzen für Harmonium oder Orgel von Delf. Thermignon, gegenwärtig Kapellmeister an der Markusbasilika zu Venedig.

Diese und die folgenden 7 Publikationen sind in der Notenstich- und Musikverlagsanstalt von Marcello Capra in Turin hergestellt und zu beziehen: 1) **C. Grassi**, Op. 10, enthält 5 mit *La santa Messa* betitelte Orgelsätze zum Introitus, Offertorium, zur Wandlung, Kommunion und zum Schluß. d. h. ersetzt den Gesang durch Orgelspiel bei einer stillen Messe. (1 *M* 20 *S*). — 2) Der Priester **Ed. Bottigliero** ist Komponist einer *Preghiera per Organo*. (80 *S*). — 3) Kanonikus **Franz Walczynski** edierte 12 gefällige und leichte Stücke für das Harmonium, von denen einige auch auf der Orgel brauchbar sind. (1 *M* 60 *S*). — 4) **A. Pisani** ediert ein Präludium und Fuge für Harmonium oder Orgel, deren Rhythmik ist ohne Originalität ist. (80 *S*). — 5) Als 10. Antologie, gleichsam *Vade mecum* für Orgelspieler, edierte als Op. 147 **L. Bottazzo** 201 Versetten, Modulationen, Vor-, Zwischen- und Nachspiele zum liturgischen Gebrauch für das Harmonium. Der größte Teil dieser kurzen und sehr brauchbaren Sätze ist von L. Bottazzo, die übrigen Nummern sind von italienischen, deutschen und französischen Organisten. meist aus Sammlungen herübergenommen. 144 Seiten in Querquart. — 6) Dieser 10. Sammlung geht die neunte Antologie mit 50 Kompositionen italienischer und anderer Autoren aller Nationen, zur Unterhaltung auf dem Harmonium, voraus, sowie 7) die achte Antologie für Harmonium mit 30 Sätzen von Hier. Frescobaldi. Der ungenannte Herausgeber würde wohl den Wert der Sammlung nicht herabgedrückt haben, wenn er nur mit einer Zeile erwähnt hätte, daß ihm für diese Antologie meine bei Breitkopf & Härtel erschienene Ausgabe von 68 Orgelsätzen Frescobaldis als Magazin, oder besser, als Quelle gedient hat. Bei der Armut, welche in Italien an Orgelliteratur existiert, und dem fieberhaften Durste, der gegenwärtigen Strömung Rechnung zu tragen, sind derlei literarische Ungenauigkeiten nicht übermäßig tragisch zu nehmen.

Eine ganz prächtige Lieferung ist die 25ste der 9 bändigen Ausgabe von **Johann Seb. Bachs** Orgelmusik, für den praktischen Gebrauch mit Registerangabe, Fuß- und Fingersatz versehen auf 3 Liniensystemen verteilt, nämlich Nr. 113—124: „Choralvorspiele über Melodientexte deutscher Chorale. Leipzig, Breitkopf & Härtel. 40 Seiten in Großfolio 1 *M*. Wenn auch diese Melodien dem Schatze des evangelischen Liedes entnommen sind, so steht doch kein stichhaltiges Hindernis im Wege, diese über einen *Cantus firmus* gearbeiteten, künstlerisch und musikalisch hochstehenden Orgelsätze zum Studium und zu gelegentlicher Aufführung in der Kirche, sowie als vortreffliches Lehrmittel für technisch gut vorgebildete Organisten aufs beste zu empfehlen.

II. Die Firma **G. F. Steinmeyer & Co.** in Öttingen a. R. (Schwaben) hat am 29. Dezember 1903 das achthundertste Orgelwerk[2]) vollendet und bei dieser Gelegenheit

---

[1]) Verlag, Rom, via S. Chiara, Nr. 20 und 21.

[2]) Die Disposition dieser Orgel in Königsfeld (Baden) lautet: I. Manual. 56 Töne. 1 Bourdon 16'. 2. Prinzipal 8' (im Prospekt). 3. Viola di Gamba 8'. 4. Orchesterflöte 8'. 5. Dolce 8'. 6. Doppelgedeckt 8'. 7. Trompete 8'. 8. Rohrflöte 4'. 9. Oktav 4'. 10. Oktav 2'. 11. Mixtur 2¹/₃' 3—4fach. II. Manual. 68 Töne. Schwellwerk: 12. Stillgedeckt 16'. 13. Prinzipal 8'. 14. Tibia 8'. 15. Salicional 8'. 16. Wienerflöte 8'. 17. Liebl. Gedeckt 8'. 18. Violine 8'. 19. Viola 8' (Labialstimme). 21. Soloflöte 4'. 22. Prinzipal 4'. 23. Cornettino 4' 3fach. III. Manual. 56 Töne. Fernwerk: 24. Geigen-Prinzipal 8'. 25. Gemshorn 8'. 26. Äoline 8'. 27. Vox coelestis 8'. 28. Echobourdon 8'. 29. Vox humana 8' 30. Traversflöte 4'. 31. Fugara 4. Pedal. 30 Töne. 32. Violon 16'. 33. Subbaß 16'. 34. Harmonikabaß 16'. 35. Bourdonbaß 16'. 36. Posaune 16'. 37. Oktavbaß 8'. 38. Violoncello 8'. Nebenzüge: Manual-Copula II. z. I. M. Manual-Copul. III. z. I. M. Manual-Copula III. z. II. M.

in der Orgelbauanstalt eine Jubelfeier abgehalten, zu welcher außer dem Bürgermeister von Öttingen nur die Herren Chefs und die 75 Gehilfen des Geschäftes eingeladen waren. Der älteste Sohn des Gründers der Firma, des verstorbenen Kommerzienrates Friedrich Steinmeyer, Herr Johannes, umgeben von seinen Brüdern Ludwig, Gottlieb, Wilhelm und Albert, eröffnete das „Familienfest" mit einem kurzen Tischgebet, der zweite Chef hielt eine herzliche Begrüßungsansprache an seine lieben Arbeiter; Gedichte, Reden, Gesangs-, Orgel- und Harmoniumvorträge der Brüder und des Arbeitergesangschores wechselten nach einem trefflichen Programme. Ein paar Tage darauf erhielt Joh. Steinmeyer von Sr. Kgl. Hoheit, dem Prinz-Regenten, den Titel Kommerzienrat.[1]) (Die Red. der *Musica sacra* gratuliert dem Geehrten nachträglich zu dieser Auszeichnung.)

Die gleiche Firma hat für die Dominikanerkirche[2]) in Landshut (Studienkirche) eine Orgel mit 32 Registern auf 2 Manualen usw. hergestellt, welche am 18. Okt. 1903 übergeben und geprüft wurde. Herr Professor Joseph Becht an der Kgl. Akademie zu München schrieb nachfolgendes Gutachten, das der Redaktion von Freundeshand zugesendet wurde:

„Die von der Orgelbauanstalt G. F. Steinmeyer & Cie. für die Studienkirche in Landshut neu erbaute Orgel habe ich in allen Teilen einer gründlichen Untersuchung unterzogen, und mich überzeugt, daß ein geradezu hervorragendes Werk entstanden ist.

Vor allem möge die Intonation als sehr gelungen bezeichnet werden, indem jedes Register die seinem Namen entsprechende Charakteristik erhielt. Unter diesen möchte ich außer den Grundstimmen namentlich die herrliche Gamba 8', die Wienerflöte, die Tibia 8' und Trompete im I. Manual, sodann besonders die Vox coelestis 8', das Quintatön und die vorzüglich gelungene Oboe 8' — als Labialstimmen — im II. Manual besonders hervorheben. Dazu kommen noch die vorzüglichen Bässe, darunter ein reizend zarter Bourdonbaß 16', im Schwellwerk stehend, und der akustische 32' = Baß, sodann die intensive und doch nicht schreiende Mixtur im I. Manual; endlich noch die Superoktavkoppel, welche dem Spieler die Möglichkeit gibt, die mannigfaltigsten Klangmischungen zu machen. Eine sehr praktische Anlage des Spieltisches, welcher außer den üblichen Koppelungen 7 pneumatische Druckknöpfe und freie Kombinationen enthält, setzt den Spieler in den Stand, diese in raschester Weise herzustellen.

Das Zinn- und Holzpfeifenwerk ist aus bestem Material, äußerst präzis gearbeitet, und ist die Anordnung desselben, soweit die räumlichen Verhältnisse es gestatten, möglichst günstig getroffen.

Das Gebläse funktioniert geräuschlos und ist die Windzufuhr auch beim höchsten *ff* vollauf genügend.

Ein Vorzug besteht auch darin, daß die Windlade von unten zugänglich ist, wodurch bei irgendwelchen Arbeiten ein Abtragen des Pfeifenwerkes entbehrt werden kann.

Wenn ich nun noch erwähne, daß das alte, schöne Gehäuse nun in seinem neuen Gewande einen imponierenden Eindruck macht, so glaube ich die Vorzüge dieses Werkes nach allen Seiten hin anerkannt zu haben, und wünsche ihm nur, daß für alle Zeit eine wirklich entsprechende künstlerische Verwendung finden möge."

Pedal-Copula z. I. M. Pedal-Copula z. II. M. Pedal-Copula z. III. M. Superoctav-Copula II. z. I. M. Suboctav-Copula II. z. I. M. Generalkoppel mit Auslöser. Druckknopf für: Prinzipalchor, Gambenchor, Gedecktchor, Flötenchor, Piano-Pedal. Auslösung. I. freie Kombination, II. freie Kombination, Auslösung. 7 sich gegenseitig auslösende Druckknöpfe für feste Kombinationen mit Auslöser. 2 freie Kombinationen. Generalcrescendo (Rollschweller). Schwelltritt für Schwellwerk II. M. Schwelltritt für Fernwerk III. M. Tremolo für Vox humana 8'. Kalkantenruf. Zeigervorrichtung für: Schwellwerk, Fernwerk, Generalcrescendo, den Windstand. Zusammenstellung der Pfeifen: I. Manual 694 Pfeifen. II. Manual 872 Pfeifen. III. Manual 436 Pfeifen. Pedal 180 Pfeifen. Blind im Prospekt 24 Pfeifen. In Summa: 2206 Pfeifen.

[1]) Das „Öttinger Amts- und Anzeigeblatt", Nr. 1 vom 2. Januar, brachte über diese Feier eingehenderen Bericht.

[2]) Das Werk ist mit Nr. 782 bezeichnet und verteilt sich auf 2 Manuale mit je 4½ Oktaven von C und Pedal mit 2½ Oktaven von C—d. Die Disposition der Orgel ist folgende: I. Manual, 56 Töne: 1. Prinzipal 16' im Prospekt). 2. Prinzipal 8'. 3. Viola di Gamba 8'. 4. Wiener Flöte 8'. 5. Tibia 8'. 6. Gedeckt 8'. 7. Salicional 8'. 8. Trompete 8'. 9. Oktav 4'. 10. Rohrflöte 4'. 11. Oktav 2'. 12. Mixtur 2⅔' (vierfach). II. Manual (Schwellwerk) 68 Töne: 13. Geigenprinzipal 8'. 14. Bourdon 16'. 15. Lieblich gedeckt 8'. 16. Äoline 8'. 17. Vox coelestis 8' (mit Äoline schwebend). 18. Bourdonflöte 8'. 19. Viola 8'. 20. Quintatön 8'. 21. Oboe 8' (als Labialstimme). 22. Prinzipal 4'. 23. Flauto traverso 4'. 24. Cornettin 4' (vierfach). Pedal, 27 Töne: 25. Prinzipalbaß 16'. 26. Violon 16'. 27. Bombarde 16'. 28. Subbaß 16'. 29. Bourdonbaß 16' (im Schwellwerk). 30. Quintbaß 10⅔', in Verbindung mit Prinzipalbaß 16' den 32' Grundton gebend. 31. Oktavbaß 8'. 32. Violoncello 8'. Nebenzüge: Manualkopula die 2 Manuale verbindend. Pedalkopula zum I. und II. Manual. Superoctavcopula vom II. zum I. Manual. Freie Kombination und noch 7 pneumatische Druckknöpfe für feste Kombinationen. Schwelltritt zum II. Manual. (Echowerk) und Kalkantenruf. Zusammenstellung: I. Manual 12 Stimmen mit 828 Pfeifen. II. Manual 12 Stimmen mit 1094 Pfeifen. Pedal 8 Stimmen mit 189 Pfeifen. Blindpfeifen 35 Pfeifen. Summa: 2146 Pfeifen.

L. Wassermann schrieb „Zur Geschichte der Orgel von St. Emmeram in Mainz"
eine 20 Seiten starke Broschüre und widmete dieselbe als Pfarrer der genannten Kirche
seinen Parochianen. Das bei Johann Falk (3) & Söhne in Mainz erschienene Schriftchen
ist aber auch für alle Freunde der Geschichte dieses kirchlichen Instrumentes interessant, denn es führt den Leser bis in das Jahr 1639 zurück, indem es die Schicksale
der alten bisherigen Orgel nach der Pfarrchronik schildert. Disposition und Voran-
schlag der neuen 2 manualigen Orgel mit 13 Registern im I., 8 im II. Manual und 5 im
Pedal mit den Nebenzügen und Kollektivtritten stammt von der bekannten Firma
B. Schlimbach & Sohn in Würzburg; die detaillierten Angaben sind Seite 16 abgedruckt.   F. X. H.

Vermischte Nachrichten und Mitteilungen.

1. △ **Leipzig. Dies und das.** Das Konzert des Leipziger Riedelvereins, am 18. Januar
in der Thomaskirche, wies in seinem Programme — verglichen mit dem Umfange von Oratorien —
kleinere Sachen auf, die aber mehr als ein Händelsches Oratorium zu Vergleichen mit katholischer
Kirchenmusik reizen.

Der einleitende Orgelsatz von Joseph Rheinberger — Allegro agitato aus der D-moll-Sonate für
Orgel (Op. 148) brachte in einem sanften Mittelsatze eine Melodie, die für ein Symphonie-Orchester
ihre Wirkung gehabt hätte, auf der Orgel aber einen zu weichlichen, etwas sentimentalen Eindruck machte.

Die Regersche Orgelmusik stellt den direkten Gegensatz zu Rheinberger dar; es will uns aber
scheinen, als wenn die Herbheit Regers bei aller modulatorischer Unruhe doch mehr der Natur der
Orgel sich anpaßte, als dieser allzu melodische Zug Rheinbergers, dem wir auch in seinen anderen
Orgelwerken begegnen.

Dieser weichliche Zug kommt auch nicht selten in den geistlichen Chorwerken dieses Münchner
Meisters zum Durchbruch, und diese Stellen sind es, die uns — den Freunden seiner Muse — den
vollen Genuß an seinen sonst so schönen und kristallhell gearbeiteten Vokalkompositionen verwehrt. Gemessen an dem vom Heiligen Vater aufs neue aufgestellten Normaltone — dem Choral —
werden allerdings die kirchlichen Kompositionen eines Rheinberger noch mehr als bisher in den
Hintergrund treten müssen — allerdings ohne über die sanglichen, melodiösen, kontrapunktlich
wertvollen Werke dieses Meisters ein Urteil vom Standpunkte der Kunst im allgemeinen damit
abgeben zu wollen.

Ein Stück hochmoderner Satzweise und Umgestaltung boten die vier geistlichen Chorlieder
von Hugo Wolf, nach Texten des unvergessenen Eichendorff. Wer Wolfsche Lieder mit Klavierbegleitung gehört hat, und sich die gewiß grandiose Eigenart dieser Musik auf die vier Stimmen
eines gemischten Chores übertragen denkt, hat so in der Hauptsache ein ungefähres Bild dieser
Chöre, die zu dem Schwersten gehören dürften, was für diese Stimmgattung geschrieben worden
ist. Mir sagte ein Mitglied des Chores: in den vier oder sechs — Liedern käme in seiner
Stimme kein Takt vor, wo nicht ein Versetzungszeichen stünde; in einem Liede sei es gar kurios,
da wäre wohl keine Note ohne ein besonderes Vorzeichen.

Die Vieldeutigkeit der Akkorde-Enharmonik ist gesteigert bis jenseits von Dur und Moll.
Jedes strebende Intervall spottet seiner selbst, bleibt statt in der erwarteten Führung weiterzu-
schreiten — liegen, oder springt in frappierende Fernen. Kurz, alles ist getan, um Ben Akibas
Spruch zu verhöhnen: „Alles schon dagewesen." Daß aber — Gott sei Dank — die Kunst nicht
an diese und jene bestimmte Harmonisation, an ebensowenig an diese und jene Harmonie-Vexa-
tion gebunden ist, um Eindruck zu machen, das beweisen gerade diese Lieder: Der Genius dieses
glücklich — „unglückseligen" Mannes bricht sich auch durch diese Gewirr siegreich hindurch. Und
dieser phantasie-überreiche, ja so oft phantastisch unheimliche Mensch greift oft unverhofft zu, packt
mit „eiserner Faust" das erschreckte Gemüt, so daß man unter dem Eindrucke seines Genies seufzt
und unter einer gewissen Art geistiger Hypnose gestanden zu haben meint. — Nur allerreifst Chor-
vereinigungen werden diese Harmonien, diese Überharmonien, bewältigen; denn harmonische Vorbildung allein führt zu noch nicht zum Siege; da muß man in der Enharmonie zu Hause sein; Der
Sänger hat am temperierten Klavier den treuen Führer in solch gefährdeten Lebenslagen. Aber
ein a capella Chor mit seinen naturreinen Klängen hat, wenn er „gute Witterung" haben, wenn er
den Kompaß des diatonischen, des natürlichen Tongefühls wieder am heimatlichen Gestade — in der
Ausgangstonart — heil anlangen soll — wie es in dieser Vorführung aber doch geschah.

Und diesem Wiener Künstler reichte in anderer Wiener Musenfreund die Hand: Anton
Bruckner. Seine 8stimmige Messe in E-moll — mit Blasorchesterbegleitung ohne Orgel — kam
binnen Jahresfrist zur zweiten Aufführung.

Eine geistreiche, genial entworfene und mit der ganzen Meisterschaft Brucknerscher Kontra-
punktik durchgeführte Arbeit. Da steht oben auf dem Chore ein gewaltiges Heer von nun
großgewordenen Sängern und Sängerinnen, die sich auf ihren Konzertreisen früher und in jüngster
Zeit uneingeschränktes Lob und begeisterte Anerkennung ersungen haben, in Dresden und in Prag.
Da steht er oben, der feurige Dirigent, und leitet alles so sicher, so dezent und so überlegen, daß
man von den unglaublichen Treffschwierigkeiten — bis zum Umfange einer Dezime springen mitunter die Stimmen — gar nichts merkt — da umfängt der hohe hehre Bau aus katholischer Vergangenheit den Zuhörer. Die ganze äußere Umgebung wiegt einen in einen süßen Traum von

Deutschlands glücklichen Tagen, wo noch ein Glaube das starke Volk umwand. Da beginnt ein reiner Chorsatz, das 8stimmige *Kyrie*. Eine Flut von menschlichen Stimmen drängt sich hervor. Ein *Christe eleison* schreit zum Heiland empor und dieser Musik ist ein tiefer Reueschmerz auf die Stirn geschrieben. Jetzt ist der Gesang verklungen. Nicht anders — man wartet auf die Intonation des *Gloria* von seiten des Priesters. Und hier „reißt der schöne Wahn entzwei." Wie schade, daß der a capella Satz so schnell zu Ende war. Dies Blasorchester stimmt in das *Et in terra* mit ein und die heilige, keusche Stimmung des *Kyrie* kehrt von hier ab nie wieder. Die Kirche mit ihrer Vorliebe für den a capella Gesang hat doch ihre Feinfühligkeit auf psychologischem und künstlerischem Gebiete von jeher glänzend bewährt.

Vom Standpunkte Messe ist diese Messe geradezu übervoll von Schönheiten; seien es die charakteristischen Rhythmen, die wohlberechnete Anordnung der zwei Singkörper zueinander und ihre Fortführung zu großen „Szenen", oder der architektonische Aufbau des Singchores und des Blasorchesters. Dem verantwortlichen Leiter, Herrn Hofkapellmeister Dr. Göhler, gebührt ganz besondere Anerkennung für das Durchsetzen seines Planes, Bruckner von seiner am ehesten verständlichen Seite her, der kirchlich-musikalischen, dem deutschen Musikvolke bekannt zu machen. Doppelt freuen muß es uns Katholiken, daß er sich — wenn man gewisse Eigentümlichkeiten des Königreiches Sachsen in Betracht zieht — an diesem spezifisch katholischen Texte nicht stößt und in seinen textlichen Programmerläuterungen so warm für die besonderen Schönheiten dieses Textes und seiner entsprechenden Vertonung eintritt.

Dieser rührige Vorkämpfer Brucknerscher Musikideen mag es uns Katholiken aber nicht für Unverstand auslegen, wenn wir, um dabei für den katholischen, praktischen Kirchendienst etwas profitieren zu wollen, doch uns die Frage auch hier vorlegen, die der Cäcilienverein von jeher als seine Hauptforderung hingestellt hat und die in letzter Zeit wieder brennender für die gesamte katholische Welt geworden ist: Ist diese Messe in ihrem tiefsten Wesen liturgisch? — Soviel Gewaltiges, Packendes, Interessantes sie auch enthält, wie sehr sie auch durch eine gewisse äußere Strafheit auf die Dauer der kirchlichen Zeremonien wohltuend Rücksicht nimmt — läßt sie doch auch die Intonationen des *Gloria* und *Credo* unkomponiert — mögen auch große Partien eine vom Standpunkt des Liturgisten als einwandfreie katholische Kirchenmusik darstellen — das große ganze Werk aber ist durchsetzt von Stellen, die auch jeden Zusammenhang mit dem Geiste des Chorals vermissen lassen. Ganz abgesehen von den nicht gerade sehr originellen Begleitungsformen von „Et resurrexit" und vor „Et iterum". Darum aber bleibt diese Messe ein Imposantes **Kunstwerk**, nur ist sie nicht allweg liturgisch. Das allein wollten wir feststellen.

Das ist auch der Fall bei kirchlichen Kompositionen Rheinbergers.

Warum blieb diesen zwei Meistern die Welt des Chorals ein Buch mit sieben Siegeln? Wie lange noch werden ihn die „Großen" dieser Erde ignorieren?

Wie wohltuend ist der Gedanke, daß durch so vollendete Vorführungen katholischer Meßkompositionen, denen der Zutritt zur liturgischen Feier verwehrt bleiben muß, die ringenden, edlen Meister der Tonkunst doch noch zu ihrem Rechte kommen. Wie wahrhaft vornehm die künstlerische Bildung, die an der Schranke des Konfessionellen nicht stehen bleibt. Wie nachahmenswert der Eifer und aneifernd der Mut, mit dem der zielbewußte Dirigent einem lang niedergehaltenen Genie freie Bahn bricht. Die bis in die Siebziger reichenden Lebensjahre Anton Bruckners waren nicht imstande, die starren Gegner zu besiegen. Darum geht auch jetzt sein Stern auf. — Leider Gottes — auch an ihm hat sich das Martyrium fast aller großen Musikkünstler erfüllt. Vereinsamung, Not im Leben und kleineres Denkmal auf steinernem Grabeshügel.

Wünschen wir dieser „kindlich" frommen Seele volle Teilnahme an der großen Ewigkeitssymphonie. —b.—

2. **Inhaltsübersicht von Nr. 1 des Cäcilienvereinsorgans:** Das *Motu proprio* Pius X. über Kirchenmusik. (Italienisch und deutsch.) — Das Dekret der Ritenkongregation. (Lateinisch und deutsch.) — Papst Pius X. und der Cäcilienverein. — Vereins-Chronik: Jahresbericht über den Diözesan-Cäcilienverein Augsburg pro 1903; Eßlingen a. N. (Diöz. Rottenburg); Rom; Illertissen; Freiburg i. Schweiz. — Inhaltsübersicht von Nr. 1 der *Musica sacra*. — Cäcilien-Vereins-Katalog S. 41—48, Nr. 3081—3094. — Anzeigeblatt.

Offene Korrespondenz.

Bausteine für die Cäcilienorgel (-Kirche). Übertrag aus *Musica sacra* 1904, S. 12: 9119 ℳ 90 ₰. J. G. in P. (Pos. *Gis* und *gis*) 25 ℳ 81 ₰; Ungenannte Dame in R. (Pos. *A*, *H*, *h* und Tibia *Fis*) 50 ℳ; Ungenannt (Prinzipal 16' *gis*, *g*, *fis*) 79 ℳ; R. Sch. in R. (Violon 16' *G*, *E*) 100 ℳ. **Summe:** 9374 ℳ 51 ₰. Schuldrest: 2625 ℳ 49 ₰. Vergelt's Gott!

Das kirchenmusikalische Jahrbuch für 1903, dessen Inhalt Seite 12 angegeben wurde, kann erst jetzt versendet werden, da infolge des *Motu proprio* Papst Pius X. einige Änderungen und Zusätze in den letzten drei Wochen notwendig und zweckdienlich erschienen. Es wurden nämlich die in Nr. 1 des Cäcilienvereinsorgans enthaltenen päpstlichen Dokumente vom 22. Nov. 1903 und 8. Januar 1904 aufgenommen, die Antikritik der Redaktion gegen P. Molitors „Eine werte Geschichte" zurückgelegt und vom Verfasser des Artikels: „Kanonistische Würdigung der neuesten Choraldekrete" auf Grund der „allerneuesten" Erklärungen abgegeben. Dadurch hat sich die Publikation leider um einen Monat verspätet, dürfte aber an Interesse nur gewonnen haben. Durch jede Buchhandlung zu beziehen. Preis 3 ℳ. F. X. H.

Druck und Verlag von **Friedrich Pustet** in Regensburg. Gesandtenstraße.
Nebst Extrabeilage des päpstlichen Motu proprio und des Dekretes der S. R. C. und Anzeigeblatt.

Motu proprio Sr. Heiligkeit Papst Pius X. über die Kirchenmusik.*)

•♦• ♦♦•

Unter den Sorgen des Hirtenamtes, die Uns nicht allein der höchste Lehrstuhl, welchen wir, wenn auch unwürdig, nach der unerforschlichen Fügung der Vorsehung einnehmen, sondern auch jede einzelne Kirche auferlegt, ragt ohne Zweifel die für Erhaltung und Förderung der Würde des Hauses Gottes hervor. In diesem werden die erhabenen Geheimnisse der Religion gefeiert, da versammelt sich das christliche Volk, um die Gnade des Sakramentes zu empfangen, dem heiligen Meßopfer beizuwohnen, das allerheiligste Sakrament des Leibes unseres Herrn anzubeten und sich dem gemeinsamen Gebete der Kirche bei dem öffentlichen und feierlichen liturgischen Gottesdienste anzuschließen. Nichts darf also im Gotteshause geschehen, was die Frömmigkeit und Andacht der Gläubigen stören oder auch nur vermindern könnte, nichts, was einen vernünftigen Grund zum Widerwillen oder zum Ärgernis bieten, besonders nichts, was die Würde und die Heiligkeit der heiligen Verrichtungen beleidigen könnte und was daher des Bethauses und der Majestät Gottes unwürdig wäre. Wir berühren nicht im einzelnen die Mißbräuche, welche in dieser Beziehung vorkommen können. Für heute richtet sich unsere Aufmerksamkeit einem der gewöhnlichsten zu, welcher sehr schwer auszurotten ist und zuweilen auch da beklagt werden muß, wo alle übrigen Dinge des höchsten Lobes würdig sind, wie die Schönheit und Pracht des Gotteshauses, der Glanz und die genaue Beobachtung der Zeremonien, die Menge des Klerus, der Ernst und die Frömmigkeit der Altardiener. Wir meinen nämlich den Mißbrauch in Sachen des Gesanges und der Kirchenmusik. Tatsächlich besteht in diesem Punkte, sei es wegen der in sich selbst schwankenden und veränderlichen Natur dieser Kunst, sei es durch die Veränderung des Geschmackes und der im Laufe der Zeiten eingetretenen Gewohnheiten, sei es durch den traurigen Einfluß der weltlichen und theatralischen Kunst auf die kirchliche, sei es durch das Wohlgefallen, welches die Musik als solche unmittelbar hervorruft, das aber nicht immer leicht in den rechten Schranken gehalten werden kann, sei es endlich wegen der vielen Vorurteile, welche sich bei diesem Gegenstande leicht einschleichen und sich dann mit Zähigkeit selbst bei achtungswerten und frommen Personen festsetzen, eine fortwährende Neigung, von der wahren Richtschnur abzuweichen, die zu dem Zwecke gezogen ist, für welchen die Kunst im Dienste des Kultus zugelassen wird. Derselbe ist sehr klar in den kirchlichen Regeln, in den Verordnungen der allgemeinen und der Provinzialkonzilien, in den bei verschiedenen Anlässen erfolgten Vorschriften der heiligen römischen Kongregationen und Unserer Vorgänger, der Päpste ausgedrückt.

Mit wahrer Genugtuung Unseres Gemütes anerkennen Wir das viele Gute, das nach dieser Seite während der letzten Jahrzehnte auch in Unserer hehren Stadt Rom und in vielen Kirchen Unseres Vaterlandes geschehen ist, in ganz besonderer Weise aber bei einigen Nationen, wo hervorragende und für den Gottesdienst eifernde Männer mit Zustimmung des apostolischen Stuhles und unter der Leitung der Bischöfe sich zu blühenden Vereinen zusammenschlossen und die heilige Musik in fast allen zu ihrem Verbande gehörigen Kirchen und Kapellen zu vollster Ehre gebracht haben. Diese Erfolge sind aber noch sehr weit entfernt, Gemeingut zu sein.' Wenn Wir Unsere persönliche Erfahrung zu

*) Aus „Cäcilienvereinsorgan" Nr. 1, 1904. Übersetzung des italienischen Originals von F. X. Haberl.

Rate ziehen und die sehr zahlreichen Klagen berücksichtigen, welche in der kurzen Zeit, während welcher es dem Herrn gefallen hat, Unsere geringe Person auf den höchsten Gipfel des römischen Pontifikates zu erheben, von allen Seiten Uns zugekommen sind, so halten Wir es, ohne Zeit zu verlieren, für Unsere erste Pflicht, sofort die Stimme zu erheben, um all das zurückzuweisen und zu verurteilen, was bei den Kultus-Verrichtungen und beim kirchlichen Gottesdienst als ein Abweichen von der wahren Richtschnur anzusehen ist. Da es in der Tat Unser lebhaftester Wunsch ist, daß der wahre christliche Geist in jeder Weise wieder aufblühe, und sich bei allen Gläubigen erhalte, so ist es notwendig, zu allererst für die Heiligkeit und Würde des Gotteshauses zu sorgen. Dort versammeln sich die Gläubigen, um diesen Geist aus seiner ersten und unentbehrlichen Quelle zu schöpfen, nämlich durch die tätige Teilnahme an den hochheiligen Geheimnissen und an den öffentlichen und feierlichen Gebeten der Kirche. Vergeblich ist die Hoffnung auf den reichlichen Segen des Himmels, wenn unsere Ehrerbietung gegen den Allerhöchsten, anstatt im Geruche der Lieblichkeit emporzusteigen, im Gegenteil dem Herrn die Geißeln in die Hand drückt, mit denen der göttliche Erlöser einmal die unwürdigen Tempelschänder verjagt hat.

Damit also von nun an niemand sich damit entschuldigen kann, daß er seine Pflicht nicht klar erkenne, und damit jede Unsicherheit in der Auslegung einiger bereits angeordneter Dinge beseitigt werde, haben Wir es für zweckmäßig befunden, in kurzer Form jene Grundsätze anzugeben, nach denen die Kirchenmusik bei den Kultusverrichtungen geregelt sein soll und in einem Gesamtbilde die hauptsächlichsten Vorschriften der Kirche gegenüber den gewöhnlichsten Mißbräuchen in dieser Materie darzulegen. Darum veröffentlichen Wir aus eigenem Antrieb und mit vollem Wissen Unsere gegenwärtige Anweisung und verlangen, daß dieselbe gewissermaßen als Rechtsbuch der Kirchenmusik gelte. Aus der Fülle Unserer apostolischen Auktorität fordern Wir für dieselbe Gesetzeskraft und befehlen allen durch dieses Unser Handschreiben die gewissenhafteste Befolgung desselben.

Anweisung über die Kirchenmusik.

I. Allgemeine Grundsätze.

1. Die Kirchenmusik ist ein wesentlicher Teil der feierlichen Liturgie, nimmt also an dem allgemeinen Zwecke derselben teil, nämlich: die Ehre Gottes, die Heiligung und Erbauung der Gläubigen zu fördern. Sie ist bestrebt, die Würde und den Glanz der kirchlichen Zeremonien zu vermehren; gleichwie es ihre Hauptaufgabe ist, durch angemessene Melodien den liturgischen Text, der zum Verständnisse der Gläubigen bestimmt ist, zu umkleiden, so ist es ihre besondere Aufgabe, diesem Texte eine größere Wirksamkeit zu verleihen, damit die Gläubigen durch dieses Mittel leichter zur Andacht angeregt und besser vorbereitet werden, die Gnadenfrüchte, welche der Feier der hochheiligen Mysterien eigen sind, in sich zu sammeln.

2. Die Kirchenmusik muß deshalb in höherem Grade die Eigenschaften besitzen, welche der Liturgie innewohnen, und zwar besonders die Heiligkeit und die Güte der Formen; aus diesen entspringt ungezwungen ihr anderer Charakter, nämlich die Allgemeinheit.

Sie muß heilig sein und daher jede Weltlichkeit ausschließen, nicht allein in sich selbst, sondern auch in der Weise, in der sie vorgetragen wird.

Sie muß wahre Kunst sein, weil sie sonst unmöglich auf das Gemüt der Zuhörer jene Wirkung ausübt, welche die Kirche zu erreichen bestrebt ist, indem sie in der Liturgie die Kunst der Töne zuläßt.

Sie muß aber zugleich allgemein sein in dem Sinne, daß ihr Charakter als Kirchenmusik gewahrt bleibt, wenn auch jede Nation in den kirchlichen Kompositionen jene besonderen Formen aufweist, welche gewissermaßen den eigentümlichen Charakter ihrer eigenen Musik bilden darf. Diese Nationaleigentümlichkeiten müssen aber derart dem allgemeinen Charakter der Kirchenmusik untergeordnet sein, daß niemand von einer anderen Nation beim Anhören derselben einen Eindruck empfange, der nicht gut ist.

II. Gattungen der Kirchenmusik.

3. Diesen Eigenschaften begegnen wir im höchsten Grade beim gregorianischen Gesange, welcher daher der eigentliche Gesang der römischen Kirche ist, der einzige Gesang, welchen sie von den Altvätern ererbt, den sie Jahrhunderte lang in ihren liturgischen Büchern eifersüchtig geschützt hat, den sie, als den ihrigen, direkt den Gläubigen darbietet, den sie in einigen Teilen der Liturgie ausschließlich vorschreibt, und der durch die neuesten Studien so glücklich in seiner Unversehrtheit und Reinheit wieder hergestellt worden ist.

Aus diesen Gründen wurde der gregorianische Gesang immer als das höchste Vorbild der Kirchenmusik betrachtet, so daß man mit vollem Grunde das folgende allgemeine Gesetz aufstellen kann: Eine Kirchenkomposition ist um so heiliger und liturgischer, je mehr sie sich im Aufbau, im Geiste und im Geschmacke der gregorianischen Melodie nähert, und sie ist um so weniger des Gotteshauses würdig, je mehr sie von diesem höchsten Vorbilde verschieden ist.

Der alte traditionelle gregorianische Gesang muß daher häufig bei den gottesdienstlichen Verrichtungen wieder verwendet werden; alle sollen daran festhalten, daß eine kirchliche Funktion nichts an ihrer Feierlichkeit verliert, auch wenn keine andere Musik als diese vorgetragen wird.

Besonders sorge man dafür, daß der gregorianische Gesang wieder beim Volke eingeführt werde, damit die Gläubigen von neuem einen tätigeren Anteil am Gottesdienste nehmen, wie dieses früher der Fall war.

4. Die vorgenannten Eigenschaften besitzt auch in höchstem Grade die klassische Polyphonie, besonders die der römischen Schule, welche im 16. Jahrhundert ihre höchste Vollendung durch Pierluigi von Palestrina erreichte und in der Folge Kompositionen von ausgezeichneter musikalischer und liturgischer Güte hervorzubringen fortfuhr. Die klassische Polyphonie nähert sich sehr gut dem höchsten Vorbilde der Kirchenmusik, dem gregorianischen Gesange, und daher verdiente sie, zugleich mit diesem bei den feierlichsten Funktionen der Kirche zugelassen zu werden, wie die der päpstlichen Kapellen es sind. Auch sie muß daher bei den kirchlichen Funktionen häufig gebracht werden, besonders in den hervorragendsten Basiliken, in den Kathedralkirchen, in denen der Seminarien und anderer kirchlicher Institute, wo die erforderlichen Mittel nicht zu fehlen pflegen.

5. Die Kirche hat immer den Fortschritt der Künste anerkannt und begünstigt, indem sie zum Gottesdienste all das, was das Genie im Laufe der Jahrhunderte Gutes und Schönes zu erfinden wußte, zuließ, immer jedoch unter Wahrung der liturgischen Gesetze. Daher ist auch die neuere Musik in den Kirchen zugelassen, wenn sie ebenfalls Kompositionen von solcher Güte, Ernsthaftigkeit und Würde darbietet, daß dieselben in keiner Weise der liturgischen Verrichtung unwürdig sind.

Da jedoch die moderne Musik vorzüglich aus profanem Dienste stammt, so muß mit um so größerer Vorsicht darauf geachtet werden, daß die musikalischen Kompositionen modernen Stiles, welche man in der Kirche zuläßt, nichts Profanes enthalten, nicht an die in Theatern üblichen Motive erinnern und auch nicht in ihren äußeren Formen nach profanen Stücken gebildet sind.

6. Unter den verschiedenen Gattungen der modernen Musik, welche am wenigsten geeignet erscheint bei den Kultusfunktionen verwendet zu werden, ist jener theatralische Stil, welcher während des vorigen Jahrhunderts sehr verbreitet war, besonders in Italien. Derselbe steht seiner Natur nach im größten Widerspruch zum gregorianischen Gesange und zur klassischen Polyphonie und damit zum wichtigsten Gesetze jeder guten Kirchenmusik. Überdies fügt sich der innere Aufbau, der Rhythmus und der sogenannte Konventionalismus dieses Stiles nur sehr schlecht den Forderungen der wahren liturgischen Musik.

III. Liturgischer Text.

7. Die eigentliche Sprache der römischen Kirche ist die lateinische. Es ist daher verboten, bei den feierlichen liturgischen Funktionen irgend etwas in der Volkssprache zu singen, in noch höherem Grade gilt das Verbot der Volkssprache) für die Wechselgesänge oder für das Ordinarium der Messe und des Offiziums.

8. Da für jede liturgische Funktion sowohl die Texte, welche gesungen werden können, als auch die Aufeinanderfolge derselben bestimmt sind, so ist es nicht erlaubt, von dieser Ordnung abzuweichen, die vorgeschriebenen Texte durch andere eigener Wahl zu ersetzen oder sie ganz oder teilweise auszulassen; ausgenommen ist der Fall, daß die liturgischen Rubriken das Orgelspiel bei einigen Versen gestatten, welche unterdessen im Chore einfach rezitiert werden. Nur ist es gestattet, gemäß der Gewohnheit der römischen Kirche, eine Motette zum allerheiligsten Sakramente nach dem *Benedictus* des Hochamtes zu singen. Ebenso ist gestattet, nach dem Singen des vorgeschriebenen Offertorium der Messe in der übrigbleibenden Zeit eine kurze Motette nach Worten, die von der Kirche approbiert sind, vorzutragen.

9. Der liturgische Text muß gesungen werden, wie er in den Büchern steht, ohne Veränderung oder Umstellung von Wörtern, ohne ungehörige Wiederholungen, ohne Zerstückelung der Silben und stets in einer Weise, daß er den zuhörenden Gläubigen verständlich ist.

IV. Äußere Form der kirchlichen Kompositionen.

10. Die einzelnen Teile der Messe und des Breviers müssen auch nach musikalischer Seite jene Fassung und Form bewahren, welche ihnen die kirchliche Tradition gegeben hat, und die sich sehr gut im gregorianischen Gesange ausgedrückt findet. Verschieden ist also die Art, einen Introitus, ein Graduale, einen Antiphon, einen Psalm, einen Hymnus, ein *Gloria in excelsis* usw. zu komponieren.

11. Im besonderen müssen folgende Normen beachtet werden:

a) In den *Kyrie*, *Gloria*, *Credo* usw. der Messe muß die Einheit der Komposition, welche dem betreffenden Texte eigen ist, gewahrt bleiben. Es ist daher nicht erlaubt, dieselben aus getrennten Stücken zusammenzusetzen, so daß jedes dieser Stücke eine eigene, für sich bestehende musikalische Komposition bildet, die von den übrigen Teilen getrennt und durch eine andere ersetzt werden kann.

b) Bei der Abhaltung der Vesper muß man sich regelmäßig an das *Caeremoniale Episcoporum* halten, welches für die Psalmodie den gregorianischen Gesang vorschreibt und mehrstimmige Musik für die Verse des *Gloria Patri* und den Hymnus erlaubt.

Es ist aber auch gestattet, besonders bei größeren Feierlichkeiten, den gregorianischen Gesang des Chores im Wechsel mit den sogenannten Falsibordoni oder ähnlichen, in würdiger Weise komponierten Versen vorzutragen.

Man kann auch manchmal gestatten, daß die einzelnen Psalmen ganz in Musik gesetzt werden, wenn nur in solchen Kompositionen die der Psalmodie eigentümliche Form gewahrt bleibt, also in der Weise, daß die Sänger untereinander zu psallieren scheinen, entweder mit neuen Motiven, oder mit solchen aus dem gregorianischen Gesange oder demselben ähnlichen.

Es bleiben also für immer ausgeschlossen und verboten die sogenannten Konzertpsalmen.

c) Bei den Hymnen der Kirche halte man sich an die traditionelle Hymnenform. Es ist also nicht erlaubt, das *Tantum ergo* z. B. derartig zu komponieren, daß die 1. Strophe einer Romanze, Cavatine, einem Adagio und das *Genitori* einem Allegro gleicht.

d) Die Vesperantiphonen sollen für gewöhnlich nach ihren eigenen gregorianischen Melodien ausgeführt werden. Will man dieselben bei einer besonderen Gelegenheit in Musik setzen, so dürfen sie weder die Form einer Konzertmelodie haben, noch dem Umfange nach zur Motette oder Kantate werden.

V. Die Sänger.

12. Mit Ausnahme der Melodien, welche für den Zelebranten am Altare und für die Altardiener stets im gregorianischen Gesange ohne jede Orgelbegleitung ausgeführt werden müssen, ist der ganze übrige liturgische Gesang vom Chor der Leviten vorzutragen; die Kirchensänger bilden demnach, auch wenn sie Laien sind, in Wirklichkeit den eigentlichen kirchlichen Chor. Daraus folgt, daß die Musik, welche sie ausführen, wenigstens größtenteils den Charakter der Chormusik tragen muß.

Damit will der Sologesang nicht vollständig ausgeschlossen werden. Derselbe darf jedoch niemals beim Gottesdienste vorherrschen, so daß der größte Teil des liturgischen Textes in dieser Weise zur Ausführung gelangt; er soll vielmehr den Charakter der einfachen melodischen Phrase haben und aufs engste mit der übrigen Chorkomposition verbunden sein.

13. Aus dem gleichen Grundsatze folgt, daß die Sänger in der Kirche ein wirkliches liturgisches Amt bekleiden, und daß also die Frauen, weil untauglich zu solchem Amte, zum Chore oder zur musikalischen Kapelle nicht zugelassen werden können. Will man also hohe Sopran- und Altstimmen verwenden, so müssen Knaben, dem ältesten Gebrauche der Kirche gemäß, herangezogen werden.

14. Endlich sollen als Mitglieder des Kirchenchores nur Männer von bekannter Frömmigkeit und Rechtschaffenheit zugelassen werden, welche durch ihre bescheidene und andächtige Haltung während der liturgischen Funktionen sich des heiligen Dienstes, den sie ausüben, würdig zeigen. Es wird ferner geziemend sein, daß die Sänger, während sie in der Kirche singen, geistliches Gewand oder den Chorrock tragen und daß sie, wenn die Sängertribünen zu sehr den Blicken des Publikums ausgesetzt sind, durch ein Gitter geschützt werden.

VI. Orgel und Instrumente.

15. Obwohl die reine Vokalmusik so recht eigentlich die Musik der Kirche ist, so sind doch auch Kompositionen mit Begleitung der Orgel erlaubt. In einigen besonderen Fällen, in den notwendigen Grenzen und mit den passenden Rücksichten können auch andere Instrumente zugelassen werden, doch niemals ohne besondere Erlaubnis des Ordinarius, laut der Vorschrift des *Caeremoniale Episcoporum*.

16. Da der Gesang immer vorherrschen muß, so sollen die Orgel oder die Instrumente denselben einfach stützen und niemals ihn unterdrücken.

17. Nicht erlaubt ist, dem Gesange lange Präludien vorausgehen zu lassen oder ihn durch umfangreiche Zwischenspiele zu unterbrechen.

18. Das Orgelspiel bei der Begleitung des Gesanges, bei den Präludien, Zwischenspielen und sonst, soll nicht nur der eigenen Natur des Instrumentes angepaßt sein, sondern muß an allen Eigenschaften der wahren Kirchenmusik teilnehmen, die im Vorhergehenden aufgezählt worden sind.

19. Verboten ist in der Kirche der Gebrauch des Pianoforte, sowie der lärmenden oder leichtfertigen Instrumente, wie die kleine und die große Trommel, die Becken, Glockenspiele u. ähnl.

20. Strengstens verboten ist das Spiel sogenannter Musikkorps in der Kirche; nur bei besonderem Anlasse und mit Zustimmung des Ordinarius wird eine beschränkte, vernünftige, dem Raume angemessene Wahl von Blasinstrumenten gestattet sein, vorausgesetzt, daß die auszuführende Komposition

und Begleitung in ernstem Stil, entsprechend und in allem ähnlich dem eigentlichen Orgelstil geschrieben ist.

21. Bei den Prozessionen außerhalb der Kirche kann vom Ordinarius die Mitwirkung eines Musikkorps erlaubt werden, unter der Bedingung jedoch, daß in keiner Weise profane Stücke gespielt werden.

Es ist in solchen Fällen wünschenswert, daß diese musikalische Mitwirkung sich auf die Begleitung einiger geistlicher Gesänge in lateinischer oder in der Volkssprache beschränke, welche von Sängern oder frommen Vereinen, die an der Prozession teilnehmen, vorgetragen werden.

VII. Umfang der liturgischen Musik.

22. Es ist nicht erlaubt, mit Rücksicht auf den Gesang oder das Spiel den Priester am Altare länger warten zu lassen, als es die liturgische Zeremonie mit sich bringt. Laut der kirchlichen Vorschriften muß das *Sanctus* der Messe vor der Wandlung beendigt sein und daher muß auch der Zelebrant in diesem Punkte hierbei Rücksicht auf die Sänger nehmen. Das *Gloria* und das *Credo* müssen der gregorianischen Tradition gemäß verhältnismäßig kurz sein.

23. Im allgemeinen ist der besonders große Mißbrauch zu verurteilen, als ob die Liturgie bei den kirchlichen Funktionen an zweiter Stelle und zwar gleichsam nur als Dienerin der Musik da sei, während doch die Musik einfach ein Teil der Liturgie und deren demütige Magd sein soll.

VIII. Besondere Mittel.

24. Zur genauen Durchführung vorstehender Anordnungen sollen die Bischöfe, wenn es nicht schon geschehen ist, eine Spezialkommission einsetzen, die aus Personen gebildet ist, welche in Sachen der Kirchenmusik maßgebend sind und denen der Auftrag gegeben werden soll, in der nach ihrem Urteil passendsten Weise über die Musikaufführungen in den Kirchen (der Diözese) zu wachen. Diese sollen nicht nur darauf achten, daß die Kompositionen an sich gut seien, sondern daß diese anderseits auch den Kräften der Sänger entsprechen und immer gut aufgeführt werden.

25. In den Klerikalseminarien und kirchlichen Instituten muß den Vorschriften des Konzils von Trient gemäß der genannte traditionelle gregorianische Gesang von allen mit Fleiß und Liebe gepflegt werden und die Oberen sollen in diesem Punkte mit Ermutigung und Lob ihren untergebenen Zöglingen gegenüber nicht kargen. In gleicher Weise soll, wo die Möglichkeit besteht, unter den Klerikern die Gründung einer Sängerschule gefördert werden zum Zwecke der Ausführung des heiligen polyphonen Gesanges und der guten liturgischen Musik.

In den gewöhnlichen Vorlesungen über Liturgie, Moral und kanonisches Recht, welche den Theologiestudierenden gegeben werden, unterlasse man nicht, jene Punkte zu berühren, welche in ganz besonderer Weise sich auf die Grundsätze und die Vorschriften der Kirchenmusik beziehen, und bemühe sich, den Unterricht durch einige besondere Lehren über die Ästhetik der heiligen Kunst zu vervollkommnen, damit die Kleriker nicht ohne jede Kenntnis all dieser für die vollständige kirchliche Bildung ebenfalls notwendigen Dinge aus dem Seminar kommen.

27. Man sorge dafür, daß wenigstens an den Hauptkirchen die alten Sängerschulen wieder errichtet werden, wie man es an vielen Orten mit den besten Erfolgen schon durchgeführt hat. Es wird dem eifrigen Klerus nicht schwer werden, solche Schulen auch in den kleineren und Landkirchen zu errichten, er findet vielmehr in denselben ein sehr leichtes Mittel, die Kinder und die Erwachsenen zu ihrem eigenen Nutzen und zur Erbauung des Volkes um sich zu versammeln.

28. Man sorge in jeder Weise für Unterstützung und Hebung der höheren Schulen für Kirchenmusik, die bereits bestehen, und trachte solche zu gründen, wo sie noch nicht vorhanden sind. Es ist überaus wichtig, daß die Kirche selbst für die Ausbildung ihrer Kapellmeister, Organisten und Sänger nach den wahren Grundsätzen der heiligen Kunst sorge.

IX. Schluss.

29. Zum Schluß sei den Kapellmeistern, Sängern, Personen des Klerus, Oberen der Seminarien, der kirchlichen Institute und der religiösen Genossenschaften, den Pfarrern und den Kirchenvorständen, den Kanonikern der Kollegiat- und der Kathedralkirchen, vor allem aber den Diözesanbischöfen empfohlen, mit allem Eifer diese seit langer Zeit ersehnten und von allen einmütig verlangten weisen Reformen zu begünstigen, damit die Autorität der Kirche, welche dieselben wiederholt angeordnet hat und jetzt von neuem einschärft, nicht der Verachtung preisgegeben werde.

Gegeben in Unserem apostolischen Palaste des Vatikans am Tage der Jungfrau und Martyrin, der heiligen Cäcilia, 22. November 1903, im ersten Jahre Unseres Pontifikats.

Papst Pius X.

Das vorstehende Aktenstück, das der Heilige Vater Pius X. als „Chirograph" mit eigener Hand geschrieben, ist im offiziellen *Osservatore Romano* an zweiter Stelle abgedruckt; an erster findet sich der Brief des Heiligen Vaters vom 8. Dezember 1903 an Se. Eminenz Kardinal Respighi, Generalvikar des Papstes für die Diözese Rom, über die Restauration der Kirchenmusik in der ewigen Stadt. In diesem Briefe betont der Papst zwei Grundsätze: a) Man denke an den so heiligen Zweck, für welchen die Kunst zum Dienste des Kultus zugelassen ist, b) an die hochheilige Verpflichtung, dem höchsten Herrn nur solche Opfer darzubringen, welche an sich gut und, wo es möglich ist, ausgezeichnet sind. Aus diesen beiden Grundsätzen ergeben sich unmittelbar die Vorschriften der Kirche in betreff der heiligen Musik. Wenn der Klerus und die Kapellmeister von diesen Gedanken durchdrungen seien, so erblühe die Kirchenmusik von selbst; wenn man jedoch auf dieselben nicht achte, so helfen weder Bitten noch Ermahnungen, noch strenge und wiederholte Befehle, noch Drohungen mit kanonischen Strafen, um eine Änderung herbeizuführen. „So sehr findet die Leidenschaft oder wenigstens eine schändliche oder unentschuldbare Unwissenheit Auswege, um den Willen der Kirche zu verhöhnen und Jahre lang die gleichen tadelnswerten Mißbräuche fortzusetzen." Vom Klerus und den Gläubigen der Stadt Rom, dem Sitze des Papstes, erwartet Pius X. die vollste Bereitwilligkeit in der Durchführung seiner diesbezüglichen Verordnungen. Bischöfe und Gläubige kommen von allen Enden der Welt zum Stellvertreter Christi und besuchen die römischen Basiliken und Kirchen. Gerade heutzutage, wo die wahren Grundsätze für Kirchenmusik an vielen Orten bereits glücklich durchgeführt sind, sei das Ärgernis, welches die Rompilger über die schlechte Kirchenmusik empfinden, ein doppelt großes. Wenn schon Benedikt XIV. in seiner Enzyklika *Annus qui* den Wunsch ausgesprochen habe, daß die Pilger, welche damals zum Jubiläum durch den Kirchenstaat nach Rom wanderten, „wegen unserer Gebräuche (in der Kirchenmusik) nicht verletzt zurückkehren mögen", so sei der gleiche Wunsch in unseren Tagen um so dringender und berechtigter.

Papst Pius X. wendet sich dann mit eindringlichen Worten an seinen Generalvikar gegen die skandalöse Musik bei den Vespern und erwartet unnachsichtige und rasche Verbesserung nach den Prinzipien, welche die Kirche wiederholt aufgestellt habe.

Schließlich drückt der Papst seine Freude aus, daß römische Kleriker bei Gelegenheit des 13. Zentenariums Gregor I. wie er vernommen habe, in St. Peter bei seinem Pontifikalamte, das er zu halten gedenke, gregorianische Melodien vortragen werden.

———

Die Nummer des offiziellen *Osservatore Romano* brachte am 9. Januar 1904 das nachfolgende dritte Aktenstück in der Choralfrage, das ebenfalls im Originalwortlaut hier abgedruckt wird.

URBIS ET ORBIS.

Sanctissimus Dominus Noster Pius Papa X Motu *Proprio* diei 22 Novembris 1903 sub forma *Instructionis de musica sacra* venerabilem Cantum Gregorianum iuxta codicum fidem ad pristinum Ecclesiarum usum feliciter restituit, simulque praecipuas praescriptiones, ad sacrorum concentuum sanctitatem et dignitatem in templis vel promovendam vel restituendam, in unum corpus collegit, cui tamquam *Codici juridico musicae sacrae* ex plenitudine Apostolicae Suae Potestatis vim legis pro

Für Rom und die Welt.

Unser Heiligster Vater Papst Pius X. hat durch *Motu Proprio* vom 22. November 1903 in Form einer Anweisung für Kirchenmusik den ehrwürdigen Gregorianischen Gesang, wie er auf Grund der Handschriften früher in den Kirchen üblich war, glücklich wieder eingeführt und zugleich die hauptsächlichsten Vorschriften, durch welche die Heiligkeit und Würde der heiligen Musik in den Kirchen teils gefördert, teils wieder hergestellt werden soll, in ein ganzes zusammengefaßt, mit dem ausgesprochenen Willen, daß dieses Schreiben gleichsam als G e s e t z-

universa Ecclesia habere voluit. Quare idem Sanctissimus Dominus Noster per hanc Sacrorum Rituum Congregationem mandat et praecipit, ut *Instructio* praedicta ab omnibus accipiatur Ecclesiis sanctissimeque servetur, non obstantibus privilegiis atque exemptionibus quibuscunque, etiam speciali nomine dignis, ut sunt privilegia et exemptiones ab Apostolica Sede maioribus Urbis Basilicis, praesertim vero Sacrosanctae Ecclesiae Lateranensi concessa. Revocatis pariter sive privilegiis sive commendationibus, quibus aliae quaecumque cantus liturgici recentiores formae pro rerum ac temporum circumstantiis ab Apostolica Sede et ab hac Sacra Congregatione inducebantur, eadem Sanctitas Sua benigne concedere dignata est, ut praedictae cantus liturgici recentiores formae in iis Ecclesiis ubi iam invectae sunt, licite retineri et cantari queant, donec quamprimum fieri poterit venerabilis Cantus Gregorianus iuxta codicum fidem in eorum locum sufficiatur. Contrariis non obstantibus quibuscunque.

De hisce omnibus Sanctissimus Dominus Noster Pius Papa X. huic Sacrorum Rituum Congregationi praesens Decretum expediri iussit. Die 8 Ianuarii 1904.

L. ✠ S.

Seraphinus Card. Cretoni,
S. R. C. Praefectus.

✠ Diomedes Panici, Archiep. Laodicen.,
S. R. C. Secretarius.

buch der Kirchenmusik gelte und aus der Fülle Seiner Apostolischen Macht Gesetzeskraft für die ganze Kirche habe. Daher verordnet und befiehlt der Heilige Vater durch diese Ritenkongregation, daß genannte Anweisung von allen Kirchen angenommen und auf das gewissenhafteste befolgt werde, mögen auch Privilegien und Ausnahmen irgendwelcher Art entgegenstehen, nachfolgende namentlich aufführenswerte, wie die Privilegien und Ausnahmen, die vom Heiligen Stuhle den größeren Basiliken Roms, vorzüglich aber der hochehrwürdigen Laterankirche zugestanden waren. Zugleich werden alle Privilegien und Empfehlungen, durch welche irgendwelche neuere Formen des liturgischen Gesanges gemäß der Sach- und Zeitverhältnisse vom Heiligen Stuhle und von dieser Kongregation eingeführt wurden, widerrufen. Seine Heiligkeit aber hat gnädig zu gestatten sich gewürdigt, daß die genannten neueren Formen des liturgischen Gesanges in denjenigen Kirchen, in welchen sie bereits eingeführt sind, erlaubterweise beibehalten und gesungen werden können, bis sobald als möglich der ehrwürdige Gregorianische Gesang auf Grund der Handschriften an deren Stelle treten kann. Irgendwelche entgegenstehende Verordnungen werden hiermit widerrufen.

Über all dieses befahl Unser Heiligster Vater Papst Pius X. der Kongregation der Heiligen Riten das gegenwärtige Dekret auszufertigen am 8. Januar 1904.

✠ Statt des Siegels

Seraphin Kardinal Cretoni, Präfekt der Heil. Ritenkongregation.

✠ Diomedes Panici, Erzbischof von Laodicäa, Sekretär der Heil. Ritenkongregation.

Druck von Friedrich Pustet, Regensburg.

1904. Regensburg, am 1. März 1904. N⁰ 3.

MUSICA SACRA.

Gegründet von Dr. Franz Xaver Witt († 1888).

Monatschrift für Hebung und Förderung der kathol. Kirchenmusik.

Herausgegeben von Dr. Franz Xaver Haberl, Direktor der Kirchenmusikschule in Regensburg.

Neue Folge XVI., als Fortsetzung XXXVII. Jahrgang. Mit 12 Musikbeilagen.

Die „Musica sacra" wird am 1. jeden Monats ausgegeben, jede der 12 Nummern umfasst 12 Seiten Text. Die 12 Musikbeilagen (48 Seiten) werden den Nummern 3 und 6 beigelegt. Der Abonnementspreis des 37. Jahrgangs 1904 beträgt 3 Mark;
Einzelnummern ohne Musikbeilagen kosten 30 Pfennige. Die Bestellung kann bei jeder Postanstalt oder Buchhandlung erfolgen.

Papst Pius X. und die Kirchenmusik.
Von Paul Krutschek.
I. Artikel.

Vor langen Jahren schrieb Witt, die Vergewaltigung Roms durch fremde Macht-
haber werde als Strafe fortdauern, so lange in den römischen Kirchen Gott ungeschent
durch weltliche, ausgelassene Musik beschimpft werde. Heut würde er aufjubeln, daß
die Morgenröte einer besseren Zeit angebrochen ist. In Rom selbst erkannte man ja
teilweise die Unkirchlichkeit der herrschenden Musik, wie die vielen Verordnungen der
Päpste und Kardinäle beweisen, teilweise aber war man durch die Gewohnheit von
Jugend an so sehr von der Kirchlichkeit der eigenen Musik überzeugt, daß man gar
nicht an Reformen dachte. Man verwarf mit stärksten Worten weltliche Musik, übte
sie aber nach Kräften, ohne sich dessen bewußt zu sein. Im ganzen und einzelnen
konnte dieselbe nicht schärfer verurteilt werden, als es durch das an sämtliche italienische
Bischöfe gerichtete Regolamento der Ritenkongregation vom Jahre 1884 geschah. Wie
verhielt man sich in Rom, welches an erster Stelle sich hierin bessern mußte, demselben gegenüber? Der damalige Kardinalvikar versandte dieses Regolamento an
die einzelnen Kirchen mit einem Begleitschreiben, worin es hieß: Die Übersendung
geschehe nur der Form und Ordnung wegen, denn in Rom habe man stets die alten,
guten Traditionen aufrecht erhalten, so daß für die römischen Kirchen eine solche Er-
mahnung zur Kirchlichkeit nicht nötig sei!

Im Jahre 1895 schrieb ein sehr bekannter römischer Ordensmann dem Verfasser:
„Wenn die römische Musik kirchlich ist, dann sage ich nichts mehr, und doch glauben
manche, nur in Rom lernt man den wahren Geist. Ich bitte Sie um Gottes willen,
kommen Sie nicht nach Rom, sonst ärgern Sie sich grün und blau. Römische Musik
nach den Vorschriften der Kirche ist ein Unding . . . (folgt ein Beispiel), die Römer
haben keinen Schein von kirchlicher Musik; ihr Geschmack ist ganz verdorben. Am
St. Philipp Neri-Fest wurde die *Missa Papae Marcelli* aufgeführt und ich habe überall
nur Verachtung für eine solche Musik vernommen, und die *Missa* wurde doch durch
die *capella sistina* aufgeführt. . . . Von Rom selbst läßt sich für Verbesserung wenig
erwarten, wenn nicht einmal ein Papst kommt, der mit aller Energie dagegen
auftritt, denn die Römer verstehen ihre eigenen Meister nicht mehr."

Heute dürfen wir aus dankerfülltem Herzen freudig ausrufen: *Habemus papam,*
wir haben einen solchen Papst! Wie ein Blitz aus heiterem Himmel, leuchtend und

zündend zugleich, fuhr das *Motu proprio* in die gemütlich dahin lebenden Scharen der römischen, italienischen und auswärtigen Tempelschänder, „deren Ehrerbietung gegen den Allerhöchsten anstatt im Geruche der Lieblichkeit emporzusteigen im Gegenteil dem Herrn die Geißeln in die Hand drückt, mit denen der göttliche Erlöser einmal die unwürdigen Entheiliger des Tempels verjagt hat," wie der Heilige Vater schreibt. Beim Lesen des *Motu proprio* muß man an das Wort der heiligen Schrift denken: „Ist nicht das Wort des Herrn wie ein Feuer *(Ignis ardens!)* und wie ein Hammer, der den Felsen zerschmettert?"

Der vielgehaßte Cäcilienverein hat seit seinem Bestehen den ausgesprochenen Zweck, auf kirchenmusikalischem Gebiete die Vorschriften der Kirche zur Geltung zu bringen. Viel, sehr viel hat er erreicht. Eine überreiche Fülle von freilich sehr ungleich zu bewertenden kirchlichen Kompositionen hat er teils aus Schutt und Moder hervorgezogen, teils neu veranlaßt, Kompositionen für alle kirchlichen Funktionen und für alle Chöre, der größten Kathedralen sowohl, wie der bescheidensten Dorfkirchen passend. Den vorher fast unbekannten, vernachlässigten oder verachteten gregorianischen Choral hat er zur verdienten Ehre gebracht, das ganz entschwundene Bewußtsein, daß der Gesangschor einen integrierenden Teil der Liturgie bilde und daß demgemäß die liturgischen Vorschriften über Sprache, Auswahl des Textes und seine Vollständigkeit auch für den Chor gelten, wieder neu belebt.

Die Erfolge des Cäcilienvereins sind naturgemäß je nach der Unterstützung, die er von kompetenter Stelle erfahren, sehr verschieden. Nicht jede Diözese kann sich rühmen, so weit zu sein, wie z. B. die Cölner, deren Oberhirte mit berechtigtem Stolze aussprechen konnte, daß man auch in der kleinsten Dorfkirche sich bemühe, die liturgischen Vorschriften genau zu erfüllen und schön zu singen[1] *(Musica sacra* 1903 Nr. 9), aber im Ganzen sind die Erfolge des Vereins großartig und beschränken sich nicht auf Deutschland. Weithin geht der Wellenschlag des Vereins und auch in anderen Ländern übt er indirekt seinen bessernden und heiligenden Einfluß aus. Der Heilige Vater nennt nicht den Cäcilienverein, um nicht die Empfindlichkeit anderer Völker hervor-zurufen, aber er kennzeichnet ihn mit klaren Worten, „daß bei einigen Nationen in ganz besonderer Weise hervorragende und für den Gottesdienst eifernde Männer mit Zustimmung des apostolischen Stuhles und unter Leitung der Bischöfe sich zu blühenden Vereinen zusammengeschlossen und die heilige Musik in fast allen zu ihrem Verbande gehörigen Kirchen und Kapellen zu vollster Ehre gebracht haben."

Die Wirksamkeit des Cäcilienvereins also fußt auf den kirchlichen Vorschriften. das *Motu proprio* des Heiligen Vaters will „in einem Gesamtbilde die hauptsächlichsten Vorschriften der Kirche gegenüber den gewöhnlichsten Mißbräuchen in dieser Sache darlegen und — es zeigt sich eine absolute Gleichheit in Auffassung dessen, was als kirchliches Gesetz zu gelten hat, ja in einzelnen, später zu erwähnenden Punkten ist der Heilige Vater noch strenger. Des Schreibers Buch „Die Kirchenmusik nach dem Willen der Kirche" enthält die vom Verein geübten kirchenmusikalischen Vorschriften. Welche Angriffe mußte der Verfasser dieserhalb über sich ergehen lassen! Seiner persönlichen Ansicht wurde immer und immer wieder zugeschrieben, was das kirchliche Gesetz fordert. Er sei zudem ohne Maß und Milde, Rigorist, Schwärmer für Dekrete, voll übel beratenen Eifers, Fanatiker, und im fanatischen Cäcilienverein herrsche Krutschek-Strömung. Ja, als ich bei besonderem Angriff die kirchliche Vorschrift verteidigen mußte, daß bei der gesungenen Messe der Chor nur lateinisch und nicht in der Volkssprache singen dürfe, wurde gesagt, ich gehöre ins Irrenhaus! Und jetzt erklärt der Heilige Vater dasselbe, was in meinem Buche steht, nur teilweise noch strenger, so daß das Buch, wenn es nach Erscheinen des *Motu proprio* geschrieben wäre, nicht anders hätte lauten können. Dabei darf sich niemand damit ausreden, er

---

[1] Daß in der Cölner, Münsterschen etc. Diözese etwa die Religiösität gelitten habe, der Kirchenbesuch vernachlässigt werde, weil keine Instrumentalmusik zur Aufführung kommt, und die Gläubigen durch die „langweilige, geist- und gemütlose" Musik aus der Kirche vertrieben wurden, so daß dort Zustände herrschen, wie etwa in Frankreich, — das wird nämlich in allem Ernste als Folge des Wirkens des Cäcilienvereins behauptet und befürchtet — wird niemand sagen können.

habe das kirchliche Gesetz als solches nicht erkannt, denn überall habe ich dasselbe aus den kirchlichen Rechtsquellen, dem Missale, Ceremoniale, den Dekreten der Ritenkongregation und der Konzilien, den Erlassen der Päpste als bestehend nachgewiesen, und der Heilige Vater erklärt ausdrücklich, daß die von ihm jetzt erlassenen Vorschriften schon vorher bestanden hätten, von der Kirche wiederholt angeordnet seien und daß er sie nur von neuem einschärfe.

Was sagt nun jetzt die große Schar jener Priester und Chordirigenten, welche den Cäcilienverein ignorierten oder lächerlich machten, welche in der Kirchenmusik kein anderes Gesetz kannten, als den Willen des Volkes und ihren eigenen, deren oberste liturgische Vorschrift die Kürze war und die Verstümmelung des liturgischen Textes?

„Confundantur et revereantur, — avertantur retrorsum et erubescant!" „Sie sollen sich schämen und zuschanden werden, zurückweichen und erröten!" Ps. 69. Doch wir wollen Vergangenes begraben sein lassen, froh in die Zukunft blicken und zum Heiligen Vater sprechend fortfahren: *„Exultent et laetentur in te omnes"* „Frohlocken sollen und sich freuen über Dich alle." Bei der völlig unzureichenden liturgischen und kirchenmusikalisch-ästhetischen Bildung, welche diese Herren bisher genossen (vgl. *Motu proprio*, VIII. 25), bei der Gewöhnung an die Mißbräuche von Jugend an, ist ihr bisheriges Verhalten, wenn auch nicht entschuldbar, so doch mindestens erklärlich. Sie werden ihren bisherigen Irrtum einsehen und sich ihrem Eide gemäß um des Gewissens willen dem Heiligen Vater unterwerfen.

Eine ausführliche Besprechung der einzelnen Teile des *Motu proprio* erübrigt sich bei seiner präzisen Klarheit von selbst. Doch auf einige Punkte will ich die Aufmerksamkeit der Leser lenken.

Zunächst fällt gegenüber der Gleichgültigkeit, welche viele kompetente Personen in kirchenmusikalischen Sachen bisher hegten, die hohe Wertschätzung auf, welche der Papst der Kirchenmusik zuteil werden läßt. Schon im Jahre 1895 als Patriarch von Venedig erklärte er in einem Hirtenbriefe an seinen Klerus, er wolle „die Aufmerksamkeit auf einen Gegenstand von höchster Wichtigkeit lenken, der die Sorgfalt aller in Anspruch nehmen soll, denen die Ehre der Religion und die Heiligkeit der Seelen am Herzen liegen muß, nämlich auf den kirchlichen Gesang". Weiterhin spricht er davon, daß die Sänger durch Aufführung vorschriftsmäßiger Kirchenmusik nur „ihre Pflicht als Christen, die den Gesetzen der Kirche gehorchen," erfüllen. Jetzt als Papst schreibt er von der Kirchenmusik, daß er „ohne Zeit zu verlieren, es für seine erste Pflicht halte, sofort die Stimme zu erheben, um all das zurückzuweisen und zu verurteilen, was bei den Kultusverrichtungen und beim kirchlichen Gottesdienst als ein Abweichen von der wahren Richtschnur anzusehen ist."

Warum die Kirchenmusik sich so genau nach den kirchlichen Vorschriften richten müsse, erklärt der Heilige Vater dadurch, daß er sagt: I. 1 und VII. 23, daß „die Kirchenmusik ein wesentlicher Teil der feierlichen Liturgie ist;" er sagt also genau dasselbe, was ich wiederholt in meinem Buche geschrieben. Ebenso sagt er, daß der Zweck der Kirchenmusik sei, „die Ehre Gottes und die Heiligung und Erbauung der Gläubigen" zu befördern. Ausführlich habe ich darüber gesprochen, daß und warum es falsch sei, die Erbauung an erste Stelle zu setzen. Angesichts dieses klaren Satzes schreibt ein bekannter römischer Korrespondent: Der Heilige Vater betone im Eingange, daß der einzige Zweck der Kirchenmusik die Erbauung der Gläubigen sei. Die Leser werden daraus ersehen, welches Mißtrauen sie den kirchenmusikalischen Ergüssen dieses Korrespondenten entgegenbringen müssen. Besagter Herr schreibt in einer Reihe deutscher und französischer Zeitungen inhaltlich überall dasselbe, aber stets für die einzelnen Blätter in verschiedener Form, so daß der Uneingeweihte leicht zu dem Glauben kommt, es handle sich um verschiedene Gewährsmänner, welche übereinstimmend dasselbe berichten. In Wirklichkeit ist es nur ein Musikant, der ins Horn stößt und für seine Hintermänner Stimmung zu machen sucht.

In Kapitel II Nr. 3—6 behandelt der Heilige Vater die Gattungen der Kirchenmusik, ganz ebenso wie ich es getan, in derselben Reihenfolge und mit gleicher Bewertung der einzelnen Gattungen. Als vorzüglichster Kirchengesang, als höchstes Vorbild aller Kirchenmusik wird der gregorianische genannt, welcher zugleich den Gradmesser bildet für die Kirchlichkeit anderer Musik. Am nächsten kommt diesem die klassische Polyphonie, namentlich Palestrinas, welche bei kirchlichen Funktionen daher häufiger als bisher anzuwenden sei. Nach Aufführung einer Palestrinamesse sprach einmal ein auch musikalischer Priester zum Schreiber dieses sich sehr absprechend über die „langweilige" Musik aus und auf meine Bemerkung, das sei der kirchlich besonders empfohlene Gesangsstil erwiderte er, der Papst solle sich seinen Palestrina in Rom behalten! Vielleicht ist er jetzt in seinem Urteile vorsichtiger und bescheidener und viele andere mit ihm. Moderne Musik ist zugelassen, wenn sie ernst und würdig ist und alles Weltliche und Theatralische vermeidet. (Fortsetzung folgt.)

Im Lesezimmer.

Preßstimmen über das *Motu proprio* des Heiligen Vaters Pius X.

Die Redaktion der *Musica sacra* hat ohne ihr Zutun eine solche Menge von politischen, religiösen und kirchenmusikalischen Zeitschriften, die sich mit dem päpstlichen *Motu proprio* über die katholische Kirchenmusik beschäftigen, auf dem Arbeitstische liegen, daß ihr viele Stunden und Tage notwendig wären, um die verschiedensten Stimmungen, die in denselben zum Ausdrucke kommen, zu würdigen oder zu ordnen. Unser Standpunkt ist bekannt: „Wir warten auf die Entscheidungen und Anordnungen des Hochwürdigsten Episkopates für die Durchführung der päpstlichen Befehle und Wünsche!"

Ohne also für die eine oder andere öffentliche Kundgebung Partei zu ergreifen, bringen wir die bemerkenswertesten Stimmen der Presse zur Kenntnis unserer Leser und beginnen mit dem Abdrucke der Artikel aus der in Salzburg erscheinenden „Katholischen Kirchenzeitung". Die Redaktion dieses Blattes erklärte in Nr. 4 vom 12. Januar d. J., daß sie bei einigen hervorragenden Komponisten und Chorregenten Österreichs eine Umfrage gehalten habe, wie ihre Lage den neuen Instruktionen gegenüber sich gestalte. Sie behauptet, bestimmt zu wissen, diese Ansichten wolle man an den kompetentesten Stellen Roms kennen lernen und bemerkt weiter: „Obwohl wir den Endtermin dieser Umfrage auf etwa den 24. Januar angesetzt haben, liegt uns heute bereits auch eine Antwort vor, die wir im Anschluß an das Vorhergehende jetzt schon veröffentlichen, stammt sie doch von einem der angesehensten Vertreter echt kirchlicher Kunstbestrebungen und ist sie ja sozusagen oberhirtlich gutgeheißen":

Das Motu proprio Seiner Heiligkeit Pius X. über Kirchengesang betreffend.

Der Unterzeichnete hat nunmehr 36 Jahre lang an der Reform des Kirchengesanges im Geiste der kirchlichen Vorschriften mitgearbeitet und ist höchst erfreut, im neuen *Motu proprio* des Heiligen Vaters dieselben Grundsätze dargelegt und erklärt zu finden, die ihm stets als Leitsterne bei seiner Tätigkeit vorschwebten. — Zwei Punkte sind es indessen, die mir einiges Bedenken erregen:

Ad 1) Die anbefohlene Einführung des sogenannten „traditionellen" Chorals anstatt der gegenwärtig in dieser Diözese rechtskräftig eingeführten, von der heiligen Kongregation der Riten herausgegebenen und bei Pustet in Regensburg erschienenen Choralbücher halte ich für eine sehr harte Verfügung, da unsere meist recht armen Kirchen hierdurch genötigt sind, neue Auslagen für Choralbücher zu machen, da sie doch vor kurzem schweres Geld für die Älteren auf Roms Empfehlung hin ausgelegt haben. — Ferner ist auch der neu anbefohlene „traditionelle" Choral keineswegs so leicht, vielmehr in manchen Partien sehr viel schwieriger auszuführen, als der der Medicaea.

Die Folge davon wird sein, daß in Landkirchen dessen Ausführung unmöglich gemacht, in Dom- und Kollegiatkirchen aber manche das Amt zu scheuen werden wird.

Ad 2) Die Beseitigung der Frauenstimmen von den Kirchenchören würde hierorts (und in ganz Österreich und Süd-Deutschland), wie die Verhältnisse liegen, nicht mehr und nicht weniger bewirken, als den vollen Ruin aller Kirchenmusik, und die Preisgabe alles dessen, was in den letzten Dezennien für die Reform derselben erreicht worden ist. An vielen Orten wäre nur mehr Choral von einer oder der anderen Männerstimme gesungen, an anderen aber gar kein Gesang mehr möglich — beides zum höchsten Mißvergnügen und Ärgernis des christlichen Volkes, das auf den Glanz des Gottesdienstes und auf einen schönen, feierlichen Gesang bei demselben sehr viel hält.

Diese Gedanken unterbreitete ich unserem Hochwürdigsten Fürstbischof Simon, der sein volles Einverständnis mit denselben zu äußern geruhte.

Brixen, am 10. Januar 1904.   Ign. Mitterer, Propst von Ehrenburg und Domchordirektor.

In Nr. 9 vom 29. Januar gibt die „Salzburger Kirchenzeitung" nachfolgender Zuschrift ihres römischen Korrespondenten Raum:

„In Nr. 4 der „Katholischen Kirchenzeitung" hatte der Hochwürdige Propst von Ehrenburg, Ign. Mitterer, der so verdiente Domchordirektor von Brixen, seine Gedanken über das *Motu proprio* Pius X. über die Reform der Kirchenmusik ausgedrückt. Die heute herausgegebene Nummer der „Rassegna Gregoriana" beschäftigt sich in eingehender Weise mit den vom berühmten österreichischen Fachmanne ausgedrückten Ansichten und ich beeile mich, einiges darüber wiederzugeben in der Annahme, daß dies sicherlich den Hochwürdigen Domchordirektor selbst, sowie alle Leser der „Katholischen Kirchenzeitung" interessieren dürfte.

Das römische, in gregorianischen Dingen tonangebende Blatt schrieb u. a.: „... Gegenstimmen werden sich ohne Zweifel auch in Sachen des großartigen *Motu proprio* des Papstes erheben. Es tat uns leid, daß wir hier gleich die erste, welche uns zukommt, registrieren müssen, weil diese gerade vielleicht für andere tonangebend sein wird. Und es tut uns um so mehr leid, daß dieser Ton von dem Hochwürdigen und hochverdienten Propst von Brixen, Ignaz Mitterer, kommt, außerordentlich bekannt auch bei uns als einer der hervorragendsten unter den gegenwärtigen Komponisten der Kirchenmusik.

In der „Katholischen Kirchenzeitung" von Salzburg, 12. Januar, drückt er seine höchste Freude aus, indem er im *Motu proprio* diejenigen Normen wiedererkennt, für welche er seit 36 Jahren in Sachen der Kirchenmusik gewirkt habe.

Die Rückkehr zum traditionellen Gesang scheine ihm indessen „eine sehr harte Verfügung". Dies wundert uns nicht. Verwunderung dagegen erregen die Gründe, welche er für diese große Härte anführt: Man muß Geld ausgeben zum Ankauf neuer Bücher; der traditionelle Gesang ist durchaus nicht leicht, in einigen Teilen sogar sehr schwierig; in den ländlichen Kirchen wird es unmöglich sein ihn auszuführen, in den anderen Kirchen wird die Aufgabe des Dirigenten sehr viel schwerer sein.

Was nun das Geld betrifft, so brauchen wir wohl nicht die Schätze eines Krösus, um einige wenige Handbücher zu kaufen und dies verdient wohl kaum Erwähnung gegenüber einer so großartigen, die ganze Welt betreffenden Tat, wie sie die Wiedereinführung ihres eigenen wahren Gesanges in der Universalkirche ist. Daß alsdann dieser Gesang so schrecklich schwer sei, ist das alte Lied, welches sich seit mehr als 30 Jahren in Deutschland wiederholt und zwar in allen Tonarten zumeist von solchen, welche niemals ein Buch mit traditionellen Melodien in die Hand genommen haben. Bei guter Untersuchung wird er finden, daß die Schwierigkeit der Ausführung nur in den Köpfen der Unerfahrenen und der Interessierten besteht, aber nicht in der wirklichen Lage der Dinge.

Die andere Klage ist die, daß in ganz Österreich und in Süddeutschland die Ausschließung der Frauen aus den Kapellen der Kirchenmusik ein großes Ungemach bringe! Die Übertreibung in dieser Phrase ist evident für denjenigen, welcher nur weiß, daß nicht in allen Kapellen der deutschen Länder auch Frauen vermischt unter Männern und fast alle Kapellen der deutschen Kathedralen blühende *Scholae puerorum* besitzen. Die Vermehrung dieser *Scholae* für die anderen Kirchen und das allmähliche Einführen derselben an Stelle der Frauenchöre, kann gerade dem Hochwürdigen Herrn Mitterer nicht so neuartig erscheinen, da er selbst eine sehr schöne Methode über den Unterricht der Knaben im Gesange hat drucken lassen. Übrigens erinnert man sich dort erst heute, daß die Frauen, inmitten der Männer, vom Gesange und den Kapellen ausgeschlossen sind? Warum soll nur für die römische Liturgie erlaubt sein, was alle anderen Liturgien verwehren und was der Anglikaner bereits in ihren Kirchen verboten ist?

Der Papst schreibt nichts Neues vor, was nicht schon tausendmal vorgeschrieben wäre. Noch ganz kürzlich, am 19. Februar 1903 gab die S. Kongregation „In una Plocen" auf zwei kategorische Anfragen: 1. *An mos supradescriptus* (der Frauen vermischt unter Männern in den Kapellen der Kirchen) *licitus sit et conformis legi et sensui Ecclesiae?* 2. *Et quatenus negative ad 1 an saltem tolerari possit?* die Antwort: *Negative ad utrumque* und wies hin auf das Dekret de Truxillo 17. September 1897 n. 3964. welches folgendes förmliche Verbot enthält: *Invetam consuetudinem, utpote apostolicis et ecclesiasticis praescriptionibus absonam, tamquam absonam esse prudenter et quamprimum eliminandam, cooperante Capitulo seu Clero ipsius Ecclesiae cura et auctoritate Reverendissimi sui Ordinarii.*

An vielen Orten und besonders in den großen Städten ist der gemischte Chor ein wahrer Skandal und die kirchliche Autorität kann und darf ihn nicht dulden. An anderen Orten, wie in den meisten ländlichen gibt es keinen eigentlichen Skandal, doch bleibt die Abweichung von den Gewohnheiten und dem wahren Geiste der Kirche.

Solche Abweichung muß auf kluge Weise aufgehoben werden, sobald es möglich sein wird, aber ohne starke Erschütterung und schließlich ohne den großen Ruin, welchen der beste und so hochverdiente Propst von Brixen wohl in einem Augenblicke der Entmutigung vorhersagte."

In Nr. 12 bringt die „Katholische Kirchenzeitung" folgende Erwiderung des H. H. Mitterer:

„Meine in Nr. 4 der „Katholischen Kirchenzeitung" veröffentlichten Gedanken zum *Motu proprio* Seiner Heiligkeit Pius X. haben bereits eine römische Feder in der kirchenmusikalischen Zeitschrift *Rassegna Gregoriana* in Bewegung gesetzt. Vor allem muß ich die dort enthaltene Anschauung zurückweisen, als sei es mir darum zu tun gewesen, Opposition gegen die edlen Absichten des Heiligen Vaters zu erregen. Nein! An Ehrfurcht und Gehorsam gegen den Heiligen Vater will ich mich von der „Rassegna" keineswegs übertreffen lassen, und sollen meine Worte lediglich eine Konstatierung der tatsächlichen Verhältnisse sein und wollten im Sinne des Bedauerns verstanden werden, daß es uns in österreichischen und süddeutschen Landen nicht allerwegs möglich sei, das vom Heiligen Vater vorgesteckte hohe Ziel zu erreichen. In diesem Sinne wollen auch folgende Zeilen, welche wir der „Rassegna" zur gütigen Erwägung anheimgeben, aufgefaßt werden.

In betreff der Anschaffung der „traditionellen" Choralbücher meint das römische Blatt, daß die Auslagen hierfür so gering seien und gegenüber der großartigen Tat der Einführung des „eigenen wahren Gesanges" in die Gesamtkirche „kaum Erwähnung verdienen". (?) Hierzu ein naheliegendes Beispiel zur Illustration: Wenn in der Kathedrale zu Brixen ein neuer Choral eingeführt werden soll, so benötigen wir zwei Exemplare einer Folioausgabe des Antiphonariums, ein Exemplar *Graduale Romanum* in Folio, ferner 20 Exemplare der Handausgabe des *Graduale Romanum*; dazu sind noch höchst erwünscht mehrere Hand-Vesperalien. Das macht mindestens die Summe von 600—700 Kronen. Diese Summe zu decken braucht es allerdings nicht „die Schätze eines Krösus", aber mit dem Passivum, mit dem die Rechnung des Domes jährlich abschließt, wird man sie ebensowenig bezahlen als mit — Kraftsprüchen. Und so wie hier wird es auch an vielen anderen Orten sein — man wird die Verfügung in der Tat als eine harte fühlen. Sollte ferner mit dem Ausdruck *vero suo cantu* (d. h. den wahren Gesang der Kirche) nahegelegt werden wollen, es sei der anbefohlene „traditionelle" Choral mit dem Gesange des heiligen Gregor identisch, so möchte ich bemerken, daß dies zur Zeit noch von so manchen in der Sache wohlversierten Männern mit triftigen Gründen bestritten wird. Wir werden es also wohl mit einer offenen historischen Frage dabei zu tun haben.

Was ferner die Schwierigkeit des „traditionellen" Chorals betrifft, meint *Rassegna*, daß ich in dieser Sache nicht kompetent sei. Die diesbezüglichen Klagen kämen meist von solchen, die nie im Leben ein Buch mit „traditionellen" Melodien in die Hand genommen etc. Danke für das artige Kompliment! Ich kann indessen die *Rassegna* versichern, daß ich mich in den neuen theoretischen und praktischen Editionen der PP. Benediktiner wohl umgesehen habe; als Beweis hierfür mag mein „Leitfaden für den Choralunterricht" dienen, wo auch die hervorragenden Lehrer des „traditionellen" Chorals oft zitiert werden. Auch Dom Pothiers *Graduale Romanum* ist mir ein seit vielen Jahren wohlbekanntes Buch. Ich sage nun folgendes: Die Gesänge des Offiziums werden (da man in dieser Sache des Responsorien des Matutinums heute kaum mehr zu singen pflegt) keine sonderlichen Schwierigkeiten verursachen; sie sind vorherrschend syllabisch. Die Meßgesänge hingegen sind mit Ausnahme der *Credo*- und etwa der *Gloria*-Melodien fast durchgehends bedeutend schwieriger als die gekürzten der Medicäa. Sehr viel schwieriger aber sind die Gradual- und Traktusgesänge infolge der übermäßig ausgedehnten Jubilen, der komplizierten Gruppierung derselben und der vielen Ziernoten. Indessen wäre dies alles ja zu bewältigen, wenn wir wie in alten Zeiten (und heute noch in manchen Klöstern) nur mit Choral allein zu befassen hätten. Wir müssen aber auch polyphonen Gesang pflegen, da mit Choral allein an Sonn- und Feiertagen weder Klerus noch Volk zufrieden wäre. Und daraus erwächst nun die Hauptschwierigkeit, indem man zwei in ihrem Wesen grundverschiedene Stilarten, von denen jede ihre eigene Schulung fordert in der beschränkten Zeit von höchstens 2 bis 3 Stunden wöchentlich bewältigen soll. Mit den gekürzten Melodien der Medicäa ist es gegangen; mit den viel reicheren des „traditionellen" Chorals wird es nur sehr schwer und unvollkommen — in vielen Fällen auch gar nicht mehr gehen.

Wenn das aber an Kathedralen schon so ist, was wird dann erst von anderen Kirchen zu sagen sein, wo das gesamte Chorpersonal aus lateinunkundigen Laien besteht und der Chorregent selbst in der Regel ein Laie mit moderner musikalischer Ausbildung ist?! Da wächst die Schwierigkeit ins Ungeheure. Was wird, um des Himmels willen, aus den reich neumierten Melodien unter den Händen dieser guten Leute werden? — Man täusche sich darüber nicht, daß in unserer Zeit die weit ausgesponnenen Jubilen der alten Chorals keineswegs mehr als Ausdruck des gesteigerten religiösen Gefühles wie ehemals, sondern als Last von Sängern und Hörern empfunden werden. Um so weniger wird deren Ausführung wirklich schön und erbaulich ausfallen. Und dann erst die Organisten, welche diese Melodien begleiten sollen!!

Aus dem allen folgt doch sonnenklar die Wahrheit meiner in Nr. 4 dieses Blattes aufgestellten These, sowie nicht weniger die Berechtigung des Wunsches, daß man uns zwischen dem „traditionellen" und gekürzten Choral die Freiheit, die Wahl verstatten möge. — —

In betreff der bei uns üblichen Verwendung von Frauenstimmen beim Kirchengesange war es mir durchaus nicht unbekannt, daß das päpstliche *Motu proprio* hier nur eine ältere allgemeine kirchliche Weisung erneuere. Aber ebenso weiß ich, daß in süddeutschen Gegenden und Österreich schon sehr lange eine gegenteilige Gewohnheit besteht, welche die Ordinarien aus sehr triftigen, in unseren Verhältnissen liegenden Gründen zu dulden für gut fanden. Auch unser Ideal wäre die Verwendung von Knaben; aber ständig für den Kirchendienst zu haben sind selbe nur dort, wo man ein Internat hierfür hat. Und selbst da ist es manchmal nicht leicht, taugliche Knaben zu erhalten. Der Schreiber dieses dirigiert seit nunmehr 22 Jahren einen mit Knaben besetzten Domchor (zuerst 1882—85 in Regensburg, dann hier in Brixen), und muß gestehen, daß ihm manches Jahr wegen Mangels an guten Sopranstimmen recht sauer geworden ist.[1]

Wo man aber ein solches Internat nicht hat, da muß man leider sagen, daß bei unseren heutigen Verhältnissen die ständige Erhaltung eines Chores mit Knaben ein Ding der Unmöglichkeit ist. Ist es schon schwer einen solchen Chor bis zu einer anständigen Leistungsfähigkeit heranzubilden, so ist es noch viel schwieriger und meist unmöglich, denselben zu erhalten und fort und fort zu ergänzen. Es fallen da nicht bloß die inneren Schwierigkeiten (wie mangelhafte Begabung, Mutation der Stimmen etc.) in die Wagschale, sondern es ergeben sich *in praxi* eine Menge von äußeren Anständen, welche in unseren religiösen und sozialen Zuständen, in den Schul- und gewerblichen Verhältnissen, ja auch in rauherem Klima und — *last not least* — in den Launen der Eltern ihren Grund haben. Zu denken geben in dieser Hinsicht auch folgende Worte, die mir

---

[1] Die „Rassegna" ist sehr im Irrtum, wenn sie meint, an allen Kathedralen Österreichs und Deutschlands bestünden solche *scholae cantorum*. Solche finden sich bei St. Stephan und in der K. K. Hofkapelle in Wien, ferner in Salzburg und Brixen; ferner auch bei einigen Stiften und Klöstern. Auch in Regensburg sind drei ähnliche Institute. Sonst werden überall Damen für die hohen Stimmen verwendet. Auch hier in Brixen muß man sich während der Ferienzeit mit Damen behelfen.

jüngst ein Pfarrer aus einer konfessionell gemischten Gegend schrieb. „Es ist leicht gesagt, bildet Knaben heran: Seitens der Regierung wird die Verwendung von Schulknaben immer mehr erschwert und verhindert. Bei feierlichen Funktionen an Schultagen dürfen wir kein Schulkind verwenden. Schulentlassene Mädchen finden wir wohl, aber kaum männliche Gesangskräfte. Wir kämen dahin, daß am Ende ein alter Küster, der längst die Stimme verlor, den ganzen Kirchenchor bildet. Was das aber in gemischten Gegenden zur Folge hätte, ahnen Italiener nicht. Unser Volk will Gesang; durch diesen wird es in der katholischen Kirche festgehalten; anderufalls suchen viele nicht-katholische Kirchen auf usw."

Also mit Knaben geht es bei unseren gewöhnlichen Umständen nicht. Um Internate zu gründen braucht man aber Geld — welches wir nicht haben. In Italien, wo die Jugend im allgemeinen musikalisch begabter ist, und Mengen von Knaben beschäftigungs- und aufsichtslos in den Straßen herumlaufen, wird sich die Sache vielleicht leichter machen lassen.

Wir aber sind auf die Frauenstimmen angewiesen, wenn wir nicht, wie gesagt, den gesamten Kirchengesang dem Ruin verfallen lassen wollen. Die „Rassegna" findet zwar darin, soweit es sich um größere Städte handelt „un vero scandalo". Das „scandalo" kommt daher, daß man es nicht selten an einer guten Chordisziplin fehlen läßt und besonders bei der Annahme von Chormitgliedern nicht vorsichtig genug vorgeht. Hier läßt sich Remedur schaffen, ohne das Kind mit dem Bade auszuschütten. Die Mitwirkung von braven christlichen Frauenspersonen beim Kirchengesang an sich aber empfindet bei uns niemand als „Ärgernis"; und auch die „difformità" dieser Gewohnheit mit dem „wahren Geiste der Kirche" wird durch den Umstand sehr verringert, daß bei uns der Sängerchor nicht in der unmittelbaren Nähe des Altares, sondern fast durchwegs rückwärts über dem Hauptportale der Kirche angebracht ist. Wir bitten daher die „Rassegna", mit dieser unserer Schwachheit nicht allzustreng ins Gericht zu gehen.

Schließlich betone ich, daß ich mich gerne bescheiden werde, wenn unser Hochwürdigster Episkopat in diesen Punkten eine andere Meinung haben sollte." (Fortsetzung folgt.)

Gregor der Große.

Von P. Utto Kornmüller, Prior des Benediktinerklosters Metten.

Am 12. März 604 schied ein Mann aus diesem Leben, welchen die Nachwelt mit dem Beinamen „der Große" auszuzeichnen für würdig erachtete, und dessen Andenken im heurigen Jahre zu Rom durch eine großartige Jubiläumsfeier geehrt wird. Dieser ruhmreiche Mann ist der Papst Gregor I., welcher von 590 bis 604 auf dem Stuhle Petri saß und in der schwierigsten Zeit das Steuer der Kirche mit Kraft und Umsicht lenkte.

Um 540 als der Sohn des Senators Gordianus zu Rom geboren, geschmückt mit herrlichen Geistesgaben und rastlosem Fleiße machte der junge Gregor außerordentliche Fortschritte in den Wissenschaften, besonders in der Philosophie und Theologie, im bürgerlichen und kanonischen Rechte, nicht minder auch in der Frömmigkeit. So groß war alsbald sein Ansehen, daß der Kaiser Justin II. ihn schon 573 zum Stadtpräfekten von Rom ernannte. Doch dem weltlichen Treiben mehr und mehr abhold, stiftete er nach dem Tode seines Vaters, Erbe eines höchst bedeutenden Vermögens geworden, sechs Klöster auf Sizilien, in Rom verwandelte er sein eigenes Haus in ein Kloster (zum heil. Andreas) und trat dann selbst in dasselbe als Mönch ein (575). Doch nicht lange konnte er sich der klösterlichen Stille und Einsamkeit erfreuen, 578 nahm ihn Papst Benedikt I. in die Zahl der sieben Diakone auf. Bald darauf ward Gregor als Apokrisar oder Nuntius an den Hof zu Konstantinopel gesandt und erst nach einigen Jahren konnte er wieder in sein Kloster zurückkehren, wo die Brüder ihn nach des Abtes Valentinus Tode zum Abte wählten. Papst Pelagius ernannte ihn jedoch zu seinem Geheimschreiber und nach des Pelagius Tode 590 wählten Klerus, der Senat und das römische Volk einstimmig ihn zum Papst; die glorreiche Regierung Gregors umfaßt 13 Jahre 6 Monate und 10 Tage.

Was er Großes in dieser kurzen Zeit zum Wohle der Kirche und unmittelbar auch des Staates vollbracht hat, das möge man in ausführlicheren Biographien und in Kirchengeschichtswerken nachlesen. Hier beschäftigt uns nur, welch hohe Verdienste Gregor sich auf kirchenmusikalischem Gebiete erworben hat.

Die zeitgenössischen Musikschriftsteller, welche wir kennen, machen keine Erwähnung von Gregors Tätigkeit für Musik; es existierten allerdings im achten und neunten Jahrhundert kurze Lebensbeschreibungen dieses Papstes, aber über sein musikalisches Wirken scheinen sie auch nichts zu enthalten. Die erste ausführliche und zuverlässige Biographie Gregors verdanken wir erst dem Diakon Johannes, einem Mönche aus Montecassino (um 872).[1])

Als in der Vigilie des heil. Gregor einst in Rom beim Offizium das Leben des heil. Paulinus von Nola als Lesung benützt wurde,[2]) äusserte der Papst Johannes VIII. (872—882) sein Erstaunen, daß Gregor, der so ausgezeichnete Papst, der selbst so viele *vitae* (Lebensbeschreibungen der Heiligen) verfaßt und so Großes bei den Sachsen (Engländern) und Longobarden gewirkt hat, in seiner eigenen Kirche (St. Peter in Rom) einer Lesung entbehren müsse, während diese Völker seiner gedächten. Daraufhin beauftragte der Papst den Diakon Johannes, eine Lebensgeschichte Gregors anzufertigen, wozu er ihm das Archiv des römischen Stuhles zur Verfügung stellte. Johannes begab sich an die Arbeit und schrieb sorgfältig das Leben des Papstes Gregor I. in vier Büchern. Abgedruckt findet sich diese *Vita S. Gregorii Papae auctore Joanne Diacono* in der lateinischen Patrologie von Migne, Bd. 75, Seite 61—242.

Diesen Ursprung seiner Biographie Gregors erzählt Johannes Diakonus selbst im Prolog. Über die kirchenmusikalische Tätigkeit Gregors berichtet er im II. Buch, Nr. 6: „Nach Art des weisesten Salomon und wegen des Eindruckes der Annehmlichkeit der Musik sammelte und vereinigte er (Gregor) für die Sänger die Antiphonen mit Sorgfalt und sehr zweckmäßig in einen Band, gründete auch eine Schule für Sänger, welche seitdem in derselben Weise die Gesänge in der heiligen römischen Kirche vollzieht. Dieser Schule wies er zwei Häuser nebst einigen Grundstücken zu, nämlich das eine bei der Basilika des heil. Petrus, das andere bei den Häusern des lateranensischen Patriarchates, wo bis heute noch das Lager, auf welchem er beim Singen ruhte und seine Ruthe, womit er den Knaben drohte, mit gebührender Verehrung, nebst dem authentischen Antiphonarium aufbewahrt wird. Den Bestand beider Häuser sicherte er in Ansehung des täglichen Kirchendienstes durch ein strenges Gebot, selbst unter Androhung des Anathems."[3])

Als Gregor sein Pontifikat angetreten, fand sein hoher Geist in den kirchlichen Verhältnissen gar manches vor, was der Restauration, der Auffrischung, der Verbesserung bedurfte. Die seit langem über Italien hinbrausenden schrecklichen Stürme hatten auch die Kirche nicht unberührt gelassen, auch da geriet manches in Unordnung oder Verfall, manche kirchliche Einrichtung litt Schaden, und vielleicht gerade bei der Liturgie erschien es notwendig, ihr neues Leben einzuhauchen.

Gregor war von Gott berufen, eine solche liturgische Reform, für das kirchliche Leben von so hoher Bedeutung, vorzunehmen. Er, ein Mann von unerschütterlichem Glauben und gefestigt in der Liebe zu Gott und seiner heiligen Kirche, schaute in seinem Geiste ein hohes Ideal vom katholischen Gottesdienste, welches noch gesteigert wurde durch den Anblick der Pracht des griechischen Gottesdienstes, die zu sehen so oft ihm in Konstantinopel gegönnt war. Dann ward er auch unterstützt von einem besonderen Organisationstalente und von einem Mute, einer Energie und Umsicht, welche einem angefangenen Werke einen guten Erfolg versprachen.

Zuerst ging er an die Verbesserung des Sakramentars, des kirchlichen Meßbuches, wie Johannes Diakonus (II. 17 ff.) berichtet: „Den gelasianischen Codex von der Feier der Messe zog er in ein Buch zusammen, wobei er vieles ausließ, weniges änderte und einiges beifügte zur Erläuterung der evangelischen Lesestücke." Ferner ordnete er die

[1]) Achtzig Jahre vor Johannes hatte schon der Diakon Paul Warnefried, Mönch von Montecassino eine Biographie von Gregor I. geschrieben, welche nicht besonders umfangreich ist und von musikalischer Tätigkeit dieses Papstes nichts vorbringt. Gerbert erwähnt in seinem Werke *De Cantu* auch eines Anonymus, welcher über Gregor geschrieben hat.

[2]) Damals waren die Lektionen für die Nokturnen noch nicht fixiert, sondern es war den Obern anheimgegeben zu bestimmen, was und wie viel gelesen werde.

[3]) „Deinde in domo Domini, more sapientissimi Salomonis, propter musicae compunctionem dulcedinis, Antiphonarium centonem cantorum studiosissimus nimis utiliter compilavit; scholam quoque cantorum, quae hactenus eisdem institutionibus in sancta Romana Ecclesia modulatur, constituit; eique cum nonnullis praediis duo habitacula, scilicet alterum sub gradibus basilicae beati Petri apostoli, alterum vero sub Lateranensis patriarchii domibus fabricavit, ubi usque hodie lectus ejus, in quo recubans modulabatur, et flagellum ipsius, quo pueris minabatur, veneratione congrua cum authentico Antiphonario reservatur, quae videlicet loca per praecepti seriem sub interpositione anathematis ob ministerii quotidiani utrobique gratiam subdivisit."

Stationen und den Besuch der Gräber der heiligen Martyrer,[1]) mit Sorgfalt, welche er selbst begleitete und wobei er Homilien ans Volk hielt, so lange seine Kränklichkeit es ihm erlaubte. Über den Gräbern der heiligen Apostel Petrus und Paulus ließ er den Gottesdienst in feierlichster Weise vollführen. Er setzte ferner noch das *Alleluja* auch in der Zeit nach Pfingsten in die Messe ein, befahl das *Kyrie eleison* zu singen und das Gebet des Herrn bald nach dem Kanon über die Opfergaben zu sprechen[2]) und fügte im Kanon die Worte ein: *„Diesque nostros in sua pace disponat etc."* Zweifellos hat er auch die Zeremonien beim feierlichen Gottesdienste erhabener gestaltet; man hält dafür, daß der *I. Ordo romanus* sein Werk sei.

Ein mit der feierlichen Liturgie untrennbar verbundener Teil ist der Gesang, sowohl der des Zelebranten als auch der des Chores, und somit mußte Gregor auch auf diesen so wichtigen Teil sein Augenmerk richten. Er selbst war im Gesange wohl unterrichtet, ihn in seinem Kloster[3]) hatte er ihn täglich geübt und war an die Regelmäßigkeit und Ordnung dabei gewöhnt. Er kannte die Macht, welche ein gutvollführter Gesang über die Gemüter der Menschen ausübt und empfand sie selbst, besonders wenn er den griechischen Gesängen lauschte, und sah darin ein vortreffliches Mittel, nicht bloß Gott mehr zu verherrlichen und den Gottesdienst herrlicher zu gestalten, sondern auch auf die rohen Gemüter der barbarischen Völkerschaften, welche Rom umgaben, einzuwirken und sie in den Schafstall Christi einzuladen.

Seine Bemühung auf kirchenmusikalischem Gebiete ging nach dem obenangeführten Berichte des Johannes Diakonus zuerst dahin, die schon vorhandenen Gesänge für das heilige Meßopfer zu sammeln, zu sichten, zu verbessern, auch wohl neue hinzuzufügen und alle in richtiger Ordnung in ein einziges Buch zu vereinigen, welches *Antiphonarium*[4]) genannt wurde. Dadurch kam in den Gesang selbst mehr Einheitlichkeit und es ward den Sängern ein großer Dienst geleistet, indem sie die treffenden Stücke leicht und rasch auffinden konnten und eine sichere Aufzeichnung sie nicht irren ließ.

(Schluß folgt.)

Neu und früher erschienene Kirchenkompositionen.

Seit November 1903 konnte wegen Überfülle wichtiger Materien über die innerhalb vier Monaten eingesendeten Novitäten und Neuauflagen nicht mehr berichtet werden. Die Redaktion ordnet nunmehr das vorliegende Material nach dem Alphabet der Verleger und faßt sich in Beurteilung etwas kürzer, da bei vielen Nummern auch auf den Cäcilienvereins-Katalog hingewiesen werden kann.

[1]) An den kirchlichen Festtagen und auch an den Festen mehrerer Heiligen wurde in Rom von der Basilika St. Petri in feierlicher Prozession unter Psalmengesang zu andern Basiliken und den bestimmten Cömeterialkirchen gezogen und dortselbst vom Papste der Gottesdienst gefeiert. Dies war die *Statio: Stationsfeier.* Sie war sehr alt und scheint auch vor Gregor infolge der politischen Zustände in Rückgang gekommen zu sein. Eine Beschreibung der „Hochamtes Gregor des Großen" nach dem *I. Ordo romanus* gibt P. Ambrosius Kienle, O. S. B. in den „Studien und Mitteilungen aus dem Benediktiner- und Zisterzienserorden" 1885, S. 40 ff. Der *Ordo* enthält bloß die Zeremonien, das Sacramentarium bloß die Gebete, das *Antiphonarium* nur die Gesänge usw.

[2]) Die Verfügungen trugen ihm einen Tadel ein, als nehme er Gebräuche aus der griechischen Kirche herüber. Er rechtfertigt sich, indem er in einem Briefe an den Bischof von Syrakus ausführt, daß der Gebrauch des *Alleluja* auch nach Pfingsten schon zur Zeit des Papstes Damasus von Jerusalem herübergekommen, aber zur langen Zeit unterlassen worden sei; er habe es also mit Recht wieder eingeführt. Ebensowenig sei das *Kyrie eleison, Christe eleison* den Griechen entlehnt. Bei uns spricht dasselbe zuerst der Klerus und das Volk antwortet, bei den Griechen aber singen es alle zugleich; dann sprechen wir das *Christe eleison* so oft als das *Kyrie eleison*, während die Griechen es nicht tun. Daß nunmehr der Priester das *Pater noster* unmittelbar nach dem Kanon singt, ist gebührend, weil es bei den Aposteln Gebrauch war, allein in Verbindung mit diesem Gebete die Opfergaben zu konsekrieren. Bei den Griechen singt das ganze Volk die *oratio dominica*, bei uns der Priester. (Joann. Diac. II. 21.)

[3]) Der heil. Benedikt schreibt in seiner Regel (c. 11. 12. 14. 17) vor, daß an Sonn- und Festtagen Matutin, Laudes, Terz, Sext, Non und Vesper gesungen werden, an Werktagen die Vesper täglich, in größeren Konventen auch Terz, Sext und Non.

[4]) Ob Gregor auch für den Gesang im *Officium*, für die kirchlichen Tageszeiten, Verbesserungen vorgenommen hat, wird bezweifelt; die Vollführung des Tag- und Nachtoffizium war seit langem schon wegen Mangels an Klerikern Mönchen übertragen. Leo I. (440–461) errichtete schon ein Kloster *apud S. Petrum apost.* Von Gregor II. (715–731) wird berichtet, daß er mehrere Klöster, welche entweder verwaist oder zerstört waren, restaurierte.

1) Verlag von Anton Böhm & Sohn in Augsburg und Wien: Die Improperien für den Charfreitag, von **J. Christ. Bischoff** komponiert für gemischten vierstimmigen Chor, umfassen den vollständigen liturgischen Text des *Missale* in einfacher, andächtiger und wirkungsvoller musikalischer Fassung. Daß bei dieser Gelegenheit abgekürzt werden kann und darf, ist bekannt; der Autor gibt auch im Vorwort Aufschluß über Vortrag und Verwendung der sehr empfehlenswerten Komposition.[1]

Eine Messe zu Ehren des heil. Bernhard für gemischten vierstimmigen Chor und Orgel von dem Chordirektor im Kollegium zu Stanz (Schweiz), **Karl Detsch**, will recht leicht und kurz sein, erstrebt also dieses Ziel auf mit empfehlenswerten Wegen; Mangel an Melodie, sogar im Sopran, fortwährende harmonische Gleichzeitigkeit, nur öfters unterbrochen durch rhythmisch ausgenützte Unisoni, ein Eilen und Hasten, den vollständigen Text, besonders im *Credo*, zu bringen, mit einem Wort: Mangel an Erfindungskraft lassen an diesem Opus 10 kein Wohlgefallen aufkommen. Auch beim sorgfältigsten Vortrag werden sich Dirigent und Sänger trotz des leichten Stiles und der bequemen Sangbarkeit nicht erwärmen können.[2]

Op. 98, die lauretanische Litanei von **M. Filke** existiert in zwei Ausgaben, für gemischten vierstimmigen und für dreistimmigen Frauenchor mit Orchester oder Orgel.[3] Der Litaneiencharakter ist durch die Unterscheidung zwischen Invokation und Antwort gewahrt, die *Ora pro nobis* sind sogar jedem Versikel beigesetzt; das ganze Tonbild ist farbensatt und überaus weich. In dieser Eigenschaft kann es bei einer Nachmittagsandacht durch die Mannigfaltigkeit der Harmonien, dynamischen Abwechslungen, Soli der Unter- und Oberstimmen, modulatorischen Reichtums und gemäßigter, ja zarter Instrumentation sicher vor Ermüdung und dem üblichen Schlaf schützen und in angenehme, hoffentlich auch Gott und Maria gefällige, religiöse Stimmung versetzen. Aufführung durch gemischten Chor hält Referent nach vielen Beziehungen für besser als durch dreistimmigen Frauenchor. Den Dirigenten fällt ja immer, besonders aber bei dieser Litanei die Aufgabe zu, durch wohlüberlegte Modifizierung des Tempo für schöne Deklamation der Solisten zu sorgen, also öfters zurückzuhalten, etwas zu beschleunigen, niemals ein streng metronomisches oder steifhalsiges Tempo anzuschlagen; durch letzteres würden manche Stellen zur Trivialität herabgedrückt.

Vier *Tantum ergo* bilden das Op. 7 von **A. George**; 3 sind für gemischten vierstimmigen, 1 für Frauenchor komponiert mit den Texten *Pange lingua*, *Tantum ergo* und *Genitori*. Bei der Überfülle von Vertonungen dieses Hymnus darf man wohl etwas wählerisch zu Werke gehen, besonders wenn, wie hier auch satztechnische Fehler, übergewöhnliche und unschöne Harmonieverbindungen und Auflösungen, die in einem Gesangsatz nicht vorkommen sollten, in die Wagschale gelegt werden.[4]

Zu Ehren des heil. Ambrosius komponierte **Jos. Gruber** die Messe Op. 31 für gemischten vierstimmigen Chor mit Orchester und Orgel oder Orgel allein.[5] Der gewandte Stiftsorganist in St. Florian weiß für unsere kleineren Stadt- und Marktchöre, deren Gesangskräfte ohne die Maschinerie der Instrumente nicht aufzutreten vermögen, faßlich und praktisch zu schreiben. Den liturgischen Text deklamiert er richtig, schont die Stimmen durch seine Unisoni, kleine Soli und benützt (wie auf dem Titel steht) den „gregorianischen Choral", d. h. er bedient sich einiger Motive des bekannten 3. *Credo* und anderer Formeln aus dem *Ordinarium Missae* für die einzelnen Meßteile. Der Instrumentalsatz erdrückt die Singstimmen nicht, vorausgesetzt, daß letztere in richtigem Verhältnis zu den Spielern stehen. Aufführung durch Orgel allein läßt erst die Lücken

---

[1] 1903. Partitur 1 .ℳ 80 ₰, 4 Stimmen à 25 ₰.
[2] 1903. Partitur 1 .ℳ 80 ₰, 4 Stimmen à 30 ₰.
[3] 1903. A. Partitur und Singstimmen 4 .ℳ 50 ₰. B. Partitur mit Singstimme 4 .ℳ, Orchesterstimmen 2 .ℳ 50 ₰. Die Begleitung besteht aus Streichquintett, Flöte, 2 Oboen oder Klarinette, 2 Hörner und Orgel. Die Partitur ist nur Direktionsstimme, in welcher der Einsatz der Instrumente angegeben ist. Der neue Zusatz *Mater boni consilii* ist berücksichtigt.
[4] 1903. Partitur und Singstimmen 1 .ℳ 20 ₰, Stimmen à 15 ₰.
[5] Außer Streichquintett noch je 2 Klarinette, Trompeten und Hörner, Posaune und Pauken ad libitum. Partitur, zugleich Direktionsstimme mit Angabe der Instrumentaleintritte, kostet inkl. aller Stimmen 10 .ℳ, Ausgabe mit Singstimme und Orgel allein 5 .ℳ. 1903.

der instrumentalen Umrahmung, aber auch die Mängel des Gesangsatzes fühlen. — Vom gleichen Komponisten liegen zwei Gradualien für gemischten vierstimmigen Chor mit Orgel- oder Orchesterbegleitung als Op. 143 vor.[1] Die Texte sind a) *Viderunt omnes* der 3. Weihnachtsmesse, b) *Omnes de Saba* vom Feste der heil. drei Könige. Das pastorale · Element ist in dem Weihnachtsgraduale in störender Weise vertreten, besonders in der Instrumentaleinleitung; Referent würde die ersten zehn Takte streichen und sogleich die Singstimmen beginnen lassen. Dem Sopran ist öfters g^2 und a^2 zugemutet, der liturgische Text ist im übrigen gut und würdig deklamiert, die Instrumente sind nicht vordringlich.

Eine Messe zu Ehren der heil. Anna für drei Frauenstimmen mit Orgel- oder Harmoniumbegleitung von **Otto Müller** beurteilt Referent als ein unreifes Werk, in welchem einerseits Weichlichkeiten durch übermäßige Anwendung von Septimen- und Quartsextakkorden, teils Härten und widerliche Dissonanzen um den Vorrang streiten. Die Deklamation wird durch die außerordentlich zahlreichen Unisoni nicht gefördert. Besonders arm ist das *Benedictus*, das ohne innere Steigerung sechsmal (ähnlich dem *Dona nobis pacem*) wiederholt wird. Überhaupt kann Modulation nicht die Imitation ersetzen.[2]

Die Stellung und auch die musikalische Bildung eines Komponisten kann unmöglich Bürgschaft für die Richtigkeit der kirchenmusikalischen Schöpfungen bilden. Der Kgl. Hoforganist in Dresden, **Karl Pembaur**, hat in Op. 10, einer Messe in *F*-dur, ein nach instrumentaler Seite (nur Begleitung des Streichquintettes und der Orgel) sehr gemäßigtes Werk komponiert, aber im Stile der musikalischen Sezession mit allem Aufwand von Enharmonik, Chroma, Dissonanz und dynamischer Hypnose. Für die Kirche darf und kann diese Messe nicht begutachtet werden, trotz der schönen Ausstattung der vollständigen Partitur und einzelner schöner Stellen des im übrigen korrekt deklamierten liturgischen Textes.[3]

Op. 49, eine lauretanische Litanei[4] für gemischte Stimmen und Unisonochor mit Orgelbegleitung von **Jos. Pilland**, verdient gute Empfehlung wegen ihrer schlichten und würdigen, für die Einzelstimmen keine hohen Anforderungen stellenden, den Litaneiencharakter aufs beste wahrenden Fassung. Der neue Zusatz *M. boni consilii* ist berücksichtigt. Sehr guten Eindruck macht der Unisonochor, welcher die Antworten vorträgt; derselbe kann ohne große Mühe auch von den gesangskundigen Gläubigen, besonders aber den Schulkindern als Volksgesang ausgeführt werden.

2) Im Verlage von Breitkopf & Härtel in Leipzig hat der Unterzeichnete von **Palestrina** die vierstimmige Motette *Super flumina Babylonis* und das fünfstimmige Offertorium *Super flumina Babylonis*, sowie von **Lud. da Victoria** das vierstimmige ℟. *O vos omnes* für den heutigen Chorgebrauch eingerichtet, d. h. auf 4, resp. 5 Liniensystemen mit Violin- und Baßschlüssel, Atem- und dynamischen Zeichen in wirkungsvoller Transposition ediert.[5] Über die herrlichen Kompositionen dieser beiden Klassiker der katholischen Kirchenmusik und die hehre Wirkung derselben soll kein Wort verloren werden.

3) Im Verlag von Marcello Capra in Turin erschienen: Ein *Requiem* für einstimmigen Chor mit Orgelbegleitung von **E. Bottigliero**.[6] Das Wort „Chor" muß betont werden; denn für eine einzelne Stimme wäre die Begleitung zu reich und voll.

---

[1] 1901. Partitur mit Orchesterstimmen 5 ℳ; Orgel mit 4 Singstimmen 3 ℳ. Als Instrumente werden außer dem Streichquintett je 2 Klarinette, Hörner, und Trompeten mit Posaune und Pauken verwendet, oder die Orgel allein übernimmt die Begleitung.

[2] 1903. Orgel- und Singstimme 3 ℳ, jede Einzelstimme 30 ₰.

[3] 1903. Ausgabe komplett 8 ℳ 50 ₰, 4 Singstimmen 2 ℳ, 4 Streichstimmen 2 ℳ 40 ₰.

[4] 1903. Orgel- zugleich Direktionsstimme 1 ℳ 20 ₰, 4 Singstimmen à 30 ₰.

[5] Das vierstimmige Motett für Alt, Tenor, Bariton und Baß ist dem 5. Bande, das fünfstimmige Offertorium des 20. Sonntags nach Pfingsten dem 9. Bande der Gesamtausgabe von Palestrinas Werken entnommen. Partitur à 1 ℳ, Stimmen à 30 ₰. Die Komposition Victorias ist aus dem 1. Bande der Gesamtausgabe. Partitur und Stimmen gleicher Preis.

[6] Partitur und Stimme 2 ℳ 75 ₰, Stimme allein 35 ₰. Es ist der vollständige Text des *Dies irae* und das ℟. *Libera* komponiert.

Die Motette *Tu es Petrus* von **F. G. Breitenbach** ist für einen vierstimmigen Männerchor kräftig und effektvoll geschrieben.[1]

Die *Missa Regina Angelorum* von **Philipp Capocci** für einen Chor von 2 gleichen Stimmen (Tenor und Baß) mit obligater Orgelbegleitung ist ein Musterbeispiel der schönen Kantilene und geschmackvollen, ebenso einfachen als tüchtigen Begleitungskunst des Meisters an der Laterankirche zu Rom, der auch den kleineren Chören mit gediegener Kleinkunst entgegenzukommen weiß und dadurch der angestrebten Kirchenmusikreform in Italien ausgezeichnete Dienste leistet.[2]

Als Op. 9 Nr. 1 hat **Raphael Casimiri** die Responsorien der Passion nach Matthäus und als Op. 9 Nr. 2 die nach Johannes für zwei gleiche Stimmen, Tenor und Baß oder Cant. und Alt, mit einer Harmoniumbegleitung ad lib. sehr lebhaft und dramatisch, aber würdig und effektvoll komponiert. Die Harmoniumbegleitung kann auch ganz wegbleiben, denn die Deklamation, auch der zweiten Stimme, genügt für gute musikalische Wirkung.[3]

Von **Pet. Magri** liegen 2 Werke vor: Op. 36, ein *Requiem* für vereinigte Ober- und Unterstimmen mit Orgelbegleitung (*Dies irae* und R. *Libera* sind vollständig), scheint dem Charakter einer Totenmesse durch eine gewisse leidenschaftliche Deklamation des Textes, besonders aber durch die obligate fast orchestral behandelte Orgelbegleitung nicht zu entsprechen. Auf unseren deutschen Kirchenchören kann sie nicht empfohlen werden; die musikalische Erfindungskraft und kompositorische Geschicklichkeit soll dem italienischen Priester nicht abgesprochen werden, er ist noch in der Klärung begriffen und erinnert sich zu viel an die Fleischtöpfe Ägyptens. — Weniger auffällig treten die erwähnten Merkmale in Op. 39, der Messe *Emicat meridies*, hervor. Sie ist für 2 gleiche Stimmen (Sopran und Alt) geschrieben, die in Imitation oder einzeln recht sanglich den liturgischen Text deklamieren. Das Hauptgewicht liegt jedoch in der Orgelbegleitung, die nach rhythmischer und harmonischer Seite zu reich ausgestattet ist und dadurch die Wirkung der Singstimmen mehrmals schädiget.[4]

Ein *Tantum ergo* für Sopran, Tenor, Bariton und Baß mit Orgelbegleitung überschreitet die Grenzen der Hymnenkomposition. **Gius. Mercanti** hat hier spezifisch italienische Praxis im Auge, verdient jedoch wegen schöner Stimmenführung (nicht aber wegen der Textunterlage) lobende Anerkennung.[5]

Eine recht praktische Sammlung von 122 lateinischen Gesängen verschiedener alter und neuer Autoren veranstaltete **Or. Ravanello** in der Antologia Vocalis für 3 gleiche Stimmen, am besten 3 Männerstimmen. Preis des 200 Seiten in 8° füllenden Buches ist nicht angegeben.

Sämtliche Verlagsartikel von Capra sind auch durch Breitkopf & Härtel in Leipzig zu beziehen.

4) Die Sammlung von 7 lateinischen Gesängen für die heilige Passionszeit, welche **Herm. Bäuerle** als Op. 23 unter dem Titel „*Ecce homo!*" für vier gemischte Stimmen komponiert hat, sind in 2. (Titel) Auflage erschienen. Die Redaktion verweist auf die empfehlende Besprechung in *Musica sacra* 1903, Seite 26 und auf den Cäcilienvereins-Katalog Nr. 3026.[6]

5) Im Verlage von Fr. Pustet in Regensburg sind erschienen: Die 2. Auflage der *Missa S. Crucis* von **J. N. Ahle** für 4stimmigen Männerchor, die bereits unter Nr. 773 des Cäcilienvereins-Katalog Aufnahme gefunden hat.[7]

---

[1] Partitur und Stimme 1 .ℳ 20 ₰. Stimmen à 10 ₰.
[2] Partitur und Stimme 2 .ℳ 50 ₰. Stimmen à 25 ₰.
[3] Partitur und Stimmen jeder Nummer 1 .ℳ 60 ₰. Einzel-Stimmen 20 ₰.
[4] Op. 36. Partitur und Singstimme 2 .ℳ 70 ₰. Stimmen à 35 ₰. Op. 39. Partitur und Stimme 2 .ℳ 50 ₰. Stimmen à 25 ₰.
[5] Partitur und Stimme 1 .ℳ 12 ₰. Stimmen à 8 ₰.
[6] Verlag von A. Coppenrath (H. Pawelek). 1904. Partitur 1 .ℳ. Stimmen à 20 ₰.
[7] 1904. Partitur 1 .ℳ 20 ₰. Stimmen à 20 ₰.

Die 2. Auflage der Messe *Regina coeli* von Op. 151 des † **Franz Arnfelser** für 3 Männerstimmen mit Orgelbegleitung schon unter Nr. 1486 im Cäcilienvereins-Katalog aufgenommen.[1]

Die 2. Auflage der 12 kirchlichen Gesänge für 2 gleiche Stimmen (Cant. und Alt) mit Orgelbegleitung, Op. 54 von **Mich. Haller**; die 1. ist im Cäcilienvereins-Katalog unter Nr. 1559 empfohlen.[2]

Die 21. Messe zu Ehren des heil. Aloysius Gonzaga bildet Op. 87 von **Mich. Haller** und ist für 2 gleiche Stimmen (Sopran und Alt) mit Orgelbegleitung komponiert. Ein einfaches Motiv, das in *Kyrie*, *Christe* und *Kyrie* vorgeführt wird, kehrt durch die ganze Messe (in *Gloria* und *Credo* natürlich erweitert) in Imitationen, Umkehrungen und auch in der einfachen Orgelbegleitung anregend wieder, einer frommen, wohldurchdachten Homilie gleichend, in welcher der Redner niemals vom Thema abweicht. In dieser Kunst veraltet der Komponist niemals, ja weiß gerade die Jugend anzuregen und den Beter vor Zerstreuung zu bewahren und ihn moralisch zu zwingen, den bekannten Meßtext zu betrachten.[3]

Ein ausgezeichnet schönes, in klassischem Vokalsatz entworfenes, kunstgerecht durchgearbeitetes Werk ist die vierstimmige Messe *Ite Missa est* von **Raphael Lobmiller**, Präbendar und Chordirektor an der Kathedrale zu Rottenburg a. N. Die Motive sind dem feierlichen *Ite Missa est* entnommen; die Durcharbeitung gibt Zeugnis von tüchtiger Schulung, vom Sinn für vokale Wirkung, den passendsten Tonumfang für die Einzelstimmen, fließende Rhythmik und schwungvolle Deklamation. Die palestrinensischen Formen sind dem Komponisten nicht etwa nur geläufig, sondern in seinen Geist übergegangen, und er weiß durch die kontrapunktischen Mittel den Zweck der liturgischen Kirchenmusik zu erreichen. Der Komponist führt sich durch dieses Opus 1, dem ohne Zweifel mehrere hundert ungedruckter Seiten und Studien vorausgegangen sind, auf das Günstigste ein. Sein Werk ist allen Kirchenchören, welche den reinen Vokalgesang pflegen wollen, aufs beste zu empfehlen.[4]

Das Opus 18 von **Ign. Mitterer**, die Messe zu Ehren des heiligsten Namens Jesu für zweistimmigen Männerchor mit Orgelbegleitung, liegt in 5. Auflage vor; zum ersten Male ist sie im Cäcilienvereins-Katalog unter Nr. 654 verzeichnet.[5]

Eine prächtige Gabe ist Op. 24 von **Jak. Quadflieg**: Sieben Offertorien zu den Hauptfesten der Muttergottes nebst einem *Pange lingua* für vereinigte Ober- und Unterstimmen, 4 stimmig mit obligater Orgelbegleitung.[6] Die Texte sind: *Ave Maria* (2), für 8. Dez. und 26. März eingerichtet, *Diffusa est*, *Recordare*. *Assumpta est*. *Beata es* und *In me gratia*. Schwungvolle Linien in den beiden Singstimmen, oratorische Deklamation der liturgischen Texte und eine meisterhafte, effektvolle Orgelbegleitung zeichnen das Werk aus.[7] Daß es bei Quadflieg nicht an Bindebogen, dynamischen und rhythmischen, den schönen Vortrag fördernden, ja erzwingenden Zeichen fehlt, darf als bekannt vorausgesetzt werden.

Die weltbekannte *Salve Regina*-Messe von **J. G. E. Stehle** ist nun auch für vierstimmigen Männerchor mit Orgelbegleitung vom Komponisten bearbeitet worden und wird ihren Triumphzug auf den katholischen Kirchenchören vollziehen. Der Heilige Vater, Pius X., hat die Dedikation der auch in Italien sehr bekannten und beliebten

---

[1] 1904. Partitur 1 .ℳ. Stimmen à 12 ₰.
[2] *Cantica sacra II.* 1904. Partitur 1 .ℳ. Stimmen à 20 ₰. Den meisten dieser 1892 zum ersten Male edierten kirchlichen Gesänge (2 *Asperges*, *Vidi aquam*, 2 *Adjura nos*, *Veni sancte* und *Veni creator Spiritus*, 4 *Pange lingua*) ist auch ein Singbaß nd lib. beigegeben. Partitur 1 .ℳ. St. à 20 ₰.
[3] 1904. Part. 1 .ℳ 20 ₰, 2 St. à 20 ₰. [4] 1904. Part. 1 .ℳ 12 ₰, St. à 20 ₰.
[5] 1904. Partitur 1 .ℳ. Stimmen à 15 ₰.
[6] 1904. Part. 2 .ℳ 40 ₰, St. à 10 ₰. Der Komponist ersucht 1) auf S. 20, Z. 3, Takt 1 im Pedal statt 2) auf Seite 36, Zeile 2, Takt 2—3 über die Achtelnoten der Orgel-Oberstimme *f c d e* einen Phrasierungsbogen einzutragen. 3) Das *a* Pag. 11, 3. Zeile, letzter Takt, im Baß zu punktieren.

setzen zu wollen |

[7] Von letzterer verlangt der Komponist im Vorwort, daß sie sich „überall nach dem Charakter des Festes, nach dem musikalischen Ausdruck des Textinhaltes, sowie nach der Stärke des Chores und den Raumverhältnissen der Kirche richten soll, weshalb eine genauere Registrierung nicht angegeben wurde".

Messe gerne und gnädigst angenommen. Das Werk ist auch in dieser Bearbeitung im Cäcilienvereins-Katalog unter Nr. 3093 aufgenommen.[1]

Eine neue Vokalmesse *(Missa V.)* für gemischten vierstimmigen Chor von **G. V. Weber** weist die guten Eigenschaften auf, welche allen bisherigen Kompositionen des Mainzer Domkapellmeisters nachzurühmen sind, nämlich schöne Textesdeklamation, einfache, ungekünstelte Faktur, große Leichtigkeit der Aufführung und Schonung der Einzelstimmen durch bequeme Tonlage. In der Partitur sind keine Atemzeichen angegeben, in den Stimmen jedoch viel zu viele, so daß der Dirigent darauf bedacht sein muß, einen zerstückelten, gleichsam nach Atem ringenden Vortrag zu verhindern; eine Menge der Atemzeichen sind jedenfalls nur für das Absetzen bestimmt und können die › öfters durch › ersetzt werden.[2]   F. X. H.

(Schluß in Nr. 4.)

Vermischte Nachrichten und Mitteilungen.

1. Personennachrichten. a) Seit Mitte Januar d. J. ist Herr Jodoc Kehrer zum Domorganisten von **Trier** ernannt. — b) Herr J. Steingaß wirkt als Organist und Chorregent gegenwärtig in **Rownoe**, Gouvernement Samara, Diözese Tiraspol (Rußland) und hat dortselbst eine Sänger- und Organistenschule gegründet. — c) Herr Jos. **Merk** fungiert an der Stifts- und Gnadenkirche in **Altötting** als Organist. d) Der H. H. Dr. Pet. **Müller**, Direktor der *scuola gregoriana* an der deutschen Nationalkirche in Rom, erhielt die Auszeichnung als *Cameriere segreto soprannumerario*, mit welcher der Titel **Monsignore** verbunden ist. (Den vier ehemaligen Eleven der hiesigen Kirchenmusikschule unsere herzlichen Glückwünsche auf dem segensreichen Arbeitsfelde!) — e) In **New York** wurde auf Anregung und mit Approbation des Hochwürdigsten Erzbischofes John M. **Farley** eine katholische Musikakademie mit dem Titel „Palestrina" gebildet, welche von dem Hochwürdigen Herrn P. **Bonaventura Lugscheider**, O. F. M. geleitet wird. Lehrgegenstände sind: Kompositions-, Instrumentations-, Harmonie- und Kontrapunktlehre, Chor- und Choralgesang, Piano und Orgel, Geschichte und Ästhetik der Musik. Damit verbunden ist unter der Leitung des Herrn Cavaliere Dante del Papa Stimmbildung, Solfeggien und Vokalisen, Kunstgesang für Oratorium und Oper. (Die Redaktion wünscht der zeitgemäßen Akademie segensreichen Anfang und die besten Erfolge.) — f) Herr Max **Pracher**, Chordirektor an der Kgl. Herzogspitalhofkirche in **München** (wohnhaft Marsstraße 22 II) bittet die Komponisten katholischer Kirchenmusik, ihm für den dortigen Chor Werke zur Aufführung zu schenken. Er bedarf je 2 Partituren, dreifache Stimmen und ist in der Lage, gedruckte Kompositionen mit oder ohne Instrumentalbegleitung gut vortragen zu lassen. (Der Redaktion erscheint das Ansuchen begründet, denn es kann keinem Menschen verwehrt werden, in geziemender Weise auch öffentlich eine Bitte zu stellen. Der genannte Chordirektor läßt bei dieser Gelegenheit seine Kursgenossen von 1895 aufs beste grüßen.)

2. § Im Kgl. Lehrerseminar zu **Montabaur** wurde zur Vorfeier des Geburtsfestes Sr. Majestät des Kaisers und Königs Wilhelm II. am 26. Januar nachfolgendes Programm durchgeführt: 1. Gebet für den König, Männerchor mit Orgel von A. Wiltberger. 2. Vortrag von Schülern der Seminarschule. 3. Allegro, Violinchor mit Klavierbegleitung von Fr. Wohlfahrt. 4. Präsentiermarsch. Männerchor von Fr. Wilhelm III. 5. Vortrag „Präparanden. 6. Dem Vaterlande, Quartett von Fr. Abt. 7. Sonate, Violinchor mit Klavierbegleitung von A. Wiltberger. 8. Vortrag eines Seminaristen. 9. Trio für Orgel von A. Hesse. 10. Vortrag eines Seminaristen. 11. Sonate für Flöte und Klavier von Friedrich II. 12. Der Rebe Hulden, Männerchor von K. Cohen. 13. Festrede des Herrn Seminarlehrers Schäfer. 14. Nationalhymne.

3. ✝ Aus Dresden geht uns die Trauernachricht zu, daß der Hochwürd. Herr Konsistorialrat und Kgl. Hofprediger **Adolf Brendler**, seit Jahren am Präses des Cäcilienvereins für das apostolische Vikariat Sachsen, am 1. Februar 1904 nach langem in Geduld und Ergebung getragenem Leiden verschieden ist. Geboren am 30. November 1845 im Kloster-Freiheit, studierte er Theologie in Prag, wurde am 27. November 1869 zum Priester geweiht und fand Anstellung als Domvikar in Bautzen. Von 1871—79 wirkte er als Kaplan in Schiergiswalde, dann als Pfarrer in Grünau bis 1883 und seit dieser Zeit in Dresden. Die Nummern 27—29 der „Sächsischen Volkszeitung" weihen dem Verstorbenen ehrende Worte über dessen priesterliches segensreiches Wirken. Beim Begräbnis war auch der Hochwürdigste apostolische Vikar Wuschansky zugegen. Im Cäcilienvereinsorgan wird ein Nachruf als Originalkorrespondenz erscheinen. Die Mitglieder des Cäcilienvereins sind gebeten, des Dahingeschiedenen beim heiligen Opfer und Gebete eingedenk zu sein. R. I. P.

4. ✝ Breslau. Am 11. Januar besuchte Kaiser Wilhelm unsere Stadt und nahm bei Sr. Eminenz dem Hochwürdigsten Fürstbischof, Kardinal Kopp, das Souper ein. Während desselben, um 9 Uhr, trug der Domchor unter der Leitung des Domkapellmeisters Königl. Musikdirektors Filke in einem der Säle vier Lieder vor, nämlich „Jubilate Deo", fünfstimmige Motette von Aßlinger, „Herbst-

[1] 1904. Part. 1 ℳ 40 ₰, 1 St. à 15 ₰.   [2] 1904. Part. 1 ℳ 40 ₰, 1 St. à 20 ₰.

lied" Chor von M. Filke, „Der fröhliche Musikus", Chor von M. Bruch und „*Carmina burana*", Chor von M. Filke. Der Kaiser äußerte sich wiederholt sehr anerkennend über den Gesang. Er habe selten einen so gut geschulten Chor gehört. Nach der Tafel hielt Se. Majestät Cercle ab.

Bei dieser Gelegenheit dürfte es die Leser der *Musica sacra* interessieren, von einem Artikel Kenntnis zu nehmen, welchen der Kgl. Musikdirektor, Domkapellmeister Max Filke, in Nr. 585 der „Schlesischen Volkszeitung" vom 20. Dezember 1903 über die „Aufnahme und Vorbereitung" der Domsingknaben in Breslau veröffentlicht hat, da durch das *Motu proprio* Pius X. der Unterricht von Singknaben für den Kirchenchor wieder in den Vordergrund getreten ist und ähnliche Schwierigkeiten an kleineren Orten und auch in größeren Städten keine Seltenheit sind. M. Filke schreibt unter anderem:

„Schon seit altersher besteht bei uns am Dom zu Breslau das sog. Johannes-Hospital oder Domsingknaben-Institut. Nach dem Wunsche der heiligen Kirche soll der Kirchengesang nur von Männer- oder Knabenstimmen ausgeführt werden. Es wurden deshalb schon seit alter Zeit Sängerschulen mit Knabenstimmen eingerichtet, und bekanntlich hat ja der hl. Gregor der Große selbst in einer solchen Schule unterrichtet. Bei uns in Breslau ist dieses Institut schon im 12. Jahrhundert eingerichtet worden. Da aber eine geschichtliche Ausführung hier nicht beabsichtigt ist, gehe ich gleich auf den eigentlichen Zweck meiner Besprechung über.

Die Leistungen des Domchores hängen ohne Zweifel von der Güte der Knabenstimmen und von deren Vorbereitung zur Aufnahme ab. Es muß von vornherein gleich betont werden, daß in dieser Hinsicht in letzter Zeit mancher Rückschritt zu verzeichnen ist, der sich oft bei den Aufführungen des Domchores bemerkbar macht. Die Domsingknaben, welche zugleich auch Schüler des Matthias-Gymnasiums sein müssen, treten meistens mit 11 bis 12 Jahren in das Institut ein. Die Zeit von dem Eintritt des Knaben bis zum Stimmbruch, welcher meist mit dem 14. bis 15. Lebensjahre eintritt (Ausnahmen kommen bis zum 16. Jahre vor) ist demnach eine knappe und kurzbemessene, gegenüber den geforderten Leistungen und Kenntnissen. Da die Vorbereitungsübungen in der Regel 1 bis 1½ Jahre in Anspruch nehmen, so ist es klar, daß der Knabe vielleicht nur zwei, höchstens drei Jahre als Sänger zu brauchen ist. Diese Brauchbarkeit hängt natürlich sehr von der „Anlage" und von der „Vorbereitung" ab, welche der Knabe bei der Aufnahme besitzt. Wenn ein Knabe ohne jede Vorbereitung, ohne jegliche Kenntnisse mit 11 bis 12 Jahren in den Domchor eintritt, so ist es gewiß ersichtlich, daß, wenn er mindestens 1½ bis 2 Jahre zu seiner Ausbildung braucht, dann der Stimmbruch bald eintreten kann, und so die ganze Mühe bei einem solchen Sänger illusorisch ist.

Wie steht es aber mit der Vorbereitung zur Aufnahme der Domsänger? Da hat sich manches geändert! Zur Zeit des hochverehrten Meisters Brosig wurde von dem Knaben schon soviel verlangt, daß derselbe imstande war, leichte Messen vom Blatt zu singen.

Wie ist es aber jetzt? Selten ist von den Knaben bei der Aufnahmeprüfung imstande, auch die leichteste Aufgabe von Noten zu singen, und wollte man jetzt die Anforderung bei der Aufnahme so hoch spannen wie früher, so hätte der Domchor bald keine Sänger mehr. Wem fällt nun die ganze riesige Aufgabe zu, all das Versäumte nachzuholen, als dem Dirigenten; wie wird aber dadurch die Leistungsfähigkeit des Chores gehemmt, wenn der Dirigent gezwungen ist, den Knaben das musikalische ABC erst beizubringen? Wo bleibt auch die Zeit dafür, da die Chorproben für den Gottesdienst alle Tage gehalten werden müssen, den Knaben aber auch noch obliegt, den Verpflichtungen für das Gymnasium nachzukommen? Von den zirka 20 Knaben sind jetzt tatsächlich kaum die Hälfte als sichere, brauchbare Sänger zu bezeichnen, und von diesen können jeden Augenblick einige Stimmbruch erhalten. Auch ist durch die Versetzung zu Ostern die Möglichkeit gegeben, wie es tatsächlich ist, daß einige der besten Sänger vor Ostern abgehen, weil sie einen anderen Beruf ergreifen wollen.

Für die hohe Bedeutung des Instituts und seine Leistungen beim öffentlichen Gottesdienst ist demnach die Vorbereitung zur Aufnahme von großer Wichtigkeit; diese Vorbereitung aber liegt in den Händen der Eltern und Lehrer und muß schon früh genug und systematisch begonnen werden. Hat ein Knabe eine gute Stimme, so möge schon mit dem achten oder neunten Jahre in Rücksicht auf seinen zukünftigen Beruf mit der Vorbereitung begonnen werden. Bei dem Anfangsunterricht ist es notwendig, zwei Punkte ins Auge zu fassen, das Methodische und das Technische. Die methodische Ausbildung bezieht sich zunächst auf Stimmbildung in Verbindung mit der richtigen Erlernung des Atmens. Gerade in letzterer Beziehung lehrt die Erfahrung, daß die meisten Knaben nicht wissen, was sie mit dem Atem beginnen sollen und wie sie den Atem verwenden müssen, um einen richtigen Tonansatz zu erzielen. Mit dem Übungen des Atmens und seine Verwendung kann nicht früh genug begonnen werden. Einer der größten deutschen Gesangsmeister, Johannes Miksch, der Lehrer der berühmten Schröder-Devrient, legte das größte Gewicht bei seinem Unterricht auf die Führung des Atems. In der Kinderstimme ist schon der Gesundheit halber auf ein richtiges Atemholen zu achten. In der Regel stoßen die Kinder auf einmal zu viel Atem ab, so daß zur Tonbildung nur wenig Atem zurückbleibt. *Formare, Fermare* und *Finire* (bilden, befestigen, vollenden), sagen die alten Italiener, ist für die Tonbildung das Wichtigere. Dr. Wagemann sagt in seinem Buche „Neue Aera", daß zur Tonbildung eine „Stauung" oder Spannung durch Zurückhalten des Atems entstehen muß, um alsdann mit dem leisesten Hauche den Ton ansetzen zu können. Über die Kunst des Atmens ist schon viel geschrieben worden. Man lese das Buch „Die Kunst des Atmens" von Leo Kofler, ferner das ausgezeichnete Buch von Rokitansky „Über Singen und Sprechen". Vorzügliches bietet in Anleitung zum Gesange die Schule von Iffert, (Breitkopf), Gesangsprofessor am Konservatorium in Dresden. Auch die Schule von Lablache und neueren Datums die von Lili Lehmann sind zum Studium des Gesanges sehr zu empfehlen. Beim Unterricht der

Kinder im Gesange muß vor allem das „Schreien" verhindert werden, und darum müssen alle Übungen im Anfange nur mit *mezzo voce* gemacht werden. Durch das „Schreien" werden von vornherein alle Stimmen verdorben, und selten gelingt es, und nur mit vieler Mühe, einem Knaben das später abzugewöhnen.

In bezug auf das Technische, d. h. die Kenntnisse der Tonarten, Intervalle, Rhythmus etc. ist zu empfehlen, stets systematisch, nicht sprungweise zu unterrichten, da sonst zu viel Zeit und Mühe verloren geht.

Darum ist eine Pflicht und ein Gebot der Rücksicht nicht nur für den Domchor, sondern auch für den betreffenden Knaben, daß Eltern und Lehrer schon beizeiten an die Vorbereitung zu dem späteren Berufe des Kindes herantreten, zumal ihnen die Wohltaten des genannten Institutes zugute kommen. Wie sehr wird dann einem solchen Kinde, welches Talent zur Musik und zum Studium zeigt, der Weg erleichtert werden, der beim Eintritt in den Domchor oder ins Gymnasium gar keine große Anforderungen an dasselbe herantreten.

Aber dabei handelt es sich ja nicht nur um tüchtige Leistungen des Domchores, sondern vor allem um das Lob und die Ehre des Allerhöchsten, zu dessen Ruhm und Verherrlichung wir alle arbeiten müssen, so lange wir Erdenpilger sind, und gar mancher muß um idealer Güter willen zur Ehre Gottes seine ganze Kraft bei geringem irdischen Lohne einsetzen, hoffend auf jenen Lohn in der Ewigkeit, der uns hier zum Troste gereichen soll. Der Domchor muß aber auch ein Vorbild und Muster sein für die Kirchenmusik in der ganzen Diözese; er soll vorausschreiten auf der Bahn der Kunst und zu Nacheiferung anregen. Nicht bloß einer einzigen Richtung huldigend, darf er sich hingeben einem einseitigen Geschmacke, sondern muß stets als oberstes Prinzip im Auge behalten, von allem das beste zu geben, denn dieses ist gerade gut genug für die Verherrlichung Gottes."

5. ═ **Leipzig.** Das zweite Konzert der hiesigen Singakademie brachte unter anderem „Christophorus", Oratorium von Rheinberger, zur Aufführung. Dieses Werk fand eine lebhafte Aufnahme von seiten des Publikums. Und in der Tat, glänzende Chöre wechseln ab mit eindringlich zu uns redenden Solopartien.

Von besonderem Interesse war es für die Freunde Rheinbergers religiöse Muse zu beobachten, in welcher Weise dieser große Meister der Melodie und des melodiösen Kontrapunktes den großen Anforderungen einer Orchestrierung gerecht wird. Da findet man immer den mit Sicherheit die entsprechende Klangfarbe treffenden Komponisten, der in Erfindung und Verarbeitung seiner schönen Themen mit beiden Füßen im Lande der „Alten" steht.

Gefreut hat es uns, diesen Freund des Alten, diesen Vertreter der strengen Schule, mit seiner immer wieder hervorbrechenden Weichheit mit Chor, Solo und Orchester frei walten zu sehen.

Warum denn nun immer durchaus Messen komponieren, wenn man seinem eigenen, charakteristischen Denken und Fühlen dabei sich annatürlichen Zwang auflegen soll?

Wen der Meßtext packt, der lasse sich packen. Wem der Wurf mißlingt, er lasse ihn sein. Es fühlt sich nicht jeder zum Priester geboren, nicht jeder Musiker kann Kirchenkomponist sein. Jeder macht das Seine.

Nur nicht sich zwingen lassen und künstlich sich einzwängen in irgendwelche Norm eines anerkannten Meßkomponisten. Wir werden dann zwar weniger neue Meßkompositionen zu sehen bekommen, aber dafür das so mehr künstlerisch erlebte. Wer den Profit hat, das liegt auf der Hand: die Kirche und die Gläubigen. — b—

6. Das Op. 56 von Pet. Griesbacher: *Gradualia festiva III vocibus aequalibus concinenda comitante Organo* erschien als 7.—12. Musikbeilage mit eigener Paginierung S. (1) -(24), und findet im laufenden Jahrgang Fortsetzung und Abschluß. Diese Fest-Gradualien werden besonders den wohlgeschulten Chören weiblicher Klöster und Institute eine willkommene Gabe sein.

7. **Inhaltsübersicht von Nr. 2 des Cäcilienvereinsorgans:** Papst Pius X. und der Allgemeine Cäcilienverein, von P. Gerh. Gietmann (Fortsetzung folgt). — Vereins-Chronik: Der Gesamtvorstand des Cäcilienvereins; Diözesan-Cäcilienverein Limburg; Bautzen; Stift Lambach; Osterhofen; Jahresbericht des Diözesan-Cäcilienvereins Passau. — Eine Unterredung mit Tinel über die Frage des Choralgesanges (mit Anmerkungen der Redaktion des Cäcilienvereinsorgans). — Anzeigeblatt.

Offene Korrespondenz.

Bausteine für die Cäcilienorgel (-Kirche). Übertrag aus *Musica sacra* 1904, S. 24: **9374** ℳ 51 ₰. P. W. in R. (Subbaß 16′ C-c′ E) 50 ℳ; Ungenannt (Subbaß 16′ Fis) 1 ℳ; R. O. in S. (Trompete c′—h′) 10 ℳ. **Summe: 9473** ℳ 51 ₰. Vergelt's Gott!

Die Red. sieht sich wiederholt zur Erklärung genötigt, daß sie **geschriebene Kirchenkompositionen** weder zur kritischen Beurteilung, noch zur Verlagsempfehlung kann und solche Zusendungen kurzer Hand zurückschicken wird. Gedruckte Kompositionen werden in der *Musica sacra* gelegentlich besprochen. Wünscht der Einsender auch Referat im Cäcilienvereins-Katalog, so ist ein eigenes Exemplar in Partitur und Stimmen vorzulegen.

Vom *Motu proprio* und dem Dekret der Ritenkongregation vom 8. Januar 1904 sind Einzelabdrücke durch den Vereinskassier Herrn Franz Feuchtinger dahier oder durch Fr. Pustet zu beziehen. 1 Exemplar 5 ₰, 100 Expl. 3 ℳ, 1000 Expl. 20 ℳ.

Druck und Verlag von **Friedrich Pustet** in Regensburg, Gesandtenstraße.
Nebst Anzeigeblatt und 1.—6. Musikbeilage.

1904. Regensburg, am 1. April 1904. N° 4.

MUSICA SACRA.

Gegründet von Dr. Franz Xaver Witt († 1888).

Monatschrift für Hebung und Förderung der kathol. Kirchenmusik.

Herausgegeben von Dr. Franz Xaver Haberl, Direktor der Kirchenmusikschule in Regensburg.

Neue Folge XVI., als Fortsetzung XXXVII. Jahrgang. Mit 12 Musikbeilagen.

Die „Musica sacra" wird am 1. jeden Monats ausgegeben, jede der 12 Nummern umfaßt 12 Seiten Text. Die 12 Musikbeilagen (48 Seiten) werden den Nummern 3 und 6 beigelegt. Der Abonnementpreis des 37. Jahrgangs 1904 beträgt 3 Mark;
Einzelnummern ohne Musikbeilagen kosten 30 Pfennige. Die Bestellung kann bei jeder Postanstalt oder Buchhandlung erfolgen.

Gregor der Große.

Von P. Utto Kornmüller, Prior des Benediktinerklosters Metten.

(Schluß.)

Bei näherer Betrachtung dieser Tätigkeit Gregors drängen sich einige Fragen auf,
welche die Musikgelehrten schon früher, aber besonders in neuester Zeit beschäftigten,
ohne bis jetzt eine vollkommene Lösung gefunden zu haben. Welches waren die
gregorianischen Weisen? Nach welchem Tonsystem waren sie gebildet? Welcher Tonzeichen hat sich Gregor bedient? Besitzen wir noch die echten gregorianischen Gesänge?

Allgemein hatte man sie zuerst in Neumen, dann seit Guido auf Linien und zuletzt
mit aufgezeichneten Kirchengesänge (Choral) des 9. bis 12. Jahrhundert für die
echten Melodien Gregors angesehen. In den früheren Zeiten erhob sich dagegen nur
eine einzige Stimme. Ekkehard IV. von St. Gallen († 1036) schrieb diese Melodien
Papst Gregor II. zu, sich besonders auf das gänzliche Stillschweigen der Geschichts-
schreiber des 7. und 8. Jahrhunderts berufend. In der neuesten Zeit, als man über
den Choral tiefere und gründlichere Forschungen anstellte, ergaben sich gewichtige
Gründe,[1] welche die bisherige Annahme so zweifelhaft erscheinen ließen, daß man es
für angemessener erachtete, diese Melodien nicht mehr als „gregorianische", sondern
als „traditionelle" zu bezeichnen.

Es ist nicht so schwer zu erkennen, daß die Melodien des 11. Jahrhunderts einen
gewissen Höhepunkt der Entwicklung kirchlicher Gesangskunst bedeuten, und das Tonsystem dieser Melodien ist nach Gregor aus dem altgriechischen System, welches
die Theoretiker seiner Zeit lehrten,[2] entwickelt hat. Der Bericht des Diakons Johannes
„compilavit, er sammelte" schließt übrigens jede besondere Neuerung aus. Am meisten
jedoch irren diejenigen, welche solche so hochausgebildete Melodien schon in das Zeit-
alter des heil. Ambrosius setzen. Ich glaube, wir dürfen als sicher annehmen, daß die
Melodien Gregors einfacher gewesen sind als die ihm bisher zugeschriebenen, und etwas
später in figurenreicher Form erschienen sind. Der Name „Cantus gregorianus"
erscheint erst im 11. Jahrhundert zum erstenmal, sonst wird dieser Choral „cantus

---

[1] Gerbert, De cantu I, 251. — Vgl. Kirchenmusikalisches Jahrbuch 1901, S. 84. „Gibt es noch
echt gregorianische Melodien?"

[2] Isidor, Cassiodor, Boëtius kennen noch nicht das neue Achtnotensystem, von welchem zuerst
Alkuin eine Andeutung gibt. Gerbert. Script. I. 26.

romanus" genannt. Gerbert führt in seinem Werke „*De Cantu, I. 252,* einen Passus aus einem sehr alten Manuskripte an, welcher lautet: „Nach diesem (Gregor I.) hat Papst Martin (649—655) gleichfalls den Gesang für den Jahreslauf herausgegeben *(edidit).* Nach diesem hat auch Abt Codolanus und wiederum Abt Maurianus, welche bei St. Peter bedienstet waren, den Gesang bestens eingerichtet *(nobile ordinavit).* . . . . Dann aber hat Abt Domnus den ganzen Gesang aufs Schönste *(magnifice)* gestaltet." Man kann diesen Bericht allerdings auf das Offizium, die kirchlichen Tagzeiten beziehen; denn damals oblag das Singen und Rezitieren des Offiziums in den Hauptkirchen den Mönchen, welchen zu diesem Zwecke die Päpste Klöster bei diesen Kirchen erbaut hatten. Man kann aber dies gerade so gut auf die Meßgesänge beziehen, da Mönche auch öfters als *Primicerii* fungierten und der *Schola* vorstanden. Wenn man nun den Gesang beim Offizium verschönerte, sollte dies nicht umsomehr bei dem Gesange für das feierliche *Sacrificium* stattgefunden haben?

Damit verliert auch die Behauptung, die Melodien des 10. Jahrhunderts seien Gregors Melodien, eine weitere Stütze.

Man hat dem Papst Gregor auch zugeschrieben, daß er die 4 Tonarten des heiligen Ambrosius auf 8 erhöht habe durch Hinzufügung der vier plagalen Tonarten.[1] Aber auch das ist ein Irrtum. Boëtius († 525), fast ein Zeitgenosse Gregors, dessen Werk *De Musica* das Hauptlehrbuch der Musik für mehrere Jahrhunderte war, lehrt auch schon 8 Tonarten, jedoch mit einer andern Konstitution. Daß aber die Tonlehre der Kirche so ganz verschieden von der sonst gebräuchlichen gewesen wäre, wer will dies behaupten?

Volle Gewißheit können wir in diesen und andern Punkten nicht gewinnen, weil jegliches Dokument fehlt. Die Schriftsteller aus der Zeit Gregors schweigen ganz, wie schon gesagt, die späteren reden wohl von seiner musikalischen Tätigkeit mit mehr oder minder lobenden Worten, aber über das Wesen dieses Gesanges geben sie uns keine Kunde. Unhaltbar ist daher auch die Vergleichung des gregorianischen Gesanges mit dem ambrosianischen, wie sie bei vielen Theoretikern des Mittelalters sich findet, weil solche ausgebildeten Melodien für die Zeit des heil. Ambrosius undenkbar sind.[2]

Wie, mit welchen Tonzeichen hat Gregor seine Gesänge aufgezeichnet? — Wir wissen es nicht. Einige wollen, er habe sich der Neumen bedient, weil das Antiphonar, welches der Sänger Romanus (Ende des 8. Jahrhunderts) als genaue Kopie des authentischen Antiphonars aus Rom nach St. Gallen brachte, mit Neumen notiert war. Andere schreiben, daß Gregor die schwerklingenden griechischen Namen der Töne beseitigte und die 7 Stufen der Skala nach den 7 ersten Buchstaben des lateinischen Alphabets benannte.[3]

Da uns hierüber die zeitgenössischen und auch die späteren Schriftsteller wieder nichts berichten, und das authentische Antiphonar schon längst verloren ist, so lassen sich eben nur Vermutungen aufstellen, welcher Tonschrift sich Gregor etwa bedient haben mag. Am wenigsten möchte man der so unbestimmten Neumenschrift seine Beistimmung geben. Zur selben Zeit galt noch die griechische Tonlehre und die griechische Tonschrift,[4] welche aus der Anwendung der griechischen Alphabets mit verschiedener Stellung der Buchstaben bestand. Doch scheint man zu den Zeiten des Boëtius nur mehr der Zeichen der lydischen Skala sich gemeiniglich bedient zu haben. Denn Boëtius

---

[1] Die alten Theoretiker wissen sämtlich nichts davon, daß Gregor der Große die Tonarten auf acht vermehrt habe, wenn sie ihn sonst auch rühmen. Vielmehr berichten sie, wie Joh. Cottonius (Gerbert, Script. II. 212): „*Moderni autem priorum inventa subtilius examinantes, considerabant, harmoniam modernorum confusam esse et dissonam.* . . . . *Hanc igitur dissonantiam volentes excutere, unumquemque modum in duos partiti sunt.*" Wer diese „moderni" sind, wird nicht angegeben.
[2] Vor ein paar Dezennien ward ein Teil eines ambrosianischen Antiphonars entdeckt, welches in guidonischer Manier geschrieben ist, weshalb es vor dem 11. Jahrhundert nicht geschrieben sein kann. Frühere ambrosianische Manuskripte von Gesängen hat man noch nicht ans Tageslicht gefördert. Eine Vergleichung dieser Melodien mit den römischen gibt einigermaßen das Resultat, welches wir in den Geschichtswerken lesen. Der erste der alten Schriftsteller, der dieses Urteil fällt, ist ein gewisser Oddo, welcher dem 11. oder 12. Jahrhundert angehört. Gerbert, Script. I. 275.
[3] Dr. A. Ambros II. 16. Gerbert, *De cantu* I. 249.
[4] Dr. A. Ambros I. 195 ff. Gerbert, Script. I. 15, 25, 36.

schreibt (K. IV. c. 5): „Nunc igitur diatonici generis descriptis facta est in eo scilicet modo, qui est simplicior et princeps, quem Lydium nominamus." Diese Notation gebraucht auch noch ein bei Gerbert Scriptores I. 104 120 abgedruckter Traktat.[1])

Doch führt Boëtius (IV. c. 16) auch die Doppelskala mit den Buchstaben des lateinischen Alphabets A P (◦ ◦) an. Dieses durchlaufende Alphabet findet sich noch (in größerer Ausdehnung) in einigen Traktaten der Gerbertschen Sammlung. Notker von St. Gallen (912) benützt blos die ersten 7 Buchstaben des Alphabets A = D, B = E u. s. f.), welche er je nach Bedürfnis nach oben oder unten wiederholt. Das durchlaufende Alphabet ist auch in Neumenbüchern verwendet, in welchen die Buchstaben über den Neumen stehend dieselben erklären. In Hucbaldi musicae enchiridis (10. Jahrhundert) finden wir die 7 ersten Buchstaben gleichmäßig für beide Oktaven verwendet, erst bei Oddo und Guido erscheint die untere Oktav mit den großen, die obere Oktav mit den kleinen Buchstaben bezeichnet, die weiteren 5 Töne nach oben zeigen Doppelbuchstaben. Welcher Bezeichnungsart mag sich wohl Gregor bedient haben? Vielleicht der Zeichen der lydischen Skala?

Von der größten Bedeutung in Gregors musikalischer Wirksamkeit aber ist die Gründung der kirchlichen Singschule. Nur dadurch konnte er einen dauernden Erfolg seiner Bemühungen erreichen. Eine gut geleitete Schule ist ein vorzügliches Mittel, ein Werk und die Methode, dasselbe gut zu lehren, auf längere Zeit hinaus unverändert fortzuführen. Sobald die Kirche die Zeiten der blutigen Verfolgungen überstanden hatte und zur Freiheit gelangt war, sorgten die Oberhirten dafür, den Gottesdienst würdevoller und feierlicher zu gestalten, bis die ganze Liturgie durch Gregor I. gewissermaßen zur Vollendung gelangte. Wenn auch in der Folgezeit einiges hinzugefügt wurde, so blieb doch die Hauptsache bis auf den heutigen Tag bestehen, und die meisten Gebete und Zeremonien bei der Meßfeier, bei Benediktionen, Prozessionen usw. reichen in das höchste Altertum hinauf. So war auch der Gesang vom Anfange der christlichen Kirche an ein wichtiges Element bei der Feier des Gottesdienstes immer mit Sorgfalt gepflegt, soweit die verschiedenen Zeitverhältnisse es zuließen. Nach einigen Berichten soll schon P. Hilarius oder P. Hormisdas (Ende des 5. und anfangs des 6. Jahrhunderts) eine kirchliche Singschule in Rom errichtet haben, welche aber durch die Ungunst der Zeit wieder zerstört worden zu sein scheint. Ebenso verfielen einige Klöster, welche infolge des Verlustes ihrer Einkünfte nicht mehr existieren konnten.

Unter solchen Umständen ist es leicht erklärlich, daß Gregor auch im Gesange manches zu verbessern fand und ihm dazu die Gründung oder Wiederherstellung einer Singschule neben dem verbesserten Antiphonarium am zweckmäßigsten erschien; ihm, als früheren Mönche und Abte des Klosters vom heil. Andreas, wo täglich wenigstens ein Teil des Offiziums gesungen wurde und es dazu eines schulmäßigen Unterrichtes im Gesange, sollte es sich bei vielen Mönchen auch blos um einfaches Psallieren gehandelt haben, bedurfte, lag die Idee einer Singschule ohnehin sehr nahe.

So gründete er nach dem Berichte des Diakons Johannes, „eine Schule für Sänger, welche seither noch in der nämlichen Weise die Gesänge in der heiligen römischen Kirche vollführt. Dieser Schule wies er zwei Häuser nebst einigen Grundstücken an, und sicherte ihren Bestand in Ansehung der täglichen Kirchendienstes (der Sänger) durch strengen Befehl, selbst unter Androhung des Anathems." So sehr lag ihm die Güte des Gesanges am Herzen, daß er selbst in dieser Schule Unterricht gab; Johannes will noch das Ruhebett, von welchem aus Gregor unterrichtete (denn er war immer kränklich), sowie die Ruthe, womit er den Singknaben drohte, ebenso sein daselbst aufbewahrtes Antiphonarium gesehen haben. In diese Schule, auch Orphanotrophium (Waisenhaus) genannt, wurden taugliche Knaben aufgenommen und erzogen, dann nicht bloß im Gesange sondern auch in den Wissenschaften unterrichtet und nach in diesem zu Priestern herangebildet, so daß sie auch eine Pflanzschule eines guten Klerus war.[2]) Die Zög-

---

[1]) Coussemaker, Script. de musica II. 207 ff; 366. — Gerbert, Script. I. 117 ff. 162 u. a. a. O.
[2]) Aus ihr gingen nach der Angabe des Bibliothekars Anastasius auch die Päpste Sergius I. und II., Gregor II., Stephan III. und Paulus I. hervor, welche schon in ihrer frühen Jugend in diese Singschule aufgenommen worden waren. Gerbert, De cantu I. 291.

linge dieser Schule hatten in allen Kirchen, wo der Papst Gottesdienst hielt, Gesangs-
dienst zu leisten. Darauf gründet sich wohl auch die Verordnung Gregors, daß die
Subdiakone nicht mehr singen dürfen, da nun Sänger genug vorhanden waren. Sie hat
sich lange erhalten, selbst einige Zeit noch, nachdem die Päpste in Avignon eine eigene
Kapelle von Sängern sich eingerichtet hatten (die jetzige „päpstliche Kapelle"). [1]

Noch ein paar Worte über das *Antiphonarium*. Der ältere der beiden hauptsächlichsten Berichterstatter, Johannes Diakonus, läßt es in der Singschule aufbewahrt
werden neben dem Lager und der Ruthe Gregors als verehrungswürdige Gegenstände,
welche nicht mehr im Gebrauche sind; der jüngere Ekkehard IV. erzählt, daß es in
Rom in einem Schranke *(repositorium)* neben dem Altare der heil. Apostel Petrus und
Paulus hinterlegt sei. Daß es mit einer Kette an den Altar befestigt war, davon wissen
die beiden Berichterstatter nichts. Diese abweichenden Angaben möchten doch auch
den Gedanken nahe legen, daß das ältere, das eigentliche *Antiphonar* Gregors als verehrungswürdige Reliquie zurückgelegt wurde, nachdem eine neue Gesangsweise eingeführt
worden ist, welche im zweiten *Antiphonar* verzeichnet war, und von welchem Romanus
eine genaue Kopie nach St. Gallen brachte. Diese Kopie existiert auch nicht mehr.
Die Annahme Lambillottes, S. J.,[2] das Manuskript Nr. 359 der Bibliothek zu St. Gallen
sei das von Romanus dahin gebrachte authentische gregorianische *Antiphonar*, erwies
sich als unrichtig, da einerseits darin nur die Gradualien und *Alleluja* mit ihren Versen
enthalten sind, anderseits P. Anselm Schubiger, O. S. B. von Einsiedeln nachwies, daß
dieser Codex erst im 10. Jahrhundert geschrieben sein kann.

Wenn wir das Vorstehende nochmal überblicken, so wird es uns klar sein, daß
der heil. Papst Gregor I. auch auf kirchenmusikalischem Gebiete Großes geleistet
hat. Es war doch keine so einfache und verdienstlose Arbeit, nach Zeiten des Rück-
ganges der Kirchenmusik sie wieder zu heben, die vorhandenen Gesänge zu sammeln
und in Ordnung zu bringen, das Mangelhafte zu verbessern, das Fehlende zu ergänzen und
alles in ein Buch zu vereinigen. Er hat das Schwankende auf festen Boden gestellt
und der Singweise durch seine Singschule Dauerhaftigkeit verliehen. Er war groß,
wenn wir auch das Legendenhafte, das sich an seinen Namen geknüpft hat und der
Wahrheit nicht oder nicht vollkommen entspricht, in Abzug bringen. Doch kann ich
mir nicht versagen, eine anmutige Legende noch anzuführen, welche ein sehr alter
Anonymus in barbarischem Latein aufgezeichnet hat. Sie lautet[3]: „Als der heiligste
Papst Gregor bemerkte, daß die Neubekehrten, noch schwach im Glauben, an Festtagen,
bei Jahrmärkten und Hochzeiten und ähnlichen Gelegenheiten noch vor Vollendung des
Gottesdienstes die Kirchen verließen und zu den Musiken und Possen der Heiden rannten,
dachte er nach, wie er wohl nach Weise Davids durch die Kunst der Musik Gottes Lob
in der Kirche singen könnte, und bat Gott flehentlich, ihm diese Gabe zu verleihen. In
der folgenden Nacht sah er im Traume die Kirche in Gestalt einer Muse, herrlich geschmückt, welche, wie eine Henne ihre Jungen unter ihre Flügel, so die neuen Kinder
(Neubekehrten) unter ihren Mantel sammelt. Sie zeichnete ihren Gesang selbst auf und
es waren die Täfelchen, auf welchen die gesamte Kunst der Musik verzeichnet war, die
Namen der Tonarten und die Zahl der Neumen, die Tongeschlechter, die Töne, die
Modulationen, die Metra und die Konsonanzen. Und wiederum bat der Papst den Herrn,
er wolle ihm gewähren, was er geschaut, und es ließ sich der heilige Geist in Gestalt
einer Taube herab und erleuchtete sein Herz. Da fing er an, Gesänge zu schreiben,
sie mit Neumen zu versehen und sein *Antiphonarium* zu vollenden. Auch stiftete er
eine Singschule usw." Diese Legende zeigt wenigstens, daß die Bemühungen Gregors
für den Gesang bei den neuen Völkern einen großen Eindruck gemacht haben.

Wir dürfen also nicht alles, was die mittelalterlichen Schriftsteller über Gregor
betreffs seinen liturgischen und musikalischen Reformen berichten, als baare Münze hin-

[1] F. X. Haberl, „Bausteine für Musikgeschichte". III. Die römische „Schola cantorum" und die
„päpstlichen Kapellsänger". Leipzig, 1888, Pag. 308.
[2] *Antiphonaire de Saint Grégoire. Fac-simile du Manuscrit de Saint-Gall. Par le R. P. L. Lambillotte, S. J. Bruxelles, 1857.*
[3] Gerbert, *De cantu*, II. 2. Anmerkung.

nehmen. Es ist diesem großen Papste fast ebenso ergangen, wie dem späteren musikalischen Reformator, Guido von Arezzo, von welchem Dr. W. A. Ambros schreibt[1]): „Guido ist gleichsam ein Abstraktum, ein mystisches Wesen geworden. Man hat auf sein Haupt alle möglichen Kronen gesetzt. Guido hat nach den stets nachgesagten Überlieferungen alles erfunden: die Notenschrift, das Monochord, das Klavier, die Solmisation, den Kontrapunkt, kurz die ganze Musik." Für Gregor haben wir hier nur einen einzigen zuverläßigen Berichterstatter, Johannes Diakonus, weil er einerseits dem römischen Klerus angehörte, anderseits beauftragt war, das Leben Gregors zu schreiben, wozu ihm die sichersten Quellen zu Gebote standen.

Ich schließe mit einem Urteile Dr. Grisars, S. J. über die liturgischen Reformen[1]) an der Wende des 6. und 7. Jahrhunderts, welche auch für die musikalischen Reformen Gregors Geltung haben: „Es sind Reformen in dem eigentlichen, wir möchten sagen konservativen Sinne dieses Wortes, nämlich Besserungen auf Grund des Alten; . . . . es ist ein Irrtum, wenn man von einer damals geschehenen neuen Grundlegung der Liturgie sprechen zu dürfen meint. Ebenso wäre es eine gänzlich falsche Auffassung, wollte man die Reformarbeit, die sich vollzog, die planmäßige Absicht erkennen, nunmehr der ganzen katholischen Zukunft ein im wesentlichen vollendetes liturgisches Erbteil zu übergeben."

Im Lesezimmer.
Preßstimmen über das *Motu proprio* des Heiligen Vaters Pius X.
(Schluß.)

Die Nummer 18 vom 1. März d. J. der „Katholischen Kirchenzeitung" antwortet auf die S. 31 abgedruckte Erwiderung des H. H. Ign. Mitterer durch ihren römischen Korrespondenten wie folgt:

A. S. P. Rom, 24. Februar. (Die Antwort der *Rassegna*.) „Die neueste Nummer der *Rassegna Gregoriana* beschäftigt sich mit der Antwort des Hochwürdigen Propstes Mitterer in Brixen, betreffend die Reform der Kirchenmusik, in der „Katholischen Kirchenzeitung" vom 9. Februar d. J. Das römische Blatt meint zunächst, es könne niemanden wundern, daß es sich mit dem Urteile Mitterers über das *Motu proprio* beschäftige. Es sei seine, des Blattes, Aufgabe, soweit dies möglich sei, alles zu veröffentlichen, was sich auf die gregorianische Bewegung in den verschiedenen Ländern beziehe; dann aber sei es für viele von Interesse, welche Stellung der Deutsche Cäcilienverein dem päpstlichen *Motu proprio* gegenüber einnehme. Pius X. habe für jene Gesellschaft immer ein ganz besonderes Wohlwollen an den Tag gelegt, welches sogar so weit ging, daß er in seinem *Motu proprio* ihr eine ehrenvolle Anspielung widmete; Pius X. erklärte in seinem Breve vom 1. Dezember 1903 an den Kardinal Fischer von Cöln, daß man von den Cäcilienvereine, hinsichtlich der neuen Vorschriften, jene Festigkeit des Willens und die Ergebenheit erwarte, welche derselbe in früheren Zeiten immer gegen den apostolischen Stuhl gezeigt habe; Pius X. empfing mit besonderer Gnade den Hochwürdigen Dr. Haberl, Generalpräsident, indem er ihn aufforderte, nicht Schwierigkeiten zu fürchten, welche auftreten könnten, denn er selbst, der Papst, werde dieselben beseitigen. Folglich liegt Seiner Heiligkeit die Aufnahme sehr am Herzen, welche sein neues Dokument in den deutschen Ländern und unter den Mitgliedern des Cäcilienvereins finder. Auf die bekannte Antwort des Hochwürdigen Propstes Mitterer übergehend, erklärt das Blatt zunächst, es bedauere, daß der Brixener Chordirektor so schwarz sehe, in Sachen der Bestimmungen über den gregorianischen Choral von „Härte" urteile und der Ansicht sei, die Beseitigung der Frauen bedeute den Ruin der „gesamten Kirchenmusik". Doch sei es unnötig, ihm in den von ihm angeführten Gründen und Einzelheiten zu folgen, weil seine ganze Auffassung unrichtig sei. Mitterer beurteilt das päpstliche *Motu proprio* nur mit Rücksicht auf jene Personen und auf jene Örtlichkeiten, für welche infolge besonderer Umstände seine Anwendung in höchstem Grad schwierig oder moralisch unmöglich wird und vernachlässigt es, jene vielen anderen Personen und jene so vielen anderen Örtlichkeiten in Betracht zu ziehen, bei welchen das *Motu proprio* ganz oder zum großen Teile, in kurzer Zeit oder auch sofort angewendet werden kann. Daß in den kleinen Dörfern, in den kleinen auf den Bergen zerstreut liegenden Örtern, unter rauhen Landleute, wo kaum jemand zu finden ist, welcher etwas Latein versteht, es nicht möglich sein wird, eine *Schola cantorum* von Knaben zu errichten, oder von jenen unterrichteten Kehlen zu verlangen, sich den Feinheiten eines gregorianischen *Allelujas* anzuschmiegen, das wissen auch wir. Diese Schwierigkeit besteht nicht allein in den österreichischen oder deutschen Ländern, sondern in der ganzen Welt. Man muß sich daher mit dem begnügen, was erreichbar ist, und man tut gut, oft beide Ohren zuzuhalten und zu sagen: *Benedicite omnes bestiae et pecora Domino!* Wenn ein Gesetz, sei es ein kirchliches oder bürgerliches, nur dann angenommen werden sollte, wenn es in voller Weise in allen Fällen, bei

---

[1]) Dr. W. Ambros. II. 146.
[2]) Zeitschrift für katholische Theologie. Innsbruck, 1885. IX. Jahrgang. S. 385.

allen Personen, an allen Orten, auch wo in absoluter Weise jedes Mittel zu seiner Ausführung und Beobachtung fehlt, durchgeführt werden müßte, so könnte man einfach die Codices, welche diese Gesetze enthalten, verbrennen und erklären, daß die Befolgung irgend eines Gesetzes nicht mehr möglich sei."

„Wir hatten von Mitterer und den anderen Vorständen der deutschen Cäcilienvereine ganz andere Worte erwartet, als diese entmutigenden. Wir glaubten, dieselben würden etwa folgendermaßen schreiben: „Frisch auf! Unser Führer, der Papst, hat gesprochen; er hat uns neue Waffen in die Hand gegeben, vervollkommnete, präzisere, aber schwieriger zu handhabende. Das macht nichts. Ein wenig Studium, ein wenig Übung erleichtern alles. Und das Studium, die Übungen beginnen in den Seminaren. Wir aber wollen nicht hinter den Alumnen der römischen Seminare und Kollegien darüber zurückbleiben und nicht ihre Rückkehr erwarten, um uns im wahren Gesange unterrichten zu lassen."

Sat prata biberunt (genugsam getränkt sind die Wiesen) ruft die Redaktion mit Virgil.

Den Rest dieses Artikels und andere Preßstimmen unterdrückt der Unterzeichnete; denn sie setzen sich über die Schwierigkeiten, die ernste Männer innerhalb und außerhalb des Cäcilienvereins bei Durchführung des *Motu proprio* ehrlich und offen und in Übereinstimmung mit den betreffenden Diözesanoberhirten ausgesprochen haben, zu leicht hinweg.

Ist ihm doch das vertrauliche Zirkular, welches er an den Gesamtvorstand und die Referenten des Allgemeinen Cäcilienvereins am 20. Januar d. J. versendet hat, dahin ausgelegt worden, als ob er oder der Verein eine „feindliche Stellung gegen die weisen Bestimmungen des Apostolischen Stuhles in Sachen der Kirchenmusik einnähme!" Es sei auf die diesbezügliche Erklärung in Nr. 3 des Cäcilienvereinsorgans vom 15. März d. J. hingewiesen.

Als katholischer Priester war sich der Unterzeichnete schon nach der ersten Audienz bei Sr. Heiligkeit Pius X. (13. Nov. 1903, s. *Musica sacra* Nr. 12, S. 150 und 152) vollkommen klar, was er für seine Person tun werde und müsse, nämlich sich unterwerfen.

Aus einem Artikel der wissenschaftlichen Beilage zur „Germania" Nr. 11 vom 11. März d. J., gezeichnet Pfarrer Ferbers in Asperden (Diözese Münster) adoptiere ich gerne nachfolgende Sätze: a) „Man solle sich über die *Motu proprio* friedlich die Hand reichen und in gemeinsamer Arbeit die darin gegebenen Vorschriften aufs vollkommenste zur Ausführung bringen;" b) „Es sind Zeit-, Orts- und Personalverhältnisse denkbar, unter denen die Bischöfe es für opportun halten können, in solcher Richtung (Indulgenz für einige Punkte oder vorläufige Suspendierung für einzelne Diözesen) in Rom vorstellig zu werden. Ein derartiger Grund läge vor, wenn die Bischöfe aus den Kreisen der Dirigenten und Sänger heraus eine heftige Opposition gegen die kirchliche Gesetzgebung zu befürchten hätten. — Liegt heute bei uns dieser Grund vor? Als deutscher Katholik wie als Cäcilianer würde ich mich schämen, wenn ich diese Frage mit Ja beantworten müßte. Vielmehr berechtigt die Haltung des Cäcilienvereins während der 36 Jahre seines Bestehens die Bischöfe zu der festen Erwartung, daß, sobald sie das *Motu proprio* in ihren Amtsblättern publizieren, die sämtlichen Chorregenten und Chöre sich mit ebenso freudigem Eifer in den Dienst der neuen Aufgabe stellen, wie früher in den Dienst der offiziellen Choralausgaben." c) „Liebe zur heiligen Kirche, Begeisterung für die heilige Liturgie, opferfreudiger Gehorsam gegen die Vorschriften der kirchlichen Autorität waren von Anfang bis heute die Devise und die Zierde des deutschen Cäcilienvereins. Mögen diese Gesinnungen sich jetzt betätigen in der einmütigen Durchführung der durch das *Motu proprio* verkündeten Gesetze der heiligen Tonkunst zur Ehre des Vereins, zum Ruhme der heiligen Kirche, zur Ehre Gottes." Auch verwahre ich die Geschichte gegen die Parallele, welche Dr. Peter Wagner in Nr. 3 der Grazer „Gregorianischen Rundschau", S. 36, zwischen der nachtridentinischen Choralreform in Rom im 16. Jahrhundert und dem Abfalle Luthers zieht — „dort habe Unverstand und Gewinnsucht die Einheit des gregorianischen Gesangs zerrissen, hier (im Norden) hochmütiger Sinn die Einheit der Christenheit." — Ich protestiere aber gegen Äußerungen, wie sie beispielsweise ein Korrespondent aus Rom in Nr. 5 des Wiener „Korrespondenzblattes für den katholischen Klerus Österreichs" S. 199 in den Satz kleidet: „Zu der bereits allgemein bekannten kirchenmusikalischen Reform bemerke ich bloß nebenbei, daß es sich um Hinwegräumung der *de facto* unleidlichen Präponderanz des Regimes Haberl und um ein ehrliches Zurückgehen auf die wahre kirchliche Tradition handelt."

Die in Briefen, Aufsätzen und Artikeln in den letzten Monaten dem Unterzeichneten zugegangenen reichen und wertvollen Materialien werden dem Archive des Cäcilienvereins anvertraut und können eventuell Stoff zu historischen Studien bilden, wenn die Zeiten und Personen ruhiger geworden sein werden.

Mit diesen Worten schließt die Redaktion den Bericht über die „Preßstimmen", in der Hoffnung, daß es ehrlichen Männern und Priestern recht bald möglich werde, sich an gemeinsamer Arbeit im Sinne des *Motu proprio* Pius X. zu beteiligen.   F. X. H.

Papst Pius X. und die Kirchenmusik.
Von Paul Krutschek.
2. Artikel.

Ein besonderes Gewicht legte der Cäcilienverein von Anfang an auf die Beobachtung der kirchlichen Vorschrift, daß bei rein liturgischen Funktionen der Gesang in der Volksprache nicht zulässig sei, vielmehr müsse der vorgeschriebene lateinische Text gesungen werden ohne jede Auslassung, oder Veränderung. Genau dasselbe schärft der Heilige Vater jetzt wieder ein. Gewisse Herren werden es also jetzt wohl endlich glauben, daß es wirklich verboten ist, beim Hochamt in irgend einer Volksprache zu singen. Ebenso werden endlich die Messen mit gekürzten *Gloria* und *Credo*, mit Auslassung des *Graduale*, mit einem beliebigen Offertorium verschwinden müssen, desgleichen die Rumpfvespern, bei denen der Chor nur einige Verse der Psalmen singt. Ich bemerke hier noch, daß die „Germania“ nicht richtig übersetzt, es sei verboten, „die Wechselgesänge der Messe, oder des Hochamtes in der Volksprache zu singen.“ (III. 7, IV. 10.) Unter „Messe“ ist hier schon das bei uns sogenannte Hochamt mit oder ohne Assistenz verstanden (in der stillen Messe gibt es keine Wechselgesänge) und das „*Officio*“ und *Offiziatura*“ des italienischen Originaltextes ist nicht Hochamt, sondern das kirchliche Offizium, das Brevier, in der Praxis also *Matutin*, *Laudes* und Vesper mit Komplet.

Wenn aber auch die Vesper in der Volksprache verboten ist, so halte ich doch an meiner früher schon ausgesprochenen Ansicht fest, daß man die Vespern, wo es üblich ist, z. B. deutsch in Würtemberg, oder polnisch in Oberschlesien, ruhig in der Volksprache singen darf, aber nur als Privatandacht, nicht im Rahmen der liturgischen Vesperfeier. So wie man nämlich vor einer Segensandacht den Rosenkranz, oder eine der vier approbierten Litaneien, oder sonst ein Lied in der Volksprache beten oder singen darf, so doch sicherlich auch Psalmen. Nur darf der Priester dieser Andacht nicht das Gepräge der kirchlichen Vesper aufdrücken, also nicht dabei im Pluviale das *Deus in adjutorium* lateinisch oder in der Volksprache anstimmen, nicht Kapitel und Vers singen, nicht das *Magnificat* inzensieren, sonst würde der Privatandacht liturgischer Charakter verliehen und dann dürfte nur lateinisch gesungen werden, und zwar der vollständige Text. Nur das ist für Kirchen, die nicht zur Vesper verpflichtet sind, wie die Kathedral- und Kollegiatkirchen, gestattet, daß an Stelle der Tagesvesper eine Votivvesper genommen werde. (S. R. C. 29. Dez. 1884, Nr. 3624, ad 12.)

Da der Heilige Vater in diesem Kapitel erklärt, es sei an Stelle des Singens bei gewissen Texten auch das einfache laute Rezitieren derselben, mit Orgelspiel erlaubt, so werden diejenigen Gegner des Cäcilienvereins, welche trotz Maß und sonstiger Milde die durch Rezitation gewährte große Erleichterung für viele Chöre herabsetzten und als „kirchenmusikalischen Nihilismus“ bezeichneten, wohl endlich schweigen.

In Kapitel IV 11a erscheint eine Vorschrift, welche für Nichtitaliener befremdlich ist; es wird da die Einheit in der Komposition der einzelnen Stücke gefordert und verboten, ein *Kyrie*, *Gloria*, *Credo* etc. aus getrennten Stücken zusammenzusetzen, deren jedes eine Komposition für sich bildet und durch ein anderes Stück ersetzt werden könne. Zur Erklärung dieses Satzes vergegenwärtige man sich, daß in vielen italienischen Kirchen ein Amt maßlos lange dauert, meist noch immer 2—3 Stunden. Das wird auf folgende Weise bewirkt: Beim *Gloria* z. B. wird begonnen mit *et in terra pax* und bis zum *Gratias agimus* gesungen mit endlosen Wiederholungen. Das Ganze ist ein vollständig abgeschlossenes, musikalisches Stück. Nach seiner Beendigung spielt die Orgel, oder es folgt ein Instrumentalintermezzo. Während dessen werden die Stimmen eingesammelt, neue ausgeteilt, und es folgt das *Gratias* bis zum *quoniam*, gleichfalls als selbständige Komposition mit unendlichen Wiederholungen. Pfarrer Thywissen erzählt z. B., daß er gehört habe, wie das eine Wort *suscipe* 31 mal wiederholt wurde! Dann abermals Orgel oder Instrumente, neue Stimmen, und zuletzt das *quoniam*. Beim *Credo* geht es ebenso zu. Der Zelebrant sitzt unterdessen mit Lammesgeduld auf seinem Sessel und vertreibt sich die Zeit mit seinen etwaigen Assistenten, so gut es in dieser Lage geht. Und das „Publikum“ ruft auch mitunter nach einem schönen Solo ein lautes Bravo! Daß unter solchen Umständen ein *Gloria* allein 30—40 Minuten dauert und ein *Credo* so lange, wie bei uns ein vollständiges Amt, erscheint erklärlich. Schließlich vertauscht man auch die einzelnen Stücke, aus denen ein solches *Gloria* oder *Credo* besteht, so daß der erste Teil von A, der zweite von B, der dritte von C komponiert ist, wenn es der Schönheitssinn des Kapellmeisters so fordert. Gegen diesen Unfug richtet sich die obige Vorschrift des Heiligen Vaters. Ob es noch erlaubt ist, was bei uns häufig vorkommt, in ein chorales *Credo* ein mehrstimmiges *et incarnatus* einzufügen, erscheint demnach zweifelhaft und wird wohl durch besondere Anfrage entschieden werden müssen. Da die Falsibordoni-Vespern erlaubt sind, in denen auch gregorianischer Choral mit nichtchoraler Musik gemischt wird, so dürfte man wohl auf die Erlaubtheit schließen.

In Übereinstimmung mit der kirchlichen Vorschrift und demgemäß auch mit dem Cäcilienverein fordert der Heilige Vater in Nr. 11 durchaus 1. reine Choralvespern, oder 2. solche in Falsobordone, bei denen je ein Vers choraliter gesungen wird und der andere mehrstimmig, frei komponiert, in der dem Choral eigentümlichen Rezitationsweise der Psalmen, mit Beobachtung des *asteriscus*, und 3. was nun erscheint, gestattet wird, daß „manchmal" alle Verse eines Psalmes als Falsibordoni behandelt werden. Damit sind die vielfach gebräuchlichen, der Vorschrift des *Caeremoniale episcoporum* widersprechenden unliturgischen Vespern von Aiblinger, Kammerlander, Schnabel etc. definitiv beseitigt und — die römischen drei Stundenvespern ebenfalls. Der oben erwähnte römische Ordensmann schrieb im Jahre 1895 dem Verfasser: „Am 20. Juli ging ich in die Kirche Sancti Hieronymi Aemiliani, um der Vesper beizuwohnen. Hören Sie! Der 1. Psalm *Dixit Dominus* dauerte ³/₄ Stunden! Es war ein Konzert im vollen Sinne des Wortes mit Soli, Arien etc. Dann kam eine Einleitung von einem Harfen-, Mandolinen- und Flötensolo, 10 Minuten lang und endlich die Repetition der Antiphon „*Quando plorabas*" mit Begleitung obiger Instrumente in der Dauer von ¹/₂ Stunde, ein Konzert, das kaum in einem Konzertsale besser vorgetragen werden könnte. Und das soll kirchliche Musik sein!" Die Römer bleiben freilich nicht während der ganzen Dauer der Vesper in der Kirche, sondern strömen fortwährend ab und zu. Der arme Zelebrant aber muß ruhig dasitzen. Das wird jetzt anders werden.

Schreiber dieses erinnert sich noch lebhaft, welch tiefen Eindruck vor Jahren die ersten Falsibordoni-Vespern in Regensburg auf ihn machten, und als vor etwa 10 Jahren im Breslauer Dom die ersten solcher Vespern gesungen waren, äußerte der berühmte, jetzt verstorbene Domprobst Professor Dr. Probst zu ihm: „Solche Vespern lasse ich mir gefallen. Da kann man doch mitbeten. Was habe ich denn von der sonstigen Geigerei!" Gestattet wird jetzt auch vom Heiligen Vater, die Antiphonen „bei besonderer Gelegenheit" mehrstimmig zu singen, was beim Hymnus nach dem *Caeremoniale episcoporum* schon früher erlaubt war.

Sehr einschneidend dürfte sich die Ausführung des Kapitel V gestalten, in welchem die Verwendung von Frauenstimmen verboten wird. Der Verfasser schreibt darüber in seiner „Kirchenmusik", 5. Auflage Seite 45 folgendes: „Dadurch, daß häufig männliche und weibliche Personen auf dem Chore wirken, wird meist Veranlassung zur Lockerung der notwendigen Disziplin gegeben; es soll daher darnach getrachtet werden, möglichst nur männliche Personen zuzulassen, wie das ja auch die Provinzial-Konzilien von Cöln 1860 und Utrecht 1865 wollen, welche weibliche Stimmen absolut verbieten. Es ist dies auch deshalb nötig, weil der gottesdienstliche Gesang meist ein Teil der kirchlichen Liturgie ist, an der weibliche Personen nicht tätig teilnehmen dürfen. Eine diesbezügliche Entscheidung lautet: „Kann die in irgend einer Kirche, selbst in der Kathedrale eingeführte Sitte beibehalten werden, daß bei feierlichen Messen . . . . . Frauen und Mädchen innerhalb oder außerhalb des für den Priesterchor bestimmten Raumes singen?" Antwort: „Diese eingeführte Gewohnheit ist, weil den apostolischen und kirchlichen Vorschriften widersprechend, als Mißbrauch klug und sobald als möglich zu beseitigen (S. R. C., 17. Sept. 1897, Nr. 3964)." So wie es aber streng unter einer Sünde verboten ist, daß weibliche Personen am Altare ministrieren, gleichwohl es ihnen aber erlaubt wird, daß sie in Notfällen dem Priester von weitem antworten, so wird es auch geduldet werden können, daß sie beim Mangel an geeigneten männlichen Kräften auf dem vom Altare entfernt liegenden Chore mitwirken, nicht aber im Presbyterium. Bei weiblichen Orden und Kongregationen ist es sogar für gewöhnlich anders gar nicht möglich. Daher erklärte auch der 1887 verstorbene Präfekt der Ritenkongregation Kardinal Bartolini, wenn irgend welche Vorteile für die Würde und Schönheit des kirchlichen Gesanges oder andere vernünftige Gründe die Mitwirkung von Frauenstimmen nötig oder wünschenswert machen, so stehe nichts im Wege, so lange es der Bischof nicht direkt verbiete."

Wie die Verhältnisse bei uns liegen, so dürfte bei strenger Durchführung des Verbotes von weiblichen Stimmen an vielen Orten jede Kirchenmusik unmöglich gemacht werden. Zunächst sind sehr viele Kompositionen für gewöhnlich nur mit Frauenstimmen im Sopran ausführbar. Es kommen so viele hohe Töne darin vor, daß Knabenstimmen sie nur ausnahmsweise bewältigen können. Solche sonst absolut kirchliche Kompositionen von teilweise hohem Kunstwerte wären also von vornherein zum Tode verurteilt. Das müßte man sich allerdings gefallen lassen, denn die Kompositionen sind für die Kirche da, nicht umgekehrt die Kirche für die Kompositionen und „die Musik ist nicht Herrin, sondern demütige Magd der Liturgie." (VII. 23.) Aber auch für Gesänge von geringerer Schwierigkeit sind passende Sopran-Knabenstimmen sehr oft schwer zu beschaffen. Weibliche Stimmen halten viele Jahre an, der Chorleiter braucht also die einmal gewonnenen Kräfte nur festzuhalten, Knabenstimmen sind aber in wenigen Jahren unbrauchbar. In Italien mag es ja unter den Knaben eine reiche Auswahl schöner Sopranstimmen geben, in unseren nördlichen Gegenden nicht. Da sich die Knaben beim Sopransingen viel mehr anstrengen müssen, als weibliche Stimmen, so werden sie schneller erschöpft, namentlich in den Zeiten, wenn außergewöhnlich viel zu singen ist und die kalte, nasse Kirchenluft mehr als sonst zu Katarrhen geneigt macht, wie in der Weihnachts-, Char- und Osterwoche. Ich erinnere mich noch, wie zur Zeit, als ich im Priesterseminar war, im Breslauer Dom sich die Knaben zu Ostern so heiser gesungen hatten, daß sie noch am weißen Sonntage vollständig unbrauchbar waren.

In einzelnen wenigen Städten, in denen sich besondere Anstalten für Singknaben befinden, welche aus der ganzen Provinz zusammengesucht werden, ist die Vorschrift ja durchführbar. Wie aber steht es bei der Menge kleinerer Gemeinden, zumal wenn die Katholiken unter Andersgläubigen weit zerstreut sind? Vielen Chorleitern an Orten mit mehreren Kirchen steht überhaupt keine Schule zur Verfügung, aus der sie Knaben für ihren Chor heranbilden können. Auch das ist zu berücksichtigen, daß bei uns Schulzwang herrscht und bei kirchlichen Funktionen, die doch auch mitunter in die Unterrichtszeit fallen, Singknaben nicht abkommen können.

Auch der Einwand erscheint mir nicht stichhaltig, der Chor habe früher ausschließlich aus Klerikern bestanden, die bei jeder Kathedrale und bei jedem Kloster vorhandene *Schola cantorum* und der jetzige Chor vertrete nur die Stelle des Klerikerchores. Allerdings, nachdem aber mit der Einrichtung geordneter Seelsorge in einzelnen Pfarreien die Zahl der Kirchen, in denen feierlicher Gottesdienst gehalten wurde, sich nicht mehr auf die Klöster und Bischofssitze beschränkte, sondern sich auf viele Tausende in den einzelnen Ländern belief, reichte die Zahl der für den Gesang bestimmten Kleriker bei weitem nicht mehr aus. Von der Forderung eines im Presbyterium aufgestellten Klerikerchores wurde also notgedrungen abgesehen und an seine Stelle trat als etwas neues außerhalb des Presbyteriums der Laienchor, an den naturgemäß nicht die Anforderungen gestellt werden können, wie an einen Klerikerchor. Gesungen mußte werden. Musikalische, stimmbegabte Männer und Knaben, die sich für den Kunstgesang eignen, waren nur in Ausnahmefällen genügend vorhanden, man mußte also weibliche Stimmen zu Hilfe nehmen, wenn anders die Schönheit und Würde des kirchlichen Gesanges nicht vollständig vernichtet werden sollte. Knabenstimmen ziehe ich persönlich vor, aber man hat sie eben nicht.

Der Heilige Vater schrieb bereits im Jahre 1893, es sei sein heißer Wunsch, daß die Gläubigen sich beim Gesange des *Gloria*, *Credo* usw., kurz, bei allen liturgischen Gesängen der heiligen Messe ebenso beteiligen würden, wie z. B. bei Litaneien, oder beim *Tantum ergo*. Und jetzt schreibt er II. 3: Der gregorianische Gesang solle wieder

beim Volke eingeführt werden, damit die Gläubigen tätigen Anteil am Gottesdienste
nehmen können. Soll das Volk mitsingen, so doch nicht nur die Männer, sondern auch
die Frauen. Warum also sollen sie sonst vom Chorgesange ausgeschlossen werden?
Vielleicht gelingt es den Hochwürdigsten Herrn Bischöfen, vom Heiligen Vater für uns
die Anerkennung des Bestehens einer chronischen Notlage zu erreichen, so daß der
Gesang von weiblichen Stimmen außerhalb des Presbyteriums geduldet würde. Wenn
nicht, so müßten wir uns freilich in die veränderte Lage so gut oder schlecht es eben
ginge, einrichten.

Im Kapitel VI werden Orgel und Instrumente ganz so behandelt, wie es bisher
im Cäcilienverein dem Willen der Kirche gemäß gehandhabt wurde. Reiner Gesang ist
die eigentliche Kirchenmusik, Orgelbegleitung erlaubt. Instrumente wurden im Cäcilienverein nach bisheriger kirchlicher Vorschrift nicht bevorzugt und als Gipfel der Kirchenmusik betrachtet, aber soweit geduldet, daß Chören, die sie gewöhnlich aufführten, kein
Vorwurf gemacht wurde. Der Heilige Vater aber ist hierin strenger. Er gestattet die
Instrumente „nur mit besonderer Erlaubnis des Bischofs, (was das *Caeremoniale Episcoporum* auch schon sagt), in den notwendigen Grenzen und nur in einigen besonderen
Fällen." Damit ist über die allsonn- und feiertäglichen Instrumentalmessen, Offertorien etc. das Todesurteil gesprochen. Nach der Übersetzung der „Germania" von
VI. 19 sind Pauken speziell verboten. Das ist aber nicht der Fall. *La grancassa* ist
die große Trommel, Pauke heißt *tympano*.

Das Volk wird nun freilich fragen, wenn Instrumentalmusik für gewöhnlich verboten sei, wie es komme, daß man sie bisweilen aufführen dürfe. Etwas Unerlaubtes
dürfe man doch auch nicht bisweilen tun. Solche Fälle finden sich aber im gewöhnlichen Leben auch. Es gibt z. B Genußmittel, die man wohl ab und zu gebrauchen
kann, deren häufiger Genuß aber auf den Körper direkt als Gift wirkt. Jedoch kann
der Einwand auch eine wirkliche Berechtigung haben. Es ist nämlich sehr leicht möglich, daß der Heilige Vater die Instrumente beim Amt überhaupt nicht haben will und
daß sich das „in einigen besonderen Fällen" ausschließlich auf die unter Nr. 20 und 21
erwähnten bezieht. Demnach wären außerhalb der Kirche Instrumente nur bei Prozessionen, innerhalb nur bei besonderem Anlaß gestattet, z. B. bei einer Jubelhymne,
an einem Papst-, Bischof-, Priesterjubiläum u. dgl.

Nach Nr. 17 dürfen dem Gesange nicht lange Präludien vorangehen und er darf
durch lange Zwischenspiele nicht unterbrochen werden, eine italienische Mode. Schreiber
dieses hörte 1901 in Regensburg unter andern das *Gloria* aus der *Missa Pontificalis*
von Perosi, 3stimmig mit Orgel. Die Komposition ist sehr ausdrucksvoll, hoch pathetisch,
himmelweit entfernt von sonst gewöhnlicher italienischer kirchenmusikalischer Leichtfertigkeit, aber in etwas kann sich der Italiener doch nicht verleugnen. Den Anfang
bildet ein langes Vorspiel und mitten drin erscheint ein (wenn nicht gar mehrere) schönes
nach unseren Begriffen unsäglich langes Zwischenspiel. Der zehnte Teil wäre genug.

Wenn in der Kirche „bei besonderem Anlaß und mit Zustimmung des Bischofs" Blasinstrumente zur Begleitung gebraucht werden, so müssen nach Nr. 20 und 21 die Stücke
durchaus ernst sein und im eigentlichen Orgelstil geschrieben. Bei Prozessionen außerhalb der Kirche darf ein Musikchor selbst ohne Gesang spielen, obwohl das nicht
wünschenswert ist. In keiner Weise dürfen aber profane Stücke gespielt werden. Es
wird also nicht mehr vorkommen, daß, wie ich einmal las, in Bayern bei einer Militär-
messe die Martha-Ouverture von Flotow gespielt wurde, daß zur Fronleichnamsprozession
Märsche ertönen, wie es in Süddeutschland nicht vorkommen sollte, daß wie Witt es hörte,
in Rom beim Einzug des Papstes in die Peterskirche ein Stück im Polkatakt erklang.

Orgel und Instrumente sollen nach Nr. 16 den Gesang, der immer vorherrschen
muß, nur unterstützen, niemals aber unterdrücken, was stets im Cäcilienverein gefordert
wurde. Da wurde kürzlich irgendwo ein Instrumental- *Te Deum* zur Erstaufführung
gebracht. Der sehr bekannte und begabte Komponist wird natürlich geglaubt haben,
dieser Bedingung vollständig nachgekommen zu sein. Wie aber war die Wirkung auf
den Hörer? Wie wurde darüber geschrieben, daß die Instrumentierung namentlich
gegen den Schluß hin betäubend war und man überhaupt vom ganzen Text nur ab
und zu ein Wort verstand!

Wenn in VII, 22 gefordert wird, *Gloria* und *Credo* sollen verhältnismäßig kurz sein, so ist damit absolut nicht etwa gemeint, der Text solle gekürzt sein, was nach III 8 und 9 durchaus verboten ist, sondern nur *„relativemente"* kurz, nicht 40 bis 50 Minuten dauernd, wie ich vorhin erzählte. Ein durchkomponiertes *Gloria* von 4 6 Minuten und ein *Credo* von 7 - 10 Minuten darf nicht als zu lang bezeichnet werden, wenn anders die vom Heiligen Vater in Nr. 2 und 26 geforderte heilige Kunst zur Geltung kommen soll. Andererseits aber soll man sich bemühen, den Priester in Rücksicht auf Gesang oder Spiel nicht warten zu lassen, also z. B. nicht nach dem Offertorium oder ein langes Orgelzwischenspiel anwenden, auch wenn der Priester schon längst bereit ist, die Präfation, oder das *Pater noster* zu beginnen, oder die musikalische Gestaltung des Textes nicht übermäßig ausspinnen. Eine mäßige, durch Hervortreten heiliger Kunst (nicht Künstelei oder Kunstfertigkeit) bewirkte Verlängerung ist, wie gleich erwähnt werden wird, gestattet. Der Priester wieder soll mit Erhebung der heiligen Hostie warten, bis der Chor das *Sanctus* beendet hat, wie es ja schon das *Caeremoniale Episcoporum* vorschreibt was aber fast nirgends beobachtet wird. Der Gesang ist eben nicht, was so viele nicht verstehen, eine bloß äußere schmückende Zutat zum Gottesdienste, sondern ein integrierender Teil desselben. Deshalb darf der zelebrierende Priester nicht so handeln, als sei er allein der die Liturgie Feiernde, sondern er muß sich auch nach dem Chore richten.

Die Forderung einer gewissen Kürze verbietet auch nicht die mäßige Wiederholung einzelner Worte oder Sätze. Eine solche ist nicht nur nach früher ergangenen amtlichen Weisungen gestattet, sondern auch durch das *Motu proprio*. In Nr. 4 wird die klassische Polyphonie, wie sie namentlich durch Palestrina gepflegt werde, als „musikalisch und liturgisch von ausgezeichneter Güte" gerühmt. „Sie muß daher bei den kirchlichen Funktionen wieder häufig gebraucht werden." Nun finden sich aber gerade bei Palestrina viele Textwiederholungen. Im *Gloria* und *Credo* nur an einzelnen Stellen zur besonderen musikalischen künstlerischen Hervorhebung einzelner Wahrheiten, wodurch das Ganze aber kaum um 1 Minute verlängert wird. Viel häufiger sind diese Wiederholungen aber in den übrigen Meßteilen. Dieselben sind also, wenn auch an sich nicht gerade empfehlenswert, so doch immer noch liturgisch und außerdem bei weitem nicht so ausgedehnt, wie die oben geschilderten, oder etwa die in Beethovens *Missa solemnis*.

(Fortsetzung folgt.)

Vom Bücher- und Musikalienmarkte.

I. **Kirchliche und religiöse Musik.** O. Taubmann veröffentlicht bei Breitkopf & Härtel in Leipzig den Klavierauszug mit italienischem, deutschem und englischem Texte des Magierchores, den H. Berlioz 1832 in Rom komponierte. Der stimmungsvolle vierstimmig gemische Chor ist natürlich mit Orchesterbegleitung ungleich wirksamer. Preis 1 *M*.

Mehrere von **Ed. Dagnino**, einem z. Z. in Rom weilenden Komponisten, in der *„Musica sacra"* von Mailand erschienene kirchliche Gesangskompositionen mit lateinischem Texte sind mit großem Geschick und feinem Sinn für musikalisches Wohllaut und selbständige Orgelbegleitung erfunden. Es sind: a) die Communio *Domus mea* für Kirchwh für Cant. und Tenor, b) ein leichtes *Ave Maria* mit Amen für Cant. und Tenor, c) das Offertorium *Veritas mea* für Cant. und Alt, d) die Antiphon *O quam suavis est* für Cant. und Alt und e) die Antiphon *Tota pulchra es* für Cant. und Alt sämtliche natürlich mit Orgelbegleitung. Verlag der *Calcografia musicale* in Mailand oder beim Komponisten, Rom, Via Gregoriana 44.

Zum Jubelfest des „Niederländischen St. Gregoriusvereins" komponierte **Elb. Franssen** zwei lateinische Gesänge: a) die 5stimmige Antiphon *O Doctor optime*, (zu Ehren des heil. Papstes Gregor), b) das 4stimmige *Cantantibus Organis* (zu Ehren der heil. Cäcilia). Verlag von W. Bergmans in Tilburg. Partitur 0,25 fl., Stimmen 0.35 fl. Die im strengen Vokalsatz geschriebenen Motetten sind dem Präsidenten des Vereins, Monsignore N. J. A. Laus dediziert. Diesem Opus 12 mangelt es nicht an fleißiger Arbeit; in der Textunterlage können jedoch viele Verbesserungen gemacht werden.

Eine deutsche Motette von **Chr. Geister** als Opus 5, über den Text: „O welch eine Tiefe des Reichtums!" ist für 4stimmig gemischten Chor à capella geschrieben und für gute Gesangschöre eine dankbare Programmnummer. Verlag von Wilhelm Hansen in Kopenhagen oder Leipzig. Die Motette ist dem Thomanerchor in Leipzig gewidmet.

Von **M. Hallers** „Maiengrüßen", 3. Sammlung. 18 Lieder zur seligsten Jungfrau Maria für gemischten Chor, Opus 17c, Pustet, Regensburg, (siehe Cäcilienvereins-Katalog Nr. 2619) ist 1904 die 3. Auflage erschienen. Partitur 1 *M* 20 ₰, Stimmen à 30 ₰, von dessen „Mariengarten".

34 Lieder zur Verehrung der seligsten Jungfrau Maria, 1-, 2- und 3stimmig mit Pianoforte-, Harmonium- oder Orgelbegleitung, wurde ebenda. 1904, die 9. Auflage dieses Opus 32 notwendig. Partitur 2 ℳ 40 ₰, Stimmen à 80 ₰ (siehe auch Cäcilienvereins-Katalog 1326).

Paul Manderscheid bietet in vier Heften „klassische Frauenduette" für einzel- oder Chorgesang mit Klavierbegleitung zum Schul- und Hausgebrauch, Partitur jeden Heftes 2 ℳ, Stimmenheft 40 ₰. Düsseldorf, L. Schwann. Die Auswahl hat der Herausgeber mit taktvoller Rücksicht auf höhere Töchterschulen und Lehrerinnenseminare, sowie auch für häusliche Kreise getroffen. Im 1. Heft „Natur" sind F. Mendelssohn, W. A. Mozart, R. Schumann, P. Cornelius mit 9 Nummern vertreten; das 2. Heft „Menschenleben" bringt Kompositionen von H. Marschner, F. Mendelssohn, Mor. Hauptmann, R. Schumann, L. Spohr, G. F. Händel (Nr. 10—16); das 3. und 4. Heft enthalten „Geistliches", darunter zählt der Herausgeber Webers „Gebet aus Freischütz" und ein zu einem Gebet umgearbeitetes Duett aus einer Mozartschen Oper, sowie Gesänge von L. van Beethoven, Jos. Haydn, F. Mendelssohn (Nr. 17—22); im 4. Hefte stehen Duette aus Pergoleses *Stabat mater*, G. F. Händels „Messias" und „Israel in Ägypten", sowie der Oster- und einer anderen Kantate von Joh. Seb. Bach (Nr. 23—26). Die Sammlung wird für den Unterricht und für Aufführungen in genannten Instituten sehr willkommen sein.

Fünf Gesänge zu Ehren der allerseligsten Jungfrau Maria für 4stimmig gemischten Chor, komponiert von **Rud. Matthay**. Opus 3, können als Strophenlieder gut verwendet werden. Nr. 3, *Ave Maria* bis *Amen*, hat lateinischen Text, alle übrigen sind mit deutschen, jedoch nicht bischöflich approbierten Texten versehen. Preis 1 ℳ. Kommissionsverlag von F. X. Le Roux & Co., Straßburg in Elsaß.

P. Meurers komponierte als Opus 5 sechs Herz-Jesulieder für 3stimmigen Frauenchor mit Orgel mit deutschen Texten, bei denen jedoch Angabe des Dichters und die kirchliche Druckerlaubnis fehlt. Die Lieder sind sehr andächtig gehalten, wohlklingend und mit trefflichen Vor- und Zwischenspielen versehen. L. Schwann in Düsseldorf, 1904. Partitur 1 ℳ 50 ₰, Stimmen à 20 ₰.

Opus 36 von **Franz Plcka** vertont den Improperiumstext „Popule meus" in lateinischer und deutscher Sprache für Tenorsolo und gemischten vierstimmigen Chor mit Begleitung von Orgel und Harfe (letztere nicht obligat) in Oratorienform. Für den liturgischen Gebrauch ist dieses moderne, mit würdigem Ernste und in religiöser Stimmung gedachte Werk nicht brauchbar; für ein Fastenkonzert außer der Kirche kann es empfohlen werden. Partitur 2 ℳ, Solotenor 40 ₰, Chorstimmen à 20 ₰, Harfenstimme 60 ₰. Leipzig, F. E. C. Leukart (Konstantin Sander.)

Vier leichte, volkstümliche Duette für Sopran und Alt (auch einstimmig mit Begleitung zu singen) mit Klavier- auch mit Harmoniumbegleitung, hauptsächlich für Damenpensionate komponiert, und dem Pensionate Nonnenwerth gewidmet, bilden den Inhalt des Opus 23 von **Mich. Richstätter**. Partitur 1 ℳ 80 ₰. Junfermannsche Buchhandlung (Alb. Pape), Paderborn. Die fein poetischen Texte sind innig und zart in Musik gesetzt und, ohne übermäßige Sentimentalität, warm empfunden. Die Gedichte sind von H. Opitz, S. J.

Ein Oratorium für Soli und gemischten Chor mit Klavierbegleitung, Opus 2 von **J. Schmalohr**, führt den Titel: „Ave maris stella" und schildert das Leben der heiligen Gottesmutter unterstützt durch lebende Bilder. Der Text ist teils nach Worten der heiligen Schrift und nach Kirchenliedern, teils vom Komponisten. 33 kurze Tonsätze, teils gemischte, teils Männerchöre, Rezitutive und Arien der Einzelstimmen, behandeln in 6 Teilen das Leben Mariä von der Verkündigung des Engels bis zu ihrer Himmelfahrt. An die Sänger und den Klavierspieler werden keine großen Anforderungen gestellt, und daher ist die Aufführung auch schon mittleren Kräften ermöglicht. Nur der Sopran liegt manchmal unangenehm hoch. Münster i. W., Aschendorffsche Verlagsbuchhandlung, 1904. Partitur 6 ℳ, 4 Chorstimmen à 50 ₰, Textbuch 10 ₰.

Franz Vaier, Pfarrer in Parchem, veröffentlichte 5 kirchliche Lieder für Kindheit- und Herz-Jesuandachten für 1 Stimme mit Orgel oder 4 gemischten Stimmen. Die deutschen Texte haben oberhirtliche Druckerlaubnis. Vom Büchlein liegt die 2. Auflage vor. Verlag von A. Opitz in Warnsdorf. Preis unbekannt.

Aus dem Nachlasse von **Mich. Töpler**, traf Aug. Wiltberger eine Auswahl lateinischer und deutscher Gesänge. Das 1. Heft (Partitur 1 ℳ 80 ₰, Stimmen à 30 ₰) ist für Männerchor und enthält 12 Nummern, darunter 5 mit lateinischen, die übrigen mit deutschen Texten; das 2. Heft (Partitur 1 ℳ 20 ₰, Stimmen à 25 ₰) bringt 8 Nummern für gemischten Chor, darunter 3 mit lateinischen Texten. Der Herausgeber gibt in einem Vorwort über Töplers Leben und Wirken als Musiklehrer am Seminar zu Brühl a. R. sehr anregende Aufschlüsse. Die Nummern sind durchaus tüchtig gearbeitet und bekunden einen hohen Beruf zu künstlerischer Erziehung junger Musikkräfte. L. Schwann, Düsseldorf, 1904.

II. Bücher und Broschüren. Die bereits im Cäcilienvereins-Katalog unter Nr. 93 aufgenommene theoretisch-praktische Harmonielehre für Seminaristen, Lehrer, Organisten und Freunde der Tonkunst von † Seminaroberlehrer **Leopold Heinze** wurde nach den Lehrplänen für Lehrerseminare in Preußen vom 1. Juli 1901 vom Seminarlehrer **Wilhelm Osburg** bearbeitet und liegt bereits in 13. Auflage vor. Breslau, Heinr. Handel. 1904. 200 Seiten, broschiert 2 ℳ 40 ₰, gebunden 2 ℳ 40 ₰. Referent konnte seit Dezennien diese klare, methodische, natürlich durch Beihilfe und Mitwirkung des Musiklehrers und Korrekturen der Aufgaben besonders nützlich wirkende Harmonielehre immer empfehlen. Neuerdings sind auch vier Arbeitshefte erschienen, von denen das 1. und 3. Übungsmaterial für die Akkordlehre, das 2. und 4. für die Übergänge und den Choralsatz enthalten. Ein 5. Heft gibt Gelegenheit zu Übungen im Umsetzen von Liedern aus dem gemischten in den Männerchor und umgekehrt, sowie im 2- und 3stimmigen Satze. Auch den bezifferten Bässen ist die so wichtige Sorgfalt zugewendet.

Über Jakob Adolf Häck, einen schwedischen Komponisten und dessen Verhältnis zu J. N. Gade schrieb Gust. Hetsch eine kleine Broschüre, welche Dr. J. F. Werder in deutscher Übersetzung bei Friedrich Hofmeister in Leipzig 1903 erscheinen ließ.

Das Jahrbuch der Musikbibliothek Peters für 1903 wurde von Rud. Schwartz im 10. Jahrgange bei C. F. Peters, Leipzig, 1904, herausgegeben. Außer dem Jahresberichte über die Benützung und den Zuwachs dieser öffentlichen Leipziger Musikbibliothek enthält der 135 Seiten starke Band nachfolgende Artikel und Beiträge: von Karl Nef: Clavicymbel und Clavichord; von Arnold Schering: Zur Geschichte des italienischen Oratoriums im 17. Jahrhundert; von Adolf Sandberger: Zur Entstehungsgeschichte von Haydns „Sieben Worte des Erlösers am Kreuze"; von Hermann Kretzschmar: Zum Verständnis Glucks, und von demselben: Die *Correspondance littéraire* als musikgeschichtliche Quelle; von Rudolf Schwartz: Verzeichnis der in allen Kulturländern im Jahre 1903 erschienenen Bücher und Schriften über Musik. Von besonderem Interesse ist für die Kirchenmusikgeschichte der Artikel Sandbergers, welcher aus einem Manuskript der Studienkirche in Passau dartut, daß der dortige Kapellmeister Joseph Friebert 1792 aus den „Sieben Worten" Jos. Haydns eine Kantate mit Vokalstimmen gemacht habe, welche letzterer selbst benützte und umformte. Die Bibliographie des Redakteurs Rud. Schwartz für das Jahr 1903 ist ausgezeichnet und von bleibendem Werte. Das Jahrbuch selbst hat sich in den 10 Jahren seines Bestehens einen der ersten Plätze in der Musikliteratur errungen.

Professor Dr. P. Wagner publiziert „Veröffentlichungen der gregorianischen Akademie zu Freiburg, Schweiz." Das erste Heft derselben bildet eine Studie von Dr. Fr. Krasuski über den Ambitus der gregorianischen Meßgesänge im „*Codex lat. nouv. Acquis. 1235* der Pariser Nationalbibliothek." Die Arbeit ist rein mechanisch und registriert auf 132 Seiten und 3 Tabellen die wechselnden Meßbestandteile des genannten Codex nach ihrem Tonumfang, den vorkommenden Intervallen, Finalen usw., vergleicht die antiphonischen mit den responsorialen Gesängen und zieht von S. 126—132 „Schlußfolgerungen", die mit dem Satze beginnen: „Eine feste Regel bezüglich des Umfanges der in Betracht gezogenen Melodien läßt sich nicht aufstellen."

Vom Musiklexikon Hugo Riemanns erscheint 1904 bei Max Hesse in Leipzig die 6., gänzlich umgearbeitete und mit den neuesten Ergebnissen der musikalischen Forschung und Künstlern in Einklang gebrachte Auflage. Das Werk erscheint in 20—24 Lieferungen à 50 ₰. Die erste Lieferung liegt vor und umfaßt (von *A — Augustinus*) 64 Seiten (statt 57 der 5. Auflage). Der Charakter eines solchen Werkes bringt es mit sich, daß bei den vielen Detailstudien seit etwa 30 Jahren bei jeder Neuauflage Verbesserungen notwendig werden. Der rastlose und unglaublich fleißige und fruchtbare Verfasser dieses besten Musiklexikons wird auch für die geringsten Korrekturen, die bei der knappen Fassung deren er sich im Lexikon bedienen muß, nicht ohne Wert sind, dankbar sein. Aus dem kirchenmusikalischen Jahrbuch 1903 ist als Korrektur für Fel. Anerio das Todesjahr 1614 (statt 1630) zu verbessern. Aus kirchenmusikalischem Jahrbuch 1886 bei Giov. Franc. Anerio zu berichtigen, daß nicht er, sondern Felice Chorknabe an der St. Peterskirche zu Rom war, daß der Name Nanini der lateinische Genitiv des italienischen Komponisten Nanino ist u. ähnl.

„Geschichte des deutschen evangelischen Kirchenliedes" betitelt sich ein von Wilh. Nelle verfaßter Band (3.) in Schlößmanns Bücherei für das christliche Haus. Hamburg, 1904. 260 Seiten und 58 Illustrationen, gebunden 2 ℳ. Gleich einem ähnlichen Werke von W. Stahl (siehe S. 3) ignoriert der Verfasser nicht nur die katholische, sondern jede Literaturangabe, weiß aber sein Thema mit Wärme zu behandeln, schreibt frisch und anregend und verteilt das Material in einem kurzen Überblick über den heiligen Gesang in Deutschland vor der Reformation, auf die Zeit von 1524—1550, auf die der Gegenreformation (1550—1618), während und nach dem 30jährigen Krieg (1618—1675), die Periode des Pietismus (1675—1750), die der Aufklärung (1750—1800), und „die Zeit des wiedererwachten Glaubenslebens (1800 bis jetzt).

Unter dem Titel „Passionsblumen" verfaßte Ludwig Nüdling eine Einführung in die Schönheiten der Komposition und der lebenden Bilder der „Passion" von Domkapitular H. F. Müller. Mit Illustrationen. Fulda, Alois Maier. Preis 30 ₰.

F. X. H.

(Schluß folgt.)

Eine deutsche Choralausgabe.

In Nr. 12, „Beilage zur Augsburger Postzeitung" vom 19. März 1904, findet die Redaktion der *Musica sacra* nachfolgenden Artikel, dessen Autor unschwer vermutet werden kann; er gibt Veranlassung, einige Bemerkungen daranzuknüpfen.

Ψ Durch die neuesten Erlasse Pius X. wurden die bisherigen „*libri chorici ecclesiae*" ihres offiziellen Charakters entkleidet und die Einführung des traditionellen gregorianischen Gesanges für den ganzen katholischen Erdkreis befohlen; die bisherigen Bücher dürfen also nach dem Willen des Papstes nur mehr so lange gebraucht werden, bis eine neue Ausgabe hergestellt sein wird. „*Roma locuta, causa finita*"; es handelt sich also für die kirchenmusikalische Welt nur mehr um die eine Frage: „Welche Ausgabe der traditionellen Melodien soll in Zukunft zur Einführung kommen?" Und hier möchten wir uns nun im Interesse der guten Sache bei der lautlosen Stille in dieser Frage einige bescheidene Bemerkungen gestatten.

Man hat speziell in Deutschland in erster Linie an eine gekürzte Ausgabe der traditionellen Melodien gedacht, die auf Grund der besten Codices vollständig korrekt gearbeitet den schwächeren Chören analog der Medicäa entgegenkommen sollte; einer solchen Ausgabe stehen aber nun die Wünsche Roms diametral entgegen, und wir wissen aus absolut sicherer Quelle, daß Pius X. einer Kürzung niemals das Wort reden wird, nachdem er in dem bekannten Briefe an Kardinal Respighi den gekürzten Choral bereits ausdrücklich verurteilt hat.

Allen Bemühungen und Bitten also, welche auf dieses Ziel hingehen — und würden sie auch von ganzen Vereinen, ja selbst vom hohen Episkopat unterstützt werden — wird Rom ein entschiedenes „Nein" entgegenstellen. Wir betonen diesen Umstand deswegen so stark, weil wir nun einmal mit dieser Tatsache rechnen müssen und weil dadurch alle Hypothesen, die man auf eine gekürzte Ausgabe aufgebaut, hinfällig und alle weiteren Erörterungen überflüssig werden.

Dieses vorausgeschickt, wollen wir nun die oben gestellte Frage ins Auge fassen.

Die traditionelle Gesangsweise enthalten die Choralbücher von Solesmes, herausgegeben von den verdienten französischen Benediktinern. Soll nun diese französische Ausgabe das Gemeingut der katholischen Welt werden, oder können neben dieser Ausgabe auch noch andere in Betracht kommen? Die Lösung wird davon abhängen, ob der Heilige Vater eine bestimmte Ausgabe als Normalbuch verbreitet wissen will oder nicht.

Dieses ist nun nicht der Fall. Papst Pius X. will zwar in bezug auf die Gesänge des Priesters am Altare eine einheitliche Ausgabe, aber nicht für die Gesänge des Chores; wir können auf das bestimmteste versichern, daß sowohl Pius X. wie die S. R. C. auch eine andere Ausgabe, welche die traditionelle Leseart der Choralgesänge enthält, auf das freudigste begrüßen und auch approbieren wird. Und eine solche Ausgabe nun für deutsche Verhältnisse bereitet der als eine Autorität auf dem Gebiete der Choralforschung bekannte Universitätsprofessor Dr. Wagner, Direktor der Gregorianischen Akademie in Freiburg in der Schweiz, seit längerer Zeit vor. Ein überaus huldvolles Handschreiben Seiner Heiligkeit vom 1. Januar 1904, das wir in Nr. 2 der Gregorianischen Rundschau (Graz) abgedruckt finden, spendet auch „seinen edlen Studien und seiner Propaganda für die kirchliche Musik und zumal den traditionellen Choral der römischen Kirche" das höchste Lob.

Es ist bisher von dieser beabsichtigten deutschen Ausgabe noch so wenig bekannt geworden, daß wir es geradezu für unsere Pflicht halten, hier auf darauf hinzuweisen.

Wenn wir soeben gesehen, wie anerkennend sich die höchste Autorität für die Wiederbelebung der traditionellen Gesangsweisen ausgesprochen, so wollen wir im folgenden in Kürze einige Gründe nennen, welche gerade für eine deutsche Choralausgabe sprechen.

Eine einfache Herübernahme der Solesmenser Choralbücher würde uns Deutsche für immer in Abhängigkeit von Frankreich bringen, ein Umstand, der gewiß sehr zu bedauern wäre. Haben wir in Deutschland denn nicht auch Männer, die auf dem Boden der Choralforschung schon Bedeutendes geleistet haben? Wir wollen hier nicht mit den noch lebenden Gelehrten prunken, sondern nur ein Dreigestirn nennen, das schon sehr frühe für diese Bestrebungen eintrat und mit aller Kraft und Energie auf diesem Gebiete arbeitete: Mich. Hermesdorff in Trier, Raymund Schlecht in Eichstätt und P. Schubiger in Einsiedeln. Hermesdorff begann sogar ein Graduale *ad normam editus S. Gregorii* zu veröffentlichen, dessen Fortsetzung aber sein im Jahre 1885 erfolgter Tod unmöglich machte. Wir Deutsche waren somit vor den Franzosen auf diesem Gebiete tätig, denn der „Liber Gradualis" Dom Pothiers erschien erst 1883, während die erste Lieferung des Hermesdorffschen Graduale bereits 1876 vorlag; wir Deutsche waren also die ersten, ein Grund mehr für uns, dort in energischer Arbeit einzusetzen, wo Hermesdorff und seine Freunde aufhörten. Was nun die Codices selbst anbetrifft, nach welchen die deutsche Ausgabe hergestellt werden soll, so befinden sich dieselben in St. Gallen, München, Karlsruhe, Trier, Bamberg etc. und bieten zusammen unsere deutsche Tradition in ganz bewundernswürdiger Übereinstimmung, während die Solesmenser Ausgabe die französische (lateinische) Tradition enthält. Die deutsche Tradition weicht in einigen Einzelheiten von der französischen ab; diese Abweichungen sind jedoch überaus verehrungswürdig, denn sie wurden im ganzen Mittelalter, soweit wir nur die Quellen zurückverfolgen können, immer beobachtet und gehören als integrierender Bestandteil zur deutschen Tradition. — So werden wir also in der deutschen Choralausgabe ein Werk besitzen, das in bezug auf historische Treue keinem andern nachstehen wird, und auf welches die katholische Deutschland stolz sein kann. Und wenn einmal die wundersame Herrlichkeit dieser echten Choralmelodien, wie unsere Väter sie kannten, ihren Einzug in die deutschen Kirchen gehalten haben wird, dann werden auch alle Pius X. voll Dank preisen als den Wiederhersteller der echten Kirchenmusik.

Die Redaktion der *Musica sacra* glaubt dem ungenannten Verfasser in dem Satze beistimmen zu können: „Papst Pius X. will zwar in bezug auf die Gesänge des Priesters am Altare eine einheitliche Ausgabe, aber nicht für die Gesänge des Chores" — auch der oben folgende Satz dürfte richtig sein. In dieser bis heute nicht dementierten Erwägung hat der Unterzeichnete als Generalpräses des deutschen Cäcilienvereins in dem berühmt gewordenen Zirkular vom 20. Januar an die H. H. Diözesanpräsides und Referenten unter anderem auch folgende Frage an 5. Stelle gerichtet:

„Sind P. T. der Ansicht, daß der Verein jetzt schon oder bei der nächsten Generalversammlung sich **prinzipiell** für die Solesmenser-Ausgabe, **wenigstens für das** *Graduale Romanum*, erkläre oder dem Unternehmen Dr. Peter Wagners sich zuneige, auf Grund der deutschen (St. Gallen, Karlsruhe, München) Handschriften eine neue Ausgabe herzustellen?"

Die Beantwortung von Seite der 35 Adressaten ist höchst interessant und lehrreich. In einer Art Notwehr veröffentliche ich dieselben in bunter Aufeinanderfolge:

1) Zeit und Freiheit lassen! 2) Warten, bis an die Diözesen Vorschriften ergangen sind. 3) Weder jetzt noch bei der nächsten Generalversammlung hat der Verein sich für die eine oder andere Ausgabe zu erklären. Die Entscheidung verbleibe den Bischöfen. 4) Keines von beiden, sondern ruhig die Dinge abwarten. 5) Da vorläufig noch keine Ausgabe als offiziell erklärt worden ist und der Heilige Vater den Gebrauch der bisher benutzten Bücher weiterhin gestattet hat, so hat niemand einen Grund und ein Recht, ohne eine ausdrückliche Willensäußerung des Diözesanbischofes neue Choralbücher in Gebrauch zu nehmen. 6) Eine neue von unserem gewohnten Chorale abweichende Ausgabe würde nicht zu größerer Begeisterung für den Choral, sondern zu noch größerer Apathie gegen denselben führen. 7) Die Beantwortung wird wohl erst möglich sein, wenn von seiten der Bischöfe Entschließungen vorliegen. 8) Da Dr. Wagners Unternehmen noch zu wenig klar ist, kann die Frage nicht gut beantwortet werden. 9) Kann ich nicht beurteilen, da ich keine archäologische Ausgabe kenne. 10) Abwarten, bis eine bestimmte Ausgabe vorgeschrieben. 11) Nein! 12) Dem traditionellen Choral ist bezüglich der Ausführung ein schlimmes Prognostikum zu stellen. 13) Unsere Chöre, besonders die auf dem Lande, brauchen eine leichtfaßliche, einfache Choralgesangsweise. 14) Zuerst müssen die beiden Ausgaben vorliegen, um vergleichen zu können. 15) Wir plaidieren, wenn es doch zu einer Änderung kommt, für Freiheit und binden uns nicht prinzipiell für die Ausgabe von Solesmes, deren Gesänge für unsere Verhältnisse zu schwer sind. 16) Die Gründe dafür und dagegen sind mir nicht klar genug. Daher möchte ich darüber kein Urteil abgeben. 17) Ich glaube, eine Bitte an den Heiligen Vater, er möge es hier bei den bisher offiziellen Choralbüchern bewenden lassen, würde für unsere Verhältnisse passen. 18) Zuwarten! 19) Wenn schon unter neuen Ausgaben gewählt werden muß, dann flößt mir das Wagnersche Unternehmen jetzt schon mehr Vertrauen ein. 20) Vorläufig keine Entscheidung treffen; abwarten bis Rom sich hierüber ausgesprochen haben wird. 21) Läßt der Heilige Vater den einzelnen Diözesen Freiheit, bezüglich der verschiedenen Lesearten des traditionellen Chorales, so möchte ich persönlich mich für die Ausgabe von Solesmes entscheiden, in der Notation und in einigen Verzierungsnoten jedoch Änderungen befürworten. 22) Bleibt der Heilige Stuhl bei der Freiheit der Wahl unter den traditionellen Ausgaben, so möge der Cäcilienverein in Gottes Namen selbst noch einmal Hand ans Werk legen. 23) Keines von beiden. 24) Ich halte jede prinzipielle Wahl einer Choralausgabe für verfrüht. 25) Nein! 26) Wenn nichts Allgemeines erreicht werden kann, dann bin ich für die deutsche Ausgabe. 27) Kenne weder das eine noch das andere Unternehmen. 28) Der Verein sollte nicht weiter gehen, als der Heilige Vater vorangegangen ist; also auch nicht für eine bestimmte Ausgabe sich entscheiden. Eine verkürzte Ausgabe ist meines Erachtens schlechthin notwendig. Anzustreben ist sicherlich eine allgemeine Ausgabe für die ganze Kirche, wie auch Brevier und Missale allgemein sind. 29) *Distinguo!* Soll ein einheitlicher Gesang für die ganze Kirche eingeführt werden, so muß das künstlerisch und praktisch wertvollste aus allen alten Codices zu einem Werke vereinigt und von der Nationalität ganz abgesehen werden. Soll es aber den einzelnen Ländergruppen überlassen werden, sich ihre Choralbücher zu schaffen, so werden wir uns schon aus Patriotismus dem Unternehmen Dr. Wagners zuneigen. 30) Nein! 31) Wenn nichts Allgemeines erreicht werden kann, dann bin ich für die deutsche Ausgabe. 32) Bin für Zuwarten auf die Peter Wagnerschen Publikationen. 33) Halte eine Stellungnahme des Vereins noch für verfrüht. 34) Es wird wohl besser sein, wenn Dr. Wagner nicht hereingezogen wird. Wenn Solesmes seit mehr als 30 Jahren einige Männer fast ausschließlich mit dem Studium der Choralhandschriften beschäftigte, so kann für eine allgemeine Ausgabe wohl nur letztere in Betracht kommen. 35) Unter keinen Umständen. Warum soll der Cäcilienverein vorgreifen?

Daraus mögen die freundlichen Leser, aber auch jene, welche das vertrauliche Zirkular in Zeitungen excerpierten und vom Unwillen des Heiligen Vaters über dasselbe zu berichten wußten, ersehen, daß die Lage des Unterzeichneten als Redakteur, Chorallehrer, Generalpräses und Direktor der Kirchenmusikschule durchaus keine rosige, beneidenswerte und leichte ist, — niemals aber eine „feindselige Stellung" genannt werden kann.

Ich danke daher der Redaktion der Monatsschrift „Cäcilia-Straßburg", welche in Nr. 3 d. J., S. 23 unter anderen trefflichen Bemerkungen wörtlich schreibt:

„Nach neuesten aus guter Quelle stammenden Nachrichten soll in Rom gar nicht die Rede sein von einer offiziellen Ausgabe, wenigstens nicht zur Zeit, vielleicht auch nicht für die Zukunft;

denn die hierzu nötigen Forschungen und Vorbereitungen würden jahrelang dauern und ganz bedeutende Geldmittel erheischen. Übrigens, so sagt man weiter, hätte der Heilige Vater den „traditionellen Gesang" nicht sofort den römischen Kollegien und Seminarien vorgeschrieben, wenn er nicht der Überzeugung wäre, daß dieser schon in irgend einer Ausgabe vorliegt, welche offenbar keine andere als die von Solesmes sein kann."

Nach einer charakteristischen Äußerung über die in der Diözese Straßburg eingeführten Choralbücher fährt die „Cäcilia" fort:

„Unsere Lage im Elsaß ist hierin eine günstigere als die der übrigen deutschen Diözesen, welche alle (mit Ausnahme Mainz und Metz) die sogenannte medizäische Ausgabe von Regensburg benützten, die wohl mit der Zeit aus dem Gebrauche verschwinden dürfte, da ihr nun alle Privilegien, besonders die Eigenschaft als „authentische" oder offizielle Ausgabe entzogen worden ist. Aber auch diese Änderung wird wohl nicht so schnell vor sich gehen, da die einzelnen Bischöfe, jeder für seine Diözese, Zeit und Ort der Ausführung der päpstlichen Verordnung zu bestimmen hat. Überaus lobenswert ist die musterhafte Haltung der cäcilianischen Organe Deutschlands mit dem „Cäcilienvereinsorgan" (vormals Fliegende Blätter für Kirchenmusik) und der *Musica sacra* von Dr. Haberl an der Spitze, die sämtlich, obschon schwer getroffen in ihren bisherigen Bestrebungen auf dem Choralgebiet (nicht aber auf dem übrigen Gebiete der Kirchenmusik), ruhig und nobel erklären, sie werden sofort sich den neuen Weisungen des Heiligen Stuhles unterwerfen, wenn es ihnen auch ein schweres Opfer kostet, sobald die Bischöfe sprechen werden."

Wenn bei den Zentenarfesten in Rom während der Osterwoche voraussichtlich mehr Klarheit (nicht durch die Korrespondenten der politischen Blätter!) geschaffen wird, so lassen sich auch wirkliche und feste Entschlüsse fassen.

F. X. Haberl.

Kürzere Mitteilungen.

1. Der „*Osservatore Romano*" in Rom brachte in seinem offiziellen Teile am 3. März d. J. die Nachricht: „Der Heilige Vater hat sich gütigst, durch Anordnung der Staatsekretarie zu bestimmen, daß in die Kommission, welche für die Revision der Choralbücher bei der Kongregation der heiligen Riten besteht, noch nachfolgende Persönlichkeiten einzutreten haben: die H. H. P. P. Dom Jos. Pothier, Benediktinerabt und Dom Lor. Janssens, Rektor des Benediktinerkollegiums San Anselmo, der Jesuit P. Angelo De Santi, Monsignore C. Respighi, der Kapellmeister Dom Lor. Perosi und Baron Rudolf Kanzler.

2. Das Programm für die Zentenarfeier zu Ehren des heiligen Gregor (604—1904) ist vom 22. Februar d. J. datiert. Das Komitee bilden: L. Duchesne, Fr. Ehrle S. J., L. Janssens O. S. B., L. Pastor, S. Ehses, A. De Santi S. J., G. Mercati, P. Franchi de Cavalieri.

Dieser historisch-liturgische Kongreß wird am 6. April nachmittags durch eine kirchliche Feier zu Santa Maria in Vallicella eröffnet. Donnerstag, den 7. April ist die erste wissenschaftliche Sitzung über Liturgie im großen Saale des päpstl. Seminars S. Apollinar. Nachmittags Versammlung in der Titelkirche des heiligen Gregor auf dem Coelius, wo das Haus des Papstes und andere Erinnerungen an Gregor sich befinden. Freitag, den 8. April, vormittags zweite Sitzung (über christliche Literatur und Archäologie während des 6. und 7. Jahrhunderts). Nachmittags Besuch am Grabe des heiligen Gregor in der vatikanischen Basilika. Samstag, den 9. April, vormittags dritte Sitzung (die heilige Kunst, besonders der gregorianische Choral). Nachmittags große gregorianische Litaneien in S. Maria maggiore. Sonntag, 10. April, Pontifikalmesse durch die Benediktiner in St. Paul. Montag, den 11. April, feierliche Papstmesse mit gregorianischem Gesang in St. Peter. Dienstag, den 12. April, Gelegenheit zum Besuche der Benediktinerklöster in Subiaco.

Die Beitrittskarte (10 Lire) berechtigt zur Teilnahme an den Versammlungen und zum freien Besuch in den Galerien und Museen der päpstlichen Paläste, des Vatikan und Lateran, zum Museum Borgia in der Propaganda, zu den Katakomben und anderen Sammlungen.

An einem dieser Tage wird auch das neue Oratorium vom päpstl. Kapellmeister Lorenzo Perosi (das jüngste Gericht) in Rom aufgeführt.

Den Schluß der Zentenarfestlichkeiten wird ein *Te Deum* zu St. Johann im Lateran bilden.

3. Inhaltsübersicht von Nr. 3 des Cäcilienvereinsorgans: Papst Pius X. und der Allgemeine Cäcilienverein. Von P. Gerh. Gietmann. (Fortsetzung.) — Vereins-Chronik: Ellbach b. Tölz (Erzdiözese München-Freising): Dieklreh (Großherzogtum Luxemburg); Würzburg, Kirchenmusikprogramme; † Franz Schilt; Erklärung. — † Adolf Brendler; — Zur Lage. — Vermischte Nachrichten und Notizen: Trier, Konservatorium der Musik; Basel, Jahresfeier des Cäcilienvereins; St. Louis, die größte Orgel der Welt; Inhaltsübersicht von Nr. 3 der *Musica sacra*. — Cäcilienvereins-Katalog S. 49—56, Nr. 3095a—3104c. — Anzeigeblatt.

Druck und Verlag von **Friedrich Pustet** in Regensburg, Gesandtenstraße.

Nebst Anzeigeblatt.

Doppel-Nummer.

1904. Regensburg, am 1. Mai und 1. Juni 1904. **N⁰ 5 & 6.**

MUSICA SACRA.

Gegründet von Dr. Franz Xaver Witt († 1888).

Monatschrift für Hebung und Förderung der kathol. Kirchenmusik.

Herausgegeben von Dr. Franz Xaver Haberl, Direktor der Kirchenmusikschule in Regensburg.

Neue Folge XVI., als Fortsetzung XXXVII. Jahrgang. Mit 12 Musikbeilagen.

Die „Musica sacra" wird am 1. jeden Monats ausgegeben, jede der 12 Nummern umfaßt 12 Seiten Text. Die 12 Musikbeilagen (48 Seiten) werden den Nummern 3 und 7 beigelegt. Der Abonnementpreis des 37. Jahrgangs 1904 beträgt 3 Mark; Einzelnummern ohne Musikbeilagen kosten 30 Pfennig. Die Bestellung kann bei jeder Postanstalt oder Buchhandlung erfolgen.

Papst Pius X. und die Kirchenmusik.
Von Paul Krutschek.
3. Artikel. (Schluß aus Seite 51.)

In meinem größeren Choral-Artikel vom Jahre 1901 formulierte ich die letzte These wie folgt: „Wenn der Apostolische Stuhl die bisherige offizielle Ausgabe abschaffen und eine andere an deren Stelle setzen sollte, so würden wir das wohl bedauern, aber uns dem Willen der obersten kirchlichen Behörde rückhaltlos fügen." Dieser Fall ist nunmehr eingetreten. Der Heilige Vater ordnet in seinem *Motu proprio* wiederholt den Gebrauch des „traditionellen" Chorals an (II⁸ und VIII⁵⁵) und in dem auf seinen Befehl erlassenen Dekret der Ritenkongregation vom 8. Januar 1904 wurde der seitherigen von der Kongregation als authentisch herausgegebenen Ausgabe der offizielle Charakter entzogen. Die bisherigen amtlichen Empfehlungen und Privilegien werden aufgehoben, wo die Ausgabe aber eingeführt sei, dürfe sie erlaubter Weise beibehalten werden, bis möglichst bald der traditionelle Choral an dessen Stelle treten könne.

Wir hatten diese Ausgabe gemäß den Verordnungen des großen Teils unserer Hochwürdigsten Herrn Bischöfe in Deutschland angenommen, nicht wegen ihrer inneren Vorzüglichkeit — als höchst praktisch hat sie sich freilich bewährt — sondern aus Gehorsam gegen die oft wiederholten, in der schärfsten und eindringlichsten Form erlassenen Dekrete des Apostolischen Stuhles. Nur zwei Kundgebungen der Oberhirten der größten Diözesen Deutschlands seien hier angeführt. Sr. Eminenz der Hochwürdigste Herr Kardinal Fischer von Cöln erklärte am 24. August 1903: „Auch wir hatten in Cöln Choralbücher, die, wie Kunstverständige sagen, sich vielfach auszeichneten, die vielleicht manches haben, was sie empfehlen möchte, wie die heutigen Choralbücher. Aber wenn es sich um höhere Interessen handelt, müssen derartige Interessen zurücktreten. Bei der Pflege des Chorals handelt es sich darum, daß der kirchliche Gesang gesungen werde in allen Diözesen, in allen Kirchen des Erdkreises. Dazu sind wesentlich dieselben Bücher, aus denen und nach denen gesungen wird. Ich stelle diesen Gegenstand hin als Sache der Kunst allein, sondern als einen Punkt der kirchlichen Disziplin. Als die Wünsche des Papstes Pius IX. kund wurden und später sich erneuerten durch Leo XIII., da haben wir uns gesagt: Der Wunsch des Papstes ist uns Befehl, das Ziel des Papstes — die Einigung im Gesange — kann nur auf diesem Wege erreicht werden. Wir haben die alten Bücher abgeschafft, die neuen eingeführt; wir haben gute Resultate erzielt, haben erreicht, daß nicht bloß in Städten, sondern auch in kleineren Kirchen, in Dörfern, der römische Choral gesungen wird. Möge es auch in Zukunft so sein!"

Se. Eminenz der Hochwürdigste Herr Fürstbischof von Breslau, Georg Kardinal Kopp, approbierte am 9. Januar 1889 die bisherige offizielle Ausgabe für seine Diözese mit der Begründung, „weil der gesamte liturgische Gesang von dem höchsten Richter in liturgischen Dingen vor wenigen Jahren reformiert, approbiert, als authentisch erklärt und der gesamten Kirche wiederholt so eindringlich als möglich empfohlen wurde." Ebenso ist es in anderen Diözesen.

Wir haben den bisher gebrauchten Choral lieb gewonnen, uns an seiner Schönheit erfreut, und wenn wir in Deutschland in der Reform der Kirchenmusik schon so viel erreicht haben, so haben wir das zum großen Teil der Einigkeit zu verdanken, mit der in allen Kirchen der römische Gesang gepflegt wurde, welche jeden Streit ausschloß, durch welchen der Erfolg hätte gelähmt werden können.

Was soll nun an die Stelle der Mediceäerausgabe treten? Der Heilige Vater sagt, „der traditionelle Choral, der durch die neuesten Studien so glücklich in seiner Unversehrtheit und Reinheit wieder hergestellt ist," und in dem Dekrete vom 8. Januar 1904 heißt es: „Der ehrwürdige gregorianische Gesang, wie er auf Grund der Handschriften früher in den Kirchen üblich war." Eine bestimmte Ausgabe ist bis heute nicht vorgeschrieben, die römische *Rassegna Gregoriana* behauptet sogar positiv, „der Heilige Vater will die Wiederherstellung des traditionellen Gesanges der Kirche unabhängig von jeder besonderen Ausgabe."[1]

Wenn also der Heilige Vater den traditionellen Choral will, und uns eine bestimmte Ausgabe vorschreibt, so werden wir dieselbe selbstverständlich annehmen, genau in demselben Sinne, wie wir vor mehr als 30 Jahren die Mediceä angenommen haben, **als den von der Kirche jetzt gewollten.**

Es ist unmöglich, über die Einführung der traditionellen Gesänge zu sprechen, ohne ihre Schwierigkeit zu betonen. Andererseits aber halte ich es für unsere Pflicht, daß wir, sobald die Kirche den traditionellen Choral will, uns nicht in den Gedanken an die Schwierigkeit zu sehr verbeißen, sonst kommen wir nie zu der von der Kirche gewollten Ausführung. Will die Kirche etwas allgemein, so muß auch, von Einzelnfällen abgesehen, die Ausführung möglich sein. Faktisch wurde ja auch vor der auf kirchliche Veranlassung vorgenommenen Verkürzung, wie sie in der Mediceä enthalten ist, allgemein der längere Choral gesungen. Freilich trat der dringende Wunsch nach Kürzung immer mehr hervor und wird voraussichtlich niemals verstummen. Wir werden uns also mutig an die Ausführung der traditionellen Gesänge begeben und dann werden,

<hr/>

[1] P. Krutschek hatte bereits im Monat März vorliegenden Artikel geschrieben und eingesandt. Mehrere Sätze glaubte die Redaktion unterdrücken zu sollen, um auch den Schein einer Opposition oder feindseligen Haltung der *Musica sacra* gegenüber den letzten Willensäußerungen Sr. Heiligkeit zu vermeiden. Seit 8. April steht nämlich fest, daß der Heilige Vater in der vatikanischen Druckerei selbst eine traditionelle Ausgabe des *Graduale Romanum* herstellen läßt. Se. Heiligkeit hatte an diesem Tage dem Ehrenpräsidenten der Kongreßabteilung für gregorianischen Choral, Monsignore Foucault, Bischof von St. Dié (Frankreich), nachfolgende Entschließung zu veröffentlichen gestattet. Sie lautet wörtlich: *On n'accordera aucun privilège ni monopole à aucune édition ni aucun éditeur. Après le congrès, la commission chargée de faire paraître l'édition type se constituera et fonctionnera. Les feuilles sorties de l'imprimerie vaticane seront mises à la disposition des éditeurs, qui les reproduiront sans nulle modification. En attendant, chaque diocèse se servira de ses livres actuels sans avoir à en adopter d'autres avant l'édition type,* d. h. „Bis diese neue typische Ausgabe hergestellt sein wird, können sich alle Diözesen der Ausgaben bedienen, welche sie gegenwärtig gebrauchen." F. X. Haberl.

sobald das Gefühl der Ungewohntheit überwunden ist, durch die Hilfe Gottes die Schwierigkeiten vielleicht geringer sein, als wir uns jetzt vorstellen. Die bisherige Übung im Choralgesang nach der Medicäa ist für uns eine vorzügliche Vorschule, den schweren, in einzelnen Teilen, namentlich den Gradualien für die Mehrzahl der kleineren Chöre, fast unmöglichen traditionellen Choral zu singen, welche allen denen, die bisher gar keinen Choral und nur weltliche Kirchenmusik gepflegt haben, vollständig abgeht.

Vielleicht ist aber auch die Folge des *Motu proprio* für die bisherigen Traditionellen eine ungeahnte. Man beruhigte sich vielfach mit dem Gedanken an die voraussichtlich definitive Beibehaltung der Medicäa, und die Choralforschung hatte keine Aussicht, ihre Resultate praktisch verwertet zu sehen. Jetzt aber ist die Bahn frei. Die Wissenschaft hat Hoffnung, ihre Erfolge praktisch verwirklichen zu können, geht darum mit größerem Eifer ans Werk und kann Erfolge zeitigen, welche das bisher Erforschte ganz in den Hintergrund drängen.

Der Heilige Vater schrieb am 1. Dezember 1903 in seinem an den Hochwürdigsten Herrn Kardinal Fürsterzbischof von Cöln gerichteten, den Cäcilienverein außerordentlich lobenden Breve: „Wir sind nicht minder überzeugt, daß der Cäcilienverein den neuen Vorschriften, welche Wir über diesen Gegenstand geben zu müssen glaubten, mit der nämlichen Bereitwilligkeit und Treue Folge leisten werde. mit welcher er gewohnt war, den Weisungen des Heiligen Stuhles zu folgen." Er wird sich in uns nicht täuschen. Besteht er auf der definitiven gänzlichen Abschaffung der Medicäa und befiehlt er eine andere Ausgabe, so werden wir einfach gehorchen.

Zunächst wissen wir von früher her, daß, wo sich energische Männer finden, wie z. B. in Deutschland, welche mit Einsetzung ihrer ganzen Persönlichkeit und mit der ganzen Kraft ihres Könnens und Wollens sich auf die Durchführung der kirchlichen Vorschriften warfen und andere mit sich fortrissen, und zu gemeinsamer Arbeit begeisterten, daß auch glänzender Erfolg zutage trat. Diese Tatsache wird sich jetzt wiederholen und der Gedanke daran allein muß uns vor Pessimismus bewahren.

Wir haben aber auch noch andere Gründe, hoffnungsfreudig in die Zukunft zu blicken. Zunächst kann man nicht mehr mit dem Einwand der Unmöglichkeit kommen. Der unter den verschiedensten, teilweise sehr ungünstigen Verhältnissen wirkende Cäcilienverein hat bewiesen, daß man die kirchenmusikalischen Vorschriften bei gutem Willen und nötiger Sachkenntnis überall erfüllen kann. Was wirklich ist, muß auch möglich sein. In andern Ländern bestand die ganze kirchenmusikalische Reformtätigkeit vielfach nur darin, daß man gegen wirkliche oder vermeintliche Fehler der Medicäa loszog, dabei aber nach wie vor eine musikalisch und liturgisch höchst unkirchliche Musik trieb. Unser Programm war die allseitige Durchführung der kirchlichen Vorschriften und darum erreichten wir auch so viel.

Der Heilige Vater geht diesmal mit außergewöhnlicher Energie und persönlicher Sachkenntnis vor. Er hat die Reform der Kirchenmusik als einen Teil seiner Lebensaufgabe erklärt, und er scheint nicht der Mann zu sein, welcher sich mit dem bloßen Erlaß einer Vorschrift begnügt; er wird vielmehr auch für die Durchführung sorgen. Er ordnet auch nicht nur an, was gebessert werden soll, sondern zeigt auch VIII 24 – 28 die Mittel und Wege, wie es anzufangen ist, daß es besser werde.

Es erscheint unglaublich, ist aber wahr, daß sehr oft das Haupthindernis für eine den Willen der Kirche entsprechende Kirchenmusikreform der Klerus war. Er hatte fast nirgends in dieser Hinsicht etwas gelernt, kannte keine kirchenmusikalischen Vorschriften und stand daher allen Reformbestrebungen entweder apathisch, oder gar feindlich gegenüber.

Der leider so früh verstorbene Professor Anton Walter schließt seinen Osterartikel in *Musica sacra* 1882, Nr. 4 mit folgenden begeisterten und klagenden Worten: „Was hat doch die liturgische Musik für eine großartig erhabene Aufgabe, bei den Großtaten der Erlösung, beim heiligen Opfer als Dolmetscher der Gottesgemeinde in ihrem Beten und Opfern aus dem geheimnisvollen Gewebe der Melodie und Harmonie das Feierkleid des liturgischen Textes liefern zu dürfen! Es ist empörend, wenn der musikalische Stümper sich anmaßt, einer solchen Aufgabe gewachsen zu sein, an welche die Meister der Kunst nur mit Ehrfurcht und Scheu treten. Es ist empörend, wenn die Bequemlichkeit und Gleichgültigkeit für diese Aufgabe nur die Karikatur von Kirchenmusik hat. Und unbegreiflich ist es, wie vielfach der Klerus, durchdrungen und belebt von dem hohen Geiste der kirchlichen Liturgie kein Verständnis und kein Gefühl haben kann für die ideale Aufgabe der kirchlichen Tonkunst und für die notwendige Übereinstimmung von Wort und Ton."

Das wird jetzt anders werden. Die Hochwürdigsten Bischöfe sollen dem Willen des Papstes gemäß dafür sorgen, daß die Theologie Studierenden die kirchenmusikalischen Vorschriften kennen lernen und auch in der Ästhetik der heiligen Kunst unterrichtet werden, „damit die Kleriker, nicht bar aller dieser für die vollständige kirchliche Bildung ebenfalls notwendigen Kenntnisse aus dem Seminar kommen". Bisher konnte man die Erfahrung machen, daß gerade die jüngeren Priester, weil sie hierin nichts gelernt hatten, den älteren, welche im Laufe der Jahre durch Studium zu einer korrekten Anschauung sich durchgerungen hatten, direkt entgegenarbeiteten, daß sie keine Ahnung hatten von der Verpflichtung des Chores, den vollständigen vorgeschriebenen Text in der liturgischen Sprache zu singen, daß sie eigenmächtig Kürzungen anordneten, daß sie für den Choral und den polyphonen Kirchenstil keine Spur von Verständnis besaßen, den Chordirigenten, der Palestrina aufführte, lächerlich machten, die Gemeinde aufhetzten anstatt sie aufzuklären usw. Das wird sich jetzt ändern. Die neuen Lehrbücher der Moral, Pastoral und Liturgik enthalten ja teilweise schon eine Unterweisung in den kirchenmusikalischen Vorschriften; jetzt wird das allgemein werden. Die Studierenden werden auf der Universität lernen, was der Wille der Kirche ist, sie werden sich bemühen, dem Willen der Kirche Geltung zu verschaffen und nicht mehr wie bisher, die Befolger von kirchlichen Vorschriften für lächerliche, bedauernswerte und zu bekämpfende Fanatiker halten.

Wir haben weiter auch jetzt einen anderen Episkopat, wie im 18. und im ersten Teile des 19. Jahrhunderts. Die Zeiten des Febronius, der Emser Punktatoren, des Wessenberg und anderer sind vorüber. Die Hochwürdigsten Herren Bischöfe sind sich bewußt, daß sie nach der Anordnung Christi bei aller Selbständigkeit und obersten Regierungsgewalt in ihren Diözesen nicht als gleichberechtigt neben, sondern unter dem Papste stehen und kein dem allgemeinen Kirchengesetze entgegenstehendes liturgisches Gesetzgebungsrecht besitzen. Sie sehen auch keine Herabwürdigung ihrer Autorität darin, wenn man dieselbe in den Grenzen darstellt, wie sie nun einmal faktisch bestehen.

Wenn früher ein Bischof Willensäußerungen des Papstes nicht publizierte, so blieben diese auch größtenteils unbekannt und daher unbefolgt. Jetzt gibt es eine Unmenge von Zeitungen und Fachschriften, welche solche Verordnungen, wenn auch nicht amtlich, so doch in einer Weise veröffentlichen, daß wir die unbedingte Sicherheit ihrer Echtheit besitzen, daß wir z. B. auch wissen, das päpstliche *Motu proprio* sei in Rom amtlich für den ganzen Erdkreis publiziert und dann mit dem Dekret der Ritenkongregation vom 8. Januar 1904 dem Gesamtepiskopate übersendet worden. Wir werden naturgemäß zunächst die Ausführungsverordnungen unserer Hochwürdigsten Herrn Bischöfe zu den vom Heiligen Vater „als Gesetzbuch der Kirchenmusik" vorgeschriebenen *Motu proprio* abwarten.

Der Heilige Vater wendet sich freilich, um alle etwaigen Hintertüren zu schließen, nicht nur an die Diözesanbischöfe, sondern in Nr. 29 auch an „die Kapellmeister, Sänger, Personen des Klerus, Oberen der Seminarien, der kirchlichen Institute und der religiösen Genossenschaften, die Pfarrer und Vorsteher der Kirche, die Kanoniker der Kollegiat- und Kathedralkirchen". Er sagt: „Aus der Fülle unserer apostolischen Autorität fordern wir für gegenwärtige Anweisung Gesetzeskraft und befehlen **allen** durch dieses unser Handschreiben die gewissenhafteste Befolgung desselben." (Schluß der Einleitung) „damit die Autorität der Kirche, welche die Reformen wiederholt angeordnet hat und jetzt von neuem einschärft, nicht der Verachtung preisgegeben werde." (Nr. 29.) Alle also haben die Pflicht, dem *Motu proprio* zu gehorchen.

So wollen wir denn den modernen Kreuzzug gegen die unkirchliche Musik und die Vernachlässigung der kirchlichen Vorschriften mutig weiterführen. Wir kämpfen unter der Fahne des Heiligen Vaters und haben von ihm Befehl dazu. „Gott will es," riefen die Kreuzfahrer einander zu, wenn ihre Kraft zu erlahmen drohte, „Gott will es," soll der Ruf sein, mit dem auch wir uns stärken.

Zu demselben Gott, in dessen Autorität der Heilige Vater spricht, wollen wir aber flehen: *„Oremus pro Pontifice nostro Pio! Dominus conservet eum!* Der Herr erhalte ihn in seinem seit Jahren betätigten Eifer für die heilige, liturgische Musik. *Et vivificet eum!* Er verleihe ihm den Heiligen Geist, *spiritum vivificantem,* den Lebendigmacher, daß er bei seinen Anordnungen stets das Rechte treffe und daß seine Weisungen lebendige Früchte tragen. Nach seiner Absicht soll ja „der wahre christliche Geist in jeder Weise wieder aufblühen" (Einleitung) zunächst in der Sorge für die Heiligkeit und Würde des Gottesdienstes. *Et beatum faciat eum in terra!* Er möge selig sein in der Freude, noch auf Erden einen reichen, gesegneten Erfolg seines Vorgehens zu sehen.

Vom Bücher- und Musikalienmarkte.

(Schluß aus Seite 53.)

III. Orgel- und Instrumentalmusik. Giulio Bas schrieb zu den gregorianischen Melodien der Solesmenserausgaben die Begleitung für die wechselnden Meßgesänge des weißen Sonntags *(Dominica in Albis)* als Nr. 3 der II. Serie des *Repertorio di Melodie Gregoriane.* Als Nr. 4 und 5 harmonisierte er die *Missa de Angelis,* welche am 11. April d. J. zu St. Peter während des vom Heiligen Vater gesungenen Hochamtes ohne Begleitung von etwa 1100 jugendlichen Männerstimmen vorgetragen wurde. Jedes Heft, bei Desclée, Lefebure in Rom erschienen, kostet 50 Cent, das Abonnement auf die 12 Jahreshefte 6 Lire.

Tägliche technische Studien für Klavier von Oskar Beringer, ein Band von 123 Seiten in Kleinfolio, bestehend aus einer Vorrede, Modulationsbeispielen und Fingerübungen in 10 Sektionen, liegen im Verlag von Bosworth & Co. in Leipzig mit deutschen und französischen Bemerkungen und als einleitender Lehrgang zu Karl Tausigs täglichen Studien in einem kompletten Bande vor.

Eine theoretisch-praktische Anweisung zur leichten und schnellen Erlernung des Klavierspiels bearbeitete der Kgl. Seminar- und Musiklehrer Jos. Bernards. Dieses Opus 75 ist 120 Seiten stark in Querformat und 1904 bei Albert Jacobi & Co. in Aachen erschienen. Es beginnt ganz vom Anfang und kann schon für Kinder, welche mit dem Klavierspiele beginnen, mit Nutzen gebraucht werden. Preis 4 ₰.

C. S. Calegari gab als Beilage der kirchenmusikalischen Monatschrift Cecilia des M. Capra in Turin ein *Melodioso per Organo od Armonio* heraus, Op. 243, das in kanonartigem, zweistimmigem Satze sich vorzüglich zum Vortrage in der Kirche eignet.

E. Dagnino veröffentlichte als Beilagen zur Mailänder „*Musica sacra*" Jahrg. 1903 Nr. 6 u. 11: a) 12 kleine Präludien oder Versetten, b) 6 ähnliche Orgelstücke. Die netten Sätzchen sind trotz ihrer Einfachheit ansprechend gut und leicht ausführbar.

H. Pauli, der bis zu seiner Erkrankung (Januar 1904) als Domorganist in Trier fungierte, gab in der Grachschen Buchhandlung (Pet. Philippi) 75 kurze Vor- und Zwischenspiele über Choralmotive für die Orgel heraus. Jede Nummer füllt eine Seite in Klein-Querquart in verschiedenen Tonlagen und in den 8 Kirchentonarten. Den einfachen und wohllautenden Sätzchen ist auch die Pedalapplikatur beigefügt. Preis 2 ₰.

Op. 113 von P. Piel sind 112 kurze Sätze in den Kirchentonarten zum Studium und zum kirchlichen Gebrauch. Ein ausgezeichnetes, auch bald ohne pedallosem Harmonium auszuführendes Werk, das die Red. im Besitze eines jeden jungen und alten Organisten wünscht. Preis 2 ₰ 25 ₰. Düsseldorf, L. Schwann. 1904.

Die Orgelbegleitung nebst Vor- und Nachspielen zu 162 dem Gesangbuche der Diözese Trier entnommenen Liedern, Op. 50 von P. Piel, liegt im gleichen Verlage nun in 3. Auflage vor. Im Vereins-Katalog werden Diözesangesangbücher grundsätzlich nicht besprochen, da das Referenten-kollegium nicht kompetent erscheint, über Werke, die der Hochwürdigsten Diözesanbischöfe angeordnet sind, zu urteilen, und solche Begleitungen auch nicht allgemeines Interesse haben. Bei diesem Orgelbuche von Piel jedoch möchte Referent besonders auf die wunderschönen Vor- und Nachspiele des Meisters aufmerksam machen, welche durch den genauen Fingersatz, die sorg-fältige thematische und doch kurze Arbeit als Mustervorlagen für Anfänger und Fortgeschrittene dienen können und sollen, um die Phantasie zu befruchten, schöne Harmonisierung zu lernen und sich im gebundenen Spiele auf Harmonium und Orgel zu üben. Die 192 Seiten in Querquart kosten ungebunden 7 ₰.

Die Orgelbegleitung zum *Ordinarium Missae* der Medicäerausgabe, welche 1887 P. Piel und P. Schmetz besorgt haben (s. C.-V.-K. Nr. 1158), und die 1893 in 2. Auflage erschienen ist, be-arbeitete P. Piel nach dem Tode seines Freundes und Mitarbeiters in 3. Auflage unter Festhaltung der Prinzipien, die in einem eigenen Vorworte ausgesprochen sind. Im harmonischen Satz hat viel mehrere Änderungen vorgenommen und bequemere Transpositionen gewählt. Düsseldorf, L. Schwann. Ungebunden 5 ℳ.

Das von Oreste Ravanello im 2. Jahrgang redigierte *Repertorio Pratico dell' Organista Liturgico* erscheint monatlich in je einer Lieferung à 50 Cent. und bietet in Nr. 1—4 würdige Orgelstücke von G. Tartini, Jul. Bentivoglio, Jos. Terrabugio und Arn. Bambini. Verlag bei Marcello Capra in Turin oder beim Herausgeber in Padua.

Zu den modernsten Orgelkompositionen, welche an den ausführenden Künstler keine geringen Anforderungen stellen, da er sich durch Verhaue von außerordentlichen ♯ und ♭ in der Tonart C-moll durchzuarbeiten hat, zählt Referent das musikalisch schöne und stimmungsvolle Op. 58 von Jos. Renner, jun.: „Thema mit Variationen für Orgel". Verlag von Eugen Feuchtinger in Regensburg. 1904. Preis 1 ℳ 50 ₰.

Von Wilh. Rudnick wurden vom Verleger, Eugen Feuchtinger in Regensburg, die Orgelkompositionen Op. 119 und 121 eingesendet. Das erstere besteht aus 6 Vortragsstücken im modernen Stil für ein ton- und registerreiches Instrument. Sie werden bei passenden Gelegenheiten außerhalb des Hochamtes, z. B. während einer stillen Messe sehr angenehm wirken. Preis der 6 Nummern 2 ℳ 50 ₰. Größere Anforderungen stellt Op. 121, das aus zwei Konzertstücken (elegische Phantasie mit Fuge und eine Phantasie über den evangelischen Choral „O Ewigkeit, du Donnerwort!") besteht. Preis 1 ℳ 50 ₰. Sämtliche Nummern sind auf 3 Notensystemen deutlich und schön gestochen.

Eine wirkungsvolle, im modernen Stile für eine registerreiche, moderne Orgel komponierte Phantasie hat Mieceslaus Surzynski zum Verfasser. Leuckart (Martin Sander) in Leipzig ist der Verleger dieses Op. 30. Preis 2 ℳ 40 ₰.

Ein leicht ausführbares Trio für Klavier, Violine und Cello von Aug. Wiltberger, Op. 104, Düsseldorf, L. Schwann, sei allen Anfängern und Liebhabern des veredelnden und anregenden Triospieles aufs beste empfohlen. Klavier 1 ℳ 60 ₰, 2 Instrumentalstimmen à 20 ₰.

Vom Opus 43, der Elementarorgelschule für Präparandenanstalten und Lehrerseminare von Aug. Wiltberger, die im C.-V.-K. unter Nr. 1367, 1941 und 2675 warm empfohlen worden ist, und welche Referent bereits in *Musica sacra* 1896 und mündlich jederzeit als die beste Vorschule für katholische Organisten empfehlen hat, liegen bei L. Schwann in Düsseldorf das 1. Heft in 4. (1 ℳ 50 ₰), das 2. in 2. (1 ℳ 50 ₰), das 3. und 4. in 2. Auflage (je 2 ℳ) vor, letzteres vermehrt um die Seiten 38—45, d. h. die *Missa in solemnibus*, die Meßresponsorien und das *Tantum ergo*. F. X. H.

Unterdessen sind für diese Rubrik an Neuerscheinungen eingesendet worden:

Von Hermann Bäuerle erschien Op. 18, die 10 Marienlieder für 3—4 gleiche Stimmen, in 2. Auflage. Sie fanden unter Nr. 2888 Aufnahme im Cäcilienvereins-Katalog und wurden auch in *Musica sacra* 1902, S. 63, empfehlend besprochen. Regensburg. A. Coppenrath (H. Pawelek). 1904. Partitur 2 ℳ, Stimmen à 20 ₰.

Sammlung mehrstimmiger Männerchöre. Für den Gesangunterricht an Seminarien und höheren Schulen. Herausgegeben von Jakob Blied, Op. 37, neubearbeitet von Aug. Wiltberger. Düsseldorf, L. Schwann.

Erste Abteilung, 5. Auflage enthält 70 Nummern geistlichen und weltlichen Inhalts verschiedener Volkslieder und bekannter Komponisten. Partitur 80 ₰.

Zweite Abteilung, Nr. 71—106 und Nr. 107—139, 6. Auflage, bietet in ähnlicher Weise Männerchöre von Felix Mendelssohn, K. Hüser, K. Zöllner, V. E. Peter, Fr. Abt usw. Preis à 80 ₰.

Die dritte Abteilung in 5. Auflage, Nr. 140—182, bringt auch einige lateinische Gesänge von Palestrina, Lassus und Haßler, sowie deutsche religiöse Kompositionen. 1 ℳ. Die 4 Hefte bilden eine wahre Schatzkammer bewährter und gediegener Musikstücke, deren Bewältigung nicht übermäßig schwer fallen wird und zur Treffsicherheit, geschmackvollem Vortrag, Unterhaltung und Freude für Sänger und Zuhörer führen wird.

Die ganze Sammlung ist nur auf zwei Notensystemen in Partitur erschienen, die polyphonen Nummern aber sind in vier Systemen dargestellt.

Der unserem Leserkreis wohlbekannte P. A. Dechevrens, S. J. sendet nachfolgende Publikationen ein, welche die Redaktion hiermit einfach ankündigt. *Les Chants du Paroissien romain*, extraits des plus anciens manuscrits. 1ol. paru: I. *Chants communs de la Messe*, suivis de 12 *Kyrie avec tropes*; 1 vol. in 8°, 112 Seiten, chez J. Abry, impr.-édit., 3, rue de la République, Annecy (H²-Savoie). II. *Hymnaire Vespéral*, suivi d'un Recueil d'hymnes et motets pour les Saluts du T. S. Sacrement; 1 vol. in-8°, 166 Seiten, ibid. Die Kenntnis dieser Publikationen ist für alle nützlich, ja notwendig, welche sich ein wirkliches Bild von den Forschungsresultaten des gelehrten Jesuiten machen wollen. Preis unbekannt.

Von der Sammlung „Cäcilia", Op. 50 herausgegeben von Joh. Diebold, enthaltend vierstimmig gemischte Chöre, meistens Originalkompositionen deutscher Tonsetzer der Gegenwart für Cäcilienvereine und höhere Lehranstalten ist die 4. Aufl. erschienen. Regensburg, Eugen Feuchtinger. Preis der Partitur gebunden 2 ℳ. Die beliebte Sammlung wurde bei ihrem Erscheinen in *Musica sacra* 1893, S. 134 empfehlend besprochen.

Ein *Ave Maria*, Op. 11 von Rud. Glickh, Kapellmeister an der Votivkirche zu Wien, für Sopran- oder Tenorsolo und gemischten Chor mit Begleitung von Streichinstrumenten, 2 Klarinetten und 2 Hörnern (1 ℳ), oder nur mit Orgelbegleitung (2 ℳ 50 ₰), oder nur für Sopran oder Tenor mit Orgelbegleitung (1 ℳ 70 ₰), bringt a) den lateinischen Text des ganzen englischen Grußes, b) den des Offertoriums an vielen Marienfesten, c) des Offertoriums am 8. Dezember. Melodie und Begleitung haben mehr religiösen Charakter und sind für den Vortrag beim liturgischen Hochamt nicht zu empfehlen. Augsburg und Wien, A. Böhm & Sohn. 1904.

Hugo Löbmann, Lehrer, Organist und Chordirigent in Leipzig, veröffentlichte bei F. X. Pflugmacher dortselbst a) Singfibel für Kinder, 1. Teil: Ziffernsingen, Umfang 1—6 (20 ₰); b) 2. Teil: Singen nach Ziffern in Verbindung mit Noten (25 ₰); c) „Aus meiner Singstunde." Handbuch für Lehrer des Volksschulsingens nebst beigefügten Erläuterungen zur Singfibel für Kinder.

Die Beilage zu Nr. 81 der „sächsischen Volkszeitung" bringt eine eingehende Besprechung dieses trefflichen Lehrmittels für die kleinen Singschüler durch Herrn Schuldirektor Bergmann, die mit den Worten schließt: „Der Kinder- und Musikfreund lese in Löbmanns Büchlein; er wird auf jeder Seite Anregungen finden. Die Singfibel des fleißigen Schulmannes wünschten wir in jeder Volksschule eingeführt."

Das 6. Heft des 23. Bandes der „Frankfurter zeitgemäßen Broschüren", herausgegeben von Dr. J. M. Raich, Verlag von Breer, Thiemann, Hamm i. W., 1904 enthält eine 24 Seiten umfassende, durch das *Motu proprio* des Heiligen Vaters, Pius X., veranlaßte Abhandlung von P. Raph. Molitor: „Der gregorianische Choral als Liturgie und Kunst". Preis 50 ₰. Der Verfasser entwickelt das Thema in 3 Teilen und beantwortet die Frage: Was dem gregorianischen Choral die Auszeichnung: der einzige Gesang, der beim liturgischen Gottesdienst gebräuchlich ist, zu sein, verdient habe: a) wegen des hohen Alters, das ihm zukommt, b) wegen des musikalischen Wertes, den die gregorianischen Melodien besitzen, c) wegen der innigen Geistesverwandtschaft desselben mit der Liturgie. Die Broschüre ist mit Wärme und Begeisterung geschrieben und verherrlicht den vom Heiligen Vater gewünschten traditionellen Choral, sowie die Anordnungen des *Motu proprio*. Das polemische Element sickert nur wenig durch, z. B. in dem Satze: „Die Zurücknahme (der Editio Medicaea durch Dekret der Ritenkongregation vom 8. Januar 1904) muß als eine Wohltat bezeichnet werden und ist im Interesse der christlichen Wissenschaft und Kunst dankbar zu begrüßen."

6) Gesänge zu Begräbnisfeierlichkeiten sammelte Jos. Schiffels als Op. 6 in 2 Ausgaben a) für vierstimmigen gemischten Chor, b) für vierstimmigen Männerchor. Partitur a) 1 ℳ 80 ₰, 4 Stimmen à 60 ₰. Verlag von Engen Fenchtinger, Regensburg, 1904. Die ersten 5 Nummern haben lateinischen Text *(De profundis, Miserere mei Deus, O bone Jesu, Jesu Salvator mundi* (man lese im lateinischen Text: *saltem* statt *salten*; *pelli* statt *pelle*; *persequimini* statt *persequimine*) und *Pie Jesu*). Nr. 6—16 sind Strophenlieder mit deutschen Texten.

Unter dem Titel Liederborn gab der Benediktiner-Professor und Stiftsorganist P. Jos. Staub in Einsiedeln eine Sammlung alter und neuer Männerchöre heraus, welche in 7 Abteilungen 1) Vaterlandslieder, 2) Tages- und Jahreszeiten, 3) Wandern, 4) Berg und Wald, 5) Lieb und Lust, 6) Scherz und Ernst, 7) religiöse Lieder enthält. Ein ausführliches Inhaltsverzeichnis bringt die Namen der Komponisten dieser 110 frischen, meist von schweizerischen Tondichtern verfaßten, in den Texten absolut reinen Männerchorlieder. Verlag von Gebr. Hug & C., Zürich und Leipzig, 1904.

P. Cölestin Vivell veröffentlichte 2 Festschriften zum 1300jährigen Gregorianjubiläum, a) bei der Buchhandlung Styria in Graz; eine Studie über die Echtheit seiner Tradition". 205 Seiten, Preis unbekannt; b) im Gregoriusverlag zu Seckau, Steiermark: „Die liturgische und gesangliche Reform Gregor des Großen". 59 Seiten, 80 ₰. Mögen die Leser nicht versäumen, den Inhalt der beiden Schriften, von denen die erstere mehr polemischen Charakter hat als die letztere, eingehend zu prüfen. Es wird sich Gelegenheit finden, in durchaus objektiver Weise auf die „Widerlegungen" Antwort zu geben. Stoff im Überfluß ist geboten, gegenwärtige bisherige Anschauungen zu korrigieren oder zu rektifizieren und sich reiche Belehrung aus den mit großer Kenntnis und Sorgfalt verfaßten Studien zu sammeln, sowie mit dem durch das *Motu proprio* des Heiligen Vaters, Pius X. angeregten aktuellen Thema vertraut zu machen.

In J. Langs Buchhandlung zu Karlsruhe erschien eine „Theoretisch-praktische Gesangschule für Männerstimmen mit besonderer Berücksichtigung der Stimmbildung". Für Lehrerseminare, Oberklassen der Mittelschulen und Männergesangvereine von Franz Zureich, Seminarlehrer in Karlsruhe (Baden). 1904. Einzelpreis broschiert 4 ℳ, in Partien von 10 Expl. ab à 3 ℳ 50 ₰, gebunden 4 ℳ 60 ₰, in Partien von 10 Expl. ab à 4 ℳ 10 ₰. Wenn auch an Gesangschulen nicht gerade Mangel herrscht, so dürfte dieses Werk doch vermöge seiner besonderen Anlage und Durchführung die Aufmerksamkeit der Fachleute erregen. Da sich die Erkenntnis immer mehr Bahn bricht, daß dem eigentlichen Unterricht im Gesang ein richtiger Stimmbildungsunterricht vorangehen muß, so ist dem letzteren in der angeführten Schule ein ziemlich breiter Raum zugewiesen. Der Verfasser bespricht in der Einleitung die derzeitigen Verhältnisse im Gesangunterricht an den verschiedenen Schulen und verlangt eine durchgreifende Reform auf diesem, seit langer Zeit sehr vernachlässigten Gebiete. Er redet einer gründlichen Durchbildung der Sprechstimme vor Beginn des Gesangunterrichts das Wort und weist in seiner Schule den Stimmbildungsübungen einen ziemlich breiten Raum zu. Die Chorschule selbst beginnt mit der Übung sämtlicher Intervalle in verschiedenster rhythmischer Zusammenstellung, durch den ganzen Stimmumfang transponiert. Daran schließen sich systematisch geordnete rhythmische Übungen und Treffübungen. Für jeden Gesangbeflissenen — Lehrer wie Schüler — wird die Zureichsche Gesangschule, die vom Großh. Badischen Oberschulrat amtlich zur Anschaffung empfohlen worden ist, eine wertvolle Bereicherung der Privat- oder Schulbibliothek bilden.

Unter den eingesandten Musik-Antiquariatskatalogen erwähnt die Red. besonders Nr. 313 der Musikalienhandlung C. F. Schmidt in Heilbronn (Musik für Klavier, Orgel und Harmonium); Antiquariatskatalog von Theodor Ackermann in München, Nr. 529 (Geschichte der Musik und theoretische Werke); List und Francke in Leipzig, Nr. 360 (Musikliteratur und Musikalien, besonders ältere Drucke); Rich. Bertling in Dresden (Hymnologie, Liturgik, alte und neue Kirchenmusik usw.) - Dazu kommen die monatlichen musikalischen Verlagsberichte der Firma Breitkopf & Härtel, Leipzig.   F. X. H.

———

Was ist wichtiger?

Eine Frage für Reformbeflissene. Von **F. A. M. Weiss**, S. D. S.

I. Es gibt manch eifrige Chordirigenten, die mit Freuden ihren Chor der Reform zuführen würden, doch in Erwägung der verschiedenen Schwierigkeiten nicht wissen, wo sie ansetzen sollen. Es drängen sich ihrem Geiste Fragen auf, wie: Womit soll ich die Reform beginnen? Soll ich gleich die Wechselgesänge einführen? Soll ich mit der vollständigen Wiedergabe der stehenden Meßtexte beginnen? Oder beides zugleich mit einem Schlage? Soll ich mein ganzes, altehrwürdiges Chorrepertorium, das allerdings in liturgischer und auch in musikalischer Hinsicht fast wertlos ist, als Makulatur brandmarken und ein gutes Geldstümpfchen für Neuanschaffung aufwenden? Woher das Geld? Woher die Zeit zur Einübung der neuen Nummern? Solche und ähnliche Fragen durchwogen das Oberstübchen so manches Dirigenten, die alle aber in der einen Hauptfrage enthalten sind: Was ist wichtiger: die Übereinstimmung des vom Chore zu singenden Textes mit dem jeweiligen Meßformular oder eine vom Standpunkt der kirchlichen Kunst aus würdige Kirchenmusik? Um die Beantwortung dieser Frage dreht sich die endliche Einführung der Reform wohl in den meisten Fällen; denn gleich in allen Punkten kategorisch aufzuräumen, dürfte sehr selten gelingen, da der Dirigent nicht mit seinem Willen allein, sondern mit den zehn oder zwanzig seines Chorpersonals und auch manchmal noch mit einem anderen Willen, der sich von Amtswegen der guten Sache hingeben sollte, zu rechnen hat.

Zur Beantwortung unserer Frage wollen wir einen Vergleich anziehen. Wer einen Orden oder ein einzelnes Kloster reformieren will, wird sein Hauptaugenmerk wohl darauf zuerst lenken, daß die ursprüngliche Regel zunächst beobachtet, respektiv wieder eingeführt wird. Hat er dies, wenn auch erst nach vieljähriger Mühe zuwege gebracht, dann erst denkt er an die Einführung notwendiger Neuerungen, um den Orden, das Kloster den jeweiligen Zeitverhältnissen in richtiger Weise anzupassen. „Das ist die richtige Reformtätigkeit, den alten, guten Geist zum Gemeingut zu machen.“

Dieser alte, gute Geist, die alte, ursprüngliche Regel für den liturgischen Gesang liegt ohne Zweifel in der Bestimmung der Kirche: Priester und Chor bilden ein liturgisches Ganze, die Handlungen des Chores sollen mit dem liturgischen Tun des Priesters in Einklang stehen — sie sind ein integrierender, zur Vollständigkeit unerläßlich notwendiger Teil der Liturgie. Wenn also durch die Reform der alte, gute Geist wieder aufleben, die alte Regel, sagen wir das alte Gesetz wieder beobachtet werden soll, so muß vor allem Bedacht genommen werden auf diese wechselseitige Harmonie zwischen Altar und Chor, zwischen Priester und Sänger, also auf die Wiedergabe der treffenden Wechselgesänge und der vollständigen stehenden Meßteile. Somit wäre unsere Frage beantwortet.

Die Reform hat damit zu beginnen, den inneren Zusammenhang zwischen Priester und Chor wieder herzustellen. Dieser innere Zusammenhang hat statt, wenn die Worte des Priesters am Altare dem Chore als Grundlage dienen, die vom Chore zu singenden Texte — den priesterlichen Gebeten konform sind und so ein Ganzes, eine einheitliche Handlung bilden. Wer also seinen Chor der Reform zuführen will, der strebe an erster Stelle diese Konformität an. Wir sagen absichtlich: Wer seinen Chor der Reform zuführen will. Denn Stürmer sind für eine Reform nicht brauchbar; da müßte schon ein Boden erster Bonität zur Bebauung vorhanden sein; ebenso wie Bremser — Leute mit Hasenherzen — absolut nicht das Zeug zum Reformieren in sich tragen. Nicht abwarten, sondern beginnen mit Taten — „mit Ernst, Geduld und Eifer, aber mit klugem Eifer.“[1]) Wer an den Festtagen ein Jahr hindurch liturgisch korrekte Ämter singt — an solchen Tagen erwartet das Volk auch eine höhere Feierlichkeit — der darf im folgenden Jahre getrost daran gehen, auch an den Sonntagen alles liturgiemäßig zu gestalten. Unser Volk, das ja Gott sei Dank noch immer gern betet, das an Werktagen aus Anlaß von Beerdigungen zwei und drei

---

[1]) So der als Stürmer verschriebene Dr. Witt. Siehe sein Leben von Walter. Fr. Pustet.

Ämtern beiwohnt und nach diesen noch den Rosenkranz betet, also oft bis 12 und 12½, in der Kirche bleibt — oftmalige Erfahrung bezeugt dies —, wird wohl an Sonntagen, von denen es ja auch weiß, daß sie Gott ganz besonders reserviert sind, nicht gleich aus der Kirche laufen, wenn der Gottesdienst um die Bagatelle einige Minuten länger dauert. Unserer allerdings nicht unfehlbaren Meinung nach wurde bisher allzuviel auf die Ungeduld der Kirchenbesucher gesündigt, d. h. dieselbe als ein der Reform sehr hinderlicher, wenn nicht als feindlicher Faktor bezeichnet. Möge doch eine solche Ausrede baldigst zum Schweigen gebracht werden.

II. Hat ein reformeifriger Dirigent seinen Chor im Laufe der Zeit auf die Höhe liturgischer Richtigkeit gebracht — es braucht niemandem beim Aufblick zu dieser Höhe schwindelig werden! — dann gehe er daran, sein bisheriges Repertorium allmählich durch kirchliche Werke zu ersetzen. Er kann nicht den ganzen Stoß sogleich dem Feuer übergeben, sonst säße er auf dem Trockenen. Er schaffe ein Werk an — vielleicht Offertorien; — übe es gut ein, dann wird er nach der Aufführung die Verständigen auf seiner Seite haben. In kurzem will er es auch mit einer Messe probieren. Nun gut. Wird er gleich die ganze Messe aufführen? Wenn er Zeit hat, ja. Immerhin dürfte es vom reform-pädagogischen Standpunkte aus als besser erachtet werden, zunächst Teile der neuen Messe — *Gloria, Sanctus, Benedictus* — mit den übrigen einer alten Messe zu vereinigen. Wie wohltuend werden sich die neuen Teile von den alten abheben, besonders wenn diese stets von Instrumenten begleitet waren, während die ersteren vielleicht rein vokal oder mit Orgel gesetzt sind.[1]) Es bildet doch die Ehre und den Stolz eines Dirigenten, jährlich zum Mindesten eine neue Messe einzustudieren; da greife er jedesmal zu einer kirchlich korrekten Komposition; er wird bald ein nicht zu verachtendes Repertoire sein Eigen nennen. Nur möge er in seinem Eifer der hinreißend schönen Choralmessen im *Graduale Romanum* nicht ganz vergessen. Fast nie bekommt man eine solche zu hören. Woran liegt das? Vielleicht an der etwas schwierigen Orgelbegleitung? Doch auch da wird bald den Meister machen. Schreiber dieses begegnete während seiner bisher vierjährigen priesterlichen Tätigkeit, die ihn in viele Pfarreien, besonders nach Österreich führte, nur einmal einem Choralrequiem, einer Choralmesse niemals. Warum werden diesen erhabenen Melodien nicht Geist und Leben gegeben? Schon um der Abwechslung, der Mannigfaltigkeit willen sollten diese ab und zu aufgelegt werden, noch mehr aber deshalb, weil sie der Gesang der Kirche sind, ihren Geist in sich tragen und dadurch das beste Material zu einer Reform bieten. Singt ein Chor gerne Choral, so kann er sich mit gutem Gewissen selbst das rühmliche Zeugnis ausstellen: Wir haben den richtigen Geist.

Unsere Bemerkung oben: „Hat ein reformeifriger Dirigent etc." möchten wir aber nicht ausgelegt wissen in dem Sinne, daß der Dirigent erst dann, wenn er Sänger und Volk an die neue Lage der Dinge gewöhnt hat, zu kirchlichen Tonwerken greifen soll oder kann. Damit soll eben nur der liturgischen Korrektheit der Vortritt — die Hegemonie — eingeräumt werden. Es bleibt dem eigenen Ermessen des Dirigenten, der sich seinem Wirkungskreise klug angepaßt, anheimgestellt, mit der Einführung liturgischer Richtung auch zugleich ein kirchliche Tonwerke darzubieten, wodurch das Ziel freilich bedeutend näher gerückt und schneller erreicht würde. Die Leistungsfähigkeit des Chores muß hier, wie bei der Auswahl der Kompositionen, besonders in die Wagschale fallen. Wie das Volk über die „neue" Musik urteilen wird und urteilt, tut gar nichts zur Sache. Erfüllen Chorregent und Chor mit freudiger Gewissenhaftigkeit, in gehorsamer Hingabe an die heilige Kirche ihre Pflichten, suchen beide mehr und mehr in das Verständnis, in die Schönheit des Gesanges einzudringen und den Vortrag hiernach zu gestalten, so wird auch dem verwöhnten Volke nach und nach ein Licht aufgehen und der Murrenden Zahl wird ein Minimum werden. Hier möge ein wahres, goldenes Wort Schenks[2]) Platz finden, das für manche Kreise auch heute noch und für immer beherzigenswert bleibt: „Die Erfahrung hat gezeigt, daß die Verbesserung der Kirchen-

---

[1]) Es liegt uns gänzlich ferne, hier gegen die Instrumentalmusik agitieren zu wollen. Vgl. den Artikel in Nr. 1 der *Musica sacra* 1904.
[2]) A. D. Schenk, Zwei wichtige Fragen. 2. Auflage. Fr. Pustet. Preis 60 ₰.

musik überall durchführbar ist, wo man **ernstlich will**, und zwar um so leichter, je mehr guter Wille und kirchlicher Sinn (Gehorsam) vorhanden ist, um so schwieriger, je mehr es an gutem Willen und kirchlichem Sinn gebricht."

Wer also kraft seines Amtes sich mit Kirchenmusik beschäftigen muß, einen Chor zu leiten hat und noch nicht Hand angelegt hat an die Verbesserung seiner Kirchenmusik, der zeige, daß er ein wahres Kind, ein gehorsames Glied der heiligen Kirche sei, und trete mit Mut und Entschlossenheit ans Reformwerk heran, nicht wenig gehoben durch den Gedanken, daß der Gehorsam von Siegen reden wird.

――――――

Neu und früher erschienene Kirchenkompositionen.

(Schluß aus Seite 84.)

Von nachfolgenden Verlagsartikeln der Witwe van Rossum in Utrecht hat Fr. Pustet die Bestellungen für Deutschland: Eine Messe für Tenor und Baß mit Orgelbegleitung zu Ehren des heiligsten Herzens Jesu von **J. G. van Halen** wird als 2. verbesserte Ausgabe dieses Op. 1 bezeichnet, kann aber wegen einer gewissen Schwerfälligkeit nicht empfohlen werden. Manchmal wird eine 3. Stimme ohne innere Begründung eingeschaltet; die Deklamation ist matt, die Orgelbegleitung nicht minder.[1] — Die *Missa Dominicalis* von **G. L. Bots** für 3 Männerstimmen mit Orgelbegleitung ist viel besser komponiert, frisch deklamiert, einfach gehalten und kirchlich würdig. Sie hat im Cäcilienvereins-Katalog unter Nr. 3094 Aufnahme gefunden.[2]

Im Verlage von L. Schwann erschienen: a) **Meurer, Joh.**, Op. 32, *Missa in laudem Ss. Nominis Jesu* für Sopran und Alt mit Orgelbegleitung (Tenor und Baß ad lib.). Schöne Melodien, fein ausgearbeitete Orgelbegleitung, mäßige Imitationen und schwungvolle Deklamation des liturgischen Textes zeichnen diese mittelschwere Messe aus. Obwohl Tenor und Baß ad lib. sind, werden sie doch die Wirkung dieser Meßkomposition nicht unwesentlich erhöhen.[3]

b) **Br. Pertus** komponierte als Op. 7 eine Messe zu Ehren des heiligsten Altarssakramentes für 2 ungleiche Stimmen (Knaben- und Männerchor) in fließendem melodiösem Stile und erweist durch schöne Nachahmungen achtenswerte Tüchtigkeit im kontrapunktischen Satze. Die Orgelbegleitung ist einfach. Im *Credo* wechseln in freien Rhythmus erfundene choralartige Stellen mit mensurierten ab; bei ersteren lasse man sich durch den Wechsel zwischen ♩- und ♪-Noten nicht zu Betonungen der ♩ verleiten.[4]

c) Die Messe zu Ehren des heil. Aloisius von **Peter Piel** (Op. 112) für dreistimmigen Kinder- oder Frauenchor ist nicht nur kurz und mittelschwer, sondern auch musikalisch gediegen und von lieblichem Klange. Das *Credo* ist größtenteils nach der bekannten und populären jonischen Choralmelodie (*de Angelis*) einstimmig, jedoch mit fünf dreistimmigen Sätzen, welche ad lib. ausgeführt werden können, versehen. Die ganze Messe kann auch von 3 Männerstimmen aufgeführt werden.[5]

d) Die *Missa IX.* für Sopran I. und II., Alt und Orgelbegleitung von **Bruno Stein**, Op. 25, stellt an Frauen- oder Knabenchöre keine großen Anforderungen, läßt die Stimmen weise ruhen durch Wechsel ein- und zweistimmiger Sätze, ist mäßig in den Modulationen, energisch im Rhythmus und mannigfaltig in der Dynamik. In der schönen und mittelschweren Orgelbegleitung ist der Registerwechsel genau angegeben.[6]

e) Op. 102 von **Aug. Wiltberger** ist eine Messe für vierstimmigen gemischten Chor mit dem Titel: *Mater boni consilii*. Die Messe ist leicht ausführbar und kurz, jedoch nicht im landläufigen Sinne, bedient sich der Polyphonie, um die Stimmen zu schonen und vor Ermüdung zu wahren, ist in der Rhythmik faßlich und fließend, deklamiert den Text andächtig und ausdrucksvoll und verlangt vom Sopran und Tenor nur einigemal *f*.[7]

――――――

[1] 1903. Part. 2 ℳ 50 ₰, St. 75 ₰.
[2] 1903. Part. 2 ℳ, Singst. à 20 ₰.
[3] 1903. Part. 1 ℳ 50 ₰, 3 St. à 30 ₰.
[4] 1903. Part. 1 ℳ 20 ₰, 4 St. à 15 ₰.
[5] 1903. Part. 2 ℳ 50 ₰, 3 St. 1 ℳ 10 ₰.
[6] 1903. Part. 2 ℳ 40 ₰, St. à 25 ₰.
[7] 1904. Part. 2 ℳ 40 ₰, 3 St. à 15 ₰.

Im Verlag von Ignaz Schweitzer in Aachen erschienen: a) Eine Litanei zum heiligsten Herzen Jesu für 4 und 5 gemischte Stimmen, Op. 1 von **Br. Lambert Freitag.** Op. 2, sechs eucharistische Gesänge (2 *O salutaris*, *Adoro te, O sacrum convivium* und 2 *Pange lingua)*, Op. 3, Litanei zu Ehren des heiligsten Namens Jesu für 5 gemischte Stimmen. Die drei Erstlingswerke des jugendlichen Franziskanerbruders zeugen von guter Schule, edlem Geschmacke und feinem Sinne für andächtige und wirksame Melodiebildung. [1]

b) **Franz Nekes** erfreut in Op. 38 durch die sechsstimmige Komposition (Sopran, Alt, 2 Tenöre, 2 Bäße) der drei Marianischen Antiphonen: *Alma Redemptoris Mater, Ave Regina coelorum* und *Salve Regina*. Sie sind Ergänzung zu Op. 36, dem 6stimmigen *Regina coeli*, das unter Nr. 2873 im Cäc.-Ver.-Kat. ehrende Aufnahme fand. Diese in festlichem und strengem Stile geschriebenen Gesänge zu Ehren der Mutter Gottes werden nicht nur nach den Vespern, sondern auch bei Maiandachten und bei kirchenmusikalischen Aufführungen überhaupt Zierden der Programme sein.

— Die *Missa Ave Maria* für 4 Männerstimmen (oder Alt und 3 Männerstimme) des gleichen Meisters ist als Op. 42 erschienen und ein Musterbeispiel des strengen Vokalsatzes, besonders auch richtiger Textunterlage. Der Komponist hat dieselbe über die Choralthemate des Offertoriums *Ave Maria* geschrieben und im Vorwort einen sehr lehrreichen Kommentar für Dirigenten und Sänger verfaßt. Die Messe sei allen nach Klassizität strebenden Männerchören (der 1. Tenor wird an den meisten Orten durch Alt besetzt werden müssen) auf das wärmste empfohlen.

— Op. 43 des gleichen Komponisten ist eine einfache, durch die Beherrschung der Imitationsformen musterhafte und durchaus einheitlich entwickelte, prächtig deklamierte Messe zu Ehren des heil. Joseph für gemischten vierstimmigen Chor. [2]

c) Ein feierliches *Te Deum* bildet den Inhalt des Op. 5 von **J. J. Veith** in Siegburg für vierstimmigen gemischten Chor mit Begleitung der Orgel oder von Blasinstrumenten. In diesem hochfestlichen liturgischen Preisgesang wechseln die vierstimmigen Sätze (1, 3, 5 usw.) mit der gregorianischen Melodie, welche für die geraden Verse ohne Begleitung gewählt ist. Orgel und Blasinstrumente können eventuell auch abwechseln. Es ist Schwung in diesem Hymnus, der ausführende Chor jedoch verlangt eine starke Besetzung [3]

Bei W. Sulzbach (Peter Limbach) Berlin, W. Taubenstraße 15, bearbeitete **Karl Thiel** die vierstimmige Messe „8. toni" von **Orlando di Lasso** für den praktischen Gebrauch. Referent hat bereits in der einstigen von H. Oberhoffer redigierten Zeitschrift „Cäcilia" über die Rhythmik dieser etwas bizarren Messe des großen niederländischen Meisters in den sechziger Jahren Artikel verfaßt; Dr. Proske hat sie vor 50 Jahren im I. Band der *Musica divina* publiziert; in der 2. Auflage dieses Bandes ist sie weggeblieben. Nunmehr erscheint sie in einem, man muß wohl sagen, modernen Gewande, das dem Orlandus weder in Schnitt, noch Farbe ähnlich sieht. Im Cäcilienvereins-Katalog haben Ign. Mitterer und Jak. Quadflieg unter Nr. 3102 ebenfalls ihre Bedenken über diese Bearbeitung ausgesprochen. Für die Aufführung in der Kirche ist sie in ihrem jetzigen Gewande unbedenklich mehr zu empfehlen als in der Originalfassung. [4]

Seit Abfassung vorstehender Referate sind nachfolgende Novitäten und Neuauflagen eingesendet worden, welche die Redaktion wieder in alphabetischer Ordnung der Komponisten bespricht.

Als Neuauflagen sind aus dem Verlag von Fr. Pustet in Regensburg 1904 zu nennen: **Michael Haller,** *Missa III.* für 2 gleiche Stimmen mit Orgel, Op. 7a zum **22.** Male. Partitur 1 ℳ, Stimmen à 20 ₰! — : **Joh. Singenbergers** Messe „*Stabat mater*" für gemischten vierstimmigen Chor zum **6.** Male. Part. 1 ℳ, St. à 15 ₰. —

---

[1] 1904. Op. 1, Part. 90 ₰, St. à 10 ₰; Op. 2, Part. 80 ₰, St. à 15 ₰; Op. 3, Part. 1 ℳ, 5 St. à 15 ₰. [2] 1904. Op. 38, Part. 2 ℳ, 6 St. à 15 ₰; Op. 12. Part. 2 ℳ 40 ₰, St. à 25 ₰; Op. 43, Part. 2 ℳ St. à 20 ₰. [3] 1903. Part. 1 ℳ 20 ₰, St. à 15 ₰, Instrumentalst 1 ℳ. [4] 1903. Part. 1 ℳ 50 ₰, St. à 20 ₰.

Die Preismesse *Salve Regina* von **G. E. Stehle** in der ursprünglichen Fassung (Sopran, Alt obligat, Tenor und Baß ad lib. und Orgelbegleitung) in 13. unveränderter Auflage. Part. 1 ℳ 40 ₰, St. à 15 ₰. — Das *Requiem*, Op. 42 a von **Fr. X. Witt** für eine Singstimme mit Orgel in 3. Auflage. Part. 1 ℳ, St. 10 ₰.

Als Neuheiten liegen vor: Eine *Missa in hon. S. Liberti* von **Alois Desmet**, seinem Bruder Alphons, Professor am Kgl. Konservatorium in Brüssel gewidmet. Sie ist für gleiche Stimmen (Cant., Alt oder Tenor, Baß) geschrieben, in durchaus ernstem Stile gehalten und textlich gut deklamiert.[1] Die Themate sind choralartig erfunden, die Begleitung ist einfach und geschmackvoll, die Schwierigkeiten sind äußerst gering.

Johann Diebold komponierte zu Ehren des heil. Franz Xaver eine Messe für gemischten vierstimmigen Chor (Op. 58), ein schönes, feierliches, sehr sangbares und nicht zu schweres Werk, das auch mittleren Kirchenchören aufs beste empfohlen werden kann.[2]

Der 12. Faszikel des 2. Bandes von *Repertorium Musicae sacrae* bringt den Schluß der vierstimmigen Motetten des **Luca Marenzio**,[3] welche Mich. Haller seit 1900 als Beilagen zum kirchenmusikalischen Jahrbuch in meisterer Partitur auf 4 Notensystemen redigiert hat. Im Vorwort werden die 6 Nummern (22—27) analysiert und die Motetten Marenzios mit folgenden Worten empfohlen: „Sie sind ein ganz vorzügliches Bildungsmittel für den Kirchenmusiker, klar im thematischen Aufbau, leicht sangbar in der Stimmenführung, reich an Abwechslung, ohne schwer zu fassende harmonische Modulation und vollbefriedigend durch Klangschönheit. — Der Freund edler Vokalkomposition findet in ihnen eine reiche Quelle reinster Freude wegen der Originalität in der Erfindung einfacher, aber trefflicher Motive, eine Mustersammlung vielgestaltiger Verwendung der Formen der polyphonen Komposition."

Op. 18. von **Joseph Niedhammer** ist ein *Requiem* für achtstimmigen Vokalchor, mit Herzblut geschrieben, reich angelegt, von voraussichtlich überwältigender Wirkung bei genügender und guter Besetzung der 4 Oberstimmen (für den Sopran im 1. und 2. Chor sind Frauenstimmen unerläßlich) und der Tenöre und Bässe im 1. und 2. Chor. Die 51 Seiten umfassende Partitur der zweichörigen Komposition ist überreich an herrlichen Klangeffekten, überraschenden Harmonien und schönen Kombinationen. Das ganze *Dies irae* und das vollständige ℟. *Libera* sind vertont, der Satz wechselt zwischen moderner Polyphonie und klangreicher Homophonie, ohne sich in der Chromatik zu verirren. Wo sich viele und gute Gesangskräfte vereinigen lassen, säume man nicht, das der Liturgie vollkommen Rechnung tragende[4] ernste Werk nach guten Proben bei großen Trauerfeierlichkeiten zur Aufführung zu bringen.[5]

Giuseppe Terrabugio komponierte eine dreistimmige Messe für 2 Tenöre und Baß mit Orgelbegleitung zu Ehren der Mutter des guten Rates (*Missa in onore della Madonna del buon consiglio*). Den Weisungen des *Motu proprio* Sr. Heiligkeit entsprechend, sind die Singstimmen klar und melodisch geführt, wenn auch die Textunterlage an vielen Stellen als verbesserungsfähig bezeichnet werden muß. Die Orgelbegleitung ist interessant und selbständig gegenüber den Singstimmen. Kontrapunktische Tüchtigkeit tritt überall zutage.[6]

Gerade vor 30 Jahren erschien die 6stimmige Lauretanische Litanei, Op. 28 von **Fr. X. Witt**, Cäc.-Ver.-Kat. Nr. 233, welche bei der 5. Generalversammlung am 3. Aug.

[1] Verlag von Al. Desmet. Malines (Mecheln). Marché aux Laines 32. Partitur 2 Frc. 50 cent. Einzelstimmen 50 cent. Die Einzelstimmen sind in Musiknoten, aber auch in Ziffern hergestellt, so daß auch für jene Chöre gesorgt ist, welche nach dieser Methode zu singen pflegen. Ohne Jahreszahl.

[2] Regensburg, Eugen Feuchtinger. 1904. Part. 1 ℳ 50 ₰, St. à 25 ₰.

[3] Fr. Pustet. 1903. Die 27 Motetten kosten in Partitur 3 ℳ 15 ₰, gebunden 4 ℳ, Stimmen à 75 ₰, gebunden à 1 ℳ.

[4] In bezug auf Textunterlage könnten z. B. bei *Kyrie eleison* die Silben zu den ⸺ im ₵-Takt sangbarer und richtiger unterlegt werden. Ähnlich im Graduale bei *Dona eis* und *lux perpetua*. Im *Dies irae* muß Seite 16 *Spargens* (statt *sparget*), Seite 17 *unde* (statt *unda*), *in-ul-tum* (statt *in ul-tum*), Seite 19 *illa* (statt *ille*), Seite 20 *redemisti* (statt *redemisti*) und *labor* (statt *lator*) gelesen werden. Seite 24 ist das Atmungszeichen nicht nach *cum*, sondern nach *rew me* zu setzen.

[5] Fr. Pustet, Regensburg. 1904. Partitur 5 ℳ, 4 Stimmen à 1 ℳ.

[6] Milano. *Stabilimento Pontificio d'Arti Grafiche Sacre* A. Bertarelli & Co.

zu Regensburg tiefen Eindruck machte und vom Komponisten selbst dirigiert worden ist. Da den wenigsten Chören die Aufführung dieser Litanei möglich war und ist, so muß der Gedanke des Hochwürd. H. Domkapellmeisters **Fr. X. Engelhart**, das seelenvolle Werk des † Meisters auch mittleren Chören zugänglich zu machen, mit großer Freude und Genugtuung begrüßt werden. Diese Festlitanei liegt nunmehr als Op. 28b vor und ist für 4 stimmigen Chor mit Orgelbegleitung umgearbeitet. Die Litanei ist dadurch um vieles leichter, durchsichtiger, klarer und praktischer geworden; die zwei weggelassenen Stimmen (der 2. Sopran und 2. Tenor) sind durch die Orgelbegleitung reichlich ersetzt und der Vortrag ist wesentlich erleichtert, ohne die Wirkung zu schädigen. Bei der Einleitung zur Litanei sind mit Recht die Wiederholungen von *Kyrie* usw. weggeblieben, die neuen Zusätze: *Mater boni consilii* und *Regina sacratissimi Rosarii* an richtiger Stelle eingefügt. Für die Maiandachten wird diese liebliche und innige Lauretanische Litanei voraussichtlich gerne gesungen gebraucht werden.[1])

F. X. H.

Vermischte Nachrichten und Mitteilungen.

1. = Cäcilienvereinsaufführungen in Aussig a. d. Elbe. Vor einigen Wochen war in der Generalversammlung des Leitmeritzer Diözesan-Cäcilienvereines der Beschluß gefaßt worden, abwechselnd an verschiedenen Orten kirchenmusikalische Aufführungen mit sich anschließenden Versammlungen zu veranstalten. Den Reigen sollte nach Zusage des dortigen Chorregenten Herrn Ferdinand Dreßler die bedeutende Industriestadt Aussig eröffnen, wo durch das Verdienst des genannten Herrn Chorregenten und einflußreicher Gönner schon längst in der Dekanatkirche im cäcilianischen Geiste gewirkt wird. Osterdienstag, den 5. April, war dafür bestimmt. Die Einladungen zur Teilnahme waren in den katholischen und lokalen Blättern veröffentlicht, auch den einzelnen Seelsorgern zugegangen. In der Tat hatte sich auch eine erfreulich große Anzahl Interessenten von auswärts eingefunden, zum Teil aus ziemlich weiter Ferne; auch die einheimische Bevölkerung war für einen Wochentag in der geschäftigen Industriestadt anerkennenswert stark vertreten. Der Hochwürd. Herr Dechant und bischöflicher Vikar A. Zimmler hatte selbst die Zelebration des Hochamtes um 9,11 Uhr übernommen. Für das Hochamt war die liebliche Messe von Koenen *Panis angelicus* gewählt, Graduale und Sequenz in ihrem Festesglanz von Mitterer, das Offertorium von Gruber. Introitus im Choral. Communio rezitiert mit Orgelbegleitung, um auch für diese Art des Vortrages ein Beispiel zu geben. Das *Tantum ergo* zum sakramentalen Segen am Schluße wurde gleichfalls nach der choralen Melodie vorgetragen. Nach beendigtem Gottesdienst wurden noch zu Gehör gebracht 2 Psalmen des Tages mit ihren Antiphonen choral, das Magnificat gleichfalls mit seiner Choralantiphon, abwechselnd mit Falsibordonisätzen, das 2st. *Regina coeli* von F. A. Vater und ein sehr reiches Orgelpostludium, das offenbar ausgiebig Gelegenheit bieten sollte, den Farbenreichtum des Orgelwerkes zur vollsten Geltung zu bringen. Der Chor und sein tüchtiger, in Regensburger Schule gebildeter Chorregent hatten gezeigt, daß sie nicht mit Unrecht ausgewählt worden waren, die Reihe der Musteraufführungen des Cäcilienvereines zu eröffnen.

Um 12 Uhr vereinigte im Dampfschiffhotel angesichts der vorbeirauschenden Elbe eine lange Tafel die meisten der auswärts gekommenen Besucher, Priester, Chorregenten und sonstigen Interessenten katholischer Kirchenmusik zu einem frugalen, aber gut bereiteten Mahle. Auch der Herr Stadtdechant und bischöfliche Ablegat, Kanonikus Kowař hatten sich dabei eingefunden.

Um 2 Uhr strömten die Teilnehmer wieder der Kirche zu, wo neue Proben verschiedener Gesangsweisen zu Gehör gebracht wurden: zuerst ein 4 stimmiges *Pange lingua* von Alb. Lipp, dann das 2 stimmige Lied „Es blüht der Blumen eine" vom Kinderchor der Gesangschule, 2 Stationen aus Witts Kreuzweg (deutscher Text), *Kyrie* aus der *Missa sine nomine* von Palestrina, *Sanctus* und *Benedictus* aus der 12. Choralmesse (Kinderchor) und endlich *Jubilate Deo* von Orlando Lasso. Auch hier zeigte sich, wie geschickt die verschiedenen Stücke ausgewählt, um allen teilnehmenden Gästen möglichst Gelegenheit zum Lernen zu bieten.

Nach Schluß dieser Vorführungen begab man sich wieder in den Saal des Dampfschiffhotels, um die Wanderversammlung abzuhalten. In Verhinderung des Präses des Vereines, Herrn Kanonikus Sitte, leitete der Vizepräses, Herr Pfarrer Vater die Versammlung. Er gab ein Bild des liturgischen Hochamtes, wie es im musikalischen Teile gestaltet sein soll, um wirklich Kirchenmusik zu sein. Herr Kanonikus Kowař meldete die freudige Teilnahme und den Segen Sr. Exzellenz des Hochwürd. Herrn Bischofs an dieser Veranstaltung und gab der Überzeugung Ausdruck, daß der heutige Tag freudige Aussicht auf Fortschritte gewähre, weil er gezeigt habe, daß Begeisterung, Gehorsamsfreudigkeit und Mut vorhanden sei; wenn diese andauern und wachsen, werde sicher immer Größeres erreicht werden.

Es folgten noch probeweise Vorführungen von verschiedener Begleitung der Rezitationstexte, vom Herrn Domkapellmeister Hanischka aus Leitmeritz auf dem Instrumente ausgeführt. Nach

---

[1]) 1904. Fr. Pustet, Regensburg. Partitur 1 *M* 40 *₰*, Stimmen à 15 *₰*.

Erledigung des offiziellen Teiles löste sich der Gang der Verhandlungen an eine Reihe privater Anregungen, Anfragen, Antworten, instrumentaler Illustrationen auf.

Man konnte scheiden mit der Überzeugung: Die neue Veranstaltung der Wanderversammlungen der Diözese Leitmeritz hat unter einem guten Stern ihre Pilgerfahrt angetreten!

2. ⊙ Leipzig und Bach. Es fügte sich dieses Jahr besonders glücklich, innerhalb von sechs Wochen die drei größten Werke von dem unvergänglichen Thomas-Kantor, von Joh. Seb. Bach, zu hören: seine hohe Messe — in *H-moll* — seine Johannis- und seine Matthäus-Passion, ausgeführt der Reihe nach vom Riedelverein, vom Bachverein und vom verstärkten Gewandhauschor. Die Dirigenten waren Hofkapellmeister Dr. Göhler, Karl Straube, der Organist von der Thomaskirche, und Professor A. Nikisch. Wie tief muß dieser „Bach" sein, daß soviele sich daraus satt trinken konnten: soviele schwer zu befriedigende Dirigenten, soviele Mitwirkende, die sich sonst so rasch langweilen, und soviel Volk der Zuschauer, die zum so und so vielten Male ein oder das andere Werk schon gehört hatten.

Und wer diese drei Riesenwerke nacheinander zu hören bekam, den erfüllte die gewaltige Gestaltungskraft dieses Riesen mit tiefer Ehrfurcht. Und dieser große Künstler, der größten Einer, mußte eben auch unerkannt, unerfaßt durch's dürftige Leben gehen — und heute — — wer weiß, ob's ihm anders erginge.

Die hohe Messe bildet kein einheitliches Werk. Die einzelnen Teile sind entstanden, um zu den Hochfesten eine stimmungsvolle Musik zu haben. Daß der nichtkatholische Kantor dabei an den Meßtext geriet, zeugt von der Tiefe der Tradition aus katholischer Zeit.

Bach hat in seiner Messe — er hat deren noch mehrere geschrieben — seinem subjektiven Empfinden freiesten Spielraum gelassen. Wir unterlassen absichtlich, die dadurch entstandenen außergewöhnlichen Erscheinungen anzuführen. Aber das *Gloria* wie das *Credo* sind ein schlagender Beweis, wie liturgisch notwendig eine Beschränkung der Meßkomponisten durch die Ritenkongregation genannt werden muß. Und wenn wir den Wortlaut des jüngsten päpstlichen Erlasses über die Normen der Kirchenmusik, soweit er die Auffassung des zu komponierenden Textes betrifft, ins Auge fassen, so möchten wir bald auf die Vermutung kommen, als hätten dem Heiligen Vater gewisse Teile des *Gloria* gerade dieser Messe vorgeschwebt. Hinzugefügt sei, daß gewisse Teile der Messe, so das *Gratias agimus* und das ihm gleiche *Dona nobis pacem*, einer früher komponierten Kantate entnommen sind.

Man neigt zu der Annahme, daß der mit einer Hoftitel ausgezeichnete Komponist sich mit dieser Messe für die ihm gewordene Ehrung hat nach Sitte jener Zeit bedanken wollen.

Mag der tiefe Bach seine eigenen Wege gehen und gegangen sein — in jene flachen Gefilde des religiösen Flittertums ist er nie geraten und würde er nie geraten sein, wie nach ihm so manche der Dresdener Meister. Bei Bach kommt eine Tiefe der Religiosität zum Ausdruck, die wir nie mehr, auch nicht bei Händel, in jener Allgemeinheit und Tiefe wiederfinden, wodurch sogar Bachs außerkirchliche Werke beinahe alle den Stempel des Religiösen tragen, ohne damit sagen zu wollen, daß z. B. seine Orgelkompositionen ohne Unterschied beim Gottesdienste zu gebrauchen wären. Dieser Ernst eines tief gläubigen Gemüts wird seine Zauber bis ans Ende behalten. Dieses tief innerliche Gefülltsein Bachs von Gottesgedanken mag wohl den Meister Tinel zu seinen begeisterten Lobspruch auf diesen Säkularmenschen zur Hauptsache veranlaßt haben.

Was uns die Messe zu sagen etwa schuldig bleiben sollte, das offenbart dieser Geist in den beiden Passionen, von denen wir die nach Johannis mehr die lyrische nennen möchten, jene dagegen die dramatische, soweit der äußere Aufbau, die Außenwirkung in Frage kommt.

Was aber in den Passionen Bach in der Darstellung der seelischen Vorgänge leistet, das grenzt ans Wunderbare.

Man bedenke die große, lange Rolle des Evangelisten von Anfang bis Ende Rezitativ, ebenso die Rolle des Heilandes — und welche Welt von Gefühlen? Einfache, gebrochene Akkorde; darüber frei schreitend in Rhythmus und Melodie der rezitierende Gesang — und mit welcher Sicherheit und Unerschöpflichkeit weiß der Tondichter die Worte zu illustrieren. Man denke an die Stelle bei Matthäus „Petrus ging hinaus und weinte bitterlich." Da gestaltet sich die Musik zu Erlebnissen, die man nie vergißt. Und wer da denkt: „Nun habe Bach sein Höchstes geleistet; nun müsse man sich auch darauf vorbereiten, ihn sterblich zu sehen — der gehe hin und höre sich die geschlossenen Einzelgesänge und die Chöre an, und er wird mit heiliger Scheu an den kleinen Denkmal dieses großen Genies vorbeigehen und ein Bittgebet zum Danke für seine Gabe hinaufsenden zum Himmel, wo solche Harmonien tönen in Ewigkeit. **H. L.**

3. ✕ Regensburg. Das 11. Bayer. Musikfest wird in Regensburg abgehalten. Das Programm lautet: Musikalische Leitung: Dr. Richard Strauß. Solisten: Frau Senger-Bettaque — Frau Elisabeth Sendtner-Exter — Dr. Raoul Walter — Viktor Klöpfer. Orchester: Kgl. Bayer. Hoforchester. Chor: 450 Stimmen (Regensburg und Nürnberg.) Kammermusik: Münchener Streichquartett: Kilian, Knauer, Vollnhals, Kiefer. — Klarinette: Kammermusiker Walck. Aufführungsordnung: 22. Mai, nachmittags ½5 Uhr: 1. IX. Sinfonie mit *Te Deum* von A. Bruckner. 2. III. Sinfonie (Eroica) von L. v. Beethoven. 23. Mai, nachmittags ½5 Uhr: 1. Graner Festmesse von F. Liszt. 2. Vorspiel und Liebestod aus Tristan von R. Wagner. 3. Tod und Verklärung von R. Strauß. 24. Mai, vormittags 11 Uhr: 1. Quartett Op. 51 II. von J. Brahms. 2. Quartett Op. 130 von L. v. Beethoven. 3. Quintett (Streichquintett mit Klarinette) von W. A. Mozart. Dienstag nachmittags: Huldigungsakt in der Walhalla. Hymnus von

Karl v. Perfall. Abends: Schlußfeier im Velodrom — 16st. Hymnus von Richard Strauß. — Vorträge des Regensburger Liederkranzes. Gesamtfestkarten für die 3 Konzerte: Saal: I. Abteilung 15 ℳ, II. Abteilung 14 ℳ, Balkon: I. Reihe 14 ℳ, II. Reihe 10 ℳ, III. Reihe 8 ℳ, Stehplätze 8 ℳ. Karten für die Schlußfeier 3 ℳ, soweit Raum vorhanden. Adresse für Anfragen und Bestellungen: a) für Festkarten: A. Goetz, Velodrom, b) für Wohnung: F. X. Miller, Blumenstraße 20 I.

Das Programm des Domchores (Direktion Domkapellmeister F. X. Engelhart) bei Gelegenheit des II. bayr. Musikfestes am 21., 22. und 23. Mai 1904 lautet:

Pfingstsamstag, den 21. Mai: Um ½9 Uhr: Allerheiligen-Litanei Choral. *Kyrie* Choral. *Gloria* aus der *Missa Pontificalis*. 3st. mit Orgel von Lor. Perosi. *Alleluja* mit Tractus Choral. Offertorium: *Emitte Spiritum*, 5st. von Dr. Fr. X. Witt. *Sanctus, Benedictus* und *Agnus Dei* aus der *Missa Paschalis*, 6st. von Greg. Aichinger. Communio (Cantus greg.). Nachmittag 3 Uhr: Vesper. 1. Psalm: *Dixit Dominus*, Ton. III. von Fr. Andreas. 2. Psalm: *Confitebor*, Ton. VIII. von J. Stemmelius. 3. Psalm: *Beatus vir*, Ton. VIII. von Fr. Andreas. 4. Psalm: *Laudate pueri*, Ton. I. von Cäs. Zacharias. 5. Psalm: *Laudate Dominum*, Ton. VIII. von J. Stemmelius. *Veni Creator*, Hymnus, 5st. von P. Griesbacher. *Magnificat*, Hymnus, 5st. von Ign. Mitterer. Pfingstsonntag, den 22. Mai: Um 9 Uhr: Pontifikalamt im Dom. *Ecce sacerdos*, 6st. von Ludwig Ebner. Introitus Choral. *Kyrie* und *Gloria* aus der Messe *Quod dicam*, 5st. von Orlando di Lasso. Graduale: *Alleluja* und Sequenz: *Veni Sancte Spiritus*, 4st. von Orlando di Lasso. *Credo*, 5st. von Orlando di Lasso. Offertorium: *Confirma* Choral. Einlage: *Dum complerentur*, 6st. Motett von Palestrina. *Sanctus, Benedictus* und *Agnus Dei*, 5st. von Orlando di Lasso. Communio Choral. Nachmittag 3 Uhr: Vesper im Dom. Die 5 Psalmen: *Dixit, Confitebor, Beatus vir, Laudate pueri* und *In exitu*, 4—5st. von Viadana. Hymnus: *Veni Creator*, 6st. von Renner, jun. *Magnificat*, 5st. von Ign. Mitterer. Pfingstmontag, den 23. Mai: Um 9 Uhr: Hochamt im Dom. Introitus Choral. *Kyrie* und *Gloria* aus der *Missa in hon. S. Michaelis Archangeli*, 5st. von Haller. Graduale und Sequenz, 4st. von Ign. Mitterer. *Credo*, 5st. von Haller. Offertorium: *Intonuit* Choral. Einlage: *Confirma*, 5st. von Renner, jun. *Sanctus, Benedictus* und *Agnus Dei*, 5st. von Haller. Communio Choral. Nachmittag ½3 Uhr: Vesper im Dom. Die 5 Psalmen, Hymnus und Magnificat wie am Sonntag, 4—6st. von P. Griesbacher.

4. ✦ Amsterdam, am 1. April, Charfreitag. Der von **Ant. Averkamp** seit Jahren geleitete ausgezeichnete Vokalchor führte am heil. Charfreitag im Konzertform das fünfstimmige, überaus ernste, 1589 komponierte *Requiem* von Orlando di Lasso auf und zwar Introitus mit *Kyrie, Tractus, Offertorium, Sanctus* mit *Benedictus, Agnus Dei* mit *Communio*. Von den Responsorien des Marc. Antonio Ingegneri, welche bisher fälschlich dem Palestrina zugeschrieben worden sind, wurden *Tristis est anima mea* und *Tenebrae factae sunt* vorgetragen. Darauf folgten die Improperien von Palestrina. Den Schluß bildete das 4st. *Stabat mater* für Soli und Chor von Alfons Diepenbrock, einem noch lebenden holländischen Komponisten.

5. Ein Rüffel. Nach der ersten Aufführung des Oratoriums „St. Petrus" P. Hartmanns in **Wien** am 10. März brachte das offiziöse „Fremdenblatt" eine Besprechung und kritische Würdigung dieses Tongemäldes und schrieb unter anderem in sehr wohlwollendem Sinne: „Hartmanns Oratorium ist so recht mönchische Kunst: scharf und tief erwogene Anlage, naiv geratende Durchführung, Betonung des Mysteriums im ganzen. Die Musik erscheint hier als angewandte Kunst, als Zweckkunst, denn P. Hartmanns Bekenntnis lautet: „Die will nur erbauen, sonst nichts." Das Blatt akzeptiert aus Dr. Mantuanis Abhandlung über „St. Petrus" die Charakteristik von P. Hartmanns Schaffen und seinen „rein meditativen Kompositionen", in welche die Musik den Text hebt und trägt, ihm den Akzent verleiht: „Unseres geistlichen Komponisten Ziel, heißt es weiter, ist also ein religiöses, erst in zweiter Linie will er eines ästhetischen oder, wenn man will hedonistischen Zweck erreichen". . . . „Das Orchester ist als Stütze des Chores, als Diener des Wortes herangezogen, gleichwohl aber dankbar bedacht. Alles in allem gewinnt man den Eindruck, daß der vor dem „St. Franziskus" komponierte „St. Petrus" an musikalischem Werte über sei."

Und weiter unten ergreift das Blatt die Gelegenheit, durch Vergleichung der Dirigenten P. Hartmann und G. Mahler, Direktors der Wiener Hofoper, die Manieren derselben ins Lächerliche zu ziehen: „Als temperamentvollen Dirigenten sahen wir ihn (P. Hartmann) bereits vor zwei Jahren (Aufführung des „St. Franziskus"); seitdem ist der taktierende Mönch schier ein mondäner Dirigent von reinstem Quecksilber geworden, als wäre er ein Taktstockschüler von Gustav Mahler, dem leibhaftigen Gottseibeiuns."

Die Schlußbemerkung des Artikels aber ist klassisch. „Zum Schlusse eine bescheidene, wehmütige Betrachtung angestellt: Wie kommt es, daß religiöse Komponisten in ihren eigenen und diesen nahestehenden Kreisen stürmische Anerkennung und nachdrücklichste Förderung finden — wie es der Erfolg des Oratoriums von *princeps Apostolorum* eben wieder beweist — während die größten kirchlichen Meister, die in ihren Werken ethische wie ästhetische Schätze von unvergänglichem Wert niedergelegt haben, in denselben Kreisen eisiger Kälte begegnen — wie es die Behandlung des *princeps musicae* in Wien zeigt."

Diesen Rüffel müssen sich die interessierten Kreise des christlichen Wien von einem Blatte sagen lassen, dessen Redakteure durchweg mosaischer Konfession sind. *Habeant sibi!*

P. Rob. Johandl.

6. ✦ Leipzig. Der Riedel-Verein zu Leipzig feiert im Mai d. J. sein 50jähriges Jubiläum. Für die Feier ist folgendes Programm festgesetzt. Sonntag den 8. Mai, Vormittags

94

11 Uhr: Fest-Aktus im großen Festsaal des Zentraltheaters. Abends 7½ Uhr: a capella Konzert in der Thomaskirche u. a. Werke von Haßler, Schulz, Bach, Brahms, Draeseke.

Montag, den 9. Mai. Abends 6 Uhr: Christus von Franz Liszt. Orchester: Das Theater- und Gewandhausorchester. Nach der Aufführung Beisammensein im Festsaale des Zentraltheaters. Bestellungen auf Eintrittskarten zu den Konzerten sind zu richten an C. A. Klemm, Hofmusikalienhandlung in Leipzig. (Preise 4 ℳ, 3 ℳ, 2 ℳ 50 ₰ und 1 ℳ 50 ₰.)

7. ⸗ Dem 24. Jahresbericht über das freie katholische Lehrerseminar bei St. Michael in Zug entnimmt die Redaktion, daß dortselbst dem Musikunterricht in Theorie, Gesang, Klavier, Orgel und Violine eifrige Pflege gewidmet wird. Vor jedem Feiertag werden die gottesdienstlichen Gesänge vorbereitet, die liturgischen Gesänge genau nach kirchlicher Vorschrift ausgeführt. Das Seminar umfaßt 4 Kurse; den vollständigen Musikunterricht erteilt Herr Joseph Dobler.

8. Augsburg. A. Es ist jetzt sicher, daß die 16. Generalversammlung des Cäcilienvereines der Diözese Augsburg am Pfingstdienstag den 24. Mai in der Metropole des Rieses, nämlich in der Stadt Nördlingen abgehalten werden wird. Das allgemeine Programm lautet: Abendandacht am Vorabend, am Tage selbst um 7 Uhr heilige Messe mit Volksgesang, um 9 Uhr Predigt und Hochamt, 11 Uhr Mitgliederversammlung, 2 Uhr kirchenmusikalische Produktion, an welcher sich die Kirchenchöre von Dinkelsbühl, Donauwörth (beide Pfarreien), Öttingen im Ries, Pfaffenhofen u. Zusam und Wallerstein beteiligen werden. Das spezielle Programm kann erst später bekannt gegeben werden. Nachfragen um Wohnung usw. wollen an Herrn Lehrer und Chorregenten Leonhard Schmid in Nördlingen gerichtet werden.

9. Inhaltsübersicht von Nr. 4 des Cäcilienvereinsorgans: Papst Pius X. und der Allgemeine Cäcilienverein. Von P. Gerh. Gietmann. (Fortsetzung u. Schluß.) — Freie Aussprache verschiedener Meinungen, wie nach einem wissenschaftlichen Vortrag. Vom gleichen Autor mit Nachwort der Redaktion. — Vereins-Chronik: Jahresbericht des Diözesan-Cäcilienverein St. Gallen pro 1903; Regensburger Domchor; Innsbruck; Bamberg; Neuleutersdorf Luzern; Mainburg; Feldkirch; Inhaltsübersicht von Nr. 4 der *Musica sacra*. — Anzeigenblatt.

Offene Korrespondenz.

Bausteine für die Cäcilienorgel (-Kirche). Übertrag aus *Musica sacra* 1904. S. 40: **8473** ℳ 51 ₰. J. H. in M. (Quintbaß a, b, h) 10 ℳ; Eine ungenannte M. W. in Sachsen (Quintbaß c) 5 ℳ; H. in D. (Tibia 8′ Cis—F, A und B) 45 ℳ; F. A. in R. (Gedeckt 8′ Fis, F, Gis, c—h) 48 ℳ; bei einer **Sammlung** nach einem Konzert (Violon 16′ G—H) 70 ℳ. **Summe: 965!** ℳ 51 ₰. Schuldrest: 2348 ℳ 49 ₰. Vergelt's Gott!

Hall bei Innsbruck. An hiesiger Stadtpfarrkirche ist die Stelle eines Tenoristen zu vergeben. Verlangt wird: Anständige Chorstimme und entsprechende Treffsicherheit. Vorläufiges jährliches Einkommen ist 500 Kr., das aber auf 600 Kr. hinauf gebracht werden kann, und Freiwohnung mit 3 Zimmern, Alkov, Küche und Zubehör. (Einfache, aber heilige, freundliche Wohnung.) Ein lediger Herr z. B. könnte den größeren Teil derselben nach Belieben vermieten. Bemerkt muß werden, daß der Bewerber in der Regel den größten Teil des Tages freie Zeit hat, und dieselbe zu Nebenbeschäftigungen verwenden kann (z. B. passendes Handwerk). Jos. Ploner, Chorregent an der Stadtpfarre Hall, Tirol.

Die Kunsthandlung und das Antiquariat Karl Lebeau in Heidelberg offeriert nachfolgende Werke zu beigesetzten Preisen:

Semaine des Soupirs amoureux envers l'enfant Jésus exprimés par les 7 antiphones que l'église chante 8 jours devant Noël Etrenne de l'an 1680 par le P. Coret. L. 1680. 1 Bd. in 12°. 20 ℳ.

Semaine des Soupirs amoureux après la venue du Messie . . . . ex primez par les 7 antiennes que l'église chante 8 jours devant Noël par le R. P. J. Coret, 1720. 1 vol. in 4° in Leder 12 ℳ.

Canon Missae ad usum episcoporum ac praelatorum Solemniter, vel private celebrantium. Roma 1745. 1 Bd. in Folio in Leder gebunden. Schöner Band mit roten und schwarzen Lettern und Noten mit zahlreichen sehr schönen Vignetten, etc. in Kupferstich 45 ℳ.

Für die Zusendungen von Zeitungen, Artikeln und Korrespondenzen, betreffend die Schwierigkeiten und Zweifel bei Durchführung vom *Motu proprio* Papst St. Heiligkeit Papst Pius X., dankt die Redaktion auf das herzlichste, muß jedoch erklären, daß sie dieselben nicht weiter berücksichtigen kann und will. Was speziell die Choralausgaben, welche der Heilige Vater in der vatikanischen Druckerei herzustellen beabsichtiget, anlangt, so **erklärt sie hiemit wiederholt, dass sie dieselben sowohl für seine Person, als für die Kirchenmusikschule ohne Zaudern und Rückhalt annehmen und als Grundlage für die Praxis mit der nämlichen Energie festhalten wird, mit welcher sie zur bis zur letzten Entscheidung des Heiligen Vaters, an den bis 8. Jan. 1904 als offiziell erklärten Choralbüchern festgehalten hat.**

Bei der am 21. August d. J. in Regensburg stattfindenden Generalversammlung des Allgemeinen Cäcilienvereins wird sich Gelegenheit bieten, diese Erklärung mündlich und durch Änderungsanträge in den allgemeinen Statuten zu begründen.

Über den Verlauf der **1300jährigen Zentenarfeier** in Rom zu Ehren des heil. Gregor I. haben die politischen Zeitungen bereits ausführlich und schnell berichtet. Die Redaktion der *Musica sacra* hält es daher nicht für notwendig und ratsam, einen eigenen Artikel zu schreiben und zu veröffentlichen.

F. X. Haberl.

Druck und Verlag von **Friedrich Pustet** in Regensburg, Gesandtenstraße.

Nebst Anzeigeblatt.

1904.   Regensburg, am 1. Juli 1904.   N.o 7.

MUSICA SACRA.

Gegründet von Dr. Franz Xaver Witt († 1888).

Monatschrift für Hebung und Förderung der kathol. Kirchenmusik.

Herausgegeben von Dr. Franz Xaver Haberl, Direktor der Kirchenmusikschule in Regensburg.

Neue Folge XVI., als Fortsetzung XXXVII. Jahrgang.   Mit 12 Musikbeilagen.

Die „Musica sacra" wird am 1. jeden Monats ausgegeben, jede der 12 Nummern umfaßt 12 Seiten Text. Die 17 Musikbeilagen (48 Seiten) sind den Nummern 3 und 7 beigelegt. Der Abonnementpreis des 37. Jahrgangs 1904 beträgt 3 Mark;
Einzelnummern ohne Musikbeilagen kosten 30 Pfennige. Die Bestellung kann bei jeder Postanstalt oder Buchhandlung erfolgen.

Zur Klärung.

Von einem katholischen Laien in der Diaspora.

Mit der neuesten persönlichen Willenserklärung des Heiligen Vaters über die
Bearbeitung des neuen Chorals und die Art seiner Drucklegung sowie über den
Modus der Verbreitung der vatikanischen Ausgabe ist die große Bewegung für die
Reform der katholischen Kirchenmusik zu einem vorläufigen Stillstand, zu einem
gewissen Abschlusse gekommen.

Es ist daher die Frage vielleicht nicht ganz unnütz und nicht ohne einiges
Interesse: Was war alles geschehen, daß eine gewisse Erregung die Gemüter so vieler
ergriff, so daß es fast schien, als könnte man sich nicht mehr gegenseitig verstehen?

Die ganze Reformbewegung kann wohl als die erste größere Tat des neugekrönten
Heiligen Vaters, Pius' X., gelten. Insofern hat sie geschichtliche Bedeutung erlangt und
wird — so Gott es gebe — auf Jahrhunderte hinaus ihre segensreichen Folgen zeitigen.

Die Bestrebungen des Heiligen Vaters erstrecken sich   und das muß festgehalten werden — auf zwei Gebiete, auf zwei Objekte.

Erstens: Auf die Beseitigung der ernsten, der schweren, der ärgernisgebenden
Mißstände, wie solche bis in die jüngste Zeit hinein sich diesseits und jenseits „des
großen Wassers" in den katholischen Kirchen vorfanden und sicherlich immer noch
vorfinden.

Zweitens: Neben diese „negative" Arbeit stellte der Heilige Vater das Positivum:
Neuherausgabe des Chorals auf Grund wissenschaftlicher, historischer
Forschung.

Die ganze Reformarbeit erhielt aktuelle Bedeutung, einen gewissen feierlichen
Hintergrund und eine praktische Form durch die imposante Zentenarfeier zu Ehren
des vor 1300 Jahren verstorbenen Papstes Gregor des Großen, der auf die Kirchenmusik und damit auf das gesamte Musikleben einen die langen Jahrhunderte über-
dauernden Einfluß genommen hat und noch weiterhin nehmen wird.

Vergleichen wir nun die beiden Reformziele der neuesten Kirchenmusikbewegung
hinsichtlich ihres äußern Umfanges, so ergibt sich:

Das erste Ziel: Zurückführung der unkirchlichen Musik in den einzelnen Gotteshäusern und kirchlichen Gemeinden zur ursprünglichen, zur heiligen Würde wahrer
Kirchenmusik ist das eigentliche, das allgemeine Ziel, kurz weg: ist **das Ziel.**

Das zweite Objekt: Zurückführung der Choralgesänge auf die historische Form — durch die Wissenschaft nachgewiesen und vom Heiligen Vater beglaubigt — ist **das Mittel** — das **Hauptmittel** zur Lösung der obigen Aufgabe.

Welches sind nun die Folgen dieser Reformbestrebung gewesen und sind es zum Teil noch? Wer größere — und auch kleinere — kirchenmusikalische Blätter gelesen und auch in kirchenmusikalischen Laienblättern — den politischen Zeitungen — größere und kleinere Notizen verfolgt hat — inländische und vor allem ausländische, dem wird die Tatsache nicht entgangen sein, daß trotz einer mehr als dreißigjährigen ernsten Arbeit einer großen, begeisterten Führerschar und aller derer, die opferwillig und überzeugungstreu zur heiligen Sache wahrer Kirchenmusik zunächst in Deutschland standen und der heiligen Führerin der Herzen zum gekreuzigten Heiland durch Wort und Schrift, durch hingebendes Beispiel und fruchtbare Kunst die Wege zu ebnen ernst und treu bestrebt waren, daß trotz dieser Riesenarbeit ein nicht kleiner Teil der katholischen Gotteshäuser dieser heiligen Führerin den Zugang zum Chore der Kirche versagte und sie von der Schwelle wies, die zu ihrem Eigentum, zu ihres Vaters Hause führte.

Dieser Zustand der Ignorierung, ja des bewußten Widerstandes gegen kirchliche Vorschriften hat gedauert bis zum Erlasse der persönlichen Willensmeinung unseres inniggeliebten Heiligen Vaters. Wer das nicht glauben will, der lese Berichte über kirchenmusikalische Aufführungen beim heiligen Dienste des Herrn aus Amerika, Mexiko, Österreich, aus den slavischen Ländern, auch hie und da aus Deutschland.

Ihnen gilt das *Motu proprio* in erster Linie. Ihnen ist nach langem Streite über die Verbindlichkeit der Ritenvorschriften im Gewissen nun jeder Rückzug abgeschnitten.

Wie hartnäckig mußte dieser Kampf geführt werden! Wenn man die ersten Jahrgänge der beiden Organe, "Fliegende Blätter für Kirchenmusik" und "Musica sacra" liest, welche Riesenarbeit des einzigen Mannes, unseres seligen, unvergessenen Witt, bekundet schon die Herausgabe dieser Blätter, sowie die Komponierung geeigneter Kirchenmusikwerke. Zieht man dazu die gewaltige Arbeit, die auf Grund dieser Reformideen, der Allgemeine Cäcilienverein geleistet hat und heute noch, und heute erst recht leistet, so muß es den Verein als solchen, wie jedes einzelne seiner opferbereiten Mitglieder mit tiefster, beseligender Freude erfüllen, zu sehen, wie ein musikalisch-feinsinnig veranlagter Oberhirt gleich zu Anfang seines Pontifikats mit allem Nachdruck seiner einzigartigen Stellung, mit dem vollen Gewichte seines göttlichen Amtes und mit der ganzen Energie seiner kraft- und temperamentvollen Persönlichkeit allen Zweifeln und Bedenken mit seinen klaren Wünschen und Befehlen ein jähes Ende bereitet.

Wenn diese Wendung unser Witt erlebt hätte und so viele seiner Freunde, die vor ihm und unter ihm ihre ganze reiche Kraft in den Dienst der heiligen Musik gestellt haben!

Das eine haben uns jene herrlichen Männer, als ein teures Vermächtnis hinterlassen: Ihr edles, leuchtendes Beispiel von Gehorsam und Arbeit, entsprungen der Liebe zur heiligen Kirche und zu ihrem Oberhaupte, dem Heiligen Vater.

Und von dieser Liebe wollen wir uns durch nichts abbringen lassen. Diese Liebe wehte großzügig durch das katholische Deutschland, als es noch möglich war, nicht ganz ohne Scheingründe gegen die ernsten Forderungen der heiligen Kirche über Kirchenmusik seine Ohren zu verschließen, wie noch ein Notschrei in dem gegenwärtigen Jahrgang der "Fliegenden Blätter" bezeugt. Diese Liebe und Begeisterung war nicht umzubringen, als der deutsche Cäcilienverein im Kreuzfeuer der Verdächtigungen stand, als bilde er nur "Puritaner" heran. Dieses hohe, heilige Interesse erlahmte nicht, als man nicht müde wurde, die praktische Betätigung der Kunstentflammten, die Kompositionen des Cäcilienvereins-Katalogs, zu diskreditieren. Diese Liebe und im Sturm erprobte Treue des deutschen Cäcilienvereins wird auch die Jetztzeit glücklich, ohne innere und äußere Verluste überstehen. Meint man doch vielerorts, daß der Cäcilienverein bisher so weniges geleistet hätte, als sei es kaum mehr der Rede wert sei. Daß nun erst die "wahre Reformation" begonnen habe, und bedenkt nicht, daß man sich so in einen unfreundlichen Gegensatz stellt zu dem Sendschreiben des Heiligen Vaters, der die Verdienste des Cäcilienvereins gebührend hervorhob, wenn er auch — vielleicht aus notwendig gewordener Rücksicht — die Nennung des Namens nicht vollzog.

Das also bleibt die Ruhmestat des deutschen Katholizismus auf dem Gebiete der Kirchenmusik, daß er in reichlich dreißig Jahren es fertig brachte, verrottete Zustände fast ganz zu beseitigen und mit einer Opferwilligkeit den Geboten der Kirche Gehorsam zu verschaffen suchte, in einer Weise, die oft bis ans äußerste Maß der vorhandenen Kräfte ging, daß man sogar nötig zu haben glaubte, vor Übereifer, vor Aufreibung im Kirchendienste warnen zu müssen. In dieser Beziehung bleibt das viel besprochene Buch: „Maß und Milde" einer der einwandfreiesten Zeugen für den herrlichen Geist und das reiche Leben, das sich aus dem vom Heiligen Stuhle in huldvollsten Worten der Anerkennung approbierten Cäcilienvereine über seine weiten Gaue segensvoll ergoß.

Alle Bemäkelungen, alles Ignorieren von seiten der Gegner des Vereins, ändern an diesen, für alle vorurteilsfreien offenkundigen Tatsachen nichts.

* * *

Die Reform auf dem Gebiete der katholischen Kirchenmusik hat nun eine bestimmte Begrenzung erfahren, dadurch nämlich, daß der Heilige Vater persönlich in den Streit von Fachmännern eingriff und Fragen der historischen Musikkritik mit dem Machtgebot seiner Autorität auf dem Gebiete der Kirchenverwaltung erledigte. Nach seinem einfachen katholischen Gewissen hat sich daher jeder Katholik dem Heiligen Vater unterzuordnen, wenn dieser Anordnungen für das innere Leben der Kirche trifft. Und daß die Kirchenmusik zu diesem innern Leben der Kirche mit in erster Linie gehört, das dürfte, bei ihrem engen Zusammenhange mit den heiligen Worten des Priesters am Altare, außer allem Zweifel sein.

Der Inhaber der apostolischen Vollmacht, der Besitzer der Schlüsselgewalt, macht einfach von seinem Hausrechte Gebrauch, wenn er bestimmt, die und die Musik sehe ich gern; jene ist mir auch recht, aber ich dulde sie mehr, als ich sie gern habe. Die laszive Musik aber betrete meine Schwelle nie. So muß sich also jeder brave Sohn der heiligen Kirche freuen, wenn er nun den Willen seines Vaters kennt und wenn er weiß, was seinem Vater Freude macht. Es muß ihm im Grunde genommen ganz gleich sein, welches Kleid der Heilige Vater für die Musik bestimmt hat, welchen Schnitt des Gewandes er vorschreibt, in dem die heilige Musik dem Altare sich nahen darf. Das alles untersteht ihm. Und wenn unserm bisherigen Wohlbehagen eine kleine Fessel auferlegt wird, da wir den neuen Anzug probieren, nun — mit der Zeit gewöhnt man sich an alles. Und wer weiß, ob man nicht gerade jenen Habitus mit der Zeit besonders lieben lernt, der einem erst in mancher Beziehung lästig schien.

Und legt einem und dem andern die neue Vorschrift Opfer auf? — Nun — freuen wir uns, daß uns der Heilige Vater für opferfähig hält; freuen wir uns seines Vertrauens und täuschen wir ihn nicht!

Wenn es wahr ist, daß wir in Kampf und Mühe, in Ertragung und Arbeit die dreißig langen Jahre groß geworden sind, so beweisen wir, daß in uns noch jener alte Opfermut flammt, der uns antrieb, den bisher ganz in Vergessenheit geratenen Choral vollständig von allem Anfang an neu zu erlernen. Mühsam, Schritt für Schritt! Warum sollte es uns jetzt schwer fallen, von einer gehobenen Kunstanschauung der Chorleiter und ihrer Singgehilfen, bei größerer Treffsicherheit des Chores, bei seiner geübteren Vortragsfähigkeit den neuen Choral zu erlernen, der seine Vaterschaft und sonstige innere Verwandtschaft mit dem jetzigen bei jeder Zeile wohltuend bekundet?

Und wer die Seele des Cäcilienvereins tiefer erfaßt und belauscht, dem wird nie auch nur ein Hauch des Zweifels entgegengeweht haben aus dem Vereine und seinen vielen Organen heraus, als ob der Cäcilienverein nicht von ganzem Herzen bereit wäre, aufs neue seine Kindespflichten zu erfüllen, obwohl er auf Grund seiner Leistungen und seines Eifers, Gott die Ehre zu geben, auch in dem Gebiete der Kunst, der Musik — obwohl er in Sachen der Kirchenmusik bei stetem, treuem Gehorsam gegen die Forderungen und Gebote der heiligen Mutter, der Kirche, Heilandsalter erreicht hat und einem lieben Kinde ein treuer Sohn geworden ist. Dem wohlwollenden, dem arglosen Beobachter wird auch nie ein Zweifel im entferntesten sich bei Beobachtung des Vereins gezeigt haben, daß dem Sohne es irgendwie schwer fiele, Kindespflichten aufs neue zu übernehmen.

Immer derselbe, wird er ebenso gern im Vereine mit andern Nationen und Völkern sich bemühen, den Willen seines Heiligen Vaters zu erfüllen, wie er es einst zum Teil ohne sie getan hat. Freilich ist sein Opfer vielerorts größer, als es auf den ersten Blick scheint.

Denn noch hat sich das schmerzliche Gefühl nicht ganz verloren, das in so manch edlem Sängerherz aufstieg, als hie und da ein weiser, umsichtiger Oberhirte einzelner Diözesen den alten, auch schönen Diözesanchoral abschaffte und den „römischen", den offiziellen Choral an seine Stelle setzte. Es forderte diese Ergebung viele und tiefempfundene Opfer. Aber: wie so schön Se. Eminenz, der Hochwürdigste Erzbischof, Kardinal Fischer von Cöln, jüngst noch sagte: im Interesse der größeren Einheit brachte man dieses Opfer.

Gewiß, um so sicherer bringt der deutsche Cäcilienverein auch das neue Opfer; um so weniger sind die Cölner aus dem Stadium des Übens herausgekommen; um so bereitwilliger werden sie die neue Bitte ihres obersten Hirten in Rom erfüllen. Gewiß, das ist alles wahr!

Aber, der Menschenkenner weiß, daß die intellektuellen Opfer die größten sind, weil sie uns die Gebrechlichkeit der menschlichen Einsicht, „die doch Stückwerk" ist und bleibt, unangenehm vor Augen führen.

Darum verlangt manch deutscher Cäcilianer eben nicht ästhetische Gegengründe, weil diese nicht logisch zwingend sind und es nie werden können.

Diese Frage über die Vorzüglichkeit des neuen Chorals ist wesentlich eine Frage des künstlerischen Geschmacks. Und darin sind die Menschen riesig verschieden. Diesem Geschmacke läßt sich mit logischen Gründen und äußern Mitteln der Auslegung und Darlegung nicht beikommen. Da tut stille, gutwillige, folgsame Gewöhnung alles, und dazu lasse man dem Neulinge Zeit.

Aber psychologisch ganz verkehrt ist es — abgesehen von den Verpflichtungen, die uns die Nächstenliebe auferlegt — um dem neuen Chorale neue Freunde zuzuführen, den alten, bisher offiziellen Choral herabzudrücken. Jeder, der die menschliche Natur nur etwas kennt, wird zugeben, daß jede nachteilige Kritik des bisherigen Chorals sofort persönlich genommen wird. Und so ist es auch: Man bekritelt den Choral, der bisher offiziell war, und trifft den und die, die sich ein halbes Menschenleben an ihm erbaut, mit ihm, durch ihn gebetet haben. Und diese intimen Zeugen eines opferreichen Lebens als wertlosen Ballast auf einmal von sich wieder zu stoßen, das fertig zu bringen, auf einmal, das ist sehr, sehr schwer.

Und jeder Angriff, den eine dem Menschen so nahestehende Sache trifft, trifft auch sein Herz. Erst hat der Chorleiter den offiziellen Choral als ein unantastbares Heiligtum geachtet — und dann — ohne daß das Wesen dieses Chorals in Frage gestellt worden ist, soll man dasselbe hohe Gut für eine verfehlte Sache betrachten lernen - das bedeutet himmelweite Unterschiede und erfordert eine Spannkraft des Willens, die nur möglich ist, wenn „die Liebe treibt". Wird aber diese Liebe noch verletzt, so kann es geschehen, daß der Mensch, in seinem Innersten getroffen, mutlos einer Sache „Valet" sagt, die vorher sein Glück, seine Freude war.

Man vergesse doch nie, daß der Kern der ganzen Choralreform eine Sache des musikalischen Geschmackes ist.

Es ist das Recht des Heiligen Vaters zu bestimmen, daß der Choral in erster Linie die Kirchenmusik in dem katholischen Gottesdienst sei. Es ist sein heiliges Recht, die Art der Ausgabe zu bestimmen. Daran halte jeder fest. Aber, wenn der Heilige Vater Urteile abgeben wollte über den musikalischen Wert oder Unwert einer Ausgabe, so begäbe er sich damit in das Gebiet der ästhetischen Musikkritik.[1] Auf diesem Gebiete wären seine Auslegungen mit aller Ehrfurcht und Liebe zwar gewissenhaft anzuhören; aber die Diskussion bleibe frei in allen Dingen, die kein Dogma sind.

---

[1] Das hat Er niemals getan und wird es nicht tun. D. R.

Jede Vermischung von päpstlichen Kundgebungen aus dem Gebiete des Dogmas und der inneren kirchlichen Verwaltung mit Meinungsäußerungen Sr. Heiligkeit über reine Kunstfragen kann niemandem willkommener sein, als den hartnäckigen Feinden der katholischen Kirche, insbesondere den Gegnern des Dogmas von der Unfehlbarkeit des Papstes.

*   *   *

Der persönliche Eingriff des Heiligen Vaters in den Tagesstreit der Meinungen über den Vorzug der neuesten Choralausgabe hat das Gleichgewicht der Kampfparteien gestört, so daß die Gegenpartei des bisher offiziellen Chorals den Sieg davon tragen mußte.

Statt mit diesem Erfolge zufrieden zu sein und die Neuordnung der Dinge denen zu überlassen, die es trifft und angeht, trat zunächst das Bestreben auf, den fortschrittlichen Cäcilianer gegen den Konservativen auszuspielen. Das Unschöne dieser „brüderlichen Zurechtweisung" wird in nichts gemildert, sondern noch verschärft durch den Umstand, daß die betreffenden „Sieger" ihre Lehren in rein politischen Tageszeitungen veröffentlichten, wodurch wieder die Ungleichheit zutage trat, daß für den gebildeten Teil des katholischen Laienpublikums nur die eine Partei zum Worte kam.

Diese Veröffentlichungen erfolgten zum Teil an Stellen der Zeitung, die sonst nur der Meldung wichtiger Ereignisse vorbehalten bleiben; nimmt man hinzu, daß diese aus dem Auslande telegraphisch vermittelten Nachrichten oft herzlich nebensächlichen Inhalts waren, so mußte man sich doch im stillen wundern, welchen Einfluß ein solcher Reporter auf ein Weltblatt auszuüben imstande war.

Seit dem 23. November 1903, dem Tage des Erscheinens des *Motu proprio*, operiert die der bisherigen offiziellen Ausgabe feindliche Presse mit der Person des Heiligen Vaters.

Wer irgendwie eine selbständige Meinung über die vatikanische Ausgabe äußert, bei aller schuldigen Ehrfurcht gegen die erhabene Person des Heiligen Vaters, dem wird sofort bedeutet, er möge doch Rücksicht auf Rom nehmen. Diese Kampfesweise ist so wenig zweckfördernd und zulässig, als wie der parlamentarische Versuch, die erlauchte Person des Monarchen in die Debatte ziehen zu wollen.

Es sei noch einmal ausdrücklich gesagt:

Nicht die Tatsache bildet Gegenstand der Diskussion, daß der Heilige Vater den Choral in den Vordergrund gestellt wissen will; nicht um die Rechtsgültigkeit der Verordnung handelt es sich, daß die vatikanische Ausgabe alleiniges Hausrecht in den katholischen Kirchen des Erdkreises nun und an besitzt. Nein: sondern wir geben nur dem Gefühle des Bedauerns Ausdruck, daß ein Teil der Freunde der vatikanischen Ausgabe den bisher als offiziell geltenden Choral als minderwertig brandmarkt in Redewendungen, die die Mitglieder jener Kommission zu Arezzo als weniger wissenschaftlich gebildet, weniger historisch unterrichtet und weniger künstlerisch-musikalisch befähigt hinstellt.

Schade, daß dieser Gelehrtenstreit die schöne allgemeine Idee der Kirchenmusikreformation sehr in den Hintergrund gedrängt hat.

Wir lassen — weil zu weit führend — absichtlich die Frage offen, ob von der Theatermusik in der Kirche bis zum einstimmigen Choral nicht vielleicht doch ein zu großer Sprung zu machen ist. Ob es da nicht angebrachter wäre, durch ein zielbewußtes, wohlabgewogenes Herabstimmen der Kirchenbesucher, ein mit der ernsteren Fasten- und Adventsmusik beginnendes „neues" Lied Sänger wie Volk vor mancher innern Versuchung bewahrte. Hier kommt freilich alles auf die ausführenden Personen an.

Wir erwähnen nur nebenbei, daß die Erfüllung eines sehnlichen Wunsches unseres Heiligen Vaters — das Volk möchte die ständigen Singteile der heiligen Messe im Chore mitsingen — bei den nichtromanischen Völkern ein ungleich größeres Maß von fast unerreichbarer Arbeit in Schule und Kirche voraussetzt, als bei den Romanen, da die Sprachstämme des Deutschen — soweit sie im Bewußtsein des Volkes heute noch ruhen — mit denen des Romanen nichts von Bedeutung mehr gemein haben.

Wir begrüßen jede Willensmeinung unseres Heiligen Vaters mit Freuden, um ihm unsere Liebe zu bezeigen, auch dann und besonders dann, wenn diese Liebe Opfer verlangt.

Wir freuen uns, wenn wir die noch vor nicht allzu langer Zeit bezweifelte Verbindlichkeit der Kirchenmusikvorschriften nun klar und unabweisbar festgestellt sehen.

Wir freuen uns, einen Papst auf dem Stuhle Petri zu sehen, der die Aufgabe der Kirchenmusik in so begeisterten, gnadenreichen Worten allen Gläubigen ans Herz legt.

Wir freuen uns, daß er berühmte Männer der Wissenschaft und Kunst in seine besonderen Dienste berief, um das von seiner Person als „das Bessere" Erkannte dem weiten Kreise der ihm anvertrauten Kirche mitzuteilen.

Was wir bedauern, das ist: daß man das ideale Festhalten des bisher offiziellen Chorals von seiten eines Teils seiner Gegner einer Beurteilung unterzieht, die der Cäcilienverein auf Grund früherer päpstlicher Approbation, die er auf Grund seiner bisher tatsächlich geleisteten Arbeit mehr verdient.

Man achte die Meinung des Gegners, wofern er es ernst meint mit der Erforschung der Wahrheit, und warte in Liebe ab, bis der Tag erscheint, wo er mit neugewonnener Sachkenntnis auch einen treuen, liebenden Freund fand, der nach dem alten, ewig wahren Spruche handelte:

Im Notwendigen — eins.
In zweifelhaften Fällen — duldsam.
In allem — voll Liebe.

Im Lesezimmer.

Frauenstimmen auf dem Kirchenchor.

Die Redaktion glaubt den unter obigem Titel im Juni-Heft der „theologisch-praktischen Monatsschrift" (Red. von Dr. G. Pell und Dr. L. H. Krick in Passau, Kommissionsverlag von G. Kleiter in Passau, 14. Band, 9. Heft, S. 802) erschienenen Aufsatz des angesehenen und dem Cäcilienverein seit Gründung desselben als eifriges Mitglied angehörigen Dr. Andreas Schmid, Kgl. Universitätsprofessor und Direktor des theologischen Seminars „Georgianum" in München, mit einigen, das Wesen der besprochenen Materie nicht alterierenden Auslassungen den Lesern der Musica sacra nicht vorenthalten zu sollen. Derselbe lautet:

„1. Die Frage, ob Frauen zum Gesange auf dem Musikchor zugelassen werden dürfen, ist in den letzten Monaten eine Tagesfrage geworden. Die Lösung der Frage hängt von einer anderen ab, ob nämlich Frauen auf Grund ihres Geschlechtes vom Priestertum ausgeschlossen sind.

Auffallend ist im vorhinein, daß selbst bei heidnischen Völkern, wenn wir von den Vestalinnen zu Rom absehen, nur männliche Personen als Priester fungieren, z. B. bei den Ägyptern, Griechen, Römern. Gegen die Zulassung spricht ganz entschieden das von Gott selbst im Judentum angeordnete Auswahl der priesterlichen Personen, ebenso das Beispiel Christi bei Auswahl seiner Nachfolger und die stete Praxis der katholischen Kirche gegenüber einzelnen Irrlehrern, den Montanisten, Marcioniten u. a. Für diese christliche Anschauung spricht das Wort des heil. Apostels Paulus: „Adam wurde zuerst geschaffen, danach Eva, und Adam ward nicht verführt, das Weib aber wurde verführt und fiel in Übertretung." [1] Aus diesen Worten läßt sich folgern, es sei der Wille Gottes, daß das Weib zur Strafe für die Verführung des Mannes vom Manne wieder Heil zu erlangen habe. Es gilt ja als allgemeines göttliches Gesetz: „Worin jemand sündigt, darin wird er gestraft". [2] Bisher ist die Ausschließung des Weibes vom Priestertum nicht förmlich als Dogma erklärt, weil selbst Protestanten Frauen nicht zum Kirchendienste zulassen; allein unter Dogmatikern gilt es als ausgemacht, daß Frauen jure divino positivo vom Priestertum auszuschließen seien.

2. Wenn nun nachgewiesen werden kann, daß der Sängerdienst in der Kirche im Ausübung des positiven Priestertums ist, so ergibt sich von selbst als Folge, daß Frauen auf dem Musikchore, mag er nun im Altarraum oder rückwärts in der Kirche auf einer Empore sich befinden, nicht mitwirken sollen. Der Beweis ist nicht allzuschwer: Es gibt nämlich viele liturgische Akte, welche keine besondere ausgewählte und geweihte liturgische Person zur Gültigkeit und Erlaubtheit erfordern, z. B. Rosenkranzgebet, Kreuzwegandacht, Wallfahrten, Volksandachten usf.; dagegen andere Akte bedingen nach jeder Hinsicht besondere liturgische Personen, weil sie nicht bloß einen privaten, sondern einen öffentlich rechtlichen Charakter haben. Dazu gehört in erster Linie das heilige Meßopfer nach Trid. s. 23 can. 1. Selbst für die Nebendienste beim heiligen Opfer sollen noch geweihte Personen verwendet werden, z. B. Leviten, Akolythen. Als äußerste Konzession ist von S. R. C. 17. Juli 1894 ad 7 gewährt worden, daß in Notfällen ein Tonsurist ohne Manipel die Stelle eines Subdiakon vertreten könne. n. 3832. Auch der gewöhnliche Ministrantendienst wird als liturgischer Dienst angesehen und soll von Klerikern verrichtet werden [3] oder doch wenigstens

[1] Tim. 2, 14.   [2] Sap. 11, 17.
[3] Trid. s. 23 cap. 17. Miss. rom. de def. X. n. 1. S. R. C. 7. Sept. 1881 ad 3 n. 3108.

von männlichen Laien.[1]) Den Frauen ist durch das neueste Dekret S. R. C. 18. Mart. 1889 ad 6[2]) nur gestattet worden, aus der Ferne dem Priester am Altare zu antworten.

Selbst der Sängerdienst wird kirchlicherseits als liturgischer Altardienst angesehen; denn in einem Amte, mag dasselbe *Missa cantata* oder *solemnis* sein, wirken die Sänger ähnlich wie die Ministranten zum Hauptakte bei, indem sie den Gesang des Priesters teils fortsetzen, z. B. bei *Gloria, Credo,* oder beantworten, z. B. bei den vielen Responsorien. Mit Recht sagt Pius X. in seinem Rundschreiben vom 22. Nov. 1903 ad I.: „Die Kirchenmusik ist ein wesentlicher Teil der feierlichen Liturgie, nimmt also an dem allgemeinen Zwecke derselben teil, nämlich: die Ehre Gottes, die Heiligung und Erbauung der Gläubigen zu fördern." Es ist eine ganz falsche Auffassung der Kirchenmusik, dieselbe nur als einen akzidentellen Schmuck des Gottesdienstes anzusehen; sie gehört in Wahrheit zu den *adminicula exteriora ad rerum divinarum meditationem*;[3]) allein in einem Amte ist sie ein wesentlicher Bestandteil, weil der Gesang des Priesters als notwendiges Gegenstück den Gesang des Chores bedingt.

3. Ist nun das Frauengeschlecht vom Altardienst ausgeschlossen und ist der Sängerdienst nach der vorausgehenden Erörterung ein wesentlicher Teil der Liturgie, so folgt, daß aus prinzipiellen Rücksichten auch Frauen trotz aller vorliegenden Vorteile vom Kirchenchore ferne gehalten werden sollen. Schon 578 verbot die Synode von Auxerre *puellarum cantica* in der Kirche. Dieses Verbot wurde auch vom heil. Bonifatius wiederholt und in der Neuzeit (1842) von Erzbischof Engelbert von Mecheln, der *instructio Kycletensis*, den Konzilien von Westmünster (1852) und Utrecht (1865). Auch das Cölner-Konzil (1860) verordnet, daß in Zukunft „Frauenstimmen ganz und gar aus dem kirchlichen Chore ausgeschlossen werden" und gibt als Grund an, weil der Kirchenchor an der liturgischen Handlung teilnehme.

Man sieht also, daß Pius X. in dem oben erwähnten Rundschreiben nur den alten kirchlichen Gebrauch in Erinnerung bringt, wenn er sagt, daß „die Sänger in der Kirche ein wirklich liturgisches Amt bekleiden, und daß also die Frauen, weil untauglich zu solchem Amte, zum Chore oder zur musikalischen Kapelle nicht zugelassen werden können".

Weil neben dem besonderen Priestertum in der katholischen Kirche aber auch ein allgemeines (I. Petr. 2, 9) anerkannt ist, so sind männliche Laien zum Ministrantendienst zugelassen und in gleicher Weise auch zum Kirchengesange. Nur Klosterfrauen war, wie Rabulas, Bischof von Edessa, schon im 5. Jahrhundert andeutet, etwas mehr Recht eingeräumt; das Recht zur Teilnahme am Gesange haben Frauen überhaupt noch, wenn es sich in der Kirche um sogenannten Volksgesang, d. h. um allgemeinen Gesang des Volkes in lateinischer Sprache handelt. Diese Konzession erhellt aus der Enzyklika Pius' X. ad II. und aus einer mündlichen Erklärung desselben bei Gelegenheit des Gregorianischen Kongresses.

4. Ob die Hochwürdigsten Bischöfe Deutschlands für dieses Land, weil Frauenstimmen fast überall auf dem Musikchore üblich waren, eine eigene Indulgenz erbitten wollen und erhalten, wird die Zukunft lehren. Sollte eine solche Indulgenz nicht gegeben werden, so ist die Kirchenmusik in andere Geleise überzuleiten. Zunächst empfiehlt sich a) der Choralgesang. Solange derselbe in altchristlicher und mittelalterlicher Zeit gesungen wurde, waren Frauenstimmen entbehrlich. Dasselbe Verhältnis besteht heutzutage noch in Italien und Frankreich. Im Chore befinden sich einige Männer, welche mit oder ohne Orgel oder Violon die Melodien singen und bisweilen von einigen Knaben mit roter *calotte* auf dem Kopfe unterstützt werden. Grandios ist natürlich dieser Gesang nach unseren Begriffen nicht.

b) Schwierigkeit entstand nur, als im 12./13. Jahrhundert mehrstimmiger Gesang üblich wurde. Das natürlichste Mittel war die Beiziehung von Knabenstimmen. Wie schwer es aber ist, Knaben so weit vorzubilden, daß sie brauchbar sind, und wie kurze Zeit diese Stimmen in Blüte stehen, weiß jeder Chorregent.

c) Sind Knabenstimmen nicht verfügbar, so bleibt nur ein- bis vierstimmiger Männergesang übrig. Will jedoch der Kompositeur reichere Abwechslung, so versagt bald der erste Tenor, bald der zweite Baß. Dankbarer sind daher immerhin Sätze für zwei Stimmen mit selbständiger und obligater Orgelbegleitung, aber nie vollständiger Ersatz für weitausholende gemischte Stimmen.

d) Noch ein letztes und vielleicht das beste Mittel, um den Intentionen des Heiligen Vaters Pius' X. nachzukommen, ist der sogenannte liturgische Volksgesang. Der Papst verordnet in der mehrfach erwähnten Enzyklika ad II: „Besonders sorge man dafür, daß der Gregorianische Gesang wieder beim Volke eingeführt werde, damit die Gläubigen von neuem einen tüchtigeren Anteil am Gottesdienste nehmen, wie dieses früher der Fall war." Es ist nicht zu leugnen, daß bei unserer derzeitigen Gottesdienstordnung die Gläubigen zu viel als Zuschauer und Zuhörer figurieren und trotz ihrer Gebetbüchlein zu wenig an der priesterlichen Funktion sich beteiligen. Es ist nicht allzuschwer, das Volk wie zum deutschen Volksgesange so zum lateinischen heranzubilden, wenn in der Schule eine gute Grundlage gelegt wird. Die Diözesangesangbücher von Augsburg und München, ebenso das Psälterlein von Mohr haben zu diesem Zwecke schon lateinische einfache Choralmessen aufgenommen. Zu den lateinischen Texten muß zum besseren Verständnis deutsche interlinearübersetzung beigedruckt werden. In romanischen Ländern ist diese Gesangweise freilich leichter, weil dem Volke die Verständnis der lateinischen Texte näher liegt. Die Musik wird an Wert verlieren; die Aszese des Volkes aber wird gewinnen.

Sicherlich wäre den Kirchenvorständen und Chorregenten ein großer Dienst erwiesen, wenn Rom für Deutschland auf Grund der Gewohnheit gestatten würde, daß Frauen aus der Ferne d. h. vom Musikchore aus singen dürfen wie sie aus der Ferne ministrieren dürfen, wie oben hervorgehoben wurde."

---

[1]) Miss. rom. l. c.   [2]) Ephem. lit. 13 p. 212.   [3]) Trid. s. 22 cap. 6.

Neu und früher erschienene Kirchenkompositionen.

Ant. Aris komponierte als Op. 10 die 4 marianischen Antiphonen, 1 *Ave Maria* bis *Amen* und 1 *Tantum ergo* für vierstimmigen Männerchor.[1] Sämtliche Nummern geben Zeugnis von tüchtiger Schule und schöner Stimmführung, setzen jedoch leicht ansprechende erste Tenöre voraus. Sie sind guten Männerchören aufs beste zu empfehlen.

Eine neue Messe für gemischten vierstimmigen Chor mit Orgel zu Ehren der Mutter Gottes von Loretto schrieb **V. Goller**, der würdige Nachfolger von L. Ebner in Deggendorf, als Op. 25.[2] Das Werk ist frisch und packend geschrieben, die Orgelbegleitung, sorgfältig mit dynamischen Angaben versehen, hebt die Wirkung des Gesangsatzes sehr farbenreich und malt in Tönen, besonders von *Et incarnatus* bis *et ascendit*. Als Offertorium ist der liturgische *Ave Maria*-Text bis *ventris tui* gewählt. Schon für mittlere Chöre kann die wohlklingende Komposition als Festmesse gelten und von Knabenstimmen mühelos bewältigt werden.

M. Hohnerlein komponierte 2 Messen: a) Op. 21 zu Ehren der heil. Mutter Anna für 4 gemischte Stimmen, leicht ausführbar, unter Einfügung (*Et incarnatus est* bis *et sepultus est* vierstimmig) der 3. Choralmelodie des *Credo*, den schwächsten Verhältnissen in würdiger Weise Rechnung tragend, — und b) Op. 24, eine kurze und sehr leichte Messe zu Ehren der heil. Cäcilia für 4 Männerstimmen, in der das *Credo* in ähnlicher Weise behandelt ist. Beide Kompositionen eignen sich auch bei einfacher Besetzung der Stimmen in kleineren oder Landkirchen.[3]

Die 15 Offertorien aus dem *Commune Sanctorum* für Sopran, Alt und Orgel von **P. Utto Kornmüller**, die bereits unter Nr. 555 im Cäcilienvereins-Katalog stehen, sind in 4. Auflage erschienen.[4]

Von der *Missa Dominicalis I.* für 3 oder 4 gemischte Stimmen (Tenor ad lib.) mit Orgel, Op. 25 von **Ign. Mitterer**, liegt die 3. Auflage vor. Das Werk ist bereits unter Nr. 704 des Cäcilienvereins-Kataloges trefflich empfohlen.[5]

Aus dem 9. Bande von *Palestrinas* Werken hat der Unterzeichnete auf vielseitiges Verlangen das 5stimmige Offertorium für den 11. Sonntag nach Pfingsten *Exaltabo te, Domine* für den heutigen Chorgebrauch auf 5 Linien mit Violinschlüssel für Cantus, Alt und 2 Tenöre, Transposition, Vortrags- und Atemzeichen eingerichtet. Die feierliche Komposition wird bei Aufführungen von Bezirks- oder Diözesan-Cäcilienvereinen erfrischend wirken.[6]

Jos. Pilland komponierte eine leichte Messe für eine mittlere Singstimme mit einfacher Orgelbegleitung, die auch von einem einstimmigen Chor, etwa den vorgeschritteneren Schulkindern, vorgetragen werden kann.[7]

Op. 40 von **Johann Plag** bietet sämtliche Teile des *Completorium*, das an vielen Orten in löblicher Weise statt der Vesper mit Musik vorgetragen wird, für vierstimmigen Männerchor, bringt also mit den Choralversen doppelte Falsibordoni für die vier Psalmen, den Hymnus *Te lucis*, das *Canticum Nunc dimittis*, die vier marianischen Antiphonen und 1 *Tantum ergo*, sowie sämtliche Versikel und Responsorien in Choralmelodie; ein überaus praktisches und die Teilnahme des Volkes am liturgischen Gottesdienst förderndes Werk.[8]

Für 3 Oberstimmen mit Orgelbegleitung komponierte **Bruno Stein** die *Missa IX*. Dieses Op. 25 ist schwungvoll in der Stimmenführung, selbständig und doch stützend in der Orgelbegleitung, von mäßiger Schwierigkeit und andächtiger Stimmung.[9]

[1] Düsseldorf, L. Schwann. 1904. Partitur 1 ℳ 20 ₰, Stimmen à 20 ₰.
[2] Regensburg, A. Coppenrath (H. Pawelek). 1904. Partitur 2 ℳ 40 ₰, Stimmen à 20 ₰.
[3] Op. 21. Partitur 1 ℳ 20 ₰, Stimmen à 20 ₰, ebenso Op. 24. Beide Messen erschienen in Regensburg bei Fritz Gleichauf. 1904.
[4] Regensburg, Fr. Pustet. 1904. Partitur 1 ℳ 60 ₰, 2 Stimmen à 20 ₰.
[5] Regensburg, Fr. Pustet. 1904. Partitur 1 ℳ 20 ₰, Stimmen à 10 ₰.
[6] Leipzig, Breitkopf & Härtel. Partitur 1 ℳ, Stimmen à 30 ₰.
[7] Op. 23. Regensburg, Fritz Gleichauf. 1904. Partitur 1 ℳ 20 ₰, Stimme 20 ₰.
[8] Düsseldorf, L. Schwann. 1904. Partitur 2 ℳ 40 ₰, 4 Stimmen à 50 ₰.
[9] Düsseldorf, L. Schwann. 1904. Partitur 2 ℳ 40 ₰, 3 Stimmen à 15 ₰.

J. B. Thaller komponierte als Op. 14 *Missa VI. in hon. B. M. V.* für gemischten vierstimmigen Chor. Wenn dieselbe als „leicht ausführbar" bezeichnet ist, so wird mancher Chorregent enttäuscht sein, wenn er dieselbe ohne ernstliche Proben und ohne Begleitung zur Ausführung bringen wollte. Nicht der moderne Stil ist es, der zum Rate drängt, die Messe zuerst gut einzustudieren, um den beabsichtigten Erfolg zu sichern. In *Gloria* und *Credo* begegnen wir einer Menge kurzatmiger Sätze (das *Cum sancto Spiritu* hat der Komponist wohlweislich auch in einfacherer Leseart gegeben), die unter sich in losem Verbande stehen und als eine Reihe von Kadenzen in verschiedenen Tonarten erscheinen. Ohne Beiziehung von Frauenstimmen kann zur Ausführung der Messe nicht geraten werden. Auch wird die Ausführung nur gewinnen, wenn eine gut registrierte Orgel den Singstimmen zur Seite steht, denn die Komposition ist mehr Orgel- als Gesangsatz.[1])

Acht lateinische Motetten für gemischten Chor komponierte **Aug. Wiltberger** als Op. 105.[2]) Diese liturgischen Texte können nicht nur größtenteils als Einlagen beim Offertorium, sondern auch bei Cäcilienvereinsaufführungen wegen ihrer gedrängten Kürze, wirkungsvollen Deklamation und ziemlich homophonen Haltung schon mittleren Chören gut empfohlen werden.

(Fortsetzung folgt.)   F. X. Haberl.

Von der Verlagshandlung Böhm & Sohn in Augsburg und Wien wurden nachfolgende in diese Rubrik zuständige Kompositionen, sämtliche 1904 ediert, eingesendet, für welche die Redaktion später referieren wird. Einstweilen genügt es, Titel und Preis anzugeben.

1) Unter der allgemeinen Überschrift: „Kirchenmusikwerke von **Max Filke**, Kgl. Musikdirektor und Domkapellmeister in Breslau", liegen vor: a) Op. 102a. *Regina coeli*, für 4 gemischte Stimmen, Streichquintett, 2 Oboen oder Klarinetten, 2 Hörner obl., 1 Flöte, 2 Trompeten, 2 Posaunen und Pauken ad lib. 4 *M*, ohne Instrumentalstimmen 2 *M* 50 *S*. — b) Op. 102b. *Salve Regina*, für 4 gemischte Stimmen, Streichquintett, Flöte, je 2 Klarinette, Horn, Fagott (und Orgel als Ersatz für Fagott) 4 *M*, ohne Instrumentalstimmen 2 *M* 50 *S*. — c) Das gleiche Werk für Frauenchor. Partitur und Stimmen 2 *M* 50 *S*.

2) **Vinz. Goller**, Stadtpfarrchorregent, Op. 10b. *Requiem*, für 4 gemischte Stimmen mit Orgelbegleitung. Partitur 1 *M* 80 *S*, 4 Stimmen à 30 *S*.

3) **Johann Meuerer**, Op. 19. *Missa in hon. S. Joannis Bapt.* für Sopran, Alt (Tenor ad lib.), Baß, 2 Violinen, Kontrabaß, 2 Hörner und Orgelfüllstimmen obl., Viola, Cello, je 2 Klarinetten und Trompeten, 1 Posaune und Pauken ad lib. oder für 4 Singstimmen und Orgel allein oder auch mit 3 Posaunen, 1 Ventilhorn oder F-Trompete ad lib. Ausgabe A mit 4 Singstimmen, Orgel und Orchester 12 *M* 50 *S*; Ausgabe B mit 4 Singstimmen, Orgel und Blechstimmen 6 *M* 60 *S*; Ausgabe C mit 4 Singstimmen und Orgel 5 *M* 40 *S*.

4) **Fr. Picka**, a) Op. 35. *Te Deum* für 4 gemischte Stimmen mit Orgelbegleitung und *Pange lingua* für 4 gemischte Stimmen a capella. Partitur 2 *M*, 4 Stimmen à 30 *S*. — b) Op. 37. *Hebdomas sancta*, 10 *Cantica majoris Hebdomadae* für 4 gemischte Stimmen. Part. 2 *M* 50 *S*, 4 Stimmen à 30 *S*.

5) **Jos. Pilland**, Kgl. Seminarlehrer in Eichstätt, Op. 47. Die Responsorien beim katholischen liturgischen Gottesdienst in allen vorkommenden Tonlagen harmonisiert. Preis 1 *M* 50 *S*.

6) Unter dem allgemeinen Titel: „*Musica sacra*, eine Sammlung katholischer Kirchenmusikwerke", liegen vor: **Julius Polzer**, a) Op. 57—64. Acht *Pange lingua* für 4 gemischte Stimmen mit Orgelbegleitung. Preis 3 *M*. — b) Op. 146 und 149. Zwei *Missa* für 4 gemischte Stimmen mit und ohne Orgelbegleitung. Preis 2 *M*. — c) Op. 147 und 148. Zwei *Asperges me* für 4 gemischte Stimmen mit und ohne Orgelbegleitung. Preis 2 *M*. — d) Op. 134. *Missa Maria* Waitschach für 4 gemischte Stimmen mit Orgelbegleitung. Preis 3 *M*.

7) **Joh. Bapt. Thaller**, Op. 18. Zweites *Ave Maria* für 4 gemischte Stimmen mit obligater Begleitung von Streichquintett und 2 Hörnern in D oder der Orgel. Zum 50jährigen Jubiläum des kirchlichen Dogmas von der unbefleckten Empfängnis Mariä. Ausgabe mit Instrumentalstimmen 2 *M*, mit Orgel 1 *M*.

8) **August Weirich**, Domkapellmeister zu St. Stephan in Wien, *Ave Maria*, Offertorium für 4 gemischte Stimmen. Partitur 60 *S*, 4 Stimmen à 15 *S*.

9) **Joh. Ev. Zelinka**, Chordirektor in Prag, Op. 5. Namen Jesu-Messe für Tenor I, II und Baß mit obl. Orgelbegleitung. Für Studenten- und Seminarchöre, wie auch allgemein für Kirchenchöre. Partitur 1 *M* 60 *S*, 3 Stimmen à 30 *S*.

[1]) Regensburg, Gleichauf. 1901. Partitur 1 *M* 50 *S*, Stimmen à 25 *S*.
[2]) Vierstimmig sind: *Unam petii a Domino*, *Ego clamavi*, *Quoniam cumulasti me*, *Omnes gentes plaudite manibus*, *Custodi me Domine*; 3stimmig: *Gustate et videte* und *Tantum ergo*; 6stimmig: *Domine, Dominus noster* und *Sacerdos et Pontifex* (beim Einzuge des Bischofes). Düsseldorf, L. Schwann. 1904. Partitur 1 *M* 80 *S*, 4 Stimmen à 20 *S*.

Vermischte Nachrichten und Mitteilungen.

1. Leipzig. Gehe hin und tue desgleichen. Das Bestehen und die gesunde Weiterentwicklung so vieler katholischer Kirchenchöre in Ländern deutschsprechender Zunge und weit darüber hinaus ist ein Beweis, daß noch ein starker Strom religiösen Empfindens — Gott sei Dank — unser Erdental belebt. Diese in Arbeit, Mühe und Gehorsam ungewertete Liebe zur Religion ist die Hauptquelle, ist der ergiebigste Born alles musikalischen Schaffens für die Kirche und in der Kirche, weil diese Begeisterung den Menschen am tiefsten anfaßt.

Zu dieser Hauptquelle gesellt sich noch eine starke Nebenquelle. Das ist: Die Liebe zur Kunst. Diese Begeisterung für das Schöne an und für sich genommen, führt wiederum naturgemäß auf, alles Schönen, zu Quelle alles Schönen, zu Gott, zurück.

So kommt es, daß Kunst und Religion in tiefer Wechselwirkung, in Blutsverwandtschaft stehen, wie Kind und Mutter, so daß Kunst die Äußerungen der Religion verklärt, daß wieder Religion das Kunstempfinden veredelt und **befruchtet.**

Eine interessante „Probe" auf dieses Exempel bildet der Riedelverein zu Leipzig, der am 8. und 9. Mai d. J. die Feier seines 50jährigen Bestehens durch Abhaltung zweier Festkonzerte und eines Festaktus beging.

Es wird und muß jeden ernst angelegten Kirchenchordirigenten interessieren, etwas Näheres von diesem eigenartigen Vereins zu hören, der schon zu des seligen Witt Zeiten rühmende Erwähnung in diesen Blättern fand und dessen Gründer in so mancher Beziehung verwandtschaftliche Seiten mit dem unvergeßlichen Witt aufweist.

Karl Riedel, ein Sohn der Rheinlande, seit 1849 in Leipzig zu Hause, machte 1853 einen Versuch, zur Pflege der Kirchenmusik des 16. und 17. Jahrhunderts einen Männergesangverein zu gründen. Aber gar bald finden wir Riedel — ob aus Mangel an Männern, oder ob aus sangestechnischen Gründen des geringen Umfanges der Männerstimmen wegen — wer weiß — gar bald finden wir ihn als Dirigent eines gemischten Soloquartetts, das ihm treu zur Seite steht. Aus diesen vier Sängern und Sängerinnen hat dieser gelernte Seidenfärber, der Riedel von Beruf aus war, diesen weltberühmten Chor geschaffen, der bei seines Gründers Tode, an 250 Mitglieder zählte.

Mit einem Schlage, gleich bei seinem ersten größeren Auftreten, war der Ruf des Vereins gegründet, der durch seine innigen Beziehungen zu Liszt und Wagner eine musik-historische Bedeutung gewonnen hat.

Am 10. April 1859 erfolgte die Aufführung der „Hohen Messe" von Bach. 1860 die *Missa solemnis* von Beethoven. 1861 wurde dieses Riesenwerk wiederholt auf der Tonkünstlerversammlung des A. D. Musikvereins zu Weimar, in Gegenwart von Fr. Liszt und Rich. Wagner. Außerdem war der Riedelverein in gleicher oder ähnlicher Stellung in Altenburg, Halle, Zittau, Weimar und in Bayreuth, daselbst zur Grundsteinlegung des Festspielhauses. Außerdem brachte er Monumental-Werke anderer Komponisten, wie von A. Becker, Draeseke, Greil, besonders aber des H. Schütz zur Aufführung in Dresden, Berlin, Bremen und Dessau. Riedels letzte Ruhmestat war die Direktion der *Missa solemnis* in Dessau am 10. Mai 1888. Am 3. Juni 1888 beendete er sein tatenfrohes, erfolgreiches Leben.

In diesen Tagen nach Berlin als Musikprofessor berufene Hermann Kretzschmar übernahm den verwaisten Verein und brachte die Händelschen Oratorien in der Bearbeitung von Chrysander zu verdienten Ehren.

Als „instrumentale Ergänzung" des Riedelvereins führte Kretschmar die „Akademischen Konzerte" ein, die jedem der Teilnehmer wohl unvergeßlich bleiben werden. Sie sind nicht mehr.

Am 20. November 1897 wurde der jetzige Dirigent Herr Dr. Georg Göhler, Hofkapellmeister, zum Dirigenten gewählt.

Was dieser reich veranlagte Führer für Leipzigs Musikleben, das für das allgemeine Musikleben, besonders aber für die Sphäre der kirchlichen Musik bedeutet, davon war schon des öfteren in diesen Blättern die Rede. Besondere Ruhmestage unter seiner Leitung waren die Aufführung der *Missa solemnis* in der Dresdener Hofoper vor ausverkauftem Hause und die zwei Konzerte im goldenen Prag, die eine begeisterte, einmütige Kritik hervorrief.

Schöner konnte ein der vokalen Kunst geweihter Jubeltag nicht am 8. Mai der goldene Jubeltag nicht gefeiert werden als durch Wiedergabe des Oratoriums „Christus" von Franz Liszt, am 9. Mai d. J.

Es will auch in dem kunstbegeisterten Leipzig etwas heißen: Wochentags, bei herrlichster Maiensonne sich 1/26 Uhr in die Kirche zu setzen und bis 9 Uhr mit Spannung auszuharren. Diese „Dämmerstunde" dürfte vielen der Zuhörer unvergeßlich bleiben.

Über die Aufführung des grandiosen Werkes wartete ein guter Stern. Soli, Chor, Orgel und Orchester übertrafen einander an Klangfülle und Schönheit, so daß vielen die 3½ Stunden des Zuhörens noch viel zu kurz erschienen.

Und dieser gewaltige Chor, diese Summe von musikalisch hoch einzuschätzenden Kräften ist entstanden aus dem bescheidenen Soloquartett.

Wenn auch Riedel nicht unseres Glaubens war — das eine kann der katholische Chordirigent von diesem seltenen Manne lernen: Energie aus Begeisterung, Hingabe aus Liebe zur Sache.

Interessant ist, was Witt in einem der siebziger Jahrgänge der *Musica sacra* darüber schreibt, wie Riedel es angefangen, seinen Chor zur sogenannten „Musik der Alten" zu bekehren.

Eines Abends legte er zur gewohnten Probe einen der Alten auf. Alle Sänger fanden die Musik — ungenießbar. Jeder weitere Versuch des Dirigenten scheiterte an dem passiven Widerstande der Mitglieder. Was macht Riedel?

Er wählt ein Soloquartett aus und übt mit diesen vier gutgewillten Leuten das bewußte Motett ein.

Seinen Erläuterungen und der intimeren Art des Unterrichtens bei so kleinerem Kreise gelingt es, diese erwählte Schar von der Schönheit des Tonstückes vollständig zu überzeugen. Die nächsten Abende verstärkt er das Quartett, bis er auf diese Weise den halben Chor heimlich zu sich hinübergezogen hat.

In der nächsten Stunde legt er der verblüfften andern Hälfte das verwünschte Motett noch einmal auf, läßt es den Überraschten in einer Weise vorsingen, daß alle die geheimen Schönheiten recht zum Ausdruck gelangen, und der Sieg war ein glänzender.

Riedels Arbeitskraft war eine außerordentlich große. Er gab den Tag über bis acht Musikstunden privat, besorgte die Handlichmachung des gewaltigen Notenmaterials, trieb Studien behufs Programmerweiterung und fand immer noch Zeit, bis zur nächsten Probe säumige Mitglieder brieflich zu neuer Teilnahme zu gewinnen oder bei besonders lauen gar persönliche Besuche zu machen.

Wie groß steht dieser einfache, schlichte Seidenfärber vor uns da. Welche Opfer für eine rein ideale Sache?

Fürwahr: man klopft unwillkürlich an die eigene Brust und fragt sich: „Wärst auch du solcher Aufopferung fähig?" oder: „Beschämt dich nicht dieser Mann, der der Kunst zuliebe ein so arbeitsreiches Leben auf sich nahm?"

Und ziehen wir die für den katholischen Chordirigenten sich ergebende Summe seiner besonderen Anregungen, die dem Regens chori außer und neben der Kunst noch der Glaube an die Gegenwart Christi im allerheiligsten Altarsakramente bietet, so müssen wir bekennen: wenn schon die bloße Begeisterung für das Ideal des Schönen solche Wunder der Arbeitskraft schafft, um wieviel mehr ist da der katholische Kirchenchordirigent verpflichtet, seinem Doppelideale, dem des Glaubens und der Schönheit, zum Siege zu verhelfen?

Um wieviel weniger wird er einst Entschuldigungen haben, wenn er sein *Talentum* vergraben hätte?

Es mutet uns eigentümlich an: hier ein Verein, eine Sängerschar, ein Dirigent, die der Drang nach Darstellung des Tonschönen nicht selten zu jenen Großen des Musikreiches geführt hat und noch führt, die der Stolz der katholischen Kirche sind.

Und wie oft lassen gerade die großen Musikinstitute an katholischen Hofkirchen jene unermeßlichen Schätze halb oder ganz unangerührt. Hier ein seinen Statuten und seiner Lebensäußerung nach konfessionsloser, allerdings christgläubiger Verein, der mit rührender, erbauender Treue seine in gewisser Beziehung „altmodischen" Ideale von religiöser Musik opferfreudig verfolgt und seine Aufführungen zu Himmelsfahrten gestaltet.

Und dort eine technisch wohlgeschulte Truppe, die, mit der Absicht zu erbauen, gerade jene heiligen Gefühle oft niederreißt und an Stelle des Gotteshauses einen Tempel der leichten Musen errichtet. — —

Hier nehme sich ein jeder Gutgesinnte sein Teil daraus. Nicht, als ob auch auf unserer Seite keine Vorbilder zu suchen und zu finden seien — nein — wir kennen viele große und berühmte Chöre, die verdienstvollsten kennt der Gott allein — aber nehmen wir das Gute, wo wir es finden.

> „Dem Fertigen ist nichts recht zu machen.
> Ein Werdender wird immer dankbar sein."
>
> Goethe.

Lasse jeder, den es angeht, die milde, edle, unverwüstliche Arbeitskraft dieses seltenen Mannes an sich vorüberziehen. Er wird die Wahrheit des Satzes aufs neue begreifen, womit Wilhelm Kienzl das Charakterbild Richard Wagners im zweiten Teile beginnt: „Die Persönlichkeit ist in der Kunst alles."

H. L.

2. ☰ **Die Schule des steierm. Musikvereines in Graz** hielt am 19. Juni 1904 eine Gedenkfeier für Joh. Jos. Fux, geb. 1660 zu Hirtenfeld, gest. 1741 zu Wien, veranstaltet von den Musikgeschichts-Kursen (Lehrer: Herr Anton Seydler) unter gefälliger Mitwirkung des Herrn Franz Stöckl. Vormittags ½10 Uhr im Musikvereinssaale: 1. Joh. Jos. Fux: Fuge in F-moll für die Orgel. Herr Franz Schöpke (Lehrer: Herr Oswin Keller). 2. Vortrag über Joh. Jos. Fux. Herr Walther v. Semetkowski (Lehrer: Herr Anton Seydler). 3. Joh. Jos. Fux: Ouverture (Suite) in B-dur für zwei Violinen, Viola, zwei Fagotte und Baß. Ouverture, Aria, Menuet primo, Menuet secundo, Passepied, „Der Schmied", Gigue (Dirigent: Direktor Richard Wickenhaußer). 4. Joh. Jos. Fux: *Sanctus* und *Benedictus* aus der *Missa Purificationis* für gemischten Chor, Bariton, Solo und Orgel. Bariton: Herr Franz Stöckl. — Orgel: Herr Franz Schöpke (Lehrer: Herr Oswin Keller). — Chor: die Schüler und Schülerinnen der Musikgeschichts-Kurse unter gefälliger Mitwirkung einiger kunstsinniger Herren. Nachmittags 4 Uhr in Hirtenfeld: Feierliche Enthüllung eines von den Musikgeschichts-Kursen der Schule des steierm. Musikvereines gestifteten Gedenksteines am Geburtshause des Joh. Jos. Fux: a) Ansprache des Herrn Anton Seydler. b) Enthüllung des Gedenksteines. c) Beethoven: „Die Ehre Gottes". d) Weihe des Gedenksteines durch den Pfarrer von St. Marein, Hochwürden Herrn Dr. Anton Hutegger. e) Joh. Jos. Fux: *Sanctus* (a capella).

3. ✱ **Vom 2. bayrischen Musikfest in Regensburg,** dessen Programm in Nr. 6, S. 70, mitgeteilt worden ist, haben die einheimischen und auswärtigen Zeitungen in ehrender Weise berichtet. Das Münchener Hoforchester und die Solisten haben unter der ausgezeichneten Leitung von Richard Strauß vorzügliche Genüsse geschaffen; das Münchener Streichquartett hat bezaubert. Weniger befriedigend waren die Leistungen des gemischten, aus Regensburger und Nürnberger

Herren und Damen der verschiedenen lokalen Sänger-Vereinigungen zusammengesetzten Chores. Ein wahres musikalisches Unglück entstand bei Vorführung des 16stimmigen Hymnus von Richard Strauß; — nur mit Schrecken kann man sich zurückerinnern! Warum wagen sich Dilettanten am liebsten gewöhnlich an Werke, denen weder der Dirigent, noch der Chor gewachsen ist?

Einen hohen geistigen Genuß und künstlerische Leistungen boten die Aufführungen des hiesigen Domchores unter Leitung des Hochwürd. Herrn Domkapellmeisters Fr. X. Engelhart (Programm Seite 71). Auch Musiklaien und Andersgläubige stimmten überein, daß diese kirchlichen Kunstwerke nicht nur stimmungsvoll und technisch untadelhaft aufgeführt wurden, sondern auch Herz und Gemüt der Zuhörer aufs tiefste bewegten. Wenn einzelne Musikkorrespondenten und die Redner bei der Schlußfeier von diesen Genüßen keinerlei Erwähnung machten, so kann das die idealen Freunde der Kirchenmusik nicht Wunder nehmen, aber es muß konstatiert werden. Über Liszts Graner Festmesse gedenkt die Redaktion gelegentlich eingehender sich äußern zu können. Der beste Bericht über das Musikfest scheint uns in drei Artikeln von Professor Emil Krause in Hamburg enthalten zu sein. Über die Aufführung des Domchores am Pfingstsonntag schreibt er beispielsweis:

„Wie aus einer anderen Welt ertönen die keuschen, absolut in reiner Intonation gegebenen Klänge. Nie habe ich Ähnliches im a capella-Gesange vernommen. Insbesondere sind es die intensiv wirkenden Soprane und Alte der etwa 25 Knaben, zu denen die Tenöre und Bässe, ebenfalls vorzüglich besetzt, das gleich Bedeutsame vollführen. Ich kann mir nicht vorstellen, daß die Kirchengesänge in Rom noch eindringlich erhebender sein können. In erster Beziehung mit die Stimmengleichheit. Das Ohr empfängt vollen Genuß. Man konnte daneben die gründlichsten Betrachtungen anstellen über die verschiedene Kompositionsart der einzelnen Meister und über die der neueren und neuesten Nacheiferer. Herrlich waren die Lasso-Vorträge. Welch gewaltiger Bau der Komposition und welche, man kann sagen „glanzvolle Vielgestaltung"! Von gleich tiefer Wirkung war die sechsstimmige Motette von Palestrina. Mittleren Kompositionen sind weniger streng gehalten als viele andere der neueren Tonsetzer. Sie sind jedoch ebenfalls der reinen Vokalmusik anzureihen, die bedauerlicherweise von Bach an allmählich in Verfall gekommen ist. Was der reine Vokalsatz und die wirkliche Polyphonie zu bedeuten haben, davon geben diese Regensburger Vorführungen das beredte Zeugnis. — Die Schönheit jeder Kantilene, das leidenschaftslose und doch religiös warme derselben, kam zu klarer und dabei unaufdringlicher Entfaltung. Man hatte überall die Überzeugung, daß sich die Singenden (nicht nur die Erwachsenen, sondern auch die Knaben) mit vollem Verständnis der hohen Aufgabe, als dienende Glieder eines einheitlich Ganzen, bewußt waren."

4. Die 17. Generalversammlung des Cäcilienvereins wird am 21. August in Regensburg abgehalten werden. Schon am 20. August ist Versammlung der Diözesanpräsides und Referenten im Saale des Kirchenmusikschule; nach derselben Vortrag kirchenmusikalischer Kompositionen einfachen Charakters und Orgelspiel in der St. Cäcilienkirche. Am Sonntag den 21. August, nach dem Hochamte ist um 10½ Uhr erste geschlossene Mitgliederversammlung im Saale des „Paradiesgarten". Nach der Vesper, um 4 Uhr, zweite geschlossene Versammlung und Neuwahl des Vereinsvorstandes. In Nr. 5 und 6 des Cäcilienvereinsorgans sind Einladung und die bisher gestellten Anträge veröffentlicht. In Nr. 8 der Musica sacra wird auch das Programm abgedruckt werden. Die Generalversammlung findet also einen Tag vor Eröffnung des 51. Katholikentages daher statt. Nur die wirklichen Mitglieder der verschiedenen, dem „Allgemeinen Cäcilienverein" angeschlossenen Diözesanvereine, haben gegen Lösung einer Mitgliederkarte (2 ℳ) durch den Vereinskassier, Herrn Musikalienhändler Fr. Feuchtinger (Ludwigstraße), oder die Herren Diözesanpräsides Zutritt zu den zwei geschlossenen Mitgliederversammlungen. Ersterer vermittelt auch die Wohnungen. F. X. H.

5. † Mit der **7.** und **8. Musikbeilage** schließen die Gradualien von Pet. Griesbacher für 3 Oberstimmen mit obligater Orgel. Die 9.—12. Musikbeilage enthält 10 eucharistische Gesänge, für gemischten vierstimmigen Chor, Op. 27, von Herm. Bäuerle. Von beiden Werken erscheinen auch Einzelausgaben, für welche die Singstimmen in nächster Zeit erscheinen werden.

6. Inhaltsübersicht von Nr. 5 des Cäcilienvereinsorgans: Motu proprio Sr. Heiligkeit vom 24. April 1904. (Italienisch und deutsch.) — Vereins-Chronik: Diözesanbericht Brixen für 1903: Charwochenprogramm aus Leuck-Stadt, Karlsruhe, Katharinenthal, Passau; Grassauer Filialkirchenchor; Diözesanversammlung Augsburg in Nördlingen. — Aufruf für „populäre Palestrina-Ausgabe". Von H. Bäuerle. — Einladung zur 17. Generalversammlung des Allgemeinen Cäcilienvereins in Regensburg. — Inhaltsübersicht von Nr. 5 und 6 der Musica sacra. — Anzeigenblatt. — Cäcilienvereins-Katalog S. 57—64, Nr. 3105—3122.

7. Inhaltsübersicht von Nr. 6 des Cäcilienvereinsorgans: Anträge zur 17. Generalversammlung. — Vereins-Chronik: 16. Generalversammlung des Cäcilienvereins der Diözese Augsburg; 35. Generalversammlung des Cäcilienvereins der Erzdiözese Cöln in Essen; Stift Göttweig; Bezirks-Cäcilienverein Kaiserslautern; Bezirks-Cäcilienverein Geldern in Nienkerk; Kirchenchor Mainburg in Walkertshofen; Rownoe (Rußland). — Vermischte Nachrichten und Notizen: Mainz; Reskript der S. R. C. betreffs Gesänge in der Volkssprache beim Hochamt; Personalnotizen: Arnold Walther, G. V. Weber, Dr. Peter Müller, Johann Menerer, P. U. Kornmüller. — Anzeigenblatt. — Cäcilienvereins-Katalog S. 65—72, Nr. 3123—3137.

Druck und Verlag von **Friedrich Pustet** in Regensburg, Gesandtenstraße.
Nebst Anzeigeblatt und 7.—12. Musikbeilage.

1904.   Regensburg, am 1. August 1904.   Nᵒ 8.

MUSICA SACRA.

Gegründet von Dr. Franz Xaver Witt († 1888).

Monatschrift für Hebung und Förderung der kathol. Kirchenmusik.

Herausgegeben von Dr. Franz Xaver Haberl, Direktor der Kirchenmusikschule in Regensburg.

Neue Folge XVI., als Fortsetzung XXXVII. Jahrgang.   Mit 12 Musikbeilagen.

Die „Musica sacra" wird am 1. jeden Monats ausgegeben, jede der 12 Nummern umfaßt 12 Seiten Text. Die 12 Musikbeilagen (48 Seiten) sind den Nummern 3 und 7 beigelegt. Der Abonnementpreis des 37. Jahrganges 1904 beträgt 3 Mark; Einzelnummern ohne Musikbeilagen kostet 30 Pfennige. Die Bestellung kann bei jeder Postanstalt oder Buchhandlung erfolgen.

Neu und früher erschienene Kirchenkompositionen.

Von **H. Bäuerle** Op. 11,[1]) der Messe *O sacrum convivium* für gemischten vierstimmigen Chor, ist eine 2. Auflage erschienen. Die 1. ist durch Referate von P. H. Thielen und Fr. Nekes unter Nr. 2372 im Cäcilienvereins-Katalog aufgenommen worden. In der 2. Auflage wurde die Partitur durch metronomische Angaben, Phrasierungszeichen, Bindebogen und Verbesserungen der Textunterlage bereichert; doch können die Stimmen der 1. Auflage mit einzelnen notwendigen Änderungen auch für diese Edition gebraucht werden.

Max Filke komponierte als Op. 102a ein *Regina coeli* für gemischten vierstimmigen Chor mit Orchester und Op. 106b, ein *Salve Regina*, in ähnlicher Besetzung, letztere Mar. Antiphon auch für Frauenchor (s. *Mus. s.* Nr. 7, S. 81). Freunde modernen, aber guter Kirchenmusik mögen sich dieser festlichen und pikanten Kompositionen immerhin bedienen. Im *Regina coeli* befremden die vielen Textwiederholungen in den einzelnen Verszeilen; im *Salve Regina* muß *filii Evae* (statt *filiae*) verbessert werden. Ohne Orchester, mit bloßer Orgelbegleitung, ist zur Aufführung nicht zu raten.

Op. 10b, ein Requiem für 4 gemischte Stimmen mit Orgelbegleitung von **Vinc. Goller** (s. oben S. 81), ist die vierstimmige Bearbeitung des unter Nr. 2752 von M. Haller und P. Piel besprochenen zweistimmigen Requiem.

Aus der fruchtbaren Feder von **P. Griesbacher** stammen Op. 76 *Gradualia festiva* für 4 gemischte Stimmen[2]) und Op. 77, die Antiphon *Haec dies* in sechs verschiedenen Weisen.[3]) Die 9 Gradualien sind leicht vorzutragen; es wechselt rezitierende Homophonie mit rhythmisch und deklamatorisch anregender, doch mäßiger Imitation. Auch die

---

[1]) Verlag von Friedr. Alber in Ravensburg. Partitur 1 ℳ 80 ₰, Stimmen à 20 ₰. 1904.

[2]) 1. *Viderunt* von der 3. Messe des Weihnachtsfestes, 2. *Sederunt*, Fest des heil. Stephanus, 3. *Omnes de Saba*, am heil. Dreikönigsfeste, 4. *Suscepimus* am Mariä Lichtmeßtage, 5. *Ab All. V.s Ave Maria*, von Mariä Verkündigung in der österlichen Zeit, 6. *Oculi omnium*, für Fronleichnam, 7. *Principium*, Fest des heil. Joh. Baptist, 8. *Timete*, Allerheiligenfest, 9. *Judi filia*, am Feste der heil. Cäcilie. L. Schwann, Düsseldorf. 1904. Partitur 1 ℳ 80 ₰, Stimmen à 25 ₰.

[3]) Nr. 1 A-dur und B-dur können auch in der Vesper als Antiphon verwendet werden, Nr. 3 als Graduale für Ostersonntag und Ostermontag (die ersten 3 Nummern ohne Orgel), Nr. 4 F-dur (stimmig mit Orgel, Nr. 5 als Antiphon (6-stimmig S. A. und 4 Männer-stimmen), Nr. 6 8-stimmig als Antiphon (für S. 2 A., Ten. und 2 B. A-dur). Der lateinische Titel ist: *Haec dies per quinque modulos diversos 4-6 vocibus concinendis addita Graduali Paschali.* Preis 1 ℳ 80 ₰. An Stelle von Einzelstimmen wird jede Antiphon, falls wenigstens 4 Exemplare bezogen werden, einzeln zu folgenden Preisen abgegeben: Nr. 1, 2 und 3 je 10 ₰, Nr. 4 und 5 je 15 ₰, Nr. 6 zu 20 ₰. L. Schwann in Düsseldorf.

besten Kirchenchöre werden sich an den genannten Festen dieser wirksamen, den Gradualtext sinnig und verständlich vertonenden Gesangssätze gerne bedienen. Auch der Dirigent hat Gelegenheit, durch guten nuancierten Vortrag und flexible Leitung den Eindruck wesentlich zu erhöhen. — Eine überströmende Osterfreude hallt aus den 6 Nummern des *Haec dies*. Wenn die langen Neumen im Choralgesang als Jubeltöne charakterisiert zu werden pflegen, so kann man es dem phantasiereichen Komponisten nicht verargen, wenn er bei der Osterantiphon *Haec dies* manchmal, z. B. in Nr. 4, wo er auch die Orgel herbeizieht, des *exultemus et laetemur* — des Jubels und der Freude kein Ende zu finden weiß. Übrigens sind diese Exzesse der Freude nicht stereotype oder triviale Wiederholungen, auch nicht bloß rhythmische Stöße, sondern mannigfaltige Steigerungen gleich den Wogen der hohen See, welche anwachsend und mächtig emporsteigt und mählich niedersinkt. Die längste und das erwähnte Gleichnis hervorrufende Nummer ist die sechste zu 6 Stimmen, die besonders für die Vesper der Ostertage bestimmt zu sein scheint. Einzelstimmen sind nicht erschienen, aber jede Nummer kann in Partitur bezogen werden.

Ein neues, sowohl dem Studium des strengen Satzes, als auch für Ausführung beim liturgischen Gottesdienste in hervorragender Weise dienendes Werk bietet **M. Haller** durch die Herausgabe und Bearbeitung hervorragender vierstimmiger Sätze aus dem schon längst vergriffenen II. Band von Proskes *Musica divina*. Dieses Op. 88a führt den Titel *„Exempla Polyphoniae Ecclesiasticae"*. Altklassische kirchliche Vokalkompositionen in moderner Notation mit instruktiven Erläuterungen.[1]) Acht Perlen sind durch einen Meister des polyphonen Vokalgesanges auch dem Kenner dieser edelsten Gattung der Kirchenmusik in ihrem schlichten Gewande vorgeführt, dem modernen Musiker aber, welcher sich um den großen C-Takt, um die notwendige Transposition, die durch den Text bedingte Rhythmik und Dynamik selten ernstlich beschäftiget hat, oder welchem das Tempo Schwierigkeiten bereitet, in so praktischer Fassung dargeboten, daß die Einfachheit der Mittel und die Schönheit der Wirkung ihn anregen werden, diese und ähnliche Schätze aus der Blütezeit des kirchlichen Vokalstiles nach mehr als 300 Jahren liebzugewinnen. — Im einleitenden Vorworte begründet der Herausgeber sein Unternehmen und beantwortet die Frage: Was ist der Palestrinastil? mit den Worten: „Er ist die Polyphonie des Chorals; ein Gewebe von Melodien, welche dem Chorale wirklich entnommen oder den Melodien desselben nachgebildet sind, — im Prinzipe nämlich, insoweit es in der Mensuralmusik möglich ist. Nicht in überraschenden harmonischen Wendungen beruht die Kraft und Schönheit dieses Stiles, sondern in der Bildung, **Führung** und **Verbindung** der **Melodien**, also nicht auf **harmonischem**, sondern auf **melodischem Prinzipe.** Folglich hat die Reproduktion in erster Linie auf die **Melodie** zu achten." Den weiteren Inhalt des Vorwortes bilden: Sachgemäße Bemerkungen über **Tempo, Dynamik** und die angewandten Satzformen. Der Hauptwert dieser acht altklassischen Sätze aus den Werken berühmter Vertreter der römischen und venetianischen Schule liegt in den Erläuterungen, welche der über 40 Jahre lang theoretisch und praktisch tätige Dirigent und Komponist zu jeder der acht Nummern geschrieben hat; zuerst nämlich werden die Themen und Motive eines jeden Motettes in ihren verschiedenen Verwendungen auf eigener Notenzeile graphisch dargestellt, dann aber die Satzformen (Nachahmung, Umkehrung, Verkleinerung, freie Imitation) erläutert und der Vortrag, das Tempo und die sprachliche Dynamik, welche durch *p, mf, f* usw. ausgedrückt ist, begründet. — Es darf wohl die Hoffnung ausgesprochen werden, daß diesem Op. 88a im Interesse des Studiums und unserer Kirchenchöre, Dirigenten und Sänger recht bald neue mit „B, C" usw. bezeichnete Hefte folgen werden.

— Von M. Hallers *Missa IV.*, Op. 8a, Messe für 2 gleiche Stimmen Sopran, Alt oder Tenor und Baß mit Orgel oder Harmonium, die im Cäcilienvereins-Katalog bereits unter Nr. 311 Aufnahme gefunden hat, ist die 11. Auflage erschienen.[2])

¹) Von **Luca Marenzio** sind: *Gabriel Angelus* (Nr. 1). *O Rex gloriae* (6) und *O quam gloriosum* (8); von **Andr. Gabrieli:** *Maria Magdalene* (2); von **Thomas Ludw. da Victoria:** *Iste sanctus* (3), *Estote fortes* (5) und *Gaudent in coelis* (7); von **Hans Leo Hassler:** *Quia vidisti me Thoma* (4). Fr. Pustet. Regensburg 1904. Partitur 2 ℳ 10 ₰, Stimmen à 40 ₰.
²) Regensburg, Fr. Pustet. 1904. Partitur 1 ℳ, Stimmen à 20 ₰.

Ein *Tu es Petrus*, Op. 6 von **Ralm. Heuler**, ist für 6 Männerstimmen und Orchester *ad lib.* (d. h. 2 Hörner, 2 Pos. und Bomb.) komponiert. Für gottesdienstlichen Gebrauch kann Referent diese massig angelegte und nur bei sehr starker Stimmenbesetzung durchführbare Gelegenheitskomposition[1]) nicht empfehlen. Auch der Ansicht des Komponisten, daß dieses Werk „mit einigen absichtlich zur Anwendung gebrachten Freiheiten im sogenannten Palestrinastil geschrieben" sei, kann nicht beigestimmt werden. Die 6 Stimmen teilen sich in je 2 Tenöre, Baritone und Bässe. Der erste Tenor muß $\bar{g}$ und $\bar{a}$, der 2. Baß *F–G* beherrschen. Vorsichtig überlege man, ob nicht durch Stimmenzersplitterung der beabsichtigte und erhoffte Effekt versagt.

Op. 19, eine Messe zu Ehren des heiligen Johann Baptist für gemischten vierstimmigen Chor und Orchester (in 3 Ausgaben) komponierte **Joh. Meurer**, (s. oben S. 81). In der Direktionsstimme sind die Einsätze der Instrumente skizziert. Auch bei dieser Komposition, welche für jene Chöre in Österreich und Süddeutschland, deren sonn- und festtägliches Brot Instrumentalmessen sind, berechnet ist, denkt Referent nur an eine Ausführung mit Orchester. In der Deklamation mangelt Frische und Natürlichkeit.[2]) Die Komposition ist anständig und mutet den Singstimmen keine großen Schwierigkeiten zu.

Op. 35 von **F. R. Picka** ist ein *Te Deum* für gemischten Chor mit Orgel. Der ganze Text wird korrekt abgewickelt, an Modulationen fehlt es nicht, wo Gefahren vorhanden, hilft die Orgel aus der Verlegenheit; *Unisoni*, Verdoppelungen der Ober- und Unterstimmen, dynamische und rhythmische Abwechselungen versuchen die Langeweile zu bekämpfen; nach den Grundsätzen des *Motu proprio* Pius X. dürfte das Werk nicht bestehen. Ein hübsches *Pange lingua* für gemischten Chor ist beigefügt (s. oben S. 81).

— — Vom gleichen Autor stammen 10 Gesänge, welche in der Charwoche verwendet werden können, für gemischten vierstimmigen Chor, Op. 37 (s. oben S. 81).[3]) Der harmonisch modulatorische Stil ist in der ganzen Sammlung eingehalten und kann nicht vor Ermüdung schützen. Unwürdig ist keine der 10 Nummern, aber für die heilige Charwoche besitzen wir wertvolleres und auch künstlerisch gediegeneres Material aus alter und neuer Zeit.

Von **Jul. Polzer** liegen 4 Kompositionen vor (s. o. S. 81). a) 8 *Pange lingua* für gemischten vierstimmigen Chor (Op. 57 64). Sie sind sehr leicht, können aber bei der fortgesetzten Homophonie nicht vor Ermüdung schützen; man hüte sich vor schwerfälligem Vortrage. b) 2 *Vidi aquam*, (Op. 106 und 149) sind wohl für die allerschwächsten Chöre berechnet. c) 2 *Asperges* sind von gleichem Gehalte. d) Die Messe Maria Waitschach für gemischten Chor läßt die vier Stimmen niemals zur Ruhe kommen, ist jedoch nach Text und Deklamation korrekt.

J. B. Thaller komponierte als Opus 18 (s. o. S. 81) ein *Ave Maria* (bis *Jesus*), in reich moduliertem, modernem Stile. Ohne Text läßt sich die im $^6/_4$-Takt dahinfließende Komposition ganz passend zu einem Orgel- oder Harmoniumsatz verwenden.

Das *Ave Maria* von **Aug. Weirich** für gemischten vierstimmigen Chor ist würdig im modernen Stile, aber nicht „Offertorium", sondern ein Weihegesang an die Muttergottes außer der Liturgie (s. o. S. 81).

Die Namen-Jesu-Messe für dreistimmigen Männerchor mit obligater Orgelbegleitung hat **Joh. Ev. Zellnka**, Chordirektor in Prag, für Studenten und Seminarchöre komponiert.

---

[1]) „Zum Gebrauche bei kirchlichen Musikaufführungen, bei Papstfeiern und als Communio bei Festen der Apostelfürsten." Graz, 1904. Verlagsbuchhandlung Styria. Partitur. Sing- und Instrumentalstimmen komplett 5 ℳ.

[2]) Bei *Et in Spiritum sanctum* ist im Texte das Komma richtig angegeben, die musikalische Phrase jedoch zieht das *Sanctum* zu *Dominum*. Viele Trennungszeichen im Texte fehlen, so daß Sänger, welche des Lateinischen nicht mächtig sind, zum Falschatmen verführt werden.

[3]) Der Titel *Hebdomas sancta* ist irreführend, der Untertitel *X Cantici* falsch. Auch das lateinisch richtige *Cantici* ist für diese Sammlung unpassend, da sie überhaupt kein sogenanntes *Canticum* enthält, sondern 1. das Graduale *Tenuisti manum*, 2. das Offertorium *Improperium*, 3. das Graduale *Christus factus est*, 4. das Offertorium *Dextera Domini*, 5. ein *O salutaris hostia*, 6. das *Populo meus*, 7. die Antiphon *Oremus tuam*, 8. den Hymnus *Vexilla regis*, 9. das Responsorium *Ecce quomodo moritur*, 10. die Antiphon *Regina coeli*.

Dieses Op. 5 (s. o. S. 81) wird weder jungen, noch alten Sängern Freude machen, wegen der außerordentlichen Trockenheit nach Seite der Melodie und Harmonie. *In stylo facili* wollte der Autor schreiben, aber — es ist nicht leicht, beispielsweise das ganze *Gloria* und *Credo*, fast ohne jeden Ruhepunkt der einzelnen Stimmen, ganz wenig von einer mageren Orgelbegleitung unterstützt, ohne Unwillen zu Ende zu bringen und gähnende Langeweile zu unterdrücken. F. X. H.

Vom Bücher- und Musikalienmarkte.

1. Geistliche und religiöse Musik: **Ludwig Bordt** edierte 1904 bei Chr. Fr. Vieweg, Berlin-Großlichterfelde, W., eine Sammlung liturgischer Gesänge, Rezitationen, Responsorien und Invokationen für Altar-, Chor- und Gemeindegesang in deutscher Sprache mit Benützung altüberlieferter Melodien in den Kirchentonarten unter dem Titel „Cantionale." Preis broschiert 3 *M*, gebunden 3 *M* 50 *S*. Die Choralmelodien der lateinischen Liturgie, vorzugsweise die Psalmodie und die sillabischen Gesänge, wie es scheint, für den altkatholischen Gottesdienst, (auch Litaneien) sind gut harmonisiert und in der Ordnung des Kirchenjahres zusammengestellt.

— — Der gleiche Autor bearbeitete im nämlichen Verlag eine Auswahl von geistlichen Liedern für gemischten Männer- und Frauenchor unter dem Titel „Communio". Auch diese Sammlung von 31 deutschen, meist aus dem lateinischen Originaltext übersetzten und trefflich harmonisierten Gesängen eignet sich nicht für den katholischen Gottesdienst. Preis 60 *S*.

— — Die Psalmtöne nebst Falsibordoni für den kirchlichen Chor- und Volksgesang, vierstimmig bearbeitet mit dem *Cantus firmus* im Sopran oder im Tenor, konnte der gleiche Autor im genannten Verlag bereits in 3. Auflage herausgeben. Er hat sich an die Psalmtöne der früher offiziellen römischen Ausgabe gehalten, jedoch deutschen Text gewählt. Preis 50 *S*.

Unter dem Titel: „Der Makellosen ein Edelweiß" flocht Vinc. Goller einen Kranz von Marienliedern zum Preise der unbefleckten Empfängnis Mariä als Festgabe zum 50jährigen Jubiläum der Proklamierung (1854—1904). Die 22 Mariengesänge mit deutschen Texten für gemischten Chor mit und ohne Orgel sind von den Tiroler Komponisten, zu denen auch der Herausgeber gehört, Hans von Berchtal, Alois Blaas, Wunibald Briem (2), Alois Demattia (3), Andreas Engl, Joh. Geiger, Bernh. Haller, Rud. Krallinger, Ign. Mitterer (2), Franz Moll, Franz Mohrherr, Benno Ratz, P. Gregor Zahlfleisch (3), Herausgeber Ch. Die meisten dieser schönen Lieder sind über bekannte Texte komponiert, die Hälfte ohne Orgelbegleitung. Möge der Herausgeber oder Verleger die kirchliche Approbation dieser Marienliedertexte anstreben, um der kirchlichen Vorschrift genau zu entsprechen und die Sammlung auch für den Gebrauch in der Kirche autorisieren zu lassen, denn der musikalische Inhalt ist durchaus edel und größtenteils wertvoll. A. Coppenrath (H. Pawelek), Regensburg. 1904. Partitur 3 *M*. Stimmen à 60 *S*.

Ineuntis Saeculi XX Auspicia. Opusculum musicum ad carmen Leonis XIII Pontificis Optimi Maximi accommodatum Ipsique dicatum a Sac. Eugenio Gruberski, *Ecclesiae Cathedralis Plocensis chori rectore* 1904. *Sumptibus M. Szczepkowski Varsavia Nowoprodzka 23.* Klavierauszug 5 Fr. — 2 Rubel. Diese groß angelegte Komposition für Orchester und vierstimmigen Männerchor mit Soli- und Duetteinlagen, auch 3 Nummern für gem. Chor, 4- und 6stimmig, hat die lateinische Dichtung Leos XIII.: „*Odi te bonorum nobilis artium decedit aetas*" musikalisch illustriert. In einem Vorwort, das in französischer und polnischer Sprache abgefaßt ist, entwickelt der talentierte Priesterkomponist seine Auffassung über das Gedicht Leos und zeigt sich in den modernen Formen und in strammer Rhythmik wohl geschult. Bei Festversammlungen wird die nicht schwierige, imposant und triumphierend durchgeführte Komposition, in der auch sanfte Saiten glücklich angeschlagen werden, gute Wirkung machen.

Vom „Liederkranz zu Ehren des göttlichen Herzens Jesu", 15 deutsche Lieder zu 1, 2 und 3 Sopran und Altstimme mit Orgel- oder Harmoniumbegleitung, welche Mich. Haller als Op. 60a komponiert hat, ist bei Pustet in Regensburg die 3. Auflage 1904 erschienen. Die 1. ist bereits im Cäcilienvereins-Katalog unter Nr. 2546 aufgenommen. Partitur 1 *M*. 2 Stimmen à 40 *S*.

Die schöne Dichtung von Guido Görres, „Es blüht der Blumen eine", komponierte der Gesanglehrer an der städtischen Singschule München, Norbert Hoff, als Op. 50a für 2 Kinderstimmen mit Orgelbegleitung. Verlag des Komponisten, München, Symphenburgerstraße 61. Partitur 50 *S*, die beiden Stimmen vereinigt 10 *S*.

Johann Mittersakschmöller komponierte 4 deutsche Predigtlieder für gemischten vierstimmigen Chor, Orgel- oder Orchesterbegleitung, letztere *ad lib.* im Verlag von J. Clement in Bozen. Komplett 4 Kr. Orgelstimmen 1 Kr. 20 h, Singstimmen 1 Kr. 60 h, Orchesterstimmen 1 Kr. 20 h. Die deutschen Texte entbehren der kirchlichen Approbation. Die Musik ist einfach ohne besondere Prätentionen.

Eine Kantate nach den Worten der Heiligen Schrift mit Deklamationen und lebenden Bildern, komponiert für 3stimmigen Frauenchor mit Harmonium und Klavierbegleitung von P. Piel mit dem Titel „Marienleben", bildet den Inhalt des Op. 111. Das Werk ist zur Jubelfeier der Verkündigung des Dogmas von der unbefleckten Empfängnis Mariä verfaßt, 1904 bei L. Schwann in Düsseldorf erschienen. Partitur 6 *M*, 3 Stimmen à 40 *S*, Textbuch 15 *S*. Der Einleitungschor fordert mit *Alleluja* und den Worten des 112. Psalms *Laudate pueri* alle Marienkinder auf, die hehre Gottesmutter zu preisen. Zwischen den 5 lebenden Bildern wechseln Soli der 3 Oberstimmen, Chöre, Deklamationen in mannigfaltiger Weise ab. Trotz aller Einfachheit und weisen Rücksichtnahme auf die Kräfte weiblicher Institute, Vereine und Klöster ist die Musik gehaltvoll und lieblich, dem deutschen Texte in schöner Deklamation sich anschmiegend, nirgends weichlich und in der Begleitung der beiden obligaten Instrumente, die jedoch nur bei den Chören zusammenwirken, während in den Rezitativen und Arien das Klavier oder das Harmonium allein tätig sind, kräftig und maßvoll. Wir wünschen und hoffen, daß diese herrliche Kantate nicht nur im Monat Dezember dieses Jubeljahres, sondern für alle Zeiten der glorreichen Himmelskönigin zur Huldigung aufgeführt werde.

14 Lieder zur Verehrung des heil. Altarssakramentes, des Herzens Jesu und der Mutter Gottes für zweistimmigen Frauen- oder Kinderchor mit Orgelbegleitung komponierte Joh. Plag als Op. 12 bei L. Schwann in Düsseldorf. 1904. Partitur 2 .ℳ 10 ₰, das Heftchen mit den beiden Singstimmen 25 ₰. Die Schulkinder männlichen und weiblichen Geschlechtes können diese 14 Strophenlieder, die mit einer gediegenen Orgelbegleitung versehen sind, ohne Schwierigkeit, bei guter Leitung auch im Schiff der Kirche, bewältigen; ein kleinerer Chor, gleichsam die Kerntruppe, mag auf dem Musikchor abwechselnd die eine oder andere Strophe vorsingen und dem Gesamtchor das gute Beispiel geben.

Eine „Jubelhymne" zu Ehren der unbefleckt empfangenen Gottesmutter, Text von W. Wiesebach, S. J., für Unisono-Chor und 8stimmiges Blechorchester oder Klavierbegleitung, komponierte Oskar Schwarz, S. J., L. Schwann, Düsseldorf, 1904. Preis 30 ₰, von 10 Exemplaren ab je 10 ₰, Orchesterstimmen (Flügelhorn in B, Tromba, I und II in B, Althorn in Es, Tenorhorn in B, Posaune in C, Bariton, Tuba) zusammen 1 .ℳ. Die packende, in gutem Sinne populäre Melodie eignet sich trefflich zum Massenvortrag, mit Blechbegleitung sogar in größeren Kirchen.

4 leicht ausführbare Kirchenlieder von P. Josaphat Sparber O. Cap., für 4stimmigen Männerchor verdienen Empfehlung. Nr. 3 (dreistimmig) und 4, letzteres unter Nr. 5, sind auch für gemischten Chor geschrieben. Den deutschen Texten (3 Marienlieder und ein Sakramentslied) fehlt die kirchliche Approbation. Melodie und Harmonie sind einfach und innig komponiert. Verlag von Joh. Groß (S. A. Reiß) in Innsbruck. Partitur 1 .ℳ, Stimmen 1 .ℳ 50 ₰.

Bei Anton Böhm & Sohn in Augsburg und Wien erschienen 1904 nachfolgende kirchliche Gesänge mit deutschen Texten:

1. Von G. Fiesel, a) Op. 11b, 3 Marienlieder für 4 Frauenstimmen, die auch von Männerstimmen vorgetragen werden können und als Strophenlieder würdig und andächtig behandelt sind, b) Op. 12a, drei Marienlieder für gemischten vierstimmigen Chor. c) als Op. 12b die nämlichen Texte und Melodien für 4 Frauenstimmen umgearbeitet. Jedes der 3 Hefte kostet 1 .ℳ 50 ₰ komplett. Auch bei diesen Texten vermißt Referent die Quellenangabe und oberhirtliche Druckgenehmigung.

2. Von Jos. Gruber liegt als Op. 157 vor: Olbergandachtsgesänge für gemischten Chor und Orgel. Der Text von A. Lense, kirchlich nicht approbiert, ist in 5 Nummern eingeteilt. Als Eingang dient ein zweistimmiger Satz für Sopran und Alt.: bei Nummern 2–4 nehmen in 3 Strophen die „drei Fälle", welche die Tradition bei Betrachtung der Leiden Jesu am Ölberge annimmt, zum Textinhalt, zwischen denen der Priester Gebete einschaltet: Nr. 5 ist Schlußchor. Partitur à 1 .ℳ 20 ₰, Stimmen à 30 ₰. Die Komposition ist würdig, die Begleitung einfach und stützend. b) Ist ein deutscher Auferstehungschor (Text aus „Cäcilia" von Jos. Mohr), Op. 160, für gemischten Chor und Orgel oder mit Begleitung von Streichquintett, Flöte , 2 Klarinetten, Hörner und Trompeten, Baßposaune und Pauken. Das ganze ist leicht ausführbar und umfaßt 4 Strophen. Ausgabe Instrumentalbegleitung 2 .ℳ, mit 4 Singstimmen und Orgel 1 .ℳ 20 ₰.

3. Das bekannte Franz Lehnersche Marienlied: „Gnadenmutter, höre mich!" komponierte J. B. Thaller als Op. 16 für 4 gemische Stimmen in überaus weichen und chromatischen Wendungen, die nur von gut geschulten Sängern zu befriedigender musikalischer Wirkung gebracht werden können. Zu Privatandachten, auch nach dem Segen mit dem Allerheiligsten mag Text und Komposition als sehr subjektive Gefühlsäußerung manchem hingehen und vielen gefallen. Part. mit St. 1 .ℳ 50 ₰.

4. Op. 65 von Karl Fr. Weinberger bringt in 2 Heften 10 Lieder zur Feier der heiligen Erstkommunion über die Dichtungen von Cordula Peregrina, komponiert für vierstimmig gemischten Chor (auch zweistimmig für Sopran und Alt, wenn die Partitur als Orgelstimme benützt wird). Preis des 1. Heftes komplett 2 .ℳ, Part. allein 1 .ℳ, St. à 25 ₰, des 2. Heftes komplett 2 .ℳ 40 ₰, Part. allein 1 .ℳ, St. à 35 ₰. Würdige und nicht schwere, ungezierte Melodien und Harmonien umkleiden die kirchlich nicht approbierten Texte, deren die meisten 3–5 Strophen enthalten.

II. Weltliche Lieder und Kompositionen: Ein Gedicht von F. W. Faber, aus dem Englischen übersetzt von B. Cohausz, „Himmelssehnsucht" komponierte L. Bonvin für Sopran mit Pianofortebegleitung (Op. 24, Nr. 3), deutscher Liederverlag Nr. 226 bei Breitkopf & Härtel, Leipzig. Man ist's bei dem Komponisten gewohnt, daß er den Text zu durchdringen und dramatisch in modernem Stile darzustellen weiß. Das Lied wird in englischer und deutscher Sprache, auch von mittelmäßigen Sängern, wenn Klavierspielern mit Erfolg vorgetragen und gerne gehört werden. Preis 30 ₰.

Drei Lieder für gemischten Chor, insbesondere zum Gebrauch an Gymnasien und höheren Lehranstalten sind Op. 105 von Max Filke. Nr. 1 „Valet", Nr. 2 „Aveglöcklein", Nr. 3 „Spechtlied". Verlag von Robert Forberg in Leipzig. Jedes Heft in Partitur und Stimmen 1 .ℳ. Das sind frische, jung und gut packende, gut deklamierte, in überraschenden harmonischen Wendungen und gefälligen Rhythmen erdachte Lieder! In den Gymnasialschulen schlummern eine Menge von Fähigkeiten und Stimmen, die leider oft brach liegen bleiben, obwohl sie für den Kirchengesang wertvolle Dienste leisten könnten, wenn Religions- und Musiklehrer zusammenhelfen und der Rektor „lenkt". Nicht nur Studenten, die besonders an Nr. 3 jugendliches Gefallen finden werden, sondern auch gut geschulte gemische Chöre werden an diesen 3 Kompositionen zeigen können, ob sie einen tüchtigen Dirigenten besitzen, der diese sympathischen Lieder modernen Stiles fein herauszuarbeiten versteht.

Ein recht frommes, für Erbauung in der Familie überaus liebliches und leichtes Lied für 1 Singstimme mit Pianoforte- oder Harmoniumbegleitung komponierte **H. Löbmann** über den Text: „Das Kreuz am Wege". — Leipzig, Dresden, Chemnitz bei C. A. Klemm. 1 ℳ.

Bereits S. 52 hat die Redaktion die „klassischen Frauenduette", welche **Paul Manderscheid**, Kgl. Seminarlehrer in Xanten in 4 Heften herausgegeben hat, empfehlend besprochen. In der Verlagshandlung von L. Schwann in Düsseldorf liegt eine 2., verbesserte und vermehrte Auflage von 151 Kompositionen für den Gesangunterricht an Lehrerinneuseminaren und höheren Mädchenschulen vor unter dem Titel „Frauenchöre, Ausgabe A." Der genannte Sammler hat bereits 1902 in der 1. Auflage ganz treffend geschrieben: „Ein gutes Liederbuch muß für den Gesangunterricht das sein, was ein gutes Lesebuch für den deutschen Unterricht ist. Alle Zwecke des Gesangunterrichtes sollen darin gebührende Berücksichtigung finden. Dieser Gedanke hat dem Herausgeber bei Abfassung des Werkes vorgeschwebt." Daß dieser Gedanke zur Tat geworden ist, kann mit hoher Befriedigung ausgesprochen werden. Der Inhalt des 267 Seiten in schönem Typendruck hergestellten Werkes ist sehr reich und mannigtaltig und zerfällt in 2 größere Abteilungen: a) geistliche, b) weltliche Gesänge. Der Verleger sollte dafür sorgen, daß die erste aus 49 Nummern bestehende Abteilung, in der auch 9 Sätze in lateinischem Texte, sowie Hymnen und Psalmen sich befinden, die unter Umständen auch im Gotteshause gesungen werden können, auch äußerlich von der zweiten abgetrennt werde; übrigens kann und soll diese Trennung durch den Chorregenten bewerkstelligt werden. Die 2. Abteilung schildert Naturfreuden, befaßt sich mit des Lebens Lust und Leid, mit Heimat und Vaterland und endigt mit Mendelssohns *Comitat*. Die besten Volks- und Kirchenlieder, Kompositionen von K. M. v. Weber, Fr. Schubert, Mendelssohn, Mozart usw. sind vom Herausgeber für 3- und 4stimmigen Frauenchor bearbeitet und bieten reiches Material für den Gesangunterricht und für Vortrag bei Musikprüfungen und Unterhaltungen in Pensionaten und Mädchenschulen. Ungebunden 1 ℳ 50 ₰, gebunden 2 ℳ.

Vielleicht finden sich unter unseren Lesern Kenner und Freunde der spanischen, bezw. kastillianischen Sprache und Musik. Dieselben werden mit großem Interesse das Werk des Priesters **D. Federico Olmeda** „Folk-Lore de Castilla. Cancionero Popular de Burgos" studieren, das auf 218 Seiten in gr. 8° die kastillianischen Volkslieder und Tänze (*Cantos coreográficos*) enthält und im Jahre 1902 bei Gelegenheit der *Juegos Florales* in Burgos von der Universität preisgekrönt und auf Kosten der Provinz in *Sevilla librería Editorial de María Auxiliadora* 1903 publiziert worden ist. Preis 8 Pesetas zirka 6 ℳ 50 ₰. Zu beziehen durch D. Daniel P. Cecilia. Almacen de Música Espolón 2 y 4. in Burgos. Die lebhaften Rhythmen, Taktarten, Silabierungen geben einen guten Begriff vom heißen Blut dieser Provinzbewohner, welche gesungen in den Melodien, pikant in den Rhythmen, kurz und erregt, auch im ⁵⁄₄-Takt meist in moll ihre Gefühle zum Ausdruck bringen und ohne Zweifel von arabischen Einflüssen nicht unberührt geblieben sind. Der Verfasser bringt in Einleitungen sehr wichtige theoretische und geschichtliche Bemerkungen zu den 3 Abteilungen des Werkes: 1. *Cantos Romeros*, 2. *Cantos Coreográficos*, (*Vocales* und *Instrumentales*), 3) *Cantos Religiosos*.

Von der Sammlung vierstimmig gemischter Chöre für deutsche Cäcilienvereine, höhere Lehranstalten usw., welche der badische Pseudonym **Waldmann von der Au** schon vor Jahren in einzelnen Heftchen unter dem Titel „*Laetitia*" teils selbst komponiert, teils durch Kompositionen altbeliebter, bekannter Meister vermehrt hat, ist nunmehr im Verlag von L. Schwann in Düsseldorf die 6., verbesserte und vermehrte Auflage in vollständig neuem Typendruck erschienen. Partitur 1 ℳ 20 ₰, von 10 Exemplaren ab à 90 ₰. Die 70 Nummern zerfallen in 9 Abteilungen: religiöse-, Vaterlands- und Heimats-, Sonntags-, Morgen- und Abend-, Frühlings-, Wald- und Berg-, Wander-, Abschieds- und Grablieder, sowie Lieder verschiedenen Inhalts und 6 humoristische. Die *Musica sacra* hat schon in früheren Jahrgängen auf die „*Laetitia*" Waldmanns empfehlend hingewiesen und kann das bei dieser neuen, schönen Ausgabe erst recht tun.

Op. 115 von P. **Piel** ist ein prächtiger Festmarsch (Nr. 7) für Klavier zu 4 Händen und 2 Violinen: Viola, Cello, Baß und Triangel sind ad lib. Klavierpart 1 ℳ, Instrumentalstimmen (Cello und Baß auf einem Blatt) à 10 ₰. L. Schwann in Düsseldorf. Auch schwächere Kräfte dürfen sich an die Ausführung dieses angenehmen Tonsatzes wagen.

Eine stimmungsvolle, nicht schwierige Komposition für 3 Frauenstimmen mit Klavierbegleitung, dänischem und deutschem Texte hat **Emil Sjögren** bei Wilhelm Hansen in Kopenhagen und Leipzig verlegt. Das Gedicht von Tom Gelhaar singt von der Rose (Du vana Ros! du Rosa noch in Sommerglanz").

Eine Auswahl von Volks- und volkstümlichen Liedern für Seminar und höhere Schulen als Anhang zu den Liedersammlungen für die genannten Lehranstalten, für Männerstimmen herausgegeben von **August Wiltberger**, Seminarmusiklehrer, ist bei L. Schwann in Düsseldorf in 5. Auflage erschienen. Preis 1 ℳ, von 10 Exemplaren ab à 80 ₰. Die 100 Lieder (größtenteils Bearbeitungen von Volksweisen verschiedener Nationen) sind mit Sorgfalt ausgewählt und von leichter Ausführbarkeit. Daß dieselbe seit 4 Jahren schon in 5. Auflage erscheinen konnte, ist ein Beweis ihrer Brauchbarkeit und wahren Popularität.

Nachfolgende Nummern sind im Verlage von A. Böhm & Sohn in Augsburg und Wien erschienen:

1. Von L. **Buchner**, Op. 25, „Vöglein mein Bote" und Op. 30, „Röslein auf der Au" in der Sammlung „beliebte Männerchöre", je 1 ℳ in Partitur und Stimmen; am hübschesten ist Op. 25.

2. Drei Chöre für gemischte Stimmen von **Paul Mittmann**, Chordirektor an der Michaeliskirche in Breslau. Op. 133. Die Texte sind: „Der Frühling ist da! — Mutter, so sing mich zur Ruh! Frühlingsreigen". Partitur und Stimmen 3 ℳ, Stimmen à 30 ₰.

113

3. „Gauner Fritz als Redakteur" betitelt sich eine komische Szene für 1 Männerstimmen mit Begleitung des Pianoforte von **Toni Pfeiffer**, Op. 31. Wer 5 *M* ausgeben will, wird wohl auch dafür sorgen, daß er ein lachendes Publikum für die unschuldige Posse findet.

4. Von **Johann Sluničko** erfreuen 4 Stücke für Pianoforte, Op. 49. — a) Lied ohne Worte, b) Mazurka, jedes Heft 1 *M* 25 *S*, Caprice. d) ungarische Melodien, jedes Heft 1 *M* 80 *S*. Diese 4 Klavierstücke sind mittelschwer, gefällig und musikalisch nicht ohne Gehalt.

III. **Bücher und Broschüren:** Die Redaktion muß sich bei den meisten der nachfolgenden Bücher und Werke auf Titel und kurze Inhaltsangabe beschränken, da die hauptsächlichsten derselben im kirchenmusikalischen Jahrbuch 1904, welches bis November d. J. hoffentlich erscheinen kann, eingehender besprochen werden müssen.

Dr. v. Bilgner, der in engeren Kreisen sehr bekannte römische Korrespondent der „Germania" in Berlin, hat im Verlag dieser Aktiengesellschaft ein prächtig ausgestattetes, 40 Seiten in Groß-Quart, mit zahlreichen Illustrationen und Cliches geschmücktes Lebensbild zur 1300jährigen Wiederkehr des Todestages Gregor des Großen aus seinen Korrespondenzartikeln zusammengestellt und „unter Mitwirkung von Fachgelehrten herausgegeben". Preis 1 *M* 50 *S*. Der Verfasser kann (S. 22) auch auf die Choralbücher zu sprechen und verleugnet nicht den polemischen Standpunkt, welchen er im Laufe der letzten 7 Monate im Auftrag seiner Arbeitgeber gegen die *Editio Medicaea* eingenommen hat. Den Satz, daß sich in letzterer „fehlerhafte, entstellte, verkürzte, der wahren Kunst Hohn sprechende Melodien finden," wollen wir ihm verzeihen, denn diese Phrase ist so oft als Schwert benützt und ohne wissener Beweis wiederholt worden, bis man sie selbst geglaubt hat.

Le Rythme Grégorien. Résponse à M. Pierre Aubry par A. Dechevrens, S. J. Annecy J. Abry. 1904. Diese 67 in Lexikonformat umfassende Studie beschäftigt sich mit der schwierigen, bis heute noch nicht überzeugend gelösten Rhythmusfrage des gregorianischen Chorals. Diskussionen, nicht über die Leseart, an welche man sich halten wird, wenn sie in der vatikanischen Druckerei erschienen ist, sondern über die Rhythmisierung, beziehungsweise den Vortrag dieser Melodien, werden in nächster Zukunft mit Recht Hauptthema sein. Was wir singen sollen, werden uns die neuen Bücher sagen, über das Wie mag noch mancher Schweißtropfen vergossen werden. Über den Inhalt dieser polemischen Schrift von A. Dechevrens wird das Jahrbuch berichten.

Der 3. Teil der „Neumenstudien" von Dr. Oskar Fleischer (Abhandlungen über mittelalterliche Gesangshandschriften) handelt auf 73 Seiten Text, 37 Seiten Photographien und 43 Seiten Übertragungen von der spätgriechischen Tonschrift. Berlin, 1904. Georg Reimer. 10 *M*. Über den rein wissenschaftlichen Inhalt wird das Jahrbuch Aufschluß geben.

Die neueste Broschüre von G. Gietmann, S. J., hat den Titel: „Die Wahrheit in der gregorianischen Frage" und behandelt auf 75 Seiten in Klein-Oktav den Choral nach den Handschriften und den Schriftstellern. In 9 Abschnitten werden die aktuellen Themata, besonders das über die Rhythmusfrage objektiv und ruhig besprochen. Hauptsächlich wendet sich der Verfasser, bisher ein offener Anhänger seines Ordensgenossen Dechevrens, gegen die oben S. 63 angekündigte Studie von P. Cölestin Vivell. Man säume nicht, dem Turnier der beiden wohlbewaffneten Ritter alle Aufmerksamkeit zu schenken. Paderborn, Ferd. Schöningh, 1904. Preis 80 *S*.

Eine prächtig ausgestattete Denkschrift hat der Riedel-Verein in Leipzig zur Feier seines 50jährigen Bestehens herausgegeben. Die Redaktion besorgte mit peinlichster Genauigkeit und Sorgfalt der Bruder des derzeitigen Dirigenten dieses Vereins, Dr. **Albert Göller**, über den S. 82, von unserm Leipziger Korrespondenten über das Jubiläum berichtet worden ist, findet in genanntem Buche eingehende historische Darlegung. Diese Denkschrift kommt nicht in den Buchhandel, ist aber gegen Einsendung von 3 *M* 30 *S* durch Postanweisung an Herrn Karl Knoll, Mozartstraße 15/I von demselben portofrei, in Leinwand gebunden, zu beziehen.

Der 2. Band von Dr. Hugo Goldschmidts „Studien zur Geschichte der italienischen Oper im 17. Jahrhundert", Leipzig, Breitkopf & Härtel, 1904, 10 *M*, soll im Jahrbuch, ähnlich dem 1. Bande (s. Jahrbuch 1902) besprochen werden.

Vom 2. Teil der Harmonie- und Musiklehre, welche zuerst vom † L. **Heinze** verfaßt und später vom Kgl. Seminar- und Musiklehrer W. **Osburg** bearbeitet worden ist, erschien bei Heinr. Handel in Breslau die 5. Auflage. Das Buch ist für Seminaristen und Musikschüler geschrieben und handelt von der Formenlehre, Organik (Stimme, Blasinstrumente und Orgel, letztere mit einigen Abbildungen) und Geschichte der abendländischen Musik. Die erste Auflage von L. Heinze ist im Cäc.-Ver.-Kat. unter Nr. 549 eingetragen. Preis gebunden 2 *M* 40 *S*.

Ein für Geschichte der protestantischen Liturgie in Deutschland sehr wertvolles Buch ist die von Dr. theol. **Max Herold**, Dekan und Kirchenrat in Neustadt a. A., mit prinzipiellen Erörterungen über liturgische Melodien und Psalmodie, sowie mit manchem Beilagen herausgegebene Schrift des † **Justus Wilh. Lyra** mit dem Titel: Dr. M. Luthers deutsche Messe und Ordnung des Gottesdienstes in ihren liturgischen und musikalischen Bestandteilen nach der Wittenberger Originalausgabe von 1526, erläutert aus dem System des gregorianischen Gesanges (Gütersloh, C. Bertelsmann, 1904. Preis 3 *M* 60 *S*, gebunden 4 *M* 50 *S*, 192 S. in Oktav mit vielen Notenbeispielen) über das im Jahrbuch eingehender referiert werden soll.

Die Kgl. Musikschule Würzburg besteht seit dem Jahre 1804. Der gegenwärtige Direktor derselben (seit 1876) Herr Hofrat Dr. **Karl Kliebert** hat aus Anlaß des 100jährigen Bestehens eine schön ausgestattete und illustrierte Denkschrift über Gründung, Entwicklung und Neugestaltung der Anstalt verfaßt und ein Exemplar derselben an die Unterzeichnung eingesendet, wofür hiemit der freundlichste Dank ausgesprochen sei. Der 175 Seiten umfassende Band scheint nicht im Buchhandel erschienen zu sein. Man frage jedoch bei der Kgl. Universitätsdruckerei von H. Stürz oder bei der Direktion der Kgl. Musikschule in Würzburg an, denn es ist lehrreich, die Geschichte solcher Institute und den Einfluß, den die Schüler derselben in allen Weltteilen in musikalischer Beziehung gegenwärtig ausüben, zu beobachten und kennen zu lernen.

„Über natürliches Sprechen und Singen und die Pflege der einheitlichen Aussprache des Hochdeutschen in der Schule" hielt **Jakob Jacobi** in den Versammlungen des Wiesbadener Lehrervereins am 25. April und 29. Mai 1903 zwei Vorträge, die bei L. Schwann in Düsseldorf erschienen sind. 52 Seiten. Preis 80 ₰. Für den Gesangspädagogen sind wertvolle und folgenreiche Gedanken und Sätze enthalten und auch der Gesang in lateinischer Sprache wird aus den Worten Herders den allergrößten Nutzen ziehen, wenn die heiligen Worte verständlich, deutlich und richtig gesprochen und gesungen werden: „Glücklich ist das Kind, dem seine frühesten Lehrer auch im Gehalte und Ton der Rede gleichsam Vernunft, Anstand, Grazie zusprechen. . . . . Denn nur durch Hören lernen wir sprechen, und wie wir früher hörten, wie unser Mund, unsere Zunge sich in Kindheit formten, meistens sprechen wir so zeitlebens."

Eine der wertvollsten und glänzend ausgestatteten Publikationen ist das Prachtwerk, das P. **Raphael Molitor** in Beuron als Beitrag zur Geschichte des Chorals und des Notendruckes verfaßte unter dem Titel: „**Deutsche Choral-Wiegendrucke**". Verlag von Fr. Pustet in Regensburg. VII und 77 Seiten Text, 26 phototypische Tafeln alter Drucke von 1470—1515 meist gotischer Notation. Preis gebunden 20 ℳ. Über dieses für Bibliotheken und Bibliophilen höchst interessante, in reichem und geschmackvollem Einband hergestellte Buch soll ebenfalls im kirchenmusikalischen Jahrbuch eingehender gesprochen werden.

Pio X y el canto Romano ist der Titel einer Broschüre in spanischer Sprache, welche **D. Federico Olmeda**, Kapellmeister und Organist an der Kathedrale zu Burgos über das *Motu proprio* des Heiligen Vaters vom 22. November 1903 verfaßt hat. 132 Seiten in kl. 8° mit Anhang: „*Comentario sobre el Motu proprio de su Santidad Pio X en cuanto á la Orquesta Religiosa* (26 Seiten). Verleger und Preis sind nicht angegeben. Immerhin ist es sehr lehrreich, inne zu werden, welchen Eindruck das *Motu proprio* in Spanien hervorgebracht hat. Die Spanier halten ihre Handschriften ebenfalls für berücksichtigungswert und wünschen eine Ausgabe auf Grund derselben. Man denke an die Vorfälle im 16. Jahrhundert bei Entstehung der *editio Medicaea*!   F. X. H.

Organaria.

1. **Begleitung und Kompositionen**: Von der Gesamtausgabe der Orgelwerke **Joh. Seb. Bachs** für den praktischen Gebrauch liegt die 25. Lieferung vor, welche mit Nr. 113—124 den 9. Band einleitet.[1]) Für unsere Kreise sind es wertvolle Studienkompositionen für vorgeschrittene Orgelschüler, auf 2, beziehungsweise 3 Notensysteme verteilt, mit Finger- und Fußsatz, Register- und dynamischen Angaben reichlich versehen.

Von der Orgelbegleitung zum *Graduale* der Solesmenser Ausgabe, gefertigt von **Giulio Bas**, liegen Nr. 6 und 7 der 2. Serie vor.[2]) Vergl. oben, S. 61.

J. A. Krygell schrieb als Op. 57 eine dreiteilige Orgelsonate *(Fis-dur)* in konservativem Stile, kräftig und wuchtig gehalten, auf 3 Notensystemen. Der Mittelsatz ist ein *Adagio doloroso* in *Es*-moll. Die Komposition eignet sich zum Vortrag bei Orgelprüfungen oder -Konzerten.[3])

Ein „Orgelalbum bayrischer Lehrerkomponisten" hat der am 6. September 1903 † Lehrer **Alban Lipp** herausgegeben. Diese 52 Originalkompositionen sind leicht und lassen sich besonders beim katholischen Gottesdienste verwenden. Ein Inhaltsverzeichnis enthält 22 Namen, die Sammlung selbst ist nach Tonarten geordnet von *C*- bis *E*-dur, von *F*- bis *As*-dur und den verwandten Molltonarten. Dieses letzte Werk des fleißigen Sammlers sei unsern Lehrer-Organisten auf das Beste empfohlen.[4])

„Stimmungsbilder der Orgel" überschreibt **Otto Malling** die 2 Hefte seines Op. 78. Es schwebt ihm das Leben des heil. Paulus vor, das er in jedem Hefte (je

---

[1]) Breitkopf & Härtel in Leipzig. Es sind enthalten die Choralvorspiele über die Melodietexte: Komm, Gott Schöpfer; Komm, heiliger Geist (Phantasie); Komm, heiliger Geist; Kommst du nun, Jesu; *Kyrie*, Gott Vater; Christe, aller Welt Trost; *Kyrie*, Gott, heiliger Geist (diese 3 in doppelter Bearbeitung); Liebster Jesu; Lob sei dem allmächtigen Gott; Lobt Gott, ihr Christen; Meine Seel' erhebt den Herrn. Preis des Heftes in Groß-Folio, 4 ℳ.

[2]) Die wechselnden Teile der Messe am Herz Jesu-Fest und am Feste des heil. Johann Baptist. Verlag von Desclée, Lefebure et Cie. in Rom. Preis des Heftes 50 Cent.

[3]) Wilhelm Hansen in Kopenhagen und Leipzig. 21 Seiten in Groß-Querquart. Preis 3 ℳ.

[4]) Augsburg und Wien, Anton Böhm & Sohn. 1904. 55 Seiten in Klein-Querquart. Preis 3 ℳ 50 ₰. Den Inhalt bilden Prä-, Inter- und Postludien, Fughetten, Fugen und Festvorspiele. Die meisten nehmen nur eine Druckseite ein.

3 Nummern) zu schildern versucht.[1]) Wer sich für Programm-Musik im Orgelkonzert interessiert, wird in dieser technisch ziemlich schwierigen Komposition Gelegenheit finden, die Effekte einer modernen Orgel nach allen Seiten in glänzendes Licht zu setzen.

Drei Trios für Orgel von **S. Moczynskl** (Op. 86), auf 3 Notensystemen und 2 Manualen, dienen nicht nur zur Übung in diesem äußerst nützlichen und bildenden Stil, sondern sind auch wegen ihrer kirchlichen und edlen Fassung beim Gottesdienste zum Vortrag sehr zu empfehlen.[2])

Ein Choralvorspiel, 5stimmig, über „Auf, Seele sei gerüst't"! mit einer Fuge H-moll, vierstimmig, von **Karl Nawratil** ist gut gearbeitet, auf 3 Notensysteme verteilt und von mittlerer Schwierigkeit. Für Registrierung und Farbentöne hat der Organist zu sorgen. Übermäßige Chromatik vermieden zu haben, ohne dabei langweilig zu werden, gereicht dem Komponisten zum besonderen Lobe.[3])

Jos. Pilland harmonisierte in Op 47 die Responsorien zum katholischen liturgischen Gottesdienste in allen vorkommenden Tonlagen. Diese für Schüler und Anfänger notwendige und nützliche Arbeit bezieht sich auf Hochamt und Vesper, in letzterer auch auf die Psalmtöne, die jedoch nur in einer (bequemen) Tonlage stehen. Bei einer Neuauflage ist zu wünschen, daß Bindungsstriche nicht nur bei Silben mit 2, sondern auch mit 3 und mehr Noten, wie z. B. für die *Deo gratias* konsequent durchgeführt werden, um das Hacken der Melodie schon beim Anfänger im Orgelspiel hintanzuhalten.[4])

Unter dieser Rubrik sei auch eine Phantasie für Harmonium, Op. 41 von **Joh. Plag**, aufgeführt, die unter Ausnützung dieses für den Salon beliebten Instrumentes trefflich wirken wird und sehr schön durchgearbeitet ist.[5])

In Nr. 5 bis 7 des 2. Jahrganges vom *Repertorio Pratico dell' Organista Liturgico* sind Originalkompositionen von Ciro Grassi und der Beginn einer Sammlung von Versetten, Kadenzen, Präludien usw. des Herausgebers **Oreste Ravanello** enthalten. (S. oben S. 62.)

Ein *Adagio* und *Pastorale* für die Orgel von **A. Reinbrecht** ist geeignet, unter den Händen eines geschickt nach reichlichen Angaben registrierenden Organisten, dem ein Werke mit sanften Stimmen zur Verfügung steht, überraschend und beruhigend zu wirken.[6])

Sieben mittelschwer ausführbare Tonstücke zum Gebrauche bei Musikaufführungen komponierte **Bruno Stein**.[7]) Diese Sammlung mit reichlichen Anweisungen der Registrierung, Pedalsatz auf drittem Notensystem, klarer Phrasierung und schönen Motiven dürfte den Wünschen jener Organisten entsprechen, welche sich nicht befähiget fühlen, längere Zeit aus freier Phantasie wirkungsvoll zu produzieren, – und deren sind nicht wenige, wenn sie es auch sich und anderen nicht gestehen wollen.

Surzynski Mieczyslaw widmete sein Op. 34, eine Orgelsonate in D-moll, dem Professor Paul Homeyer in Leipzig. Dieselbe besteht aus 3 Teilen von mittlerer Schwierigkeit, unter denen Referent dem *Finale* den Vorzug gibt. Die Komposition, als Ganzes gespielt, wird die Zuhörer ermüden, da die Rhythmik des kurzen Motives ♩ ♪ ⌐ ♩ wenn auch in verschiedenen Melodienwendungen nach auf- und abwärts, viel zu oft, besonders in der Einleitung, wiederkehrt.[8])

[1]) 1) Saulus rast wider die Jünger des Herrn; 2) Auf dem Wege nach Damaskus; 3) Saulus wird sehend und bekehrt sich; 4) Paulus verkündet das Evangelium und leidet Verfolgung; 5) Das Volk hält Paulus für einen Gott und opfert ihm; 6) Die Gabe der Liebe. Kopenhagen und Leipzig, Wilh. Hansen. 1904. 1. Heft 13, 2. Heft 11 Seiten in Querfolio auf 3 Liniensystemen. Preis nicht angegeben.

[2]) Dem Kgl. Seminarmusiklehrer Herrn Jendrassek-Schneidemühl freundlichst gewidmet. Anton Böhm & Sohn in Augsburg und Wien. 7 Seiten in Klein-Querfolio 1 M.

[3]) Stritzko & Co. in Wien 1, Kärthnerstr. 30, Leipzig, Fr. Hofmeister. 9 Seiten in Klein-Querfolio. Preis 1 M 50 S.

[4]) Anton Böhm & Sohn in Augsburg und Wien. 1904. Preis 1 M 50 S.

[5]) L. Schwann, Düsseldorf. 1904. Preis der 5 Notenseiten in Klein-Querquart unbekannt.

[6]) Joh. Christian Vieweg, Berlin, Großlichterfelde, W. Preis 1 M 50 S.

[7]) Haupttitel ist: „Charakterstücke für die Orgel". Inhalt: Präludium in C-moll; Romanze in As-dur; Canzonette in G-moll; Intermezzo in F-moll; Traumgesicht in E-dur; O Maria, sei gegrüßt (Melodie des Liedes im 1. Manuale in Es-dur; Postludium in E-dur. Leobschütz, C. Kothes Erben. 1904. Preis 2 M 50 S.

[8]) Leipzig, Leuckart (Martin Sander). 16 Seiten in Hoch-Folio. Preis 2 M 40 S.

Op. 85 von **Glus. Terrabuglo** ist für Anfänger im kirchlichen Orgelspiel und speziell beim liturgischen Gottesdienste, wenn Choralmelodien vorgetragen werden, ein ganz ausgezeichnetes Lehr- und Lernmittel. Die Sätzchen sind meist sehr kurz, 6—12 Takte umfassend, halten sich an die Kirchentonarten und sind in verschiedenen Tonhöhen mit Choralmotiven dargestellt.[1]

Das „Taschenbüchlein für Orgelspieler", Op. 17 von **J. B. Thaller**, enthält 24 kurze, leicht ausführbare, über einem *Cantus firmus* bearbeitete vierstimmige Sätze, welche sich sehr für das Memorieren eignen und von den Orgelschülern mittlerer Befähigung fleißig geübt und dem Gedächtnis eingeprägt werden sollen. Für das Pedal sind Buchstaben und Zeichen zur Fußwendung angebracht. Der *Cantus firmus* (bezw. frei erfundene Melodien) wird bei den verschiedenen Nummern zuerst im Baß (im Pedal) und den übrigen 3 Stimmen verwendet und wird am besten auf einem 2. Manual hervorgehoben.[2]

II. **Theoretische Werke:** Von der Partitur der 50 zweistimmigen Solfeggien des **Angelo Bertalotti**, welche der Unterzeichnete sowohl in den alten Schlüsseln, als in 2 Violinschlüsseln herausgegeben, mit Einleitung, Vorbemerkungen, Atem- (Phrasierungs)-Zeichen versehen hat, und die nicht nur für den Gesangunterricht, sondern besonders für das Partiturspiel unschätzbare Dienste seit Dezennien geleistet haben, ist die Ausgabe in Violinschlüsseln in 5. Auflage notwendig geworden.[3]

Der 1. Teil des Op. 30 von † **Bernhard Mettenleiter:** „Das Harmoniumspiel in stufenweiser, gründlicher Anordnung zum Selbstunterricht" (Cäc.-Ver.-Kat. Nr. 510) liegt in 5. Auflage vor.[4]

Eine ebenso nützliche als wichtige Publikation ist das Werk: „Die Orgel unserer Zeit in Wort und Bild". Ein Hand- und Lehrbuch der Orgelbaukunde, bearbeitet und herausgegeben von **Dr. Heinrich Schmidt**, Kgl. Seminarlehrer in Bayreuth.[5] Die 12 Abschnitte behandeln: 1) das Äußere und die Hauptbestandteile der Orgel, 2) das Windwerk, 3) das Regierwerk oder die Mechanik, 4) die Röhrenpneumatik mit Kegelladen, 5) die pneumatische spiel- und registrierbare Orgel (reinpneumatische Windlade), 6) das Pfeifenwerk, 7) die Disposition, 8) Kostenanschlag, 9) Registrierung, 10) Schutz und Instandhaltung der Orgel, 11) Reparatur oder Neubau? 12) Orgelprüfungen durch Sachverständige — mit dem Anhang S. 133—139. Den 4. und 5. Abschnitt bezeichnet Referent als den lehrreichsten und die zahlreichen Erfindungen neuerer Zeit klar und eingehend behandelnden Teil durch Sperrdruck hervorgehoben. Der Verfasser stützt sich auf praktische Erfahrungen und hat mehrere Monate in bedeutenden Orgelwerkstätten Studien gemacht. Kirchenvorstände, Organisten, Musikseminarien und private Freunde der „Königin der Instrumente" können und sollten dieses Buch zu rate ziehen und aus dessen knappen Belehrungen Nutzen schöpfen und sich vor Schaden bewahren. Obwohl der Inhalt reich gegliedert ist, dürfte bei einer voraussichtlich bald notwendigen 2. Auflage ein alphabetisches Register der technischen Ausdrücke als nützlich erweisen. Alle bisherigen Kompendien scheinen durch dieses Buch überflügelt zu sein. Wer von den sachverständigen Lesern desselben Verbesserungen, Korrekturen und Zusätze geben kann, wird sicher den Dank des fleißigen und gewissenhaften Autors ernten. F. X. H.

[1] Diese 16 Seiten in Klein-Querquart umfassenden *Preludi postludi e cadenze facili* bilden einen Teil der Musikbeilagen in der Mailänder *Musica sacra* 1904 und sind bei A. Bertarelli & Co. in Mailand als Einzelausgabe erschienen. Preis 2 Lire.

[2] A. Böhm & Sohn in Augsburg und Wien. 12 Seiten in Klein-Querquart. Preis 1 .K.

[3] Fr. Pustet, Regensburg. 1904. Im Cäc.-Ver.-Kat. ist diese Ausgabe unter Nr. 1461 aufgenommen. Preis 1 .K 80 ₰.

[4] Kempten und München. Jos. Küsel. 1901. Broschiert 3 .K, gebunden 3 .K 50 ₰.

[5] Mit 3 Tafeln, 90 Textillustrationen, dem einschlägigen akustischen Teil in Wort und Bild und einem Verzeichnis klassischer und moderner Kompositionen für Orgel. München und Berlin, R. Oldenbourg. 1904. 139 Seiten in 8°. Preis gebunden 2 .K 50 ₰.

Vermischte Nachrichten und Mitteilungen.

1. **=** Über das erste Diözesanverbandsfest der Cäcilienvereine des Bistums Limburg in Niederlahnstein, 26. Juni ist in Nr. 7 des Cäcilienvereinsorgans ein „Original-artikel" erschienen. Der nachfolgende Bericht ist auszüglich dem „Nassauerboten" Nr. 143 und 144 entnommen. „War das heute in unserer bei ihrer Lage ein Feste gewohnten Stadt ein Wogen und Drängen von Freunden und Freundinnen der Kirchenmusik! Es galt dem ersten Verbands-feste der Cäcilienvereine unseres Bistums, welche sich am 18. November v. Js. in Bornhofen zu einem Diözesanverband vereinigt haben, dem bis jetzt 53 Vereine angehören. Unsere Stadt brachte der festlichen Veranstaltung große Sympathie entgegen. Auf Anregung von Herrn Pfarrer Ludwig hatte sich ein sehr rühriges Festkomitee gebildet, welches das Fest aufs beste vorbereitete, und nun auf dessen Gelingen stolz sein kann. Reicher, freundlicher Fahnenschmuck begrüßte unsere Gäste, die vom frühen Morgen an mit den Bahnzügen eintrafen. Alle Vereine, denen es irgend möglich war, eine Abordnung zu schicken, waren vertreten. Selbst aus weiter Ferne, wie von Cronberg i. T., Niederbrechen, u. a. Orten, hatten die Vereine Mitglieder entsandt, so aus ersterem Orte neun, obwohl für die Leute das Fahrgeld allein 8 ℳ 40 ₰ betrug. Der kirchliche Teil des Festes wurde in der altehrwürdigen geräumigen St. Johanneskirche am Rhein, in herrlicher Lage am Ufer des Stromes zum Teil schon im Jahre 863, dem Hauptteil nach in der ersten Hälfte des zwölften Jahrhunderts erbaut, erledigt. Dort hielt das feierliche Hochamt Herr Pfarrer Eickerling von Cronberg unter Assistenz des Herrn Kaplänc Blech von hier und Burggraf von Oberlahnstein, während die Kirchenchöre aus den beiden Nachbarstädten die Ausführung der kirch-lichen Gesänge übernommen hatten. Der hiesige Cäcilienverein sang die klassische Messe „sine nomine" von Viadana und das Choral-Credo, während der Nachbarverein den ganzen übrigen Teil des Chorals nach der Sangart der Benediktiner von Solesmes zum Vortrag brachte. Beide Vereine zeigten sich ihrer Aufgabe gewachsen und bekundeten eine gute Schulung, welche hier Herr Lehrer Loreth, in Oberlahnstein Herr Pfarrer Müller und Herr Lehrer Scherer bewirkt hatten. Die Fest-predigt des Herrn Pfarrers Ludwig führte den Nachweis, wie gerade der altehrwürdige Choral-gesang am meisten dem Liturgie und dem Geiste der Kirche entspreche. Waren schon während des Hochamtes zehn Fahnen von Cäcilienvereinen im Chor der Kirche aufgestellt und bekundeten diese somit die Anwesenheit zahlreicher Vereinsmitglieder, so fanden sich nach Schluß des Hoch-amtes, dem auch Herr Generalvikar und Domdekan Hilpisch als Vertreter des Hochwürdigsten Herrn Bischofs beiwohnte, die Vereinsgenossen in immer größerer Zahl ein. Herr Dekan Naphan von Caub, der Leiter des Bezirksverbandes rheinischer Cäcilienvereine, brachte einen Trinkspruch auf den Hochwürdigsten Herrn Bischof und dessen Vertreter aus; an den Oberhirten wurde ein Telegramm geschickt, welches im Laufe des Nachmittags eine sehr herzliche Erwiderung fand. Zugleich machte Herr Dekan Knödgen, welcher seit Jahren mit unverdrossener Ausdauer und selbstloser Hingebung die Geschäfte des Cäcilienvereins im Bistum geführt hatte, die Wahl und Bestätigung der Mitglieder des Diözesanvorstandes des Cäcilienvereins bekannt. Bischof und General-präses Dr. Haberl haben nämlich die Wahl des Herrn Pfarrers Müller in Oberlahnstein zum Präses, des Herrn Seminarlehrers Walter in Montabaur zum ersten und des Herrn Dekans Knödgen zum zweiten Vizepräses bestätigt und ist daraufhin heute der Diözesanvorstand in Tätig-keit getreten. Herr Domdekan Hilpisch widmete dem Herrn Dekan Knödgen Worte herzlicher Anerkennung für alle seine Mühen, deren Erfolg die vollzogene Wahl des Diözesanvorstandes kröne. Herr Pfarrer Eickerling von Cronberg, der verdiente Präses des Bezirksverbandes Main-Taunus, sprach dann im Interesse des Heiligen Vaters, den er vor anderthalb Monaten in Rom gesehen, für den Kirchengesang und schlug unter dem Beifall der Versammlung die Absendung eines Telegramms an Seine Heiligkeit vor, das gleich dem Drahtgruß an Seine Bischöflichen Gnaden sofort abging. Herr Dekan Knödgen feierte dann noch seine treuen, zufällig Mitarbeiter auf dem Gebiete des Cäcilienvereins, Herrn Diözesan-Glockenbau- und Orgel-Inspektor Walter von Montabaur, auf welchen ein begeistertes Hoch ausgebracht wurde. Zwei Musikchöre geleiteten den langen Festzug, in den 27 Vereine, zum Teil vollzählig, zum größeren Teile durch Abordnung mit ihren Fahnen ein-getreten waren. Gegen halb 3 Uhr langte derselbe an der Johanneskirche an, in der bald Kopf an Kopf dichtgedrängt stand. Herr Domdekan Generalvikar Hilpisch hielt die Festpredigt im Anschlusse an den Wunsch, welchen der Heilige Vater mit seinem Segen durch ein Telegramm des Herrn Kardinal Pater Steinhuber in Rom dem jungen Diözesan-Cäcilienverein hatte aussprechen lassen, daß nämlich Einigkeit, Treue und Ausdauer die Blüte des Vereins sichern möchten. Dann begann die sakramentalische Andacht, welche der Präses des Bezirksverbandes „goldener Grund", Herr Pfarrer Faßel zu Eppstein, hielt. Während derselben veranstalteten acht Vereine, nämlich die von Caub, Eltville, Geisenheim, Limburg, Lindenholzhausen, Nieder- und Oberlahnstein und Villmar ein frommes Wettsingen, wenn man diesen Ausdruck bei einem Gottesdienste gebrauchen darf. Es waren auserlesene Sachen, die da geboten wurden, durch ihren Vortrag trotz der fast anderthalbstündigen Dauer ein Hochgenuß für alle Kenner kirchlicher Musik, eine Herzens-befriedigung für nicht musikalisch gebildete Leute.

Einige Cäcilienvereine traten zum ersten Male in einer größeren Versammlung öffentlich auf, so namentlich Oberlahnstein, Lindenholzhausen und Villmar. Mit Spannung wurde dem Ergebnis ihrer Mühen entgegengesehen, und hohe Befriedigung wurde über ihre Leistungen aus-gesprochen. Alle drei Vereine haben nur Männerchöre; aber deren Stimmen sind so wohl geschult, der Vortrag ist so sicher und schön, daß man die von den Leitern wie von den Sängern der Vereine aufgewandte Mühe in ihren Früchten freudig anerkennen muß. Kräftig wirkte besonders der jubilierende Satz der Falsi Bordoni für den Psalm Beatus vir, welchen Herr Pfarrer Müller, der neue Diözesanpräses, für seinen Kirchenchor gesetzt hatte. Diesem Vereine stand in seinem Erfolge am nächsten der Chor von Lindenholzhausen, dessen Darbietungen allgemeine Anerkennung fanden. Zum erstenmal trat auch bei einem großen Cäcilienfest der wohl geschulte, seit achtzehn Jahren von Herrn Bill, Oberlehrer am dortigen Gymnasium, geleitete Domchor von Limburg auf. Er hatte sich zwei Tonstücke von mächtiger Wirkung und sehr ansprechender Eigenart gewählt, die Communio aus der Pfingstmesse: *Factus est repente* von Aichinger und die überaus innige Antiphon zum Magnifikat auf Allerheiligen *Gaudent in coelis* von Vittoria, zwei Kompositionen, welche hohe Anforderungen an den Chor stellen, denen aber der Chor unserer Kathedrale durch künstlerische Ausführung in vollem Maße gerecht wurde. Die Chöre von Eltville und Caub haben wohl auf allen Cäcilienvereinsfesten schon verdienten Beifall gefunden und standen gleich dem Chore von Geisenheim, der das wirkungsvolle *Ecce sacerdos* von Koenen trefflich vortrug, auch diesmal auf der Höhe berechtigter Anforderungen. Eine sehr erfreuliche Entwicklung hat der Kirchenchor von hier genommen, der heute keine leichte Aufgabe hatte; denn er hatte nicht nur am meisten, sondern auch recht schwierige Sachen zu singen. Allein er zeigte sich seiner Aufgabe voll gewachsen; die Stimmen blieben frisch und klangvoll bis zum Schluß, und er hat zum Erfolg des Festes sehr viel beigetragen.

An die kirchliche Feier reihte sich sofort die Festversammlung auf dem dicht bei der Johanneskirche gelegenen Festplatz an. Kaum konnte der weite, das wohl tausend Personen fassende Zelt umgebende Platz die zahlreichen Besucher von nah und fern fassen. Mit einem frisch vorgetragenen Begrüßungschor von Mitterer hieß der hiesige Cäcilienverein seine Gäste willkommen, an welche Herr Pfarrer Ludwig dann eine herzliche Ansprache richtete. Zwischen reizenden Liederspenden, klassischen weltlichen Liedern, hielt der neue Diözesanpräses, Herr Pfarrer Müller, die gehaltvolle, öfters in frischem Humor sprudelnde Festrede, in deren Beginn er die Bestätigungsschreiben von dem Hochwürdigsten Herrn Bischof und dem Generalpräses des Cäcilienvereins für den neuen Diözesanverband und den bisherigen Vorstand verlas, um dann sehr praktische Belehrungen über Sprache und Art des liturgischen Gesanges und dessen Pflege anzuknüpfen. Um die Unterhaltung durch den Vortrag gemütvoller Lieder machten sich besonders die Vereine von hier und Oberlahnstein, wie von Eltville und Limburg verdient. Reicher Beifall lohnte die freundlichen Spenden, welche ein dankbares Publikum fanden. Den Toast auf Papst und Kaiser brachte Herr Domdekan Generalvikar Hilpisch aus. Einige Zeit nachher traf die Antwort des Hochwürd. Herrn Bischofs auf das an ihn gerichtete Begrüßungstelegramm ein, welches Herr Diözesanpräses Müller unter begeistertem Bravo der Versammlung kund gab. Es lautete:

Diözesanversammlung des Cäcilienvereins, Niederlahnstein. Mit herzlichster Freude begrüße ich die erste Generalversammlung des Diözesan-Cäcilienvereins, durch welche ich meinen längst gehegten Wunsch erfüllt sehe. Möge Hingebung, Begeisterung und Opferfreudigkeit auch künftig alle Mitglieder für die heilige Sache erfüllen und den Verein bis in die kleinsten Pfarreien des Bistums tragen zu Gottes Ehre und der Gläubigen Auferbauung. Dominikus.

Gewiß verdient die verbindliche Äußerung des Oberhirten bei dessen kirchlicher Stellung und seinem Verständnis des kirchlichen Gesanges besondere Beachtung und ist ein wohlberechtigter Wunsch bezüglich Ausbreitung des Cäcilienvereins freudige Ausführung. Allmählich rückte die Stunde des Abschieds heran. Die Herren Pfarrer Schilo von Eltville, Feldmann von Geisenheim, La Roche von Lorchhausen und Fassel von Eppstein brachen mit ihren Chören auf. Niederlahnstein spendete noch ein prächtiges Abschiedslied, und dann ging — es war über sieben Uhr geworden — die Versammlung auseinander. Alles war von Dank und Anerkennung für die umsichtige, allgemein befriedigende Vorbereitung und Durchführung des ausgedehnten Festprogramms erfüllt.

Das erste Diözesan-Verbandsfest bildet einen Mark- und Merkstein in der Geschichte des Kirchengesangs und der Cäcilienvereine für unser Bistum. Möge es der Ausgangspunkt sein für eine immer treuere Pflege des kirchlichen Gesanges, von dem der Eindruck des Gottesdienstes so vielfach abhängt. Allen seither öffentlich aufgetretenen Kirchenchören muß das Zeugnis gegeben werden, daß sie wohl arbeiten, darum von Jahr zu Jahr fortschreiten und sehr schöne Erfolge aufzuweisen haben. Überaus anregend und fördernd haben hierfür unter großen Opfern Herr Seminarlehrer Walter, dessen auch in der Festversammlung wiederholt von dem neuen Diözesanpräses sehr anerkennend gedacht wurde, und die Herrn Dekan Knödgen von Caub und Pfarrer Eickering von Cronberg, die unermüdlichen Förderer der edlen Sache gewirkt. Mögen sie auch fortan reiche Früchte ihres Wirkens sehen!

Der Wahlspruch, der in Niederlahnstein ausgegeben wurde, soll jedem Vereine stets vorleuchten: Einigkeit, Treue, Ausdauer!

2. Bamberg. Gelegentlich des III. Bamberger Mitschülerfestes, welches von zirka 1000 Mitschülern (darunter auch der bayer. Kultusminister H. v. Wehner) besucht war, führte der Domchor beim Pontifikalamte in St. Martin auf: *Ecce sacerdos*, 6stimmig von Thielen; *Missa Papae Marcelli*, 6stimmig von Palestrina; Motett *Benedictus sit*, 6stimmig von Adler, ferner im Dom *Requiem* mit Posaunenbegleitung 3stimmig von Mitterer. — Am 2. August ds. Jahres feiert unser Oberhirte, der sich auch in bezug auf Kirchenmusik durch persönliche Teilnahme an den Cäcilienfesten, wie durch Förderung kirchenmusikalischer Instruktionskurse usf. bleibende Verdienste erworben hat, sein goldenes Priesterjubiläum. Bei dieser Gelegenheit singt der Domchor ein 6stimmiges *Ecce sacerdos* von Adler, ferner die Luzienmesse von Witt und das *Te Deum* von Koenen. Möge der heil. Cäcilia dem hochverdienten Kirchenfürsten wieder dauernde Gesundheit erflehen! — Der bisherige Präses des Cäcilienvereines für die Diözese Bamberg, Domkapitular Benker, ist gestorben und statt seiner durch Se. Exzellenz den Hochwürdigsten Herrn Erzbischof der geistliche Rat und Domkapellmeister Thomas Adler ernannt und vom Generalpräses bestätigt worden.

5. + Aus **Salzburg** wird uns geschrieben, daß Se. Eminenz, Kardinal Katschthaler an Stelle des wegen Kränklichkeit zurücktretenden Regens des fürsterzbischöfl. Knabenseminars den Hochwürd. Herrn Spitalpfarrer Balth. Feuersinger auf diesen Vertrauensposten berufen hat. Feuersinger ist seit mehr als einem Jahrzehnt Präses des Diözesancäcilienvereins und hat sich als solcher große Verdienste erworben. Seine Berufung an die Leitung des Knabenseminars ist ein gutes Vorzeichen für die *Musica sacra*. (Herzlichen Glückwunsch.)

4. Inhaltsübersicht von Nr. 7 des Cäcilienvereinsorgans: Vereins-Chronik: Diözesan-verein Limburg (Gründung in Oberlahnstein); Diözesanverein Breslau; Straßburg (Bischöfl. Erlaß, 16. Generalversammlung und Gregoriusfeier); Diözesanverein Paderborn (9. Generalversammlung); St. Gallen (Bischöfl. Mitteilung an den Diözesanklerus); Bezirks-Cäcilienverein Metten: Bezirks-Cäcilienverein Rorschach; Pfarr-Cäcilienvereine Hienheim, Kelheim und Neuessing: Kirchenmusikal. Konferenz in Steinschönau (Leitmeritz). — Können die Passionen, Tantum ergo und die lauretanische Litanei in der Muttersprache gesungen werden? — Zur 17. Generalversammlung des Allgemeinen Cäcilienvereins in Regensburg: Kirchen-musikal. Programm. 3 neue Anträge. — Vermischte Nachrichten und Notizen: Falkenau-Kittlitz; Kirchenkonzert in Liebensteig; † K. A. Leitner: † Ed. Rütter; Inhaltsübersicht von Nr. 7 der *Musica sacra*. — Anzeigenblatt.

Der 31. sechsmonatliche Kurs an der Kirchenmusikschule Regensburg

wird vom 15. Januar bis 15. Juli 1905 abgehalten werden. Programm und Statuten sollen nur unwesentliche Änderungen erfahren und können vom Unterzeichneten gratis und franko bezogen werden.

Das *Motu proprio* Sr. Heiligkeit Papst Pius X. über die Kirchenmusik betont, VIII, 28, wörtlich: „Man sorge in jeder Weise für Unterstützung und Hebung der höheren Schulen für Kirchenmusik, die bereits bestehen, und trachte solche zu gründen, wo sie noch nicht vorhanden sind. Es ist überaus wichtig, daß die Kirche selbst für die Ausbildung ihrer Kapellmeister, Organisten und Sänger nach den wahren Grund-sätzen der heiligen Kunst sorge."

Seit sechs Lustren hat die hiesige, auf opfervolle Weise bestehende Kirchenmusik-schule ihre Aufgabe zu lösen versucht, und im verflossenen 30. Kurse haben die 16 Schüler, unter denen sich 5 Priester befanden, am 12. Juli ihr Reifezeugnis erhalten. Auch dem Wunsche des Heiligen Vaters, der in Zukunft die traditionelle Leseart des gregorianischen Chorals eingeführt wissen will, wurde durch Anschaffung eines der neueren Auszüge der Solesmenser Editionen entsprochen und einige unserer Schüler sind nach Schluß des 30. Kurses auf Anregung der Vorstandschaft eigens nach Beuron gereist, um durch Hören und Lernen sich in dieser Methode zu vervollkommnen. Die in Rom, während des gregorianischen Kongresses vom Unterzeichneten persönlich ge-stellte Bitte an die P. P. Mich. Horn und Raphael Molitor von Sekau und Beuron, einen ihrer Mitbrüder für die Zeit vom 1. Mai bis 15. Juli 1904 als Lehrer des tra-ditionellen Gesanges an die hiesige Kirchenmusikschule zu senden, wurde leider, wie es scheint, aus disziplinären Gründen, von den betreffenden Klostervorständen abgelehnt. Jedenfalls wird für den 31. Kurs, besonders wenn die vatikanischen Ausgabe der Choralbücher erschienen sein werden, neben den bisher offiziellen Büchern die neue Choralausgabe in Theorie und Praxis als Grundlage für den Unterricht im liturgischen Gesange eingeführt werden.

Eine Schule, die volle 30 Jahre nach den Grundsätzen des *Motu proprio* vom 22. November 1903 und den Vorschriften der kirchlichen Autorität gelehrt und gewirkt hat, würde nicht verdienen, weiter zu bestehen, wenn sie nicht jederzeit, also auch in Zukunft, den Weisungen der obersten kirchlichen Autorität prinzipiell Folge leisten wollte. Diesen Satz glaubt der Unterzeichnete ausdrücklich und öffentlich verkünden zu müssen, nachdem aus Zuschriften und Anfragen ihm das Gerücht zu Ohren gekommen ist, die Regensburger Kirchenmusikschule sehe sich durch die neuesten Akte des römischen Stuhles veranlaßt, ihre Tätigkeit einzustellen. Wir antworten, daß gerade diese ent-schiedene Klarheit in betreff der Grundsätze über Kirchenmusik uns ein neuer Ansporn sein soll, das alte Programm mit jenem zähen Fleiße festzuhalten, der zu den bisherigen Resultaten geführt hat. Ein Strich durch den Ameisenhaufen veranlaßt diese Tierchen zur Verdopplung ihrer Tätigkeit; der scheinbare Schaden ist dann bald wieder gut gemacht.

Was der Unterzeichnete bisher anstrebte: die hiesige Kirchenmusikschule zu einer kirchlichen Stiftung umzugestalten, und sie ihres rein privaten Charakters zu entkleiden, wird, besonders durch das Gewicht, welches Se. Heiligkeit Papst Pius X. auf die Errichtung von Kirchenmusikschulen in jeder Diözese legt, mächtig gefördert werden können. Die Erreichung dieses Zieles fordert aber reifliches Überlegen, ernstes Beraten und heilsames Schweigen!

Für das nächste Semester sind bereits mehr als 30 Anfragen erfolgt; bis heute jedoch fanden nur vier derselben definitive Erledigung, so daß im Laufe der nächsten 5 Monate noch 12 Schüler (Alter zurückgelegtes 19. Lebensjahr) angenommen werden können.

2 Priestern, welche sich verpflichten in der St. Cäcilienkirche täglich um 5¹/₂ und 6¹/₂ Uhr heilige Messen zu übernehmen, kann, besonders während der sechs Monate vom 15. Juli des laufenden bis 15. Januar des folgenden Jahres, eine Verminderung der Aufenthalts- und Verpflegungskosten nach Übereinkommen gewährt werden.

Dr. F. X. Haberl, Direktor der Kirchenmusikschule.

Die 17. Generalversammlung des Cäcilienvereins

wird einen Tag vor dem 51. Katholikentage, wie schon oben Seite 84 und in Nr. 5, 6 und 7 des Cäcilienvereinsorgans bekannt gegeben worden ist, abgehalten werden. Sie besteht aus zwei geschlossenen Versammlungen der eigentlichen Vereinsmitglieder. Denselben geht am 20. August eine Vorberatung der Diözesanpräsides und Referenten, welche zu zahlreichem Erscheinen eingeladen sind, um 3 Uhr nachmittags im Saale der Kirchenmusikschule voraus. Für die übrigen Mitglieder des Vereins wird um 5 Uhr abends eine Andacht in der St. Cäcilienkirche abgehalten, nach welcher Gesangsvorträge und Orgelspiel stattfinden¹). Für den Sonntag, Fest des heil. Joachim, gelten das regelmäßige Hochamt und die Vesper nachmittags als Musikaufführungen. Die zwei Mitgliederversammlungen werden im Saale des „Paradiesgarten" (Ecke der Landshuter-, Ostendorfer- und Gabelsbergerstraße) um 10¹/₂ Uhr vormittags und 4 Uhr nachmittags

¹) Das kirchenmusikalische Programm lautet für den 20. und 21. August, sowie für die Tage der Katholikenversammlung:

Samstag, den 20. August, abends 5 Uhr in der St. Cäcilienkirche: 1. Pange lingua — Tantum ergo — Genitori, 4st. von Vinz. Goller. 2. Lauretanische Litanei, 4st. mit Orgel von Jos. Wagner. Nach dem Segen: 3. Adoramus in aeternum, 2st. mit Orgel von Michael Haller. 4. Gaudent in coelis, 4st. von Thomas Luis de Victoria. 5. O Rex gloriae, 4st. von Luca Marenzio. 6. Cantabo te, 5st. von Giovanni Pierluigi da Palestrina. 7. Dum complerentur, 5st. von G. P. da Palestrina. 8. Marienlied, 4—8st. von Jos. Gruber.

Sonntag, den 21. August, um 9 Uhr Hochamt im Dom (Festl. Joachim): 1. Asperges, Introitus, Graduale, Offertorium und Communio choraliter. 2. Kyrie, Gloria, Sanctus, Benedictus und Agnus Dei aus Missa Ecce ego Joannes, 6st. von Palestrina. 3. Credo (mit 1st. Einlagen von Schildknecht) choraliter. 4. Nach dem Offertorium: Ne timeas Maria, 4st. von L. de Vittoria. 5. Nach dem letzten Evangelium: Marianische Antiphon: Haec est praeclarum vas, 5st. von Mitterer. Nachmittag 2¹/₂ Uhr: Vesper im Dom: Falsibordoni, 4—5st. von Griesbacher.

Montag, den 22. August, 8 Uhr Pontifikalamt im Dom (Oktavtag des Festes Mariä Himmelfahrt): Ecce sacerdos, 6st. von P. H. Thielen. Missa Ecce ego Joannes, 6st. von Palestrina. Graduale: Propter veritatem, 4st. von Mitterer. Offertorium: Assumpta est, 5st. von Lud. Ebner. Nach dem Pontifikalamte: Veni Creator, 6st. von Griesbacher (aus Op. 27, Verlag von Pawelek).

Dienstag, den 23. August, 8 Uhr Requiem in der Dominikanerkirche, Missa pro defunctis, 5st. von Renner, jun. Vorher geht die Weihe eines neuen Orgel in genannter Kirche.

Mittwoch, den 24. August (Fest des heil. Bartholomäus), 7¹/₂ Uhr Pontifikalamt in St. Emmeram: Ecce sacerdos, 6st. von V. Goller. Missa in hon S. Caeciliae, 5st. von Haller, Op. 86 (bei Fr. Pustet). Graduale: Constitues eos, 4st. von Mitterer. Offertorium: Laudate Dominum, 5st. von Palestrina. (Aus Rep. Mus. s., Tom. I. Fasc. X., Fr. Pustet.) Bei der Reliquien-Prozession im Kreuzgang: Iste Confessor und Jesu Redemptor, Hymnen, 4st. von Griesbacher.

Donnerstag, den 25. August, 7 Uhr morgens im Dom: Votivmesse vom heiligsten Altarsakrament. Messe: Laetentur coeli, 5st. von L. Ebner. Graduale und Offertorium, 4st. aus Laudes Eucharisticae von M. Haller. Pange lingua zur Prozession, 5st. von P. H. Thielen.

Die Partituren der zum Vortrage bestimmten Tonsätze sind in den hiesigen Musikalien-Verlagshandlungen zur Ansicht oder zum Ankauf aufgelegt.

abgehalten. Zutritt haben alle, welche sich als aktive oder passive Mitglieder irgend eines Diözesanvereins ausweisen oder eine Mitgliederkarte (2 .ℳ) beim Vereinskassier Herrn Fr. Feuchtinger (Ludwigstraße 17), am Portal des Saales oder im kathol. Schulhause am Klarenanger lösen. Bei derselben kommen nachfolgende Anträge zur Beratung und Beschlußfassung:

1. Der bei der 16. Generalversammlung am 21. August 1901 beschlossene Thesensatz in § 2, 1 der allgemeinen Statuten hat wegzufallen.

II. § 1 der allgemeinen Statuten soll in Zukunft lauten: „Es besteht ein Verein mit dem Namen „St. Cäcilienverein zur Förderung katholischer Kirchenmusik auf Grund des päpstlichen Breve vom 16. Dezember 1870 und des *Motu proprio* vom 22. Nov. 1903." Der Titel selbst aber sei kurz: „Statuten des St. Cäcilienvereins zur Förderung der katholischen Kirchenmusik".

III. Für die Wahl des Cäcilienvereinsvorstandes, welche bei dieser 17. Generalversammlung statutenmäßig vorgenommen werden muß, ist zu S. 17, § 12 b, nachfolgende Änderung beantragt: „Aus sämtlichen Namen der durch die Diözesanpräsides aufgestellten Kandidaten sind die drei Vereinspräsides ohne vorausgehende Debatte, in einem einzigen Wahlgang auf vorgedrucktem Wahlzettel (Generalpräses, I. und II. Vizegeneralpräses) für 5 Jahre zu wählen usw."

IV. In § 2c, der Geschäftsordnung zur Herstellung des Cäcilienvereins-Kataloges soll beigesetzt werden: Gesänge in der Volkssprache, deren Texte nicht kirchlich approbiert sind, (sind im Voraus vom Generalpräses abzuweisen).

V. Der Cäcilienverein spricht seine Freude darüber aus, in dem *Motu proprio* des Heiligen Vaters vom 22. November 1903 die von dem Vereine von jeher befolgten Grundsätze als allgemeine Norm aufgestellt zu finden.

VI. Die heilige Ritenkongregation hat durch Beschluß vom 8. Januar 1904 den von Pius IX. und Leo XIII. approbierten Choralbüchern den offiziellen Charakter aberkannt, und der Heilige Stuhl veranstaltet laut *Motu proprio* vom 25. April 1904 eine neue Ausgabe des gregorianischen Chorals. Im Hinblick auf diese Ausgabe behält der Cäcilienverein die bisher offiziellen Choralbücher vorderhand bei und wartet bezüglich der Einführung der neuen Bücher die Weisungen der Hochwürdigsten Bischöfe ab."

Zu diesem Antrag liegt nachfolgende Modifikation vor: „Der Cäcilienverein erkennt die durch Dekret der heiligen Riten-Kongregation vom 8. Januar 1904 getroffenen neuen rechtlichen Bestimmungen über den Choral an und verspricht innerhalb der Grenzen seiner Zuständigkeit, die vom Heiligen Vater gewünschte Rückkehr zur traditionellen Form des gregorianischen Gesanges nach Kräften anzubahnen und durchführen zu helfen."

Außer diesen 6 Anträgen ist noch die Rechnungsablage des Vereinskassiers entgegenzunehmen und die Neuwahl des Cäcilienvereins-Vorstandes (Generalpräses und 2 Vizegeneralpräsides) zu betätigen.

Inbetreff der Wohnung und Teilnahme am 51. Katholikentag sei auf die in allen katholischen Blättern Deutschlands angekündigten Bedingungen hingewiesen.[1]

---

[1] Die hauptsächlichsten Punkte sind: 1. Die Bureaux der Finanz- und Anmeldekommission, sowie der Wohnungskommission, welche sich nebst dem Auskunftsbureau in den Räumen der katholischen Knabenschule am Klarenanger befinden, sind Samstag, den 20. August von 2 Uhr nachmittags, Sonntag, den 21. August von vormittags 10 Uhr und an den folgenden Tagen von vormittags 8 Uhr, jedesmal bis 9 Uhr abends geöffnet. Daselbst werden auch sämtliche Karten ausgegeben.

a) Die Mitgliedskarte zu .ℳ 7,50 berechtigt zur Teilnahme an allen Sitzungen, Veranstaltungen und Unterhaltungen der Generalversammlungen (mit Ausnahme des Festmahls und der Walhallafahrt), ferner zum kostenfreien Bezug 1. des illustrierten Fremdenführers und 2. des Stenographischen Berichts über die Verhandlungen der Generalversammlung.

b) Die Teilnehmerkarte zu .ℳ 5,00 berechtigt zum Eintritt in die Begrüßungsfeier in der Festhalle und zum Besuch der vier öffentlichen Versammlungen.

c) Die Tages-Karte zu 1 .ℳ berechtigt zum Besuche der am Tage der Ausgabe stattfindenden öffentlichen Generalversammlung.

d) Teilnehmer-Karten für Damen werden zu 5 .ℳ und Tages-Karten für Damen zu 1 .ℳ ausgegeben. Die ersteren berechtigen zum Besuche des Begrüßungsabends (Festhalle), der vier öffent-

Mögen die verehrlichen Mitglieder des Cäcilienvereins nicht säumen, an dieser 17. Generalversammlung recht zahlreich, mit heiligem Eifer und warmer Begeisterung für die Sache der heil. Cäcilia, den Herzenswünschen Sr. Heiligkeit Papst Pius X. entsprechend, teilzunehmen.

Dr. F. X. Haberl, z. Z. Generalpräses des Allgemeinen Cäcilienvereins.

Offene Korrespondenz.

1. Gefertigte Kirchenverwaltung möchte mit einen tüchtigen **Chorbassisten**, behufs späterer Besetzung eines solchen Postens, vorläufig in Korrespondenz treten. Es wäre z. B. für einen Diurnisten oder feineren Handwerker ein außerordentlich günstiger Nebenerwerb in Aussicht. Verwaltung der Stadtpfarre **Hall, Tirol**.

2. Bis heute sind von den P. T. Diözesanpräsides und Referenten 14 Zimmer in der Kirchenmusikschule (l. Einladungs-Zirkular vom 21. Mai d. J.) besetzt. Es können also noch 6 der genannten Herren vom 19.—25. August freie Wohnung in der Kirchenmusikschule finden. Umgehende Anmeldungen sind notwendig, um eventuell andere Mitglieder des Vereins oder ehemalige Schüler beherbergen zu können.

3. **J. R. und K. M.** Obwohl Ihre Anfrage mit Kirchenmusik nichts zu schaffen hat, so beantworte ich dieselbe an dieser Stelle mit dem Hinweis auf das *Ricordo di Roma* (Andenken an Rom), ein Album von 50 Hauptansichten aus der ewigen Stadt nebst erklärendem Text in niedlicher Envelope. Verlagsinstitut, München, Waltherstraße 22. Dieselben sind auch als Postkarten verwendbar und kosten 2 ℳ 50 ₰, also à 5 ₰.

4. **Auf mehrere Anfragen** antwortet die Redaktion, daß sie auch heute noch nicht gesonnen ist, ihrerseits einen Bericht über die gregorianischen Festlichkeiten in Rom während der Osterwoche abzufassen oder drucken zu lassen. Sie verweist gegenüber den publizistischen Lichtstrahlen bekannter Blätter und Zeitschriften auf den nüchternen und wahrheitsgetreuen Bericht des H. H. Domkapellmeisters Vietori in Straßburg in Nr. 5 der dortigen „Cäcilia", sowie auf die Artikel über das gleiche Thema in Dr. Widmanns „Kirchenchor".

5. **Dr. K. Schn. in W.** Ich danke Ihnen für die Zusendung des Programms, das die Zöglinge des Landeslehrerseminars, des K. K. Staatsgymnasiums und des Kirchenchores der Propsteihauptpfarrkirche in Wiener-Neustadt anläßlich des Immaculatajubiläums am 16. Juni ds. J. unter Leitung des Herrn Chorregenten Mauritius Keru zu Ehren der allerseligsten Jungfrau Maria ausgeführt haben und erlaube mir, dasselbe unsern Lesern an dieser Stelle mitzuteilen:

1. Orgel-Variation über das Kirchenlied *O sanctissima virgo Maria* von Lux. 2. Marianische Antiphon *Salve Regina*, gregorianischer Choral aus dem 13. Jahrhundert mit Orgelbegleitung. 3. *Ave Maria*, a capella-Chor von Arcadelt. 4. Marianische Antiphon *Ave Regina cœlorum*, a capella-Chor von Orlando di Lasso. 5. Hymnus *Stabat mater* von Emanuel d'Astorga. 6. *Ave Maria*, Orgelcharakterstück von Max Reger. 7. Marianische Antiphon *Alma Redemptoris mater*, Chor mit Orgelbegleitung von Gottfried Preyer. 8. *Ave Maria* von Abbé Dr. Franz Liszt. 9. Lobgesang *Magnificat anima mea*, gregorianischer Choral mit Orgelbegleitung. 10. *Magnificat*. Orgelstück von Abbé Dr. Franz Liszt.

6. **Bausteine für die Cäcilienorgel** (·Kirche). Übertrag aus *Musica sacra* 1904, S. 72: **9651 ℳ 51 ₰.** Dr. L. in R. (*G—H* und *a, b, h* in Subbaß 16' 50 ℳ: K. in R. (*E* und *Fis* in Salicional 8') 20 ℳ; F. A. in O. (*c¹, h¹* in Oktav 4') 7 ℳ; L. R. in M. (*c¹—h¹* in Trompete 8') 23 ℳ; zur Abrundung (die im Prinzipal 16') 48 ℳ 19 ₰. **Summe: 9800 ℳ. Schuldrest: 2200 ℳ. Vergelt's Gott!**

lichen Generalversammlungen (Damen-Tribüne in der Festhalle) und der Gallerie im großen Saale des neuen Hauses während des Festmahls. Numerierte Teilnehmerkarten für Damen kosten 8 ℳ, unnumerierte Tageskarten 2 ℳ.

e) Die Karte zum Gartenfest im Sternbräukeller kostet 50 ₰. (Für Mitglieder frei).

f) Studenten und Lehrer erhalten auf Wunsch Mitgliederkarten zu dem ermäßigten Preise von ℳ 4,50 verabfolgt.

2. Alle auszugebenden Karten werden auf besonderen Wunsch gegen Einsendung des entsprechenden Betrages nebst Porto und Bestellgeld (30 ₰) oder gegen Postnachnahme postfrei schon vorher zugesandt. Gesuche um Zusendung sind unter Einsendung des Betrages durch Postanweisung möglichst bald an Herrn Verlagsbuchhändler Heinrich Pawelek in Regensburg zu richten.

3. Wohnungsgesuche sind sobald als möglich an Herrn Frz. Xav. Miller in Regensburg zu richten. Wohnungsgesuche können jedoch nur berücksichtigt werden, wenn die Mitgliederkarte vorher gelöst wurde. Die nach dem 10. August eingehenden Bestellungen können nicht als sicher übernommen werden.

Druck und Verlag von **Friedrich Pustet** in Regensburg, Gesandtenstraße.
Nebst Anzeigeblatt.

1904. **Regensburg, am 1. September 1904.** № 9.

MUSICA SACRA.

Gegründet von Dr. Franz Xaver Witt († 1888).

Monatschrift für Hebung und Förderung der kathol. Kirchenmusik.

Herausgegeben von Dr. Franz Xaver Haberl, Direktor der Kirchenmusikschule in Regensburg.

Neue Folge XVI., als Fortsetzung XXXVII. Jahrgang. Mit 12 Musikbeilagen.

Die „Musica sacra" wird am 1. jeden Monats ausgegeben, jede der 12 Nummern umfaßt 12 Seiten Text. Die 12 Musik-beilagen (48 Seiten) sind den Nummern 3 und 7 beigelegt. Der Abonnementpreis des 37. Jahrganges 1904 beträgt 3 Mark; Einzelnummern ohne Musikbeilagen kosten 30 Pfennige. Die Bestellung kann bei jeder Postanstalt oder Buchhandlung erfolgen.

Programm der Kirchenmusikschule in Regensburg.

I. Unterrichtsplan. Die Kirchenmusikschule in Regensburg wurde im Nov. 1874 aus kleinen Anfängen gegründet und besteht seit 30 Jahren durch treues Zusammen-wirken der Lehrkräfte in einheitlichem Lehrplan, nach den Anschauungen und Grund-sätzen, welche Kirche und Kunst von der heiligen Musik fordern.

Das *Motu proprio* Sr. Heiligkeit Papst Pius X. vom 22. November 1903 betont, VIII, 28, wörtlich: „Man sorge in jeder Weise für Unterstützung und Hebung der höheren Schulen für Kirchenmusik, die bereits bestehen, und trachte solche zu gründen, wo sie noch nicht vorhanden sind. Es ist überaus wichtig, daß die Kirche selbst für die Ausbildung ihrer Kapellmeister, Organisten und Sänger nach den wahren Grund-sätzen der heiligen Kunst sorge."

Die Grundsätze, welche das Oberhaupt der katholischen Kirche in dem „Rechts-buch der Kirchenmusik" niedergelegt hat, werden neuerdings anspornen, am bewährten Programme festzuhalten und dasselbe nach den Wünschen des Heiligen Stuhles zu erweitern.

Die Schule erstrebt die weitere Ausbildung von bereits musikkundigen katho-lischen Männern (Priestern und Laien) zum Zwecke der Leitung und Vervoll-kommnung katholischer Kirchenchöre.

Sie hat sich also nicht zur Aufgabe gesetzt, Virtuosen oder Komponisten heranzubilden, Stellen für Chorregenten oder Organisten zu vermitteln, in kurzer Zeit theoretisch und praktisch befähigte Dirigenten erziehen zu wollen; sie legt vielmehr das Hauptgewicht auf die Darlegung der kirchlich-liturgischen Vorschriften und Gesetze, auf die gewissenhafte Pflege erprobter musikalischer Schulregeln und ernster Übungen und will dem tüchtig vorgebildeten Musiker Gelegenheit geben, Kennt-nisse zu erwerben, die ihm später zu eigener Fortbildung und Vervollkommnung dienen können, und die gegenwärtig in den Lehrplänen der Konservatorien und Schullehrer-seminarien nicht aufgenommen sind.

Darum wird der liturgische Gesang besonders gepflegt und geübt, und für die polyphone Musik der Palestrinastil zur Grundlage beim Unterrichte angenommen und eingehender gelehrt; denn jede Schule muß eine gewisse Richtung haben und eine ausgesprochene Tendenz verfolgen.

Die vielen Aufführungen in den verschiedenen Kirchen Regensburgs geben Gelegenheit, alle Stilgattungen der Kirchenmusik zu hören, zu vergleichen und zu beurteilen.

Seit 5. Oktober 1902 ist neben der Schule die St. Cäcilienkirche erbaut und dem öffentlichen Gottesdienst übergeben.

Wenn die Herren Eleven so weit gebildet und unterrichtet sind, daß nach dem Urteile der Direktion der liturgische oder mehrstimmige Gesang vom Schülerchore zeitweise in der Cäcilienkirche aufgeführt werden kann, ohne spätere Verbindlichkeiten irgend welcher Art, dann sind alle Herren während des sechsmonatlichen Kurses verpflichtet, als Sänger, Organisten oder Dirigenten mitzuwirken.

Lehrgegenstände der Schule sind: Liturgie und lateinische Kirchensprache, Ästhetik, Geschichte und Literatur der Kirchenmusik, letztere unter besonderer Rücksichtnahme auf den Cäcilienvereins-Katalog, Theorie und Praxis des gregorianischen Gesanges, Übungen im Lesen und Spielen von Gesangspartituren aus älterer und neuerer Zeit, Anleitung zum Dirigieren, Lehre des Kontrapunktes und Übungen in den polyphonen Formen mit Analyse älterer Werke, Anweisung zum Gesangunterricht und Methode desselben, praktisches Orgelspiel und Wiederholung der Harmonielehre bilden die Hauptfächer des Unterrichtes; Besuch von Proben und Aufführungen des Domchores und der übrigen Kirchenchöre sollen denselben unterstützen.

Auf besonderen Wunsch wird auch Unterricht im Violinspiel gegen billige Vergütung erteilt.

II. Zeitdauer des Unterrichtes. Der Unterricht dauert jährlich sechs Monate; er beginnt regelmäßig mit dem 15. Januar und endigt mit dem 15. Juli jeden Jahres.

Ferien sind drei Tage vor dem Aschermittwoch und acht Tage nach Ostern; in der heiligen Charwoche haben die vielen täglichen Aufführungen und Proben als Unterricht zu gelten.

Täglich finden im Durchschnitt nie mehr als drei Unterrichtsstunden statt, damit die HH. Eleven Zeit finden, ihre schriftlichen Arbeiten mit Muße zu fertigen, den praktischen Übungen im Partitur- Orgel- und Violinspiel nachzukommen, der geordneten Lektüre aus der Musikbibliothek zu obliegen, sowie ihre Eindrücke und Erfahrungen aufzuzeichnen und zu verarbeiten.

III. Lehrmittel. Die Musikbibliothek enthält viele Tausende von theoretischen und praktischen Werken, welche gegen Schein zur Lektüre und Übung ausgeliehen werden.

Zum eigentlichen Unterricht jedoch sind nachfolgende Bücher als Lehrmittel eingeführt: 1) Mich. Haller, Kompositionslehre mit den betreffenden Übungsheften; 2) die vatikanischen Ausgaben des traditionellen Choralgesanges;[1] 3) Orgelschule von Jos. Schildknecht oder J. G. Fröhlich; 4) Peter Piels Harmonielehre; 5) Bertalottis Solfeggien in den alten Schlüsseln; 6) die alphabetischen und Sachregister zum Cäcilienvereins-Katalog; 7) die Orgel unserer Zeit in Wort und Bild. Ein Hand- und Lehrbuch der Orgelbaukunde von Dr. H. Schmidt.

Diejenigen Laien, welche Kenntnis der lateinischen Kirchensprache mangelhaft oder überhaupt nicht besitzen, haben sich noch zu erwerben: a) Praktisches Handbuch zum Erlernen der lateinischen Kirchensprache von B. Bauer; b) kleines Gradual- und Meßbuch von F. X. Haberl.

Diese Werke können bei Beginn des Kursus den inskribierten Eleven, infolge Übereinkommen mit den Buchhandlungen, um ermäßigte Preise besorgt werden.

IV. Kosten. 1. Für 16 Herren sind im Gebäude der Kirchenmusikschule ebensoviele Monatzimmer, einfach möbliert, mit Bett und den üblichen Bequemlichkeiten versehen, bereit gehalten, von denen vier zu je 20 ℳ, zwei zu je 18 ℳ, vier zu je 16 ℳ, zwei zu je 14 ℳ, vier zu je 12 ℳ Monatsmiete abgegeben werden.

[1] Bis dieselben erschienen sein werden, bleiben die vor dem 8. Jan. 1904 als authentisch bezeichneten Choralbücher, nämlich: a) *Compendium Gradualis et Missalis Romani;* b) *Compendium Antiphonarii et Breviarii Romani;* c) Fr. X. Haberl, *Magister choralis* und *Psalterium vespertinum* (in Choralnoten) in Übung. Zur Einführung in die traditionelle Lesart ist einstweilen das *Manuale Missae et Officiorum ex libris Solesmensibus excerptum* als Unterrichtsmittel gewählt. (Tournai, Desclée, Lefebure & Soc. 1903.)

Nord.

Süd.

Kirchenmusikschule und Cäcilienkirche in Regensburg aus der Vogelschau.

2. Die Baarauslagen für Licht und Beheizung werden für den Einzelnen eigens, nach Maßgabe des Bedarfes berechnet.

Das Reinigen der Leibwäsche wird außer dem Hause um billige Preise besorgt; die Bett- und Tischwäsche ist in obigen Mietpreisen mitinbegriffen.

3. Soweit die Pianinos und Harmonium, welche Eigentum der Kirchenmusikschule sind, reichen und den Mietern entsprechen, werden sie monatweise (inkl. des monatlichen Stimmens der Saiteninstrumente) zur Verfügung gestellt. Es steht übrigens jedem Herrn frei, in den Klaviermagazinen Regensburg auf eigene Rechnung beliebige Auswahl zu treffen, oder für die sechs Monate sein eigenes Instrument mitzubringen.

4. Wer Verköstigung im Hause der Kirchenmusikschule wünscht, auch wenn er nicht in demselben wohnt, kann dieselbe zu nachfolgenden Preisen haben: a) Frühstück (Kaffee mit zwei Brötchen) zu 20 ₰, b) Mittagessen (Suppe und zwei Gerichte, nebst Gemüse und Brot) zu 80 ₰, c) Abendtisch (Suppe und ein Gericht mit Gemüse und Brot) zu 60 ₰. Das Getränk (Bier, Wein, Apfelmost) wird eigens berechnet.

Ein schöner Speisesaal bietet jedem Eleven, außer der Annehmlichkeit des gemeinsamen Tisches, noch Gelegenheit zur Lektüre und Unterhaltung.

5. Ein großer Obst- und Ziergarten mit Kegelbahn befindet sich unmittelbar am Hause; ebenso besitzt die Schule einen geräumigen Musik- und Bibliotheksaal mit Flügel, Harmonium und Streichquartett, sowie zwei eigene, voneinander getrennte Orgelzimmer mit je einer Orgel für zwei Manuale und Pedal, bei denen ein eigener Bälgetreter entbehrt werden kann, und ein Pedalharmonium. Übungen auf der großen Cäcilienorgel in der St. Cäcilienkirche können von den besseren Schülern nach den Bestimmungen der Direktion in den Nachmittagsstunden stattfinden.

Für die Benützung der genannten Lokale, Beheizung und Einrichtung derselben und Gebrauch der Bibliothek, sowie für den Unterricht in den angeführten Lehrfächern ist die Summe von 20 ℳ monatlich angesetzt, welche am 15. jeden Monates zu entrichten ist.

6. Mehr als sechzehn Eleven werden zum sechsmonatlichen Kurse nicht zugelassen, wenn nicht außerordentliche Verhältnisse, wie etwa besondere Wünsche eines Hochwürdigsten Diözesanoberhirten, eintreten.

Unter den aufgeführten Bedingungen für Wohnung und Verpflegung können ehemalige oder für das kommende Jahr aufgenommene Eleven der Kirchenmusikschule während der sechs Monate, in denen die sechzehn Zimmer frei stehen, auf kürzere oder längere Zeit dem Privatstudium in der reichen Bibliothek der Kirchenmusikschule oder technischen Übungen obliegen, sei es zur Vorbereitung für den folgenden Kurs, sei es zur Auffrischung und Erweiterung ihrer kirchenmusikalischen Kenntnisse; für etwaige Unterrichtsstunden oder für die Kosten einer Nachhilfe müßten sie jedoch selbst Sorge tragen.

V. Aufnahmebedingungen. 1. Charakter und Tendenz der Kirchenmusikschule in Regensburg fordern von den Besuchern derselben entschieden römisch-katholische Gesinnung, gewissenhafte Beobachtung der göttlichen und kirchlichen Gebote und setzen, neben wissenschaftlichem Streben, einen streng sittlichen, untadelhaften Lebenswandel voraus. Daher muß

a) bei der Anmeldung für die Aufnahme von Seite der Laien ein Zeugnis des zuständigen kathol. Pfarramtes über diese Punkte beigebracht, sowie die zuständige Diözese angegeben werden.

Kleriker, die ihr Theologiestudium noch nicht vollendet haben, werden nicht aufgenommen, wenn sie noch nicht Diakonen sind und als solche nicht ausdrückliches Zeugnis über die Erlaubnis oder den Wunsch ihres Hochwürdigsten Ordinarius, schon bei der Eingabe zur Aufnahme, beibringen.

Priester haben ähnlich ein *testimonium* ihres Hochwürdigsten Diözesanbischofes dem HH. Generalvikar dahier bei ihrer Ankunft persönlich zu überreichen.

b) Ein Taufzeugnis, oder wenigstens Angabe von Jahr und Tag der Geburt, ist erforderlich, da jeder Aufzunehmende das 19. Lebensjahr überschritten haben muß.

Die Zeugnisse über genügende musikalische Vorbildung, besonders theoretische und praktische Kenntnis der Harmonielehre, sind womöglich vom Diözesanpräses zu kontrasignieren; aber auch schriftliche Arbeiten und Kompositionsversuche werden als Zeugnisse angenommen.

Der Grad der Vorkenntnisse und des Privatfleißes hängt erfahrungsgemäß mit dem Erfolg des halbjährigen, ausschließlichen Kirchenmusikstudiums zusammen.

2. Die Anmeldungen für die Aufnahme können unter Vorlage der genannten Zeugnisse zu jeder Zeit stattfinden; dieselben sind an den Unterzeichneten zu adressieren.

3. Am Schlusse des Kurses werden den Herren, welche den Kurs vollenden, Zeugnisse ausgestellt, in denen die Lehrer für die theoretischen Fächer ihre Bemerkungen über Aufmerksamkeit und Betragen beim Unterrichte einschreiben. Für die praktischen Fächer werden im Monate Juni schriftliche Arbeiten und Themata gegeben, sowie mündliche Prüfungen und Übungen abgehalten, von deren Resultaten, unter Berücksichtigung der Leistungen während der übrigen Zeit, die Qualifikation über Befähigung als Sänger, Dirigent, Organist abhängig gemacht wird.

4. Die Kirchenmusikschule kann keine Garantie für zukünftige Anstellung oder Verwendung der HH. Eleven übernehmen.

5. Die vom Lehrerkollegium approbierten Haus- und Schul-Statuten werden bei frankierten Anfragen oder Aufnahmegesuchen diesem Programm gratis beigelegt.

Regensburg, 12. August 1904.

Dr. Fr. X. Haberl,
z. Z. Direktor der Kirchenmusikschule.

Im Lesezimmer.

Über die Wirkung des Motu proprio in Rom

schreibt die römische *Rassegna gregoriana* im Juli—Augusthefte nachfolgende interessante Zeilen, welche die Red. für die Leser der *Musica sacra* übersetzt, damit sie daraus lernen und Mut schöpfen:

„In die Monate Mai und Juni fallen einige Kirchenfeste, welche dem Volke ungemein teuer sind und an denen es mit der größten Begeisterung teilnimmt. An diesen Festtagen wurden auch jene sogenannten traditionellen Musiken veranstaltet, von denen es schien als könnten sie nie wieder abgeschafft werden. Wir hätte man z. B. das Fest des hl. Philippus Neri in S. Maria in Vallicella begehen können ohne das *Laudate pueri*, die Antiphonen oder den Hymnus, der vor ungefähr fünfzig Jahren von dem neu verstorbenen Kapellmeister Gaetano Capocci für eben diese Gelegenheit komponiert worden war? — Wie in S. Ignazio das Aloisiusfest feiern ohne die berühmte große Vesper von Aldega? — Wie ganz besonders aber die große Vesper mit zwei Chören zu Ehren der Heiligen Johannes und Petrus den Vorschriften des *Motu proprio* anpassen? — Viele fragten sich mit gerechtfertigter Neugierde nicht weniger als mit Angst, ob man wohl den Mut finden würde, das *Motu proprio* wirklich und in seiner ganzen Strenge durchzuführen, und welchen Eindruck es bei den Gläubigen hervorrufen werde. Ein gewissenhafter Kapellmeister und ein Kirchenvorstand, denen ernstlich daran gelegen gewesen wäre, den Wünschen und Anforderungen des Papstes gerecht zu werden, hätten alle Mittel aufbieten müssen und sogar für die ersten Male große Opfer nicht scheuen dürfen, um die Musik in vollkommener und feierlicher Weise einzuführen und derselben eine gute Aufnahme zu sichern bei den Gläubigen, die nur so lebhaft sich des alten verpönten Repertoriums erinnerten. Leider ist nun das Wort des Papstes nicht überall richtig aufgefaßt und verstanden worden, ja manche haben sogar Folgerungen daraus gezogen, die den Intentionen Sr. Heiligkeit geradezu entgegen sind. Nach der Bekanntmachung des *Motu proprio* ließ sich in den bedeutendsten Kapellen und auch in anderen Kirchen eine ganz eigentümliche Sparsamkeitsmanier beobachten, in Betreff der Musik."

„Der Papst untersagt die endlosen Musiken, die zwei- und dreistündigen Vespern! — Um so besser! Dann verfährt man einfach mit den Sängern wie mit den Taglöhnern — man bezahlt sie schlechter, da sie ja auch wenige Zeit verwenden zur Ausübung ihres Berufes; vierzig soldi (2 Lire) ist wohl genug. — Aber es handelt sich hier um die Musik, die den meisten unserer Sänger und Dirigenten bis jetzt wenig vertraut war, und unbedingt notwendig wäre es, ihnen die Mittel zu verschaffen, näher den derselben bekannt zu werden, häufiger Proben abzuhalten und zu zeigen, was das alte klassische Repertorium und die Kataloge der guten neueren Musik Schönes bieten. Aber nichts von alledem geschieht! Bei der alten Musik wäre es niemandem auch nur im Traume eingefallen, Proben zu halten (das ist nun zu wahr und zu gut könnte man's bemerken), also braucht es auch jetzt nicht zu geschehen, weil kein Geld da ist dafür zu bezahlen. — Das *Motu proprio* verlangt eine ernste Musik; sehr gut! — Dann streicht man einfach jegliche Komposition mit zwei Chören — einer ist mehr als genug! — Das *Motu proprio* verbietet die Einzelsingen — fort also mit den Solisten, die früher so teuer bezahlt wurden, oder man stelle ihren Gehalt dem des letzten Choristen gleich. — Zum Schluß fordert das *Motu proprio* noch den gregorianischen Gesang — Gott sei Dank tausendmal, da ja ein Kirchenverwalter ausgerufen, diese etlichen Noten herunterzusingen, bringen schließlich auch unsere Klosterbrüder fertig; die Kosten für die Kirchenmusik können also gestrichen und zu anderen Zwecken verwendet werden! Derartige Äußerungen sind leider nur zu viele gefallen, und ebenso wahr ist es, was dieser Tage öffentlich in einer Basilika angekündigt wurde, nämlich, daß heuer, Dank dem *Motu proprio*, in der Bilanz der Kirchenmusik eine Ersparnis von mehreren tausend Lire zu verzeichnen sei. Alle Anerkennung dem musikalischen Verständnisse unseres Klerus und Heil diesen Mäcenaten der Kirchenmusik! —"

„Andererseits läßt sich nicht einmal behaupten, daß die Chordirigenten sich allzu gutwillig gezeigt hätten bei der Ausführung der Verordnungen Pius X., und nochmals kann wiederholt werden, was vor einem Vierteljahre bereits in diesen Blättern zu lesen war: Die Musik veralteten Stiles ist allerdings, mit Ausnahme einiger weniger unbedeutender Kirchen, so ziemlich überall abgeschafft worden, aber von einer allgemeinen durchgreifenden Reform ist absolut noch keine Rede. In der Liberianischen Kapelle (S. Maria maggiore) scheinen die Dinge seit der Veröffentlichung des *Motu proprio* in einer keineswegs befriedigenden Weise vor sich zu gehen. Nur zu deutlich ließ sich bei jeder Aufführung eine ganz und gar mangelhafte Vorbereitung und gewisse Ungeschicklichkeit konstatieren, und nicht selten kam es sogar während der größten Feierlichkeiten zu einem Skandal, der die Gläubigen in gerechtfertigtes Staunen versetzte. Soeben haben wir erfahren, daß das Kapitel die ganze Kapelle auflöste und sich mit deren Neubildung beschäftigt. — Die Lateranensische Kapelle unter der Leitung von Phil. Capocci war aus allen die der Reform am wenigsten bedürftige, und hat auch verstanden, sich den Vorschriften anzupassen. Am Feste des hl. Johannes kam dort eine schöne, neue, noch nicht im Druck erschienene Messe von Phil. Capocci zur Aufführung. Zur ersten und zweiten Vesper *Dixit* und *Confitebor* von G. Capocci, ein anderes *Confitebor* von Perosi, *Beatus vir* und *Laudate pueri* von Phil. Capocci, *Laudate Dominum* von Terziani. Die Antiphonen wurden gregorianisch gesungen, an Stelle des Hymnus von Anfossi in anderer eingelegt. Die Ausführung war lobenswert und man konnte im großen Ganzen befriedigt sein; viele waren es auch. Und vielleicht hätte das Volk die neue Musik noch günstiger aufgenommen, wenn der gregorianische Gesang bei den Antiphonen mit Orgelbegleitung und mehrstimmig ausgeführt worden wäre. So mancher Zuhörer gedachte unwillkürlich der großen zweichörigen Vespern. Wäre es denn gar so unmöglich gewesen, auch heuer eine zweichörige Vesper aufzuführen mit liturgischer Musik? — Gewiß nicht, — nur sei bemerkt, daß der zweite Chor bereits vor etlichen Jahren abgeschafft werden mußte aus Mangel an Geld und heuer mußte die Zahl der Beteiligten ebenfalls vermindert werden im Verhältnis zu den vergangenen Jahren."

„Maestro Capocci hat außer der Aufführung am Feste des hl. Philippus Neri auch noch in anderen Kirchen mit Auszeichnung dirigiert. Bei obenerwähnter Gelegenheit wäre es vielleicht angezeigter gewesen, etwas Feierlicheres aufzuführen und einen zweiten Chor herzuschaffen wie sonst. Auch hier hätte der gregorianische Gesang der Antiphonen, der wechselnden Meßteile und der verschiedenen Strophen des Hymnus mit einer mäßigen Orgelbegleitung besser gefallen. —"

„Am Feste des hl. Aloisius (21. Juni) wurde in S. Ignazio die Messe *Salve Regina* von Stehle gesungen; die Vesper ließ ziemlich zu wünschen übrig, und die fünf sich vollständig gleichenden Psalmen schienen umso langweiliger, als sie auch recht schlecht zum Vortrage gebracht wurden."

„Es klingt geradezu unglaublich, daß man es in einem halben Jahre noch nicht einmal so weit gebracht hat, eine anständige Vesper zu singen; — an wem aber liegt die Schuld? Die Unzufriedenen schieben sie auf die römische Kommission — und da bereits alles mögliche und unmögliche über diesen Gegenstand geredet worden ist, möchte es angemessen sein, die Angelegenheit aufzuklären. Am 19. Juni wurden der Kommission die verschiedenen Musikwerke vorgelegt, die zur Aufführung am Feste des hl. Aloisius bestimmt waren, trotzdem dieselben bereits vierzehn Tage (und noch mehr) zuvor verlangt worden waren. Wie so etwas vorkommen konnte, das hier zu erörtern, wäre zwecklos. — Das *Dixit* und der Hymnus wurden, als dem *Motu proprio* nicht entsprechend, ausgeschaltet und über die anderen Kompositionen folgendes Urteil veröffentlicht:"

„Dieses unser Gutheißen ist durchaus kein Lob der Musik selbst, sondern nur eine Bestätigung ihrer Übereinstimmung mit dem *Motu proprio*; vom künstlerischen Standpunkte aus ist sie als monoton und manchmal sogar als unzureichend zu bezeichnen. Das System, unschöne, wenngleich liturgische Musik zur Aufführung zu bringen, kann kein anderes Resultat erzielen, als das *Motu proprio*, welches ohnedies schon so ungenügend verstanden und unterstützt wird, in schlechtes Licht zu stellen. Wären die gewählten Kompositionen der Kommission vorgelegt worden, als dieselbe verlangte . . ., hätte man Zeit gehabt, anderes vorzuschlagen. —"

„Am meisten aber bedauerten die Mitglieder der Kommission, hören zu müssen, daß der Gehalt der Sänger vermindert worden sei; trägt doch dieser Umstand keineswegs dazu bei, die Beteiligten zu einer tadellosen Ausführung anzueifern. — Natürlich war es mit dem besten Willen nicht möglich, in einem Tage Programm und Ausführung zu ändern. Nach dem Vorgefallenen schob man nun die Schuld auf das *Motu proprio*, auf die Kommission usw., die die Gläubigen nötige, solche Musik anzuhören; man sagte, der Papst hätte zum mindesten zwei Jahre Zeit geben müssen, ehe er die Ausführung seiner Verordnungen fordern konnte. Nach Verlauf der zwei Jahre wäre jedoch alles noch auf demselben Punkte gewesen wie heuer im Juni, d. h. ganz und gar unvorbereitet und nach wie vor nach altem Repertorium, das doch keinen Menschen befriedigen kann. Da hätte man doch wahrlich in S. Ignazio keine Worte zu verlieren gebraucht über die Möglichkeit einer feierlicheren Musik mit zwei oder drei Chören, wie sie die verpönte große Vesper der vergangenen Jahre hatte. —"

„Bei den Feierlichkeiten am Feste des hl. Petrus in der vatikanischen Basilika, an welchen ganz Rom teilnimmt, machte sich die musikalische Reform in folgenden Punkten bemerkbar: Wegfallen des zweiten Chores und dadurch erfolgte Verminderung des Chorpersonals um nicht weniger als achtzig Sänger, sodann durchkomponierte oder abwechselnd vom Klerus und den Sängern gesungene Psalmen, bei welchen nur zu deutlich die geringe Kenntnis der einen sowohl wie der andern zutage trat. —"

„Anstatt des Hymnus von Raimondi kam ein Hymnus, angeblich von Palestrina, mit Orgelbegleitung und abwechselnder Strophe zum Vortrag, (im Original war es gregorianischer Gesang, nach dem guten, alten Brauch) vom Maestro Meluzzi. Dieses höchst eigentümliche Gemisch und überhaupt die ganze Art und Weise der Ausführung haben einen berühmten, bei der Feierlichkeit anwesenden ausländischen Musikgelehrten zu einem so scharfen aber leider nur zu wahren Urteil veranlaßt, daß ich nicht wage, es hier anzuführen; ebenderselbe Maestro aber wiederholte es ganz offen und freimütig vor Sr. Heiligkeit, als er am darauffolgenden Tage in Audienz empfangen wurde. —"

„Auch für diesen Mißerfolg wurde die Schuld der Kommission beigemessen, die doch gar nichts mit der Sache zu tun hatte und in keiner Weise verantwortlich gemacht werden kann für eine mangelhafte Aufführung. —"

„Manche Leute behaupten sogar, diese Aufführungen seien eigens veranstaltet worden, das *Motu proprio* verhaßt zu machen. Nun, wir wollen und dürfen Ähnliches nicht voraussetzen, aber das Ergebnis ist ganz das gleiche. —"

„Und alles das hätte vermieden werden können mit einer besseren Durchführung und einer weiseren Wahl der Kompositionen, schon in Anbetracht des Eindruckes, welchen die Zuhörer davon empfangen. — Den allergrößten Unwillen erregte das Wegbleiben des Hymnus von Raimondi: *O felix Roma*, für welchen die Römer eine besondere Vorliebe hatten. — War denn diese Weglassung gar so unumgänglich notwendig? Der Satz, der Meinung verständiger Leute nach, hätte ganz gut beibehalten werden können, aber so manch anderer Teil des Hymnus wäre, als den Vorschriften des *Motu proprio* nicht entsprechend, leicht zu modifizieren gewesen. — Der große, daraus erwachsene Vorteil hätte ein tüchtiges Studium wohl verdient. — Das Volk und gerade die Römer lieben ja speziell den Satz, in welchem das „glückliche Rom" gepriesen wird, der übrige Teil der Vesper läßt sie kalt. — Sodann wolle es nicht als eine Entweihung betrachtet werden, wenn man wagt, Hand an jenes Werk Raimondis zu legen; denn seit einer Reihe von Jahren bereits wurde es mit Verkürzung aufgeführt, und es hätte ganz gut noch einmal reduziert werden können; auf jeden Fall aber wäre es besser gewesen, einen Hymnus von Raimondi anzupassen so gut es eben ging, als ein Werk von Palestrina in oben angegebener Weise zu entstellen. Und wie leicht wäre es übrigens gewesen, liturgische Kompositionen mit zwei oder drei Chören zu finden. Wir betonen diesen Punkt, weil das Volk gerade hierin so enttäuscht wurde, in S. Giovanni sowohl als auch in S. Ignazio und S. Filippo, noch mehr aber in der ungeheuren vatikanischen Basilika. Die Funktionen hätten dadurch nur gewonnen an Feierlichkeit, das Volk, das nun einmal an seine Musik und die zwei Chöre gewöhnt ist, wäre zufrieden gestellt worden, wenn in den Kompositionen zwei wirkliche Chöre beteiligt gewesen wären, und nicht zwei Chöre „pro forma" wie man früher sagte. — In S. Pietro wurde das *Magnificat* von zwei Chören vorgetragen; wäre wechselweise gesungen worden und hätte man einstimmig, so hätte man mit wenigem gar viele befriedigen können. —"

„Die Gedächtnisfeier des hl. Paulus verlief weitaus glücklicher als jene des hl. Petrus. Die von Don Lorenzo Perosi dirigierte sixtinische Kapelle brachte in der Ostiensischen Basilika die Messe *Lauda Sion* von Palestrina, das Graduale *Gratia Dei* und das *Benedictus* von Perosi, — Introitus und die anderen Teile gregorianisch — in vorzüglicher Weise zur Ausführung. — Warum hat man es denn in S. Pietro nicht ebenso gemacht? — Alles hätte sich gebeugt vor dem Namen Palestrina, und mit Freuden würde jeder zurückgedacht haben an die feierliche Papstvesper und die Papstmesse der vergangenen Tage."

(Es wäre nutzlos und würde die Wirkung dieser Klagen und Wünsche des römischen Korrespondenten in der römischen kirchenmusikalischen Zeitung auf die Leser der *Musica sacra* schädigen, wenn Kommentare oder Anmerkungen zu dieser Kritik und Lamentation geschrieben werden wollten. Die Chorregenten und Sänger unseres Cäcilienvereins wollen aus diesem Artikel lernen, daß die Theorien der römischen Kirchenmusikkommission sehr edel und ideal sind. Möge ein Gregor Thaumaturgos den dortigen Kapellmeistern und Sängern erstehen, der Berge versetzen, Täler ausfüllen, Sänger, Komponisten und Dirigenten schaffen kann, um in sechs Monaten das Angesicht der römischen Kirchenmusik zu säubern, ja neu und schöner zu gestalten. Das erste, aber auch das letztemal glaubte die Redaktion auf diese Schmerzensrufe aufmerksam machen zu sollen; in Zukunft denken wir nur an unsere eignen Verhältnisse und Bestrebungen, nicht an die „ultramontanen" und bitten um Nachahmung dieses Verhaltens! D. Red.)

Über die 17. Generalversammlung des Allgemeinen Cäcilienvereins,

welche am 20. und 21. August in Regensburg abgehalten worden ist, wird die Nr. 9 des Cäcilienvereinsorgans ausführlich nach dem stenographischen Berichte Mitteilung machen. In nachfolgenden Zeilen faßt die Redaktion nur die hauptsächlichsten Punkte zusammen.

Zu der Vorversammlung der Diözesanpräsides und Referenten am 20. Aug. waren persönlich erschienen: a) die P. T. Diözesanpräsides von Augsburg, Bamberg, Brixen, Cöln, Eichstätt, Freiburg i. B., Limburg, Metz (beglaubigter Vertreter), Paderborn, Regensburg, Rottenburg, Apostol. Vikariat für Sachsen-Bautzen, Speyer, Straßburg i. El. (legitimer Vertreter), Trient (deutscher Anteil), Trier, Würzburg. Ihr Nichterscheinen haben brieflich motiviert die P. T. Diözesanpräsides von Basel-Solothurn, Breslau, St. Gallen, Leitmeritz, München, Münster, Passau, Salzburg, Sitten (Oberwallis).

Aus den Diözesen Graz-Seckau, Prag (preuß. Anteil), Apostol. Vikariat Sachsen-Dresden ist keinerlei Lebenszeichen erfolgt;

b) von Referenten waren, außer jenen, die unter den Diözesanpräsides sich finden, noch gegenwärtig: P. T. Dr. Hermann Müller, Jak. Quadflieg und Karl Walter.

Nach Begrüßung der 20 Persönlichkeiten verbreitete sich der Generalpräses über den Inhalt, beziehungsweise die Beantwortungen der Zirkulare vom 20. Januar und 21. Mai d. J. und ersuchte, zur Erleichterung in der Leitung der beiden Mitgliederversammlungen, über die Thesen und Resolutionen, die im Cäcilienvereinsorgan vom 15. Juli und 15. August statutenmäßig veröffentlicht worden sind, sich freimütig zu äußern. Die Debatte verlief in sehr befriedigender Weise, und man einigte sich, statt der Thesen (V und VI) eine Huldigungsadresse an Se. Heiligkeit Papst Pius X. abzufassen und dieselbe, nach Unterzeichnung von Seite des Gesamtvorstandes, durch Se. Eminenz den Hochwürdigsten Kardinalprotektor Andreas Steinhuber in Rom dem Heiligen Vater zu überreichen. Auch in den Anträgen (I—IV) für Statutenänderung wurden kleine Modifikationen vorgeschlagen, welche für die Mitgliederversammlung wertvolles Material boten.

Die fünf Glocken der Cäcilienkirche riefen die Versammlung um 5 Uhr in das neue Gotteshaus, das sich mit Andächtigen und Mitgliedern des Cäcilienvereins füllte.

Die vereinigten Sänger des Domchores, der Stiftskirche zur „Alten Kapelle" und von St. Emmeram trugen unter Leitung des H. H. Domkapellmeisters Fr. X. Engelhart das in *Musica sacra* Nr. 8, S. 98, abgedruckte Programm in würdigster Weise vor. Herr Domorganist Renner besorgte die Überleitungen zu den 7 Kompositionen in musterhafter Form und spielte nach dem heiligen Segen und am Schluß der Vorführungen eigene Kompositionen unter bester Ausnützung der farben- und klangreichen Cäcilienorgel.

Nach dem Sonntags-Hochamte im Dome (Programm *s. Musica sacra*, Nr. 8, S. 98), bei welchem besonders der Choral aus den bis 8. Januar d. J. offiziellen Büchern fließend und schön gesungen wurde, versammelten sich etwa 130 Mitglieder des Cäcilienvereins, incl. mehrerer Gäste, im geräumigen Saale des Paradiesgarten, dessen Tribüne mit dem Bild der hl. Cäcilia, des Heiligen Vaters Papst Pius X. und einem Medaillon des Vereinsgründers Fr. X. Witt, umgeben von Blattpflanzen, geschmückt war.

Der Unterzeichnete wies zuerst auf den Umstand hin, daß 1868 der Gründer des Cäcilienvereins, † Dr. Franz Witt, die Freunde der Kirchenmusik bei der 19. Katholikenversammlung in Bamberg zu einem eigenen Verein um sich geschart hatte, der 1870 durch die Verwendung des Episkopates in den Diözesen deutscher Zunge im päpstlichen Breve *Multum ad movendos animos* die Approbation der höchsten Autorität erlangt hat. Seit dieser Zeit seien die Generalversammlungen des Cäcilienvereins von den Katholikentagen getrennt abgehalten worden; die gegenwärtige 17. Generalversammlung sei die erste, welche aus verschiedenen Gründen mit der in Regensburg tagenden 51. Katholikenversammlung, wenn auch nur zeitlich, wieder in Verbindung trete. Das *Motu proprio* Sr. Heiligkeit vom 22. Nov. 1903, das Dekret der Riten-Kongregation vom 8. Januar 1904 und die Entscheidung des Heiligen Vaters vom 24. April 1904 (die vatikanischen Choralausgaben betreffend) seien so wichtige Tatsachen, daß der Allgemeine Cäcilienverein selbstverständlich bestrebt sein müsse, den Forderungen und Wünschen Sr. Heiligkeit nach Kräften, jedoch unter Beachtung und Rücksichtnahme auf die Anordnungen der Hochwürdigsten Episkopates, in deren Diözesen der Verein existiere, öffentlich und freudig Folge zu leisten.

Vor einigen Jahren sei dem Verein der Vorwurf gemacht worden, daß er in seinen Arbeiten und Bestrebungen „Maß und Milde" zu wenig beachte; bei der 16. Generalversammlung, 1901 in Regensburg, wurde diese Anklage energisch zurückgewiesen, die Vorstände des Cäcilienvereins aber seien doch vorsichtiger geworden, um nicht wiederum in peinliche Verlegenheiten zu geraten.[1])

Aus innerstem Herzensgrunde dankte der Unterzeichnete dem Heiligen Vater für die große Hilfe, welche er durch das *Motu proprio* vom 22. November 1903 den Grundsätzen des von Rom approbierten Cäcilienvereins geleistet habe. Wir sind jetzt von einer festen Mauer gestützt und umgeben, wenn auch das Lob, welches der Heilige Vater unserem Vereine gespendet hat, nicht verdient ist, da wir in vielen Diözesen wenig, ja nichts leisten konnten und anderswo noch viel gearbeitet werden muß, um das Bestehende zu erhalten und dem Willen der Kirche zum Durchbruch zu verhelfen. Das *Motu proprio* jedoch sei unser zukünftiger Turm, unsere feste Burg, in die wir flüchten können, wenn wir uns der Gegner auf offenem Felde nicht mehr zu erwehren vermögen.

---

[1]) Redner hatte sich fest vorgenommen, über den Kampf, der besonders seit 6 Monaten in der politischen Presse gegen die Person des Generalpräses und die Stellung des Cäcilienvereins zu den Kundgebungen Sr. Heiligkeit Papst Pius X. über Kirchenmusik geführt worden ist, vollständig zu schweigen, nach dem lateinischen Sprichwort: *Nescius quod scis, ut sapias.* (Wisse nicht, was du weißt, um weise zu sein.)

Leider ließ er sich vom Augenblicke hinreißen, einige harte Worte gegen gewisse ungenannte Personen zu reden, welche 33 Jahre hindurch die Stimme der Autorität weder gehört noch beachtet haben und nun plötzlich einen Gehorsam fordern, der den edlen Gesinnungen und idealen Wünschen Sr. Heiligkeit durchaus nicht entspricht. Der Heilige Vater übt „Maß und Milde", während gewisse Zeitungen einen maß- und lieblosen, ja persönlichen Kampf geführt haben durch unwahre und verleumderische Beschuldigungen und Vermutungen.

Der Vorsitzende verteilte nun die im Cäcilienvereinsorgan vom 15. August abgedruckten Anträge zur Beratung und Beschlußfassung.

Der 1. Antrag, den Thesenzusatz in § 2, Zff. 1 der allgemeinen Statuten, die bis 9. Januar 1904 als offiziell erklärten Choralbücher betreffend, wegfallen zu lassen, wurde ohne weitere Debatte einstimmig angenommen.

Der 2. Antrag erhielt einige Modifikationen, nach welchem der bisherige § 1 unverändert bleibt, dagegen in § 2 ein Zusatz gemacht wird, der insbesondere auf das *Motu proprio* vom 22. November 1903 hinweist.

Beim 3. Antrag wird genehmigt, daß der Generalpräses einzeln nach § 12, b der Statuten gewählt werde, daß jedoch die beiden Vizepräsides auch durch Akklamation gewählt werden können, wenn die anwesenden stimmberechtigten Mitglieder damit einverstanden sind.

Als Kommissär für die Neuwahl des Generalpräsidiums wurden Dr. Herm. Müller, Professor in Paderborn, als Beisitzer die Herren Jak. Quadflieg und Karl Walter vorgeschlagen und angenommen; denselben übergab der Generalpräses die 25 vorschriftsmäßig geschlossenen und versiegelten Kuverte der Diözesanpräsides; bis zur nächsten Sitzung sollte das Resultat mitgeteilt werden.

Obwohl der großartige Aufzug der katholischen Arbeitervereine aus nah und fern vom Bahnhof zu der für den 51. Katholikentag erbauten Festhalle in die Zeit der Vesper im hohen Dome fiel (2½ Uhr), waren doch die Stühle vollständig besetzt von Freunden einer liturgischen Vesper, welche der Domchor aus der, für schwächere und bessere Chöre sehr passenden Vespersammlung von Peter Griesbacher vortrug.

Um 4 Uhr wurde die 2. Mitgliederversammlung im gleichen Lokale abgehalten. An erster Stelle kam ein Zusatz in der Geschäftsordnung zur Herstellung des Cäcilienvereins-Kataloges in Vorlage, durch welchen es dem Generalpräses anheimgegeben wird, jene Kompositionen in deutscher Sprache, welche für den außerliturgischen Gottesdienst bestimmt sind, deren Texte jedoch keine oberhirtliche Approbation ausweisen, im voraus von der Aufnahme in den Cäcilienvereins-Katalog abzulehnen. Nach etwas langwieriger Debatten und Einwendungen von verschiedenen Seiten wurde diese Erlaubnis mit Stimmenmehrheit erteilt. Komponisten, Sammler und Verleger müssen also darauf bedacht sein, in bezug auf Kompositionen mit deutschen Texten sich der Approbation des zuständigen Ordinariates zu versichern, wenn sie die Aufnahme eines deutschen Marien-, Herz Jesu-, Grab-, Kommunionliedes usw. in den Cäcilienvereins-Katalog anstreben.

Der Vereinskassier erstattete nun Rechenschaftsbericht über den Stand des Vermögens, bezw. der Einnahmen und Ausgaben in der Zeit vom 15. Juli 1901 bis 15. Juli 1904, also von der 16. bis 17. Generalversammlung. Die Belege und Ausweise sind von den Revisoren, Herrn Friedrich Pustet und Karl Mayer, am 10. Aug. d. J. eingehend geprüft und die vollständige Übereinstimmung der Rechnungsführung des Kassiers Franz Feuchtinger dahier mit allen Kassenbelegen ist bestätiget worden. Der Vorsitzende ersuchte um Decharge für den Kassier, erhielt dieselbe mit Applaus und dankte letzterem für die Genauigkeit und Mühewaltung. Im Cäcilienvereinsorgan wird der Rechenschaftsbericht im Detail abgedruckt werden.

Schließlich übergab der Unterzeichnete den Vorsitz dem Wahlkommissär, Hochw. Herrn Hermann Müller, Paderborn, welcher unterdessen mit den beiden Herren Jak. Quadflieg und Karl Walter die 25 verschlossenen Kuverts eröffnet und die 125 angeführten Namen zusammengestellt hatte. Als Resultat ergab sich, daß die 25 Urwahlzettel der Diözesanpräsides 24 mal den Unterzeichneten aufführten. Nach der Höhe der Stimmenzahl folgten: der bisherige 1. Vize-Generalpräses Monsignore Karl Cohen von Cöln, H. H. Domkapellmeister Ign. Mitterer in Brixen, Domherr Arnold Walther in Solothurn, Domkapitular Dr. Ahle in Augsburg und andere in absteigenden Ziffern.

Die stimmberechtigten, persönlich anwesenden 102 Mitglieder wählten durch Stimmzettel, und es ergab sich, daß 86 Stimmen auf den bisherigen Generalpräses fielen, die übrigen sich zersplitterten. Auf die Frage des Wahlkommissärs, ob der Gewählte annehme, erklärte er: „Mit besonderer Rücksicht auf das Vertrauen, welches der Gesamtvorstand ihm entgegengebracht hatte, obwohl in einem Zirkular gebeten worden war, von seiner Wiederwahl abzusehen, und unter dem selbstverständlichen Vorbehalt, daß der hohe Protektor des Cäcilienvereins, Se. Eminenz Kardinal Andreas Steinhuber in Rom, die Wahl bestätige, sowie in der Hoffnung, daß die Mitglieder des Vereins und deren Diözesanvorstände ihn wirksam unterstützen und mit allen zu Gebote stehenden Kräften an den kirchlichen Vorschriften und dem *Motu proprio* Sr. Heiligkeit Papst Pius X., sowie den Anordnungen und Befehlen der Hochwürdigsten Diözesanbischöfe unerschütterlich festhalten, nehme er die Wahl auf 5 Jahre wieder an.“

In betreff der Wahl der beiden Vize-Generalpräsides wurde durch den Wahlkommissär nach längeren Debatten und Wünschen auch für die Stelle des 1. Vize-Generalpräses Wahl durch Stimmzettel angeordnet und unter 96 abgegebenen Stimmen Monsignore Karl Cohen, der bisherige 1. Vize-Generalpräses mit 85 Stimmen wieder gewählt, und Domkapellmeister Ign. Mitterer in Brixen durch Akklamation zum 2. Vize-Generalpräses ausersehen. Beide Herren nahmen die Wahl unter allgemeinem Beifall der Versammlung an.

Hiemit fand die 17. Generalversammlung in ihrem geschäftlichen Teile ihren Abschluß.

Über die kirchenmusikalischen Aufführungen während des Katholikentages, bei welchen die verschiedenen Stilgattungen der Kirchenmusik (Palestrina, Haller, Ebner, Griesbacher, Jos. Renner, jun.) zu Gehör gebracht wurden, sollen „die Stimmen der Presse" in Nr. 10 vernommen werden.

Der Verkehr mit hunderten von Freunden und Feinden wahrhaft liturgischer Kirchenmusik, die verschiedensten Stimmen und Privatäußerungen über die Eindrücke und Folgen des *Motu proprio* Sr. Heiligkeit Papst Pius X. konnten die Überzeugung festigen, daß „unsere Lage" eine sehr günstige sei, und daß wir keinerlei Ursache haben, mutlos zu werden, sondern allen Grund, mit vervielfachtem Eifer, erhöhter Einigkeit und emsigem Fleiße die Arbeit von 34 Jahren fortzusetzen, zu erweitern und zu vertiefen.

Das walte Gott unter Fürbitte der heil. Cäcilia und mit Unterstützung und dem Segen der kirchlichen Autoritäten.   F. X. Haberl, z. Z. Generalpräses.

Vermischte Nachrichten und Mitteilungen.

1. ´ **Leipzig**, 20. Aug. Die neue Bach-Gesellschaft veranstaltet vom 1. bis 3. Okt. ds. J. in Leipzig im Gewandhause und der Thomaskirche das zweite ihrer Bach-Feste, zu dem auch Nichtmitglieder Zutritt haben. Das reichhaltige Programm nennt eine Anzahl Werke des Altmeisters Bach, die trotz ihrer hohen Bedeutung nur den wenigsten durch Aufführungen bekannt sind. So wird die Sonnabend-Motette (1. Okt.) die zwei achtstimmigen Motetten „Singet dem Herrn" und „Der Geist hilft unsrer Schwachheit auf" bringen, während im Orchesterkonzert u. a. die seltener gehörte *D*-dur Suite, das *D*-moll Konzert für 3 Klaviere, ein Concerto grosso von Händel, und endlich die große weltliche Kantate „Vom Streit zwischen Phoebus und Pan", ein Werk, das Bach als künstlerischen Polemiker zeigt, zur Aufführung gelangen. Die vierte Brandenburgische Konzert. Solowerke für Gesang, für Klavier, für Violoncell, und die humoristische Kaffekantate (Schweigt stille) werden in der Kammermusik-Matinée (2. Okt.) zu Gehör gebracht werden. Das Hauptwerk des Nachmittag-Gottesdienstes (2. Okt.) wird die mächtige Reformationskantate „Gott der Herr ist Sonn und Schild" sein und mit den vier Kantaten „Herr, gehe nicht ins Gericht", „Jesus schläft", „Wachet, betet" und „Erfreut Euch, ihr Herzen" wird das Kirchenkonzert (3. Okt.) und somit das ganze Fest beschlossen werden.

Zu diesen Veranstaltungen werden Dauerkarten zum Preise von je 10 ₳ und Eintrittskarten für die einzelnen Konzerte zum Preise von je 4 ₳ ausgegeben. Anmeldungen zur Teilnahme können schon jetzt bei den Schatzmeistern der Gesellschaft Breitkopf & Härtel in Leipzig erfolgen, die auch zu jeder weiteren Auskunft gern bereit sind.

2. — **Vom Westerwald**. (Kirchenmusikal. Kränzchen.) Unter den Mitgliedern des Lehrer-Zweigvereins „Am Blasiusberge" wurde im Laufe dieses Jahres ein Verein „Gregorius" zur Förderung wahrer Kirchenmusik, gegründet. Angeregt wurde die Vereinigung durch ein reges Mit-

glied im Dienste der Kirchenmusik, Herrn Lehrer A. Hummer in Frickhofen. Derselbe hat den Unterzeichneten, in der Frühjahrsversammlung des Zweigvereins „Am Blasiusberge", welche am 9. März d. J. in Mühlbach stattfand, einen Vortrag über das Thema „*Missa cantata*" zu halten. Es wurde gerade dieses Thema gewählt, weil es *in puncto* Kirchenmusik in unserem Bistum Limburg nicht zum Besten aussieht, und fast an allen Orten noch sogenannte deutsche Ämter im Gebrauch sind. So kam denn am 3. März d. J. das Kränzchen „Gregorius" zustande. Leider konnte verschiedener Umstände halber bis zum 3. August keine Versammlung mehr gehalten werden. Nach Wahl eines Präses, des Kollegen Erwes in Dorchheim, und eines Schriftführers, des Kollegen Pabst in Lahr, wurde von Kollegen Hummer ein Vortrag gehalten: „Das katholische deutsche Kirchenlied und unser Gesangbuch". Der Vortrag war um so zeitgemäßer, als gerade jetzt für unsere Diözese eine Bearbeitung des Gesangbuches vorbereitet wird. Alle Erschienenen, 16 an der Zahl, folgten den Worten des Redners mit größtem Interesse. Großer Beifall und der Entschluß aller, ihre ganze Kraft in den Dienst der kirchlichen Musik zu setzen, belohnten die wohl zu beherzigenden Worte unseres lieben Kollegen.

Besonders über die Texte der Lieder allgemeinen Inhaltes hatte Herr Hummer gesprochen, es folgte deshalb als zweiter Vortrag eine Besprechung der Melodien in bezug auf ihre Güte und Kirchlichkeit durch den Unterzeichneten. Auf die Schönheiten besonders der älteren Lieder wurde durch Vorspielen aufmerksam gemacht, Anleitung zur Begleitung gegeben, und dann unter Klavierbegleitung einzelne Lieder von der ganzen Versammlung gesungen. — Dann wurden die Mitglieder in die einzelnen Stimmen verteilt, und der von den meisten schon im Seminar zu Montabaur gesungene Psalm *Miserere* von Palestrina zum Üben aufgegeben. Nebenher sollen auch einige Volkslieder geübt werden. Damit schloß der kirchliche Teil und die Mitglieder, in ein Streichsextett mit Klavierbegleitung verteilt, erfreuten sich noch einige Zeit an den lieblichen Weisen eines Mozart, Haydn, Beethoven. Alle verabschiedeten sich mit dem Wunsche „frohen Wiedersehens!" in Frickhofen. Die nächste Versammlung, zu welcher auch der Zweigverein „An der Elbquelle" eingeladen wird, findet am 7. September statt. Für dieselbe ist ein Vortrag „Choral" vorgesehen, verbunden mit praktischer Anwendung.

Hausen, 4. August 1904.   W. Hohn, Lehrer.

---

3. ✠ Am 21. August, dem Tage der 17. Generalversammlung, ist Herr Peter Piel, Seminaroberlehrer und Kgl. Musikdirektor in Boppard, in die Ewigkeit abgerufen worden. Die Todesanzeige meldete: „Er entschlief sanft, nach kurzem, schwerem Leiden, versehen mit den Heilsmitteln unserer heiligen katholischen Kirche, im Alter von 69 Jahren." Die feierlichen Exequien fanden am Mittwoch den 24. August, morgens 9 Uhr in der Pfarrkirche zu Boppard statt, darauf die Beerdigung.

Die Redaktion wird Bildnis und Biographie dieser kirchenmusikalischen Leuchte im Cäcilienvereinsorgan vom 15. September und in *Musica sacra* vom 1. Oktober bringen, denn der Name Peter Piel ist mit der Geschichte der kirchenmusikalischen Bewegung in Deutschland seit der Begründung des Cäcilienvereins auf das Engste und Innigste verknüpft. Als Theoretiker und Praktiker, als Komponist, Musiklehrer und Schriftsteller, als Dirigent und Organist, als überzeugungstreuer Laie, als frommer, mildtätiger und musterhafter Katholik hat er sein ganzes Leben der heiligen und ernsten Musik gewidmet und geopfert. Geboren am 12. August 1835 in Kessenich bei Bonn, Schüler von Jepkens im Lehrerseminar zu Kempen, wirkte er seit 1868 ununterbrochen am Lehrerseminar zu Boppard a. Rh. Am 1. Oktober wollte er in den Ruhestand treten. Gott, der Allmächtige hat ihn schon vor dieser Zeit abgerufen. Er war unverheiratet; den trauernden Hinterbliebenen mögen diese wenigen Zeilen christkatholischen Trost bringen. Allen, welche den verstorbenen Mann persönlich kannten, mit ihm brieflich verkehrten oder dessen Kompositionen sangen und spielten, wird es ein Herzensbedürfnis sein, für dessen Seelenruhe zu beten. R. I. P.

---

4. ⊙ Rosenheim. Am 5. September wird in Rosenheim die im Vorjahre beschlossene Generalversammlung des Cäcilienvereins der Erzdiözese München stattfinden, und zwar im Anschlusse an die Kapitelskonferenz des Landkapitels Rosenheim. 9 Uhr feierliches *Requiem* — *Missa pro defunctis* von Ign. Mitterer, *Libera* von K. Thaller für gemischten Chor und vierstimmige Blechbegleitung. Hierauf Lobamt (*Missa votiva de Angelis*) — *Missa in hon. S. Antonii* für gemischten Chor, Orgel und Orchester von M. Filke, Op. 90. Graduale: *Laudate Dominum* für vereinigte Ober- und Unterstimmen mit Orgel von Joh. Thaller, Motette zum Offertorium *Meditabor* für gemischten Chor von Franz Witt. Introitus, Offertorium und Communio choraliter. Zum Schlusse der kirchlichen Feier Orgelvortrag des Herrn Präparandenlehrers Pius Niggl. Vereinsversammlung der Mitglieder nachmittags 2 Uhr beim Bräu am Anger.

5. + Nachfolgende Rundfrage der Redaktion einer neuen Zeitschrift für Hausmusik, das „Harmonium" (Expedition von Breitkopf & Härtel in Leipzig, Herausgeber: Walter Lückhoff, halbjährlich 3 Mark, Nr. 1 vom 25. August d. J.) wird auch viele Leser der *Musica sacra* lebhaft interessieren. Die Redaktion der *Musica sacra* ist bereit, Antworten und Anschauungen über die folgenden fünf Punkte an die Redaktion des „Harmonium" zu übermitteln. Die Rundfrage lautet wörtlich:

„Die in den weitesten Kreisen immer klarer werdende Überzeugung, daß die häusliche Musikpflege einer gründlichen Reform bedarf, und daß ernsthafte Schritte geboten sind, im Volk das Ver-

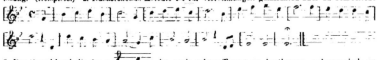

ständnis für gediegene Musik zu fördern, hat bereits zu den verschiedensten Versuchen geführt. Die öffentliche Vorführung guter Werke in Volks- und Schülerkonzerten, das Schaffen neuer „Volkslieder", die Bewegung für eine mehr volkstümliche Pflege des Männerchorgesanges, das Zurückgreifen auf Werke älterer Perioden, das alles sind Unternehmungen, die ihr Gutes wohl haben; von tiefgreifender Wirkung sind sie nach unserer Überzeugung jedoch nicht.

Angesichts der Aktuellität dieses Themas: „Musikbildung des Volkes" und der wachsenden Aufmerksamkeit, die das Harmonium in der musikalischen Welt und der Öffentlichkeit gefunden hat, halten wir es für geboten, das Problem der „Hebung der musikalischen Volksbildung" mit der Harmoniumfrage in Zusammenhang zu bringen.

Wir richten daher an alle auf musikalischem und volkserzieherischem Gebiete Kompetenten die Bitte, ihre Ansicht über folgende Punkte zu äußern und die Veröffentlichung ihres Urteils uns freundlichst zu gestatten:

1. Sind Sie der Ansicht, daß eine Reformbewegung zur Hebung der musikalischen Volksbildung in der Hauptsache darauf bedacht sein muß, dem Volke („Volk" im Sinne Richard Wagners) zu ermöglichen, gute Musik im Hause selbst anzüben und pflegen zu können, und zwar nicht nur Gesang-, sondern auch Instrumentalmusik?

2. Kann sich eine Veredelung und Vertiefung der häuslichen Musikpflege auf der Basis des Klaviers vollziehen? oder

3. Bedarf die Hausmusik für ihre Neubelebung der Entwickelung eines Faktors, der ihr die Sphäre und Ausdrucksmöglichkeit des modernen Orchesters erschließt und sie der Tonsprache fähig macht, die den höchsten Entwickelungsgrad der Musik bedeutet?

4. Glauben Sie, daß durch Einbürgerung des Harmoniums, welches als expressives Instrument jene Sphäre in sich birgt, und dessen Spiel keine schwierige Technik und durch Übungen zu erhaltende Fingerakrobatik erfordert, vielmehr eine leichter zu erwerbende Geschicklichkeit voraussetzt, eine durchgreifende Reform der häuslichen Musik erzielt werden kann?

5. Wie denken Sie über die Veranstaltung öffentlicher Hausmusikabende, in denen bei Vermeidung der steifen Konzertform Hausmusik in intimer Art und besonders durch geselliges Musizieren demonstriert und somit die Anregung zu gleicher Betätigung im eigenen Heim gegeben würde?

6. 2↓ Bei der Schlußprüfung des Kgl. Lehrerseminars in **Straubing** (1904) waren in der Harmonielehre nachfolgende Aufgaben zu lösen:

1. Die alterierten Akkorde, ihre Entstehung, Bildung aus den Grundharmonien und ihre Auflösung. (Beispiele.) 2. Nachstehende Melodie ist für vierstimmigen gemischten Chor zu bearbeiten:

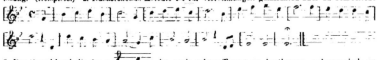

3. Der Septakkord *dis f a c* ist nach seiner Tonart zu bestimmen, enharmonisch zu verwechseln und so in einem viertaktigen Übergang anzuwenden.

Der Jahresbericht über die Kgl. bayr. Lehrerbildungsaustalten in Niederbayern zählt Personalstand, Schülerverzeichnis und Lehrfächer zusammen von den Kgl. Präparandenschulen **Deggendorf**, Landshut, Passau und Pfarrkirchen. Daraus ist zu ersehen, daß der Musik, speziell der Harmonielehre, dem Gesange, Klavier- und Orgelspiel und Violinunterricht, sowie auch dem Orchester jene Sorgfalt gewidmet wird, die bei der Überfülle von 24 Unterrichtsfächern denkbar ist. Der Jahresbericht ist durch Cl. Attenkofer in Straubing zu haben.

7. **Inhalts-Übersicht** von Nr. 8 des Cäcilienvereinsorgans: Vereins-Chronik: Bericht über den Diözesan-Cäcilienverein des Bistums Basel pro 1903; Steinschönau-Reichstadt (Diözese Leitmeritz); Feldkirch (Vorarlberg): Riesenbeck; Würzburg; Dorten; Haltern i. West.; Altdüna; Gelsenkirchen. — Zur 17. Generalversammlung des Cäcilienvereins. Inhaltsübersicht von Nr. 8 der *Musica sacra*. — Anzeigeblatt. — Cäcilienvereins-Katalog S. 73—80, Nr. 3138—3153.

Offene Korrespondenz.

Bausteine für die Cäcilienorgel (-Kirche). Übertrag aus *Musica sacra* 1904. Seite 100: **9800** ℳ. I. B. T. in H. *re dis* im Quintbaß 10¹/₂) 20 ℳ; F. S. in Pl. (*H* und *f* im Quintbaß) 10 ℳ: 1 Gast der Cäcilien-Generalversammlung (*B* und *fis* im Quintbaß) 10 ℳ: 5 Besucher der St. Cäcilienkirche während des Katholikentages (*C — E* im Quintbaß) 59 ℳ; Ehemalige Kirchenmusikschüler während der Generalversammlung (*F—A* im Quintbaß) 35 ℳ; 2 Gäste der Kirchenmusikschule (*g* und *gis* im Quintbaß) 8 ℳ. Summe: 9942 ℳ. Demnach **Schuldrest:** 2058 ℳ. Vergelt's Gott!

Druck und Verlag von **Friedrich Pustet** in **Regensburg.** (Gesandtenstraße.)
Nebst Anzeigeblatt.

Doppel-Nummer.

1904.   Regensburg, am 1. Oktober u. 1. November 1904.   N:o **10 & 11.**

MUSICA SACRA.

Gegründet von Dr. Franz Xaver Witt († 1888).

Monatschrift für Hebung und Förderung der kathol. Kirchenmusik.

Herausgegeben von Dr. Franz Xaver Haberl, Direktor der Kirchenmusikschule in Regensburg.

Neue Folge XVI., als Fortsetzung XXXVII. Jahrgang.   Mit 12 Musikbeilagen.

Die „Musica sacra" wird am 1. jeden Monats ausgegeben, jede der 12 Nummern umfaßt 12 Seiten Text. Die 14 Musikbeilagen (48 Seiten) sind den Nummern 3 und 7 beigelegt. Der Abonnementpreis des 37. Jahrgangs 1904 beträgt 3 Mark;
Einzelnummern ohne Musikbeilagen kosten 30 Pfennige. Die Bestellung kann bei jeder Postanstalt oder Buchhandlung erfolgen.

Meine Reise nach Regensburg.
Von Paul Krutschek.

In nachfolgenden Zeilen soll nicht ein erschöpfendes Bild der letzten Generalversammlung geboten, noch sollen die Kompositionen und ihre Aufführung im einzelnen
besprochen werden, sondern ich will nur den empfangenen allgemeinen Eindruck schildern
und meine Reise nach Regensburg soll nur Veranlassung bieten, über einige mehr prinzipielle Fragen zu plaudern.

Auf der Hin- und Rückreise suchte ich in Prag wieder das gastliche Kloster
Emaus der Benediktiner auf und wurde wie immer mit herzlicher Liebe beherbergt.
Der jetzt neunundsechzigjährige Abt des Klosters Dr. Benedikt Sauter ist leider fast
erblindet, aber, wie ich mich überzeugen konnte, geistig noch recht frisch, und als er
am Schlusse des Amtes an Kaisers Geburtstag die feierliche Benediktion sang, klang
seine Stimme klar und kräftig. *Ad multos annos!*

In seiner jüngsten, allen Choral-Freunden und Feinden dringend zu empfehlenden
Schrift „Der liturgische Choral", Freiburg bei Herder, stellt er S. 71 die Frage: Wo
muß der Choral gepflegt werden? und antwortet: „In der heiligen Kirche sind es an
erster Stelle die choralhaltenden Klöster, denen jene heilige, hohe Aufgabe zur Lebens-
pflicht gemacht ist." und S. 77 sagt er: „Es ist eine heilige Ehrenpflicht des Bene-
diktinerordens, den heiligen Gesang und das liturgische Leben überhaupt in ganz besonderer Weise zu pflegen." So sehen wir denn auch, wie der Benediktinerorden sich
um den Choral theoretisch und praktisch die größten Verdienste erwirbt, wenn auch,
wie das ja auf anderen Gebieten ebenfalls vorkommt, andere Choralgelehrte in einzelnen
Punkten anderer Meinung sind. Den schönen, fließenden, bis in die kleinsten Einzeln-
heiten sorgfältig gefeilten Vortrag der neumenreichen Gesänge wird wohl jeder loben.
Bei den mehr syllabischen Gesängen fiel mir die Neigung auf, einzelne Silben zu betonen,
nur weil sie auf höherem Tone gesungen werden, z. B. *Alleluja*, oder ganz deutlich im
Credo: qui propter nos homines. Ebenso erschien im *Credo* der nun einmal bestehende
Unterschied zwischen langen und kurzen Silben zu wenig bemerklich; es klang alles so
kurz abgestoßen.

Es wird ja auch bei uns seitens einiger Chorallehrer z. B. von Krabbel die Regel
aufgestellt, „alle Töne gleich lang, oder vielmehr gleich kurz zu singen." Ebenso sagt

136

P. Raphael Molitor, O. S. B. in seiner Schrift „Reformchoral", daß dem Choral aus dem Gleichwerte der Noten das charakteristische Merkmal erwachse, auf das die allgemein gebräuchliche Definition sich stütze und „dem er seinen Namen *Cantus planus* verdanke und er zählt eine Reihe älterer Autoren auf (von 1601—1793), welche die Gleichwertigkeit der Noten fordern. So schreibt z. B. Becatelli im Jahre 1719: „Den Wert der Choralnoten verschieden zu bemessen, ist ein Mißbrauch, der Korruption des Chorals entstammend, die der Unverstand der Sänger herbeiführte."

Daß es eine Zeit gegeben hat, in der man den Choral so gehämmert sang, stimmt ja, soll man es aber deswegen auch jetzt so machen? Dechevrens, S. J., kommt durch gründliche Quellenstudien zu der Erkenntnis, daß man früher den Choral mensuriert gesungen habe, den einzelnen Noten einen bestimmten Wert beilegend (vgl. Kirchenmusikalisches Jahrbuch 1902 und Gietmann, S. J., „Die Wahrheit in der gregorianischen Frage). Wird man deshalb wohl jetzt den Choral auch mensuriert singen, die eine Note genau doppelt so lang oder so kurz, wie die andere? Ich wenigstens wäre der Meinung, daß diese doch auch „traditionelle" Methode den Tod des Chorals gegenüber unserer modernen mensurierten Musik bedeuten würde. Seine Stärke und Eindringlichkeit beruht zum großen Teil in seinem freien, oratorischen Rhythmus.

Die Franzosen und Polen haben in ihrer Sprache keine langen und kurzen, sondern nur betonte und unbetonte Silben und sprechen daher auch das Lateinische so aus. Diese Manier der Schule von Solesmes auch auf andere Länder übertragen zu wollen, heißt nach meiner Ansicht die Unnatur einführen. Die des Lateinischen kundigen Mönche verkürzen oder verlängern die Silben beim Singen unwillkürlich etwas. Wenn aber unsere des Lateinischen meist unkundigen Durchschnittssänger nach dieser Regel singen würden, so klänge der Gesang unschön, zerhackt, gehämmert und lächerlich. Deshalb sagt ja auch Abt Sauter in seiner erwähnten Schrift: „Der Rhythmus des Chorals ist kein anderer, als jener der ungezwungenen, freien, natürlichen Sprache." (S. 60.) . . . . „Die Silben und Worte haben im Choralgesang lediglich jene Länge oder Kürze, welche ihnen der Akzent, d. i. der sprachliche Ausdruck des Textes und die Gliederung der Melodie verleiht." (S. 61.) . . . . „Man zerstört den Rhythmus des entnaturalisiert den Choral, wenn man allen Noten in mechanischer Weise einen gleichen Wert gibt. Dadurch wird bei raschem Tempo der Gesang tänzelnd, kindisch und lächerlich, hingegen bei langsamem Tempo schleppend, langweilig und plump." (S. 66.)

Man sieht also, Abt Sauter bekennt sich durchaus zu dem merkwürdigen Grundsatz, man müsse alle Noten gleich kurz singen. Diese Manier muß ich als Verirrung bezeichnen, welche wohl deshalb Anklang gefunden hat, weil man den entgegengesetzten Fehler bekämpfen wollte, der nicht minder häßlich ist, nämlich die betonten Silben zu sehr zu dehnen und die unbetonten fast zu verschlucken. Wie oft kann man das selbst bei den einfachsten Altargesängen des Priesters bemerken und z. B. hören Deus qui nóoobis súb Sácraméntó miraaaabíli etc. Es fehlt das Gleichgewicht, so spricht man doch nicht. Warum will man also so singen? Kürzlich hörte ich folgenden Gesang:

Viel richtiger wäre es gewesen, fließend so zu singen: den Noten ungefähr gleichen Wert gebend.

„Wenn nun der Gesang der Schule von Solesmes trotz der von mir erwähnten Mängel einen so würdigen, heiligen Eindruck macht, woher kommt das? Abt Sauter löst das Rätsel, wenn er schreibt (S. 63): „Zu dem Sprachakzent tritt nämlich der Akzent des Heiligen Geistes hinzu, der bei den heiligen Gesängen in uns fleht mit unaussprechlichen Seufzern. Der Heilige Geist ist es, der bei den heiligen Handlungen durch uns das segenschaffende, gnadenvermittelnde Wort spricht und singt. Es ist der Akzent des Glaubens, der unserer Zunge die Kraft verleiht, die Geheimnisse der Wahrheit mit unwiderstehlicher Gewalt durch das Ohr in die Herzen der Menschen zu gießen; es ist der Akzent des innersten Schuldbewußtseins und zugleich des demütigsten Vertrauens auf den Herrn; der Akzent jener gänzlichen freudigen Gottergebenheit und

Dankesfülle, welcher über die heiligen Gesänge einen so geheimnisvollen himmlischen Schmelz ausgießt, daß er sie des Irdischen entkleidet und verklärt."

Dazu tritt noch die uns Cäcilianern von einem den Benediktinern nicht ganz fernstehenden Herrn direkt zum Vorwurf gemachte „liturgische Genanmacherei" (das Buch wird auch jetzt noch nach Erlaß des *Motu proprio* angezeigt und angepriesen!). Was das Ohr hört, stimmt genau überein mit dem, was das Auge sieht, der Gesang erscheint wirklich als ein wesentlicher Bestandteil der Liturgie. Seine Genauigkeit vereinigt sich mit der Genauigkeit aller Zeremonien zu einem harmonischen Ganzen: darum ist seine Wirkung auch so befriedigend.

Die dreischiffige schöne Kirche von Emaus ist nicht übermäßig groß, besitzt aber eine prächtige Orgel mit etwa 65 Stimmen. Durch Koppelungen kann ein Ton auf 105 Stimmen gebracht werden. Sie hat drei Manuale, einen 32′ im Manual, im Pedal außer einem 32′ auch Posaune und Bombarde 16′, Schweller, Kombinationszüge, daß man verwirrt werden möchte, elektrischen Antrieb, kurz alle modernen Errungenschaften sind verwertet. Trotz aller Fülle klingt die Orgel aber nicht übermäßig stark. Der Ton ist mächtig, aber rund und gefällig, niemals scharf und schreiend. Einmal sind die Pfeifen auf einen so engen Raum zusammengedrängt, daß man sich wundern muß, wie sie Platz finden. Dadurch bleibt der Ton etwas im Gehäuse stecken; er kann nicht so voll heraus und erfährt eine gewisse Dämpfung. Ferner ist eben die Disposition eine gelungene, die Achtfüßer dominieren und die Vier- und Zweifüßer dienen nur zur Verstärkung, ohne zu scharf durchzudringen.

Der Organist, ein ganz junger Novize, begleitete den Choral meisterhaft, mit Maß und Milde, sehr diskret, lieber zu schwach, als zu stark, und so hob sich die Hauptsache, der gesungene liturgische Text, sehr schön von seiner ihn schmückenden Unterlage ab. Doch was soll ich von den fast verblüffenden Vor-, Zwischen- und Nachspielen sagen! Zur Begleitung des Chorals werden bei den Benediktinern trotz der mitunter entstehenden harten oder dürftigen Akkorde nur leitereigene Töne gebraucht, und man sollte erwarten, daß auch bei dem sich anschließenden freien Orgelspiel ausschließlich die alten Kirchentonarten herrschen würden. So verlangt auch Abt Sauter (S. 80), daß „das Vor-, Nach- und Zwischenspiel dem ganzen Charakter des liturgischen Choralgesanges entsprechen muß", und „es soll namentlich das ein Choralgesangstück unmittelbar einleitende und ausleitende Spiel der Orgel möglichst im Charakter der Tonart des betreffenden Gesangstückes gehalten sein." Aber was hört man! Vielleicht als erstes Motiv eine oben gesungene Tonfigur, dann aber merkt man nichts mehr von Takt, von Melodie im landläufigen Sinne, von Tonart, von irgendwelchen musikalischen Schulgesetzen. Die Töne der einzelnen Stimmen folgen aufeinander scheinbar ungeordnet, sie winden sich diatonisch und chromatisch durch das Ganze, wie Gebirgsbächlein über Steine durch grünende Wiesen, scheinbar regellos sich nähernd und wieder entfernend, an Stärke wachsend und wieder abnehmend. Sind einmal drei, vier Akkorde in einer bestimmten Tonart gehalten, so wirft ein einziger Halbton in einer Mittelstimme aus nach der schulgemäß entferntesten, die aber sofort wieder verlassen wird. Es herrschen darin aber keine Wagnerschen Trugschlüsse und weltschmerzliche Akkorde, es findet sich auch nichts Sprunghaftes, sondern das gleitet und schmilzt wie natürlich in- und auseinander. Alles ist in beständigem Fluß und doch herrscht trotz der anscheinenden Willkür die schönste Harmonie. Ich dachte bei mir: Soll das das kirchliche Orgelspiel der Zukunft sein? Dann werden es von 100 Organisten 90 nicht fertig bringen, und von den 10 übrigen 9 nur schlecht. Vielleicht hat eine jüngere Generation hierin mehr Geschick, ich alter Knabe wäre unfähig dazu.

Daß bei vollem Werke zum Schluß abgeschwellt wird und *piano* verlauft, behagt mir ganz gut. Das kann aber durch verständiges Abstoßen der Register auch erreicht werden. Aber so mitten drin paßt mir der Schweller weniger, und ich möchte ihn als ein sehr gefährliches, zweischneidiges Werkzeug in der Hand unserer Durchschnittsorganisten in der Kirchenorgel lieber ganz vermissen, in die Konzertorgel gehört er.

Von neuem kam mir wieder zum Bewußtsein, was ich in langjähriger Erfahrung beobachtet habe, daß oft gerade diejenigen, welche im Kirchengesang auf der äußersten

Rechten stehen und ausschließlich oder hauptsächlich Choral oder die Alten singen, sich mit mehr vermittelnder kirchlicher Musik nicht befassen wollten, sondern eine wahre Gier nach dem Modernsten vom Modernen besitzen. Ich kann das Gehörte, oft wahrhaft bestrickende Orgelspiel keineswegs als unkirchlich bezeichnen, aber ich bin, wie gesagt, vielleicht schon zu alt, um volles Verständnis für den Jugendstil in der Musik zu erlangen.

Doch nun genug damit, sonst komme ich nicht nach Regensburg.

Wie schön es in Regensburg war, wie herrlich die Straßen wegen der Katholikenversammlung geschmückt waren, wie viele Tausende durch die Straßen wogten, wie eindringlich und kunstvoll die aufgeführten Kompositionen waren und wie vollendet sie aufgeführt wurden, das wird ja hoffentlich alles in diesen Blättern, in den „Stimmen der Presse" ausführlich zu lesen sein. Ich will mich daher mehr auf einige allgemeine Bemerkungen beschränken und namentlich das hervorheben, was ich anders gewünscht hätte.

Sonnabend nachmittag führte der verstärkte Domchor in der Cäcilienkirche zur Segensandacht eine Reihe neuer und alter Kompositionen vor. Da muß ich denn zunächst leider bei aller Anerkennung der stets vorzüglichen Leistungen des Domchors bemerken, daß er viel zu stark klang. Die Kirche ist ja leidlich groß, reicht aber bei weitem nicht an den Dom heran und hat eine sehr gute, vielleicht zu gute Akustik. Für die Domaufführungen war es ja angezeigt, den Chor zu verstärken, hier hätte ein halbierter Domchor vollständig ausgereicht. Der Orgel- und Gesangsehor befindet sich an der Evangelienseite vor dem Presbyterium. Vor drei Jahren saß ich dem Chor gegenüber und schob die unangenehme Stärke zum Teil auf die noch nicht fertig eingerichtete Kirche, welche den Schall zu sehr zurückwarf. Diesmal setzte ich mich wohlweislich auf die andere Seite, fast unter die Orgel; aber auch da war ich nicht gebessert. Ein Domkapellmeister sagte mir, er habe die Kirche verlassen müssen, da er es nicht mehr ausgehalten habe. Die Stärke beeinflußte auch die Klarheit. Vorn kamen die einzelnen Tonfiguren auch bei schnellerer Bewegung ja deutlich zur Geltung, namentlich klang das *Dum complerentur* von Palestrina großartig, hinten aber beim Haupteingang, wurde mir erzählt, habe man mehrfach nur ein verschwommenes Brausen gehört. Auch die Orgel erschien mir früher und auch jetzt im Werke zu stark und namentlich zu scharf. Möge man also allseitig beachten, die Stärke des Chores stets nach der Größe der Kirche zu gestalten.

Ferner warf ich mir und anderen gegenüber die Frage auf, wie es komme, daß ein sonst so vorzüglicher Chor so wenig *piano* singe und sich von *ff* nur bis etwa *mf* abschwelle. Es wurde mir erwidert, daß zunächst verschiedene Elemente sich unter den Sängern befänden, welche nicht gewohnt seien, im Domchore zu singen und daher noch nicht genügend dynamisch geschult seien. Weiter lasse sich bei Knaben nur schwer ein richtiges *pp* erzielen, da sie zu sehr zum Loslegen geneigt seien und beim *Piano* leicht detonieren. Ich erwiderte, daß auch Knaben ohne weiteres so geschult werden können, daß sie das zarteste *p* sängen. Freilich müsse man zunächst den Grundirrtum bekämpfen, als ob zum richtigen Atem nötig sei. Im Gegenteil kann ein *p* nur mit vollgeatmeter Lunge herausgebracht werden. Tief Atem holen muß man, dann könne man mühelos mit dem leichtesten und doch deutlich hörbaren *p* einsetzen und auch Tonhalten.

Die eigentlichen Gründe wurden mir an den folgenden Tagen klar. Der Domchor pflegt, ohne die Modernen auszuschließen, vornehmlich altklassische Musik. In der alten Polyphonie ist aber unsere moderne Dynamik, wie sie beispielsweise in den bekannten Wittschen Advents- und Fastenoffertorien unbedingt gefordert werden muß, meist gar nicht am Platze. Die eine Stimme schwillt sehr häufig an, während die andere abschwellt. Die Dynamik kommt also für den aufmerksamen Zuhörer nur in jeder einzelnen Stimme zur Geltung, während der Zusammenklang ziemlich gleich stark bleibt. Der Domchor ist also an ein Gesamtpiano weniger gewöhnt. Zweitens, und das ist die Hauptsache, kommt bei gefülltem Dom das *Piano* überhaupt zu wenig zur Geltung. Da ich stets im Presbyterium war, hörte ich ja den hinter dem Hochaltar ertönenden Gesang sehr gut, wie mir aber versichert wurde, haben schon bei der Kanzel die Stimmen recht schwach geklungen. So wie aber in der Peterskirche die Inschrift in der Kuppel aus gigantischen Buchstaben bestehen muß, sonst würde man sie von unten nicht lesen können, so müssen auch die Sänger im Regensburger Dom gehörig aufdrücken, sonst hört man sie nicht, zumal bei gedrängt voller Kirche, wo stets etwas Unruhe herrscht. Gleichwohl meine ich, wäre an geeigneten mehr homophonen Stellen ein wirklich zartes *pp* des Gesamtchores, das um so schöner klingt und eindringlicher wirkt, je größer die Sängerzahl ist, öfter angezeigt. Der verdienstvolle Domkapellmeister scheint es zu lieben, größere Partien nur von Solisten vortragen zu lassen. Das wirkt aber bei weitem nicht so, als ein stellenweises *pp* des Gesamtchores. Umgeben von seinen Sängern mag er ja meinen, der Sologesang töne auch kräftig genug; im Schiffe selbst, wurde mir gesagt, hörte man aber nur dünne Zwirnsfädenstimmen.

Die kleine, schwindsüchtige Orgel ist des Domes unwürdig. Sie will sich doch auch geltend machen und kann es nicht. Auch muß die reichste Fantasie des Organisten erlahmen, der gezwungen ist, sich auf diesem Instrumente abzumartern. Eine große Orgel hat hinter dem Hochaltar nicht Platz. Nun da setze man sie oben an die Seite, der Spieltisch kann ja unten bleiben. Die Elektrizität beseitigt jede Schwierigkeit der Entfernung.

Aufgefallen ist mir, daß der Organist bei Begleitung der Responsorien den mit dem Schlußton des Zelebranten doch meist übereinstimmenden, unbedingt zu treffenden Anfangston der Sänger zuerst angab, z. B.:

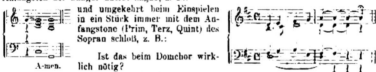

und umgekehrt beim Einspielen in ein Stück immer mit dem Anfangstone (Prim, Terz, Quint) des Sopran schloß, z. B.:

A-men. Ist das beim Domchor wirklich nötig?

In den Vespern vermißte ich sehr den einstimmigen Chor der Seminaristen, welcher zur Schönheit des Ganzen wesentlich beiträgt, die wenigen ihn vertretenden Stimmen einzelner Mitglieder des Domchores klangen zu dünn. Den Choral bin ich gewöhnt, etwas lebendiger zu hören, doch das ist Ansichtssache. Bei der sonst sehr deutlichen Textaussprache des Domchores fiel mir auch diesmal wieder auf, daß das u fast wie ü klingt.

In der am Sonntage gesungenen Messe von Croce ist das *Agnus* nur zweimal komponiert und das erste wurde daher pflichtschuldigst wiederholt. In der Palestrinamesse am Montag hätte die gleiche Wiederholung zu viel Zeit beansprucht, man sang also nur zwei *Agnus*. Ein Choral-*Agnus* einzufügen hätte doch wirklich die musikalische Schönheit nicht gestört und die Forderung der Liturgie wäre erfüllt worden. In den Falsobordonevespern wechseln ja auch beständig Choral mit Kunstgesang.

Montag nachmittags fand in der mächtigen ehemaligen Dominikaner-, jetzt Gymnasialkirche die Abnahme der neuen Orgel statt. Die sehr edle Kirche ist viel größer, als die Abteikirche von Emaus, hat aber eine Orgel erhalten von nur etwa 16 Stimmen, wie mir berichtet wurde. Der Herr Fiskus bezahlt nicht mehr. Im Pedal ist nicht einmal eine Posaune 16', dagegen würde ich im Manuale eine *vox coelestis* (oder *humana*) sehr gern missen. Im vollen Werke ist das Register ganz unhörbar und als Solostimme vermag ich es ebensowenig kirchlich zu finden, als das Tremolieren beim Gesange. Vorgetragen wurde zunächst ein Stück von Bach und dann eines von Mendelssohn. Auch diesmal bemerkte ich wieder, daß in Bachschen Fugen die Achtel und Sechzehntel bei schnellem Tempo und stärkerer Registrierung für den Hörer nicht zur Geltung kommen; sie ist eben kein *Staccato*-Instrument, der einzelne Ton hört nicht plötzlich auf, die Themen erscheinen als verwischt und verschwommen und man hört ein Tonchaos. Ich glaube, daß zu Bachs Zeiten die Tempobezeichnung einen anderen Sinn hatte, wie jetzt und wenn *Allegro* dasteht, so bedeutete das nicht

M. M. ♩ 120, sondern es sollte damit nur angezeigt werden, daß der ganze Charakter des einfach aus Achteln und Sechzehnteln bestehenden Stückes ein lebhafter sei. Dann folgte ein wahrscheinlich französisches Stück der schlimmsten Sorte. Der unkirchlichste Deutsche wäre außerstande so etwas für die Orgel zu schreiben. Mein neben mir sitzender Bruder konnte es nicht länger aushalten und lief davon. Ich will annehmen, daß der nicht aus Regensburg stammende Organist nur die präzise Aussprache und den wirklich schönen Ton der Flöten habe zeigen wollen, aber dazu brauchte er wirklich nicht ein so erbärmliches, der Kirche und der Orgel unwürdiges Stück auszusuchen.

Dienstag früh wurde in derselben Kirche das fünfstimmige *Requiem* von Renner jun. aufgeführt. Wenn man die Partitur ansieht, erschrickt man über die Menge der eingereihten Versetzungs- und Auflösungszeichen. Eine solche Fülle von Chromatik, von beständigen, überraschenden Modulationen findet man selten in einem kirchlichen Stück; doch bei der Aufführung klingt alles viel natürlicher. Die Chromatik ist nicht aufdringlich, die Modulation nicht sprunghaft und von wenigen etwas zu weichen Stellen abgesehen, muß man das Werk als ein kirchliches, kunstvolles, eindringliches, glanzvolles bezeichnen. Bei einigen mit *pp* bezeichneten Stellen hätte ich auch hier etwas mehr *p* zu hören gewünscht. Der feriale Charakter scheint mir stellenweise freilich zu sehr in den Hintergrund zu treten, so daß ich dem Komponisten sagte, verschiedene Teile könnten wegen ihrer glänzenden Pracht direkt in eine Festmesse eingereiht werden. Der verwöhnteste moderne Geschmack wird bei diesem *Requiem* seine Befriedigung finden. Freilich, wer den Wert einer Komposition nicht nach ihrem inneren Gehalt bemißt, nicht nach der Eindringlichkeit der den Text vortragenden Singstimmen, sondern ausschließlich nach der bloß äußeren Zutat der Instrumentation, der wird ein minderwertiges *Requiem* mit Klimbim vorziehen. Farbe muß ein Bild besitzen, selbst wenn sie noch so grell geklext und das Bild sonst absolut wertlos ist; dann gilt es in den Augen solcher „Kenner" mehr, als der schönste, kunstvollste Kupferstich. Selbst sehr guten Chören möchte ich nicht raten, ohne sorgfältige Probe sich an dieses *Requiem* zu wagen.

Die mir von hier aus bekannten Messen von Haller und Ebner am Mittwoch und Donnerstag konnte ich wegen meiner Abreise leider nicht mehr hören.

Es wird vielleicht scheinen, als sei ich mit den Aufführungen unzufrieden, doch ist das durchaus nicht der Fall. Ich meinte nur, neben den sicher anderwärts zu lesenden sehr lobenden Urteilen auch das hervorheben zu müssen, was meiner Meinung nach zu ändern ist, um eine noch größere Vollkommenheit zu erreichen und kann nur sagen, daß mich meine Reise hoch befriedigt hat.

Im Lesezimmer.
Stimmen der Presse über die 17. Generalversammlung.

1. Das Pariser Blatt „*La Vérité Française*" vom 28. August d. J. bringt einen kurzen von Herrn Hompert im „Lorrain" geschriebenen Artikel über die Cäcilienvereinsversammlung vom 20. und 21. August dahier, dessen Übersetzung lautet:

„Während und nach der Andacht (20. August in der Cäcilienkirche) sang der gemischte Chor, in welchem die wunderbar geschulten Singknaben die Sopran- und Altpartien ausführen, polyphone Kompositionen, unter denen Werke zu 5, 6, ja 8 Stimmen sich befanden. Das zeugt von einer wahrhaft klassischen Schule. Der Zusammenklang ist wunderbar; die Stimmen sind von außerordentlicher Sicherheit und herrlichem Metall. Es dürfte schwer, wenn nicht unmöglich sein, es besser zu machen. Am Sonntag morgen war man gespannt auf den Choralgesang. In der Kathedrale zu Regensburg, sowie auch in allen Kirchen Bayerns und Deutschlands, ist noch die *Editio Medicaea* eingeführt und man trägt den Choral so vor, wie er bisher vor dem *Motu proprio* Pius X. gelehrt worden ist, d. h. man beobachtet sorgfältig die langen und die kurzen Silben, sowie die Akzente, und bringt dadurch in den Vortrag Licht und Schatten. Dr. H. gab in seiner Ansprache bei Eröffnung der Generalversammlung allen Cäcilianern den Rat, in Theorie und Praxis an der bisherigen Lese- und Vortragsart festzuhalten und abzuwarten, welche Anweisungen die Bischöfe nach Erscheinen der vatikanischen Ausgabe geben werden. Er hat jedoch deutlich ausgesprochen und die Änderungen, welche bei dieser Versammlung in den Statuten des Cäcilienvereins vorgenommen worden sind, brachten den Beweis für diese Erklärungen, — daß der Cäcilienverein sich mit vollem Gehorsam der Autorität des Heiligen Vaters unterwirft und bereit ist, nach der vatikanischen Ausgabe zu singen, wenn dieselbe eingeführt sein wird. Man hörte jedoch aus den

Worten des Redners das Bedauern durchklingen, das er über die Abschaffung, der allen Cäcilianern in Süddeutschland so teueren Ausgabe empfinden mußte." (Die Redaktion der *Musica sacra* verzichtet auf eine Analyse dieses letzten Satzes!)

2. Das Korrespondenzblatt für den katholischen Klerus (Wien, C. Fromme) enthält in Nr. 17 eine Korrespondenz über die 17. Generalversammlung, die wir unsern Lesern nicht vorenthalten wollen:

„Vor der Eröffnung des deutschen Katholikentages hielt der Cäcilienverein am 21. August seine Generalversammlung ab. Beim Hochamt in der Domkirche wurde die Messe von Croce aufgeführt; die Wechselgesänge und auch das *Credo* wurden choral gesungen nach der Medicaea. Der Gesang war überaus würdevoll und zur Andacht stimmend. Eine Äußerung in der Versammlung, daß der Heilige Vater an diesem Gesange ohne Zweifel eine Freude gehabt hätte, wurde mit großem Applaus aufgenommen. Der Aufführung wohnten auch bei einige Herren, die aus dem *Motu proprio* bekannt sind, so de Santi (P. Angelo de Santi ist bei der Versammlung nicht gegenwärtig gewesen. Er war als Korrespondent der römischen „*Civiltà cattolica*" während des 51. Katholikentages hier F. X. H.), Dr. Wagner, P. Horn; hoffentlich werden so manche Vorurteile, die gegen die Regensburger Schule und gegen Dr. Haberl gehegt wurden, verschwinden. Trotz einer kleinen Agitation wurde Dr. Haberl wieder zum Generalpräses, Cohen (Cöln) zum I. und Mitterer (Brixen) zum II. General-Vizepräses gewählt.

Die Wahl zeigt deutlich, daß jener Österreicher, der von einem Regime Haberl und von seiner durch das *Motu* gebrochenen Präponderanz geschrieben hat, schlecht beraten war. Mag sein, daß Haberl manchmal zu scharf dreingegangen war, das passiert vielen, die ein verunkrautetes Feld säubern wollen — aber das kann gesagt werden, er hat immer Gutes angestrebt und sein Leben der *Musica sacra* geopfert. Es mußte einem Priester weh tun, der 34 Jahre für die heilige Musik gearbeitet und Großes erreicht hat, zu hören, es ist gut, daß ein solcher Mann beseitigt ist. Der Cäcilienverein erkennt die Verdienste eines Haberl an und hat ihn deshalb wieder zum Generalpräses gewählt. Es wäre gut, wenn auch wir Österreicher uns auf seine Fahne (es ist die Fahne der Kirche! F. X. H.) scharen wollten! Dann würde auch aus unsern Kirchen die unwürdige Musik immer mehr verschwinden und ein erhebender Gesang die Gläubigen begeistern — nicht zum Nationalitätenstreite, sondern zur gemeinsamen Arbeit, zum Wohle des katholischen Österreich." A.

3. Die „Cäcilia" (Breslau) Nr. 9 bringt den Bericht ihres Redakteurs W. Osburg, der lautet:

„Nach Bewilligung eines sechstägigen Urlaubs von meiner vorgesetzten Behörde zum Zwecke der Teilnahme an der 17. Generalversammlung der Cäcilienvereine eilte ich klopfenden Herzens mit dem ersten Frühzuge am 20. d. nach der alten lieben Donaustadt, um zum dritten Male innerhalb der letzten 10 Jahre an der Quelle erhabener liturgischer Kirchenmusik Begeisterung zu schöpfen für die echte *Musica sacra*.

Waren es die Angriffe und beabsichtigten Verdemütigungen, die in verschiedenen Preßorganen vor und nach der Veröffentlichung des *Motu proprio* Sr. Heiligkeit Pius X. gegen unsern Führer gerichtet waren, die mein Inneres so ungeduldig machten auf der weiten Reise? Waren es die bangen Fragen: „Was wird uns für eine Parole gegeben von den neu zu wählenden Lenkern der cäcilianischen Sache? Was soll in Zukunft geschehen?" War es etwas anderes, was mich so in Spannung hielt? — Jedenfalls fühlte ich, daß der Ausfall dieser Versammlung für die kirchenmusikalische Tätigkeit vieler treuer Freunde und für meine eigene zukünftige Wirksamkeit von besonderem Einflusse sein würde. Leichter wurde es mir ums Herz, als die bekannten Straßen Regensburgs durchschritt und den überwältigenden Schmuck gewahrte, den die ehrwürdige Bischofsstadt angelegt hatte. Freilich galt die Zierde den kommenden Tagen der 51. Generalversammlung der Katholiken Deutschlands; allein, wenn den Cäcilianern gestattet wurde, unter dem Schutze und dem Segen des Diözesanbischofs in denselben Tagen mit und neben den Gästen des Katholikentags ihre Beratungen zu halten; wenn das reiche kirchenmusikalische Programm der 17. Generalversammlung des Cäcilienvereins zugleich das kirchenmusikalische Programm der Katholikentage sein durfte, so war die Zugehörigkeit der Cäcilianer zu den sonst hier tagenden und ratenden katholischen Vereinen offen kund gemacht, und wir fremden Cäcilianer fühlten uns nicht nur heimisch unter unsern Vereinsbrüdern, sondern eng verbunden mit den vielen Tausenden von Männern, die in diesen Tagen ihre Zugehörigkeit zur heiligen Kirche offen vor aller Welt bekannten. Es war also wie seit dreißig Jahren, und doch waren die Regensburger Cäcilianer in kirchenmusikalischer Hinsicht auf demselben Boden cäcilianischer Grundsätze stehen geblieben. Daß dem so war, zeigte schon die Auswahl der gewählten Kompositionen: dieselben Namen der Alten, hervorragende Komponisten der Neuzeit, die kirchlichen Geist und künstlerische Vollendung zu vereinigen wissen, zierten das reiche Programm."

„Was zunächst die Aufführung der erhabenen kirchenmusikalischen Werke betrifft, so stand sie, wie man das von Regensburger Domchor voraussetzen darfte, auf recht künstlerischer Höhe. Und die Wirkung des Chorals der Medicaea? — Vielleicht hätte die „unverkürzte" Melodie das Herz noch unmittelbarer erfaßt; aber ich glaube, auch der Heilige Vater hätte seine helle Freude gehabt über diesen Choral im deutschen Dom. Wie die Regensburger auch den neuen, den chromatisch ausgestatteten Werken gerecht zu werden wissen, haben sie im Pontifikal-*Requiem* in der Dominikanerkirche gezeigt. Die Rennersche 5stimmige *Missa pro defunctis* war von überwältigender Wirkung. Reich an packenden Harmonien und künstlerisch verwebten Melodien — dabei kirchlich und erhaben — ist sie so recht dazu angetan, an festlichen Tagen und bei besonderen Gelegenheiten dem *Requiem* erhöhten und außergewöhnlichen Glanz zu verleihen."

„Mit gespannten Erwartungen sahen alle Teilnehmer der ersten geschlossenen Mitgliederversammlung im „Paradiesgarten" entgegen. *Nomen est omen.* Friede und Freude, Offenheit und Freude, Offenheit und Gehorsam, wie es einem Paradiese geziemt: das waren die Zeichen, unter denen die Versammlung verlief."

„Was die Vaticana, die neue Choralausgabe, bringen mag, ob die alten Melodien schwerer oder leichter sind, ob sie unseren Chören mehr Freude oder Leid bereiten als die Melodien der Medicäa: alle diese Gedanken und Fragen sind überflüssig und hinfällig, nachdem der Cäcilienverein seinen unumstößlichen Grundsatz: Gehorsam dem Bischof! von neuem zum Ausdruck gebracht. „Die Firma Pustet in Regensburg wird unter den ersten sein, bei welcher die neuen Choralbücher Roms in den Originalausgaben sowohl als auch in eigenen mit denselben vollständig übereinstimmenden und deshalb von der obersten Autorität approbierten Abdrücken zu haben sein werden." Und wenn dann unser Oberhirt zur Übung ruft, wollen wir Cäcilianer die ersten sein, die seinem Rufe folgen wir wissen zu gehorchen und für Gottes Ehre zu arbeiten. Wir haben also nicht die dreißig Jahre umsonst geschafft, da uns die lange Übung gekräftigt und geschickt gemacht hat, um auch neue Schwierigkeiten überwinden zu können. Der neue Vorstand: Dr. Haberl, Regensburg, Cohen, Cöln, und Mitterer, Brixen, darf auf uns bauen: wir werden weder fahnenflüchtig noch mutlos, sondern unserem Rufe als kirchliche Sänger für alle Zeiten treu bleiben."

4. Die „Gregorianische Rundschau" brachte in Nr. 9 nachfolgenden Originalbericht. Derselbe ließe sich leicht kommentieren und korrigieren, die Redaktion aber tut sich um des Friedens Willen Gewalt an und läßt ihn wörtlich abdrucken.

„Die diesjährige Generalversammlung vollzog sich unter ganz besonderen Umständen. Zum ersten fand sie statt im Anschluß an den allgemeinen deutschen Katholikentag. Der Gründer des Vereins, Fr. X. Witt, war prinzipiell gegen die gleichzeitige Tagung der Generalversammlung des Cäcilienvereins mit der großen Heerschau der Katholiken. Diese letztere ist zu gewaltig, zu sehr alle Interessen in Anspruch nehmend, als daß noch Zeit und Kraft bliebe, für die erstere Veranstaltung das entsprechende Interesse wachzuhalten. Dies zeigte sich in Regensburg ganz deutlich. Die Teilnahme an der Cäcilienversammlung war eine bedeutend schwächere als in früheren Jahren. Nicht einmal alle Diözesen waren durch ihre Vorstände vertreten, die Zahl der bei der Wahl des Generalpräses anwesenden Mitglieder des Vereins betrug 102, eine relativ sehr geringe Zahl.

Es darf nun nicht außer Auge gelassen werden, daß der Sonntag ein an sich ungünstiger Tag war, an dem viele Musiker infolge ihres Berufes sich nicht von ihrer Kirche entfernen können. Sei nun dem, wie es wolle, die 17. Generalversammlung tritt an Glanz der Veranstaltungen und des auswärtigen Besuches bescheiden hinter ihre Vorgängerinnen, besonders die vom Jahre 1901, zurück. Außer den zwei nur den Mitgliedern zugänglichen Versammlungen, gab es überhaupt keinerlei der kirchlichen Musik gewidmete Veranstaltungen. Um so mehr zogen die liturgischen Aufführungen in der Kirche an. Diese müssen da der Domchor von Regensburg allein zum Worte kam, als vorzüglich gekennzeichnet werden. Hinsichtlich dieses Lobes muß nun allerdings in bezug auf den gregorianischen Choral eine Reserve gemacht werden. Alle Anerkennung und alle Bewunderung dem Leiter der kunstbegeisterten Sänger des mit Recht so allgemein berühmten Domchores. Es ist gewiß nicht seine Schuld, wenn im gregorianischen Gesang dieselben geradezu glänzenden Resultate, die er in klassischen Polyphonien erzielt, noch nicht konstatiert werden können. Darüber kann auch ein vom Generalpräses Dr. Haberl in den Einleitungsworten gespendetes Lob nicht hinwegtäuschen, im Gegenteil. Mag man öffentlich sagen, was man will, der Choral bildet bei den meisten im deutschen Sprachgebiet so herrlich organisierten Kirchenchören nur eine geringere Zutat, eine in lobenswertem Eifer geleistete Pflicht gegenüber den liturgischen Vorschriften, die von den Glanzleistungen der Polyphonie ziemlich absticht.

Mit Recht hätte man auch erwarten dürfen, daß einige Proben traditionellen Chorals zu Gehör gekommen wären. Die alte Polyphonie war in Regensburg vertreten durch die zwei größten der Meister, durch Palestrina und Vittoria, außer einigen Prachtmotetten durch die sechsstimmige Messe „Ecce ego Joannes", eine der gewaltigsten, hinreißendsten, tiefsten und am höchsten sich erschwingenden des unsterblichen Pränestiners. Welche Pracht, welche Fülle von Melodie, von wohlklingendster, reinster und hehrster Harmonie! Diese Werke sind neben dem Cantus gregorianus die geeignetste heilige Musik für die gottesdienstlichen Verrichtungen; jede, auch die ernsteste Instrumentalmesse verblaßt daneben, ist nur ein Zugeständnis an die Geschmacksrichtung unserer Zeit. Neben den Alten erklingen auch die besten der Neuen: Ebner, Goller, Griesbacher, neben unserem berühmten Mitterer. Und was soll man sagen zu dem fünfstimmigen *Requiem* von Joseph Renner, das eben in der Öffentlichkeit erschienen ist? Die Urteile über dieses in vielen Teilen große, ja ganz bedeutende Schönheiten aufweisende Werk werden sehr verschieden sein. Dasselbe verwerfen, ist ebenso ungerecht, als unumwunden alles darin loben und bewundern wollen. Manche zu weiche, zu liederhafte Wendungen vertragen sich schwer mit der Würde des Gotteshauses, während vieles andere als Ideal eines modernen, zu art herbeigewünschten Kirchenstils gelten dürfte. Vieles erinnert an den Stil eines Tinel, dieselbe Frische, dieselbe knappe, klare Form, eine Vermengung von Händel und klassischer Polyphonie mit dem modernen Apparat neuesten Vokalsatzes, der nun einmal reiche Modulation, oft gewaltsam und aufdrängend, nicht entbehren kann. Ist dies ein Übel? Wer soll das verbieten? Das Richtige liegt auch hier in der Mitte und wir sollen uns freuen, in unserer aufgeregten Zeit solche Meister zu haben, die den Kontakt zwischen Vergangenheit und Jetztzeit herstellen, die mit ihrem Talent die Brücke für die Zukunft bilden. Solche

Werke ignorieren, geht nicht an, es bedeutete dies Voreingenommenheit oder Unwissenheit. Das *Requiem* in der Dominikanerkirche bildete einen Glanzpunkt in den gesanglichen Darbietungen in Regensburg, hinsichtlich der glänzenden Wiedergabe und des gehaltvollen Inhalts."

„Die 17. Generalversammlung sticht auch noch in andrer Hinsicht von den früheren, besonders der letzten, ab. Diese vollzog sich unter dem Zeichen des heftigsten Kampfes in der Choralfrage, während die heurige friedlich verlief, ohne jegliche Diskussion, ohne Aufregung, ohne Widerstreit der Meinungen. Gewiß fällt es noch manchem schwer, sich vollständig in die veränderte Lage hineinzufinden, sich zufriedenzugeben mit dem, was die höchste kirchliche Autorität auf diesem so unstrittenen Gebiet in den letzten Monaten verordnet hat. Zeichen dafür waren manche Äußerungen, die hier und dort fielen, und wer sollte das übelnehmen? Vermochte doch der Generalpräses selbst in seinen einleitenden Worten sich nicht auf die ganze Höhe der Selbstbeherrschung zu erheben und versuchte er in geheimnisvollen Redewendungen und orakelhaften lateinischen Sentenzen die uneingeweihten Zuhörer vom flachen Lande aufzuklären über Dinge, hinter denen kein Geheimnis zu finden ist. Die Wiederwahl des Herrn Dr. Haberl mag für ihn die Bürgschaft sein, daß alle Mitglieder rückhaltlos sich auf den Boden der neuen Verordnungen stellen, im Verein mit ihrem Generalpräses, wie dies in der gemeinsam beschlossenen Adresse an den Heiligen Vater in so beredter Weise zum Ausdruck gekommen ist. Mit Recht hat Dr. Haberl betont, daß der Verein in eine neue Zeit eintritt, indem sein Programm in der feierlichsten Form von Pius X. als Gesetzbuch für die heilige Musik aufgestellt worden ist, nicht als etwas Neues, sondern in Bekräftigung der längst bestehenden kirchlichen Vorschriften. Der Verein hat dadurch seinen Kampfescharakter verloren, er bildet nunmehr eine feste Organisation zur rascheren und allgemeineren Durchführung der kirchlichen Vorschriften hinsichtlich der heiligen Musik. Als Vizepräsides wurden gewählt Msgr. Cohen, Domkapellmeister in Cöln, und Propst Ign. Mitterer aus Brixen. Beide Herren wollten zuerst in keiner Weise die Wahl annehmen, gaben aber endlich dem allseitigen Drängen nach. Es war geziemend, daß auch Österreich im Vorstand vertreten sei, wenn auch die Zahl der dem Verein formell angegliederten österreichischen Diözesen eine relativ kleine ist."

Neu und früher erschienene Kirchenkompositionen.

In der „Auswahl hervorragender Meisterwerke des a capella - Stiles aus dem 16.—18. Jahrhundert"[1]) bearbeitete C. Thiel ein sechsstimmiges *Regina coeli* von **Greg. Aichinger** durch Transposition in die Unterterz, Reduktion des $^3/_2$- und $^4/_2$-Taktes in $^3/_4$ und $^4/_4$ und Reduktion auf vierzeilige Partitur (2 Sopran, 2 Baß). Diese Osterantiphon ist ein klassischer Tonsatz, mittelschwer, klangvoll und voll Frische, vom Herausgeber reichlich mit dynamischen Zeichen versehen. Leider hat der Herausgeber versäumt, die Quelle zu bezeichnen, aus welcher das Original genommen ist und die Veränderungen (vielleicht auch Verkürzungen) anzugeben, welche er vorgenommen hat. Denn es kann (nicht ohne Grund) bezweifelt werden, ob Aichinger beispielsweise nachfolgende Textunterlagen angewendet hat:

Cantus II.   **Ten.**

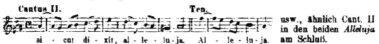

ai - cut di - xit, al - le - lu - ja.   Al - le - lu - ja.

usw., ähnlich Cant. II in den beiden *Alleluja* am Schluß.

Im gleichen Verlag bearbeitete C. Thiel das *Miserere* von **Allegri** für den praktischen liturgischen Gebrauch.[2]) Der 5stimmige Satz (der 2. Tenor kann auch durch Bariton ersetzt werden und ist in den Einzelstimmen mit dem 1. Tenor verbunden) ist bekanntlich ein ganz einfacher Falsobordone, der durch die verschiedenen Zusätze und Künsteleien päpstlicher Sänger, sowie die Verschiedenheit der Textverse allerlei Modifikationen erlitten hat. Referent behält sich vor, unter der Rubrik: „Aus Archiven und Bibliotheken", die romanhaften Wandlungen dieses *Miserere* quellenmäßig zu schildern. Auch hier hat Thiel unterlassen, die Quelle anzugeben; wahrscheinlich fließt sie aus den verschiedenen Handschriften der Berliner Bibliothek. Als 3., 7., 11., 15. und 19. Vers ist ein einfacher, 4stimmiger Falsobordonesatz eingefügt. Der Schluß des 20. Verses wird sogar 7stimmig. Für die geraden Textverse wählte Thiel die Melodie des *Tonus peregrinus* (!?), stellt jedoch Rezitation auf einem Tone frei. Schon ein flüchtiger

---

[1]) Für den praktischen Gebrauch herausgegeben von Karl Thiel, Professor am Kgl. akadem. Institut für Kirchenmusik zu Berlin, Verlag von W. Sulzbach (Peter Limbach) Berlin W. 8, Taubenstraße 15. 1904. Partitur (des 7. Heftes vom 2. Bd. der Motetten) 60 ₰, Stimmen 60 ₰.
[2]) Partitur 1 ℳ 50 ₰, 4 Stimmen à 15 ₰. 1904.

Blick auf die seit dem 18. Jahrhundert erschienenen Drucke der Komposition von Gregorio Allegri[1]) drängt zu dem Wunsche, daß der neue Herausgeber seine Edition einigermaßen hätte rechtfertigen sollen. Im übrigen ist die Edition in bezug auf liturgische Brauchbarkeit, praktische Einrichtung, dynamische Zeichen, Tempoangaben usw. sehr empfehlenswert und wird in der Charwoche oder Fastenzeit dankbare Verwendung finden.

Die 10 lateinischen eucharistischen Gesänge, welche als Beilage zum laufenden Jahrgang der *Musica sacra* erschienen sind, wurden unter dem Titel *Adoremus*, Op. 27 von **Herm. Bäuerle**, auch einzeln abgedruckt. Diese wohlklingenden, für einfachere und mittlere Chorverhältnisse komponierten, durch 4 gemischte Stimmen leicht ausführbaren Sätze verdienen alle Beachtung und eignen sich zu gutem Vortrag auch für die besten Chöre.[2])

Eine kurze und einfache Messe von **E. Brenner** für 2 gleiche Stimmen mit Orgelbegleitung[3]) trägt den einfachsten ländlichen Chorverhältnissen Rechnung, denn in rhythmischer Beziehung bleiben die beiden Oberstimmen (für Männerstimmen ist der Vortrag nicht zu empfehlen!) schön friedlich beisammen, wie 2 Bahngeleise; das *Credo* ist nicht komponiert. Die Textdeklamation der übrigen Teile ist gut, einzelne Sätze sind der 1. oder 2. Stimme zugeteilt, so daß, besonders im *Gloria*, jede Stimme etwas ruhen kann.

Die Sammlung der drei- und vierstimmigen **Festgradualien** für Frauen- oder Knabenchor mit Orgelbegleitung, welche 1903 und 1904 als Beilagen der *Musica sacra* erschienen sind, bildet als Opus 56 von **Pet. Griesbacher**[4]) eine ganze Sammlung von 20 Gradualien für die größeren Feste des Kirchenjahres.[5]) Die eifrigen Chöre in weiblichen Klöstern, Instituten und Schulen haben nach einer solchen Sammlung seit Jahren verlangt; möge sie nun fleißig benützt werden, denn diese Gradualien versetzen in festliche Stimmung und zeugen von großer Erfahrung des Komponisten in der Behandlung der Oberstimmen, besonders in Verbindung mit der Orgel.

Eine Messe zu Ehren des heiligsten Herzens Jesu für gemischten Chor, d. h. in Besetzung mit Alt, Tenor, Bariton und Baß, von **Johann Gross** kann nicht recht erwärmen, weder durch fließende Textdeklamation, noch durch rhythmische, melodische und harmonische Gestalt. Das *Credo* ist nicht komponiert. Übrigens sind in diesem Opus 1 guter Wille, liturgische Korrektheit und heiliger Ernst nicht zu verkennen.[6])

Eine sehr leichte und überdies in der Melodiebildung liebliche, in der Harmonisierung musterhaft und doch überaus einfach begleitete Messe schrieb der Straßburger Domorganist **F. X. Mathias** für 2 gleiche Stimmen. Knabenstimmen sind ohne Zweifel vorzuziehen.[7]) Das *Credo* aus der I. Messe Dumont ist im Choralrhythmus gehalten und wird in Frankreich auch vom Volke gerne gesungen; er wirkte Ende des 17. Jahrhunderts in Paris.

[1]) In Otto Jahns Mozartbiographie, I. Bd. der 2., von Hermann Deiters besorgten Auflage, S. 134, ist das 4- und 5stimmige *Miserere* dem Domenico Allegri zugeschrieben!

[2]) Den Inhalt bilden: 4 *Pange lingua*, je 1 *O salutaris hostia*, *O esca viatorum*, *Panis angelicus*, *Jesu dulcis memoria*, *Quid retribuam Domino*, *Domine, non sum dignus*. Fr. Pustet. 1904. Part. 1 *M*, 1 Stimmen à 30 ₰.

[3]) Messe zu Ehren der allerseligsten Jungfrau Maria, F. X. Le Roux et Co. Ohne Jahreszahl. Partitur 80 ₰, 2 Stimmen à 10 ₰.

[4]) Gradualia Festiva tribus vocibus aequalibus concinenda comitante Organo. Fr. Pustet, Regensburg. 1904. Partitur 1 *M*. Sopran I und II 60 ₰, Alt 80 ₰.

[5]) 8. Dezember, 3. Messe von Weihnachten, Neujahrsfest, Maria Verkündigung (in der Fastenzeit und in der Osterzeit). 19. März (für die Osterzeit), Osterfest, Christi Himmelfahrt, Pfingstsonntag, Herz-Jesu-Fest (*O vos omnes* mit Alleluja *Dicite a me*), Fest des reinsten Herzens Mariä, 29. Juni, Maria Geburt und Namen, Maria Himmelfahrt und Rosenkranzfest, Kirchweih, und aus dem *Commune Sanctorum*: Die Alleluja mit Vers für die Feste eines und mehrerer Martyrer in der Osterzeit, sowie die Gradualien *Sacerdotes ejus* und Alleluja, Alleluja Vers *Juravit* (Osterzeit), und endlich *Justus ut palma* und *Os justi meditabitur*. In den Musikbeilagen und im Einzelabdruck wird gebeten in Partitur (S. 38) *ortus* (statt *ortes*) und Seite 27 3. Takt, Alt *e d cis* (statt *e dis cis*) zu lesen, in den Einzelstimmen sind diese Versehen korrigiert.

[6]) Autographierte Partitur 1 *M* 50 ₰. Stimmen à 25 ₰. Juntermann, Paderborn. Ohne Jahreszahl.

[7]) *Missa in hon. S. Martini* für 2 gleiche Stimmen mit Orgel oder Harmonium. (Mit Begleitung zum Credo der Missa Dumont I.) Straßburg i. E., F. X. Le Roux & Co. 1901. Part. 1 *M* 20 ₰, 2 St. à 10 ₰.

Ein *Requiem* für Männerchor, Op. 57 von **Jos. Renner, jun.** ist nach liturgischer Seite (nur das *Dies irae* ist nicht komponiert) tadellos, schön deklamiert und rhythmisch durchaus natürlich und ungezwungen. Die vier Singstimmen formieren unabhängig unter sich Melodien chromatischen Charakters; in der Verbindung untereinander, also in ihrer harmonischen Wirkung, sind sie ohne Vorbild, ja stehen zu den Grundsätzen des päpstlichen *Motu proprio* in unlösbarem Widerspruch. Dem Komponisten soll und will die Freiheit des Empfindens und Schaffens weder geschmälert, noch zum Vorwurf gemacht werden; er möge sich aber nicht beklagen, wenn nicht etwa nur die gewöhnlichen, sondern auch die besten Männerchöre solchen Darbietungen sich mindestens durchaus ablehnend verhalten werden, denn die große Mühe, welche auf exakte und tonreine Einstudierung und Aufführung dieses überaus düsteren, ja unheimlichen, sehr viel in den tiefsten Lagen der Männerstimmen sich bewegenden *Requiem* verwendet werden muß, steht sicher in keinem Verhältnis zu der Wirkung, die der Tonsatz auf Sänger und Zuhörer ausüben wird. Die Harmonielehre kömmt überhaupt nicht mehr in Betracht, und auch Dr. Hugo Riemann hat sie noch nicht geschrieben, wenn nicht etwa das Kapitel der Alteration und enharmonischer Verwechslungen die unerwartetsten Sprünge in das Dunkle, ja in das Nirwana rechtfertigen soll. Das ist die persönliche Ansicht und Auffassung des Referenten, die er mit dem gleichen Rechte unumwunden ausspricht, mit dem das Op. 57 in die Öffentlichkeit getreten ist. Große Schönheiten, tiefempfundene Wirkungen leuchten manchmal auf, erlöschen jedoch schnell in dem Dunkel grübelnder Dissonanzen und Harmonien. Beispiele aus dem Werke reichen zur Rechtfertigung dieses Urteils nicht aus, man muß das Ganze sehen und darum sei dieses Opus 57 zur Klärung der Frage: „Was ist katholische Kirchenmusik?" auf das dringendste empfohlen. [1]

In den geradesten Gegensatz verfällt die Messe „*Gaudeamus*" für 8 reale Stimmen von **Jos. Schmid.** [2] Der Komponist verwendet die Choralmelodie des Introitus *Gaudeamus omnes in Domino* als Motiv für die ganze Messe, hat dasselbe rhythmisch gegliedert und kontrapunktiert in den 8 Stimmen wie an einem Webstuhl mit 8 Fäden. Das Resultat ist Ermüdung wegen der Eintönigkeit. Wiederholt erfolgt schlechte Textunterlage, z. B.:

qui tol - lis pec - ca - ta

Die vielen gleichzeitigen Stellen des *Gloria* und *Credo* werden schwerfällig, das Bestreben, mit dem Texte vorwärts zu kommen, wirkt beklemmend, die wiederholte Aneinanderfolge der Dreiklänge von *A*-(dur), *D*-(moll, *C*, *B*, *Es*, *F*, *C* (hart) und *D* (weich) ist wohl Diatonik, aber schlecht rhythmisiert. Es ist nicht zu fürchten, daß diese 8stimmige Vokalmesse, welche ebenfalls ohne Vorbild ist, dem Sänger ebensoviel Kopfzerbrechen macht wie dem Referenten, der für die Achtstimmigkeit in den Werken Palestrinas, Orlandos, Gabrielis, Victorias und anderer Meister des klassischen Vokalkirchengesanges wirkliche Vorbilder sieht.

Unter dem Titel „*Cantuarium sacrum*" komponierte **Bruno Stein** 65 lateinische Kirchengesänge für vierstimmigen Männerchor ohne Begleitung. [3] Den Hauptinhalt bilden Hymnen und Antiphonen aus dem Weihnachts-, Oster- und Pfingstfestkreis. [4] Man fühlt, daß diese reiche Auswahl lateinischer Gesänge im Laufe mehrerer Jahre für Nachmittagsandachten an Instituten und Seminarien entstanden ist; sie eignet sich für diese Zwecke ganz vorzüglich und ist auch in musikalischer Beziehung sehr zu empfehlen. Einzelstimmen sind nicht erschienen; der Preis der schön ausgestatteten Sammlung ist musterhaft billig und ermöglicht eventuell auch ärmeren Zöglingen die Anschaffung des sehr brauchbaren *Cantuarium sacrum*.

[1] Leipzig, F. E. C. Leuckart (Konstantin Sander). 1903. Partitur 2 .ℳ 10 ₰, jede der 4 Singstimmen 60 ₰.
[2] Milano, Stabilimento D'Arti Grafiche A. Bertarelli & Co. Part. 4 Lire, jede der 8 St. 50 Cent.
[3] Op. 20. Max Hesses Verlag. Leipzig. 1904. Kartoniert 1 .ℳ.
[4] Im Anhang stehen noch ein 3. *O salutaria hostia*, ein 2. *Panis angelicus*, zu den 2 Hymnen *Veni Creator* die Antiphon *Veni Sancte Spiritus*, 1 *Ave verum* und der 116. Psalm *Laudate Dominum*.

Die Litanei vom heiligsten Herzen Jesu, welche **P. Benaventura Waltrup**[1] vor 4 Jahren in einfacher Choralweise (3. Ton) mit Orgelbegleitung ediert hat, ist in 2. veränderter Auflage erschienen. Die Veränderungen beschränken sich auf Verbesserungen in der Harmonisierung, sowie auf die Einschaltung einer neuen Melodie für die Verse 28–33. Auch der Eingang der Litanei ist (vgl. *Musica sacra* 1900, S. 60) vereinfacht worden. Wenn Vorsänger die Versikel schön deklamieren, so eignen sich diese einfachen, aber andächtigen Melodien des Responsoriums ganz vorzüglich für das Volk, wie es Pius X. im *Motu proprio* so dringend wünscht. F. X. H.

Vom Bücher- und Musikalienmarkte.

I. Gesangskompositionen: Vom 3. Heft der Liedersammlung für Töchterschulen, welches **A. Barner**, großherzoglich badischer Hoforganist und Seminarlehrer in Karlsruhe, 1840 für die oberen Klassen der Töchterschulen bearbeitet und herausgegeben hat, ist nach 24 Jahren die 4. Auflage notwendig geworden. Verlag von J. Lang, Karlsruhe. Preis gebunden 1 ℳ 50 ₰. Die pädagogisch sorgfältig in Texte redigierte Sammlung enthält sehr viele Originalbeiträge von Musikdirektoren in Karlsruhe und Stuttgart und besteht aus 110 recht netten 2- und 3stimmigen Liedern, die zum Gesangunterricht oder bei musikalischen Unterhaltungen in Töchterschulen gut empfohlen werden können. Für die Klavierbegleitung ist bei manchen Nummern, z. B. Schumann, Abt, auf die Sammlung verwiesen, welcher die betreffenden Nummern entnommen wurden. Das ist wohl umständlich und störend und dürfte bei einer späteren Auflage leicht vermieden werden können. Auch mußte im Vorwort zur 4. Auflage bemerkt werden, daß die Kompositionen zu vier alemannischen Gedichten von Hebel nicht mehr unter den Nummern der 1. Auflage stehen, sondern in der 4. auf Nr. 69, 70, 93 reduziert worden sind.

Von **Commer Franz** erschien bei W. Sulzbach (Peter Limbach) Berlin W. 8, Taubenstraße 15 die deutsche Motette „Jerusalem, Freude ward dir verheißen". Der kurze, effektvolle, für Festversammlungen passende Tonsatz ist für vier gemischte Stimmen komponiert und strahlt bei den Worten „Jerusalem, du hochgebaute Stadt" für einige Takte in 8 Stimmen aus. Partitur und Stimmen 1 ℳ, 4 Stimmen à 15 ₰.

Drei Gedichte von Editha Walter komponierte **Ferdinand Dressler** (Op. 48) für eine Singstimme und Pianoforte. Nr. 1 „Gottesnähe" und Nr. 2 „Jahresgedenken" à 1 ℳ 20 ₰. Nr. 2 „Gottesliebe 1 ℳ 50 ₰. Rudolf Gleißenberg, Leipzig, Gerichtsweg 12. Die drei schönen Dichtungen sind für eine mittlere Stimme (Mezzosopran oder Bariton) recht dankbar und mit einer eleganten, mittelschweren und selbständigen Klavierbegleitung versehen.

Das Volkslied vom „Mühlrad" arrangierte S. A. E. **Hagen** für eine Stimme mit Klavierbegleitung. Kopenhagen und Leipzig. W. Hansen Musikverlag. Preis unbekannt.

Zu den letzten Kompositionen des in diesem Jahre † Hamburger Musikprofessors **Arnold Krug** (geboren 1849) zählt das im Verlage von Chr. Fr. Vieweg, Berlin, Großlichterfelde W. Ringstraße 47a, erschienene Op. 124: Weihegesang „Herr Gott dich loben wir" für gemischten Chor oder Männerchor mit Orchester-, Orgel- oder Harmoniumbegleitung. Zur Feier der Einweihung des Kaiser-Wilhelm-Denkmals in Hamburg. Ausgabe für gemischten oder Männerchor à 1 ℳ, jede Stimme 90 ₰, Orchesterpartitur für großes Orchester oder für Blasorchester je 12 ℳ. Der allgemein gehaltene Text eignet sich für jedwede Festlichkeit und ist musikalisch pompös gehalten; bei Aufführungen im Freien kann nur durch einen sehr starken Chor und durch Blasorchester Wirkung erzielt werden.

Breitkopf & Härtel in Leipzig bringen mit Nr. 2034 ihrer Volksausgabe den Klavierauszug des *Davidde penitente* von W. A. Mozart zu dem billigen Preis von 3 ℳ für 115 Seiten Kleinfolio. Dieses Oratorium ist deshalb interessant, weil Mozart Stücke der C-moll-Messe, die er 1783 für Salzburg komponiert hatte, 3 Jahre später zum italienischen Text des Oratoriums verwendet hat (siehe eingehendere Notizen in der Biographie Mozarts von Otto Jahn H. Deiters, II. Bd. S. 101 ff.). Die vorliegende Ausgabe enthält den englischen und deutschen Text des genannten Oratoriums.

Zur Feier der unbefleckten Empfängnis Mariä dichtete und komponierte **Jos. Schmalohr** Festklänge für Soli und gemischten Chor mit Klavierbegleitung. Dieses Opus 3 ist dem Hochwürdigsten Bischof Dr. Wilhelm Schneider zu Paderborn gewidmet und will bei Instituts- oder Vereinsfestlichkeiten zu Ehren der *Immaculata Conceptio* auch für Chöre, denen nur mäßig geschulte Kräfte zur Verfügung stehen, Sorge tragen. Die 9 Nummern sind äußerst einfach, die Klavierbegleitung leicht, Soli für Baß, Tenor, Mezzosopran, Sätze für Männer- und gemischten Chor und Oberstimmen sind leicht zu bewältigen und klingen angenehm. Nr. 5 ist eine Deklamation ohne Musik; zwischen Nr. 8 und 9, event. auch vor oder nach Nr. 6, können laut Vorbemerkung lebende Bilder eingeschaltet werden. Partitur 1 ℳ 80 ₰, Chorstimmen à 25 ₰, Textbuch 10 ₰. Münster i. W. Verlag der Aschendorffschen Buchhandlung.

Unter dem Titel „Orpheus" liegt die 2. Auflage eines Chorbuches für Gymnasien, Realschulen und verwandte Anstalten in 2 Bänden vor. Der I. Band enthält im 1. Teil 66 zweist., im 2. Teil

---

[1] Op. 2. Regensburg, Eugen Feuchtinger. 1904. Partitur 60 ₰, Singstimme 10 ₰. Im Cäcilienvereins-Katalog ist dieses Op. 2 in der 1. Auflage unter Nr. 2607 aufgenommen.

ℳℳ dreist.. im 3. Teil 45 vierst. und in einem Anhang 20 drei- und vierstimmige Lieder für Mezzosopran, Alt (Tenor) und Bariton (Baß). Die beiden in Leinwand gebundenen Bücher sind von **August Steinbrenner** in Karlsruhe und **Johann Görlug** in Konradsreut redigiert und kostet (Einzelstimmen sind nicht erschienen) jeder Band 1 ℳ 50 ₰. Die Auswahl und mehrstimmige Bearbeitung des 1. Bandes berücksichtigt den Tonumfang der jugendlichen Stimmen und enthält außer den fast in jeder ähnlichen Sammlung wiederkehrenden Kompositionen von Volksliedern und Werken der Komponisten des vorigen Jahrhunderts 87 neuere Originalbeiträge.

Da gerade die Bildung und Übung der Knaben- und Jünglingsstimme vom 10.—18. Jahre auch für den kirchlichen Kunstgesang von größter Bedeutung ist, so muß auf diese umfassende und inhaltreiche Sammlung 2-, 3- und 4stimmige Lieder für Knabenchor mit dem Anhang für die mutierenden Stimmen empfehlend aufmerksam gemacht werden.

Der 2. Band ist für Oberklassen geschrieben und enthält vierstimmige Lieder und Gesänge für gemischten Chor, im ganzen 136 Nummern mit geistlichen und weltlichen Texten ausschließlich in deutscher Sprache. Auch auf diesen 2. Band kann die Redaktion mit warmer Empfehlung aufmerksam machen, obwohl in unseren Kreisen augenblicklich an Sammlungen für gemischten Chor kein Mangel ist. Der Typen- und Textdruck ist deutlich und scharf, die alphabetischen Register orientieren leicht und schnell, die kurzen Notizen über die im „Orpheus" vertretenen Komponisten sind dankenswerk und für die jungen Sänger belehrend.

Eine liebliche Komposition über das Gedicht von F. A. Muth „Muttergotteskirchlein" ist für gemischten Chor als Opus 12 von **Johann Strubel** erschienen. Selbstverlag des Komponisten, Organist und Chorregent zu Mannheim, B. 6. 17. Partitur 40 ₰, Stimmen à 10 ₰. Das dreistrophige Lied eignet sich trefflich bei Cäcilienvereinsfestlichkeiten, hat geringen Stimmenumfang und liegt besonders für Knaben-stimmen recht günstig.

Für Herren und Damen, welche der französischen Sprache mächtig sind, sei auf nachfolgende Komposition für eine Singstimme mit Klavierbegleitung aufmerksam gemacht, welche bei Enoch & Cie. in Paris erschienen sind und sowohl musikalisch als textlich sich für Kollegien, Pensionate und Familienkreise gut eignen. Die Gedichte sind von **Leopold**, die Musikstücke von **Edmund Wangermeg** komponiert und von mittlerer Schwierigkeit. Es sind: 1. *Oraison Dominicale, prière*. Frs. 1,35; 2. *Voici le Printemps! Ronde*, Frs. 1,70; *Souvenez-vous, Mélodie religieuse*, Frs. 1,35; 4. *Nuls et Berceuse, Mélodie*, Frs. 1,70; 5. *J'aime les Cloches, Rêverie*, Frs. 1,70.

II. Orgel- und Instrumentalkompositionen. **Amberger, J., Präludien** für Orgel und Blasinstrumente über einen dänischen Choral. Kopenhagen und Leipzig, Wilhelm Hansen. Preis unbekannt. Feierliche und getragene Harmonie, welche auf den von vier Blasinstrumenten und voller Orgel vorzutragenden sogenannten „Choral" vorbereiten.

Im Verlage von Breitkopf & Härtel in Leipzig sind erschienen:

Bach, Joh. Seb., Orgelwerke zum Studium und kirchlichen Gebrauch für katholische Organisten ausgewählt von **Jos. Renner, jun.** Band I 2 ℳ, Band II 3 ℳ. — I. Choralvorspiele. Vom Himmel hoch da komm' ich her. — Durch Adams Fall ist ganz verderbt. — Allein Gott in der Höh' sei Ehr'. — Meine Seel' erhebt den Herrn. — Vater unser im Himmelreich. — Nun komm der Heiden Heiland. — Ich ruf' zu dir, Herr Jesu Christ. — Gottes Sohn ist 'kommen. — Gelobet seist du, Jesu Christ. — Herzlich tut mich verlangen. — Ich hab' mein' Sach' Gott heimgestellt. a) Kyrie, Gott Vater in Ewigkeit. — b) Christe, aller Welt Trost. — c) Kyrie, Gott Heiliger Geist. — Durch Adams Fall ist ganz verderbt. — Wenn wir in höchsten Nöten sein. — Schmücke dich, o liebe Seele. — Wir glauben all' an einen Gott, Schöpfer. — Vater unser im Himmelreich. — Jesu, meine Freude. — Komm, heiliger Geist, Herre Gott. — Aus tiefer Not schrei' ich zu dir. — II. Präludien, Fugen und andere Stücke. Präludium und Fuge (E-moll). — Canzona (D-moll). — Allabreve (D-dur). — Fantasie (G-dur). — Fantasia con Imitazione (H-moll). — (C-moll). — Trio (D-moll). — Fuge (G-moll). — Fuge über ein Thema von Corelli (H-moll). — Fuge über ein Thema von Legrenzi (C-moll). — Fuge (C-dur). — Fuge (A-dur). — Fuge (C-dur). — Präludium und Fuge (C-moll). — Fantasie und Fuge (C-moll). — Fuge (F-dur). — Fuge (dorisch). — Fuge (F-moll). — Fuge (Es-dur).

Mit der zunehmenden Erkenntnis des hohen Wertes der J. S. Bachschen Orgelkompositionen machte sich das Fehlen einer speziell die Bedürfnisse der katholischen Organisten berücksichtigenden Auswahl aus diesen unvergleichlichen Schöpfungen immer mehr fühlbar. Um diese empfindliche Lücke in der sonst so reichhaltigen Orgelliteratur endlich auszufüllen, wurden in vorliegender Ausgabe zum erstenmal alle jene Orgelwerke des unerreichten Meisters vereinigt, welche sich sowohl zum Studium, als auch zum kirchlichen Gebrauche für katholische Organisten besonders eignen. Mußten daher diejenigen Werke, welche nur für Konzertzwecke in Betracht kommen können, ausgeschieden werden, so konnten hingegen aus dem reichen Schatze der Choralvorspiele eine größere Anzahl tiefernster, stimmungsvoller Stücke unbedenklich zum Abdruck gelangen, da die betreffenden deutschen Kirchenlieder, textlich meist nur Übertragungen von Psalmen und katholischen Hymnen, großenteils aus dem gregorianischen Chorale hervorgegangen und auch in katholischen Gesangbüchern enthalten sind. (Siehe z. B. den *Tonus peregrinus* in „Meine Seel' erhebt den Herrn".)

Als Quelle wurde die vor kurzem vollendete, in vorzüglicher Weise mit genauen Vortragszeichen, sowie Finger- und Fußsatz versehene neue Gesamtausgabe von **Ernst Naumann** in vorzüglicher Weise benützt.

Die Redaktion der *Musica sacra* empfiehlt diese billige, prächtige und lehrreiche Ausgabe.

D. Placido M. Lucherini, Monaco Vallombrosano, Organist zu St. Prassede in Rom. Cinque Composizioni per Organo. 1. Inno, 2. Elegia, 3. Entrata, 4. Preghiera, 5. Finale. Stabilimento

Musicale, Emilio van den Eerebeemt. Roma-Via Spaccata 18. Preis Lire 2,50. Diese 5 Orgel-kompositionen auf 3 Liniensystemen bieten keinerlei Schwierigkeiten und machen dem Geschicke und Geschmack des priesterlichen Organisten alle Ehre.

Aus dem Verlag von F. E. C. Leuckart in Leipzig sind nachfolgende zwei Werke von **Renner, Jos., jun.,** erschienen:

a) Zwölf Tonstücke verschiedenen Charakters für Orgel, Op. 19. Preis 4 ℳ. Sie sind vom dankbaren Komponisten seinem † Lehrer Joseph Rheinberger gewidmet und durchaus edel, fein in der Stimmführung, reich in der Melodie und Figuration, wohlklingend und recht orgelmäßige Erzeug-nisse einer reinen, reichen, etwas melancholischen Phantasie. Daß und warum in späteren Werken andere Bahnen beschritten worden sind, kann für das kirchliche Orgelspiel in der katholischen Liturgie nur auf das Lebhafteste bedauert werden. Auch in Op. 19 sind chromatische Anklänge, sie sind aber nicht Wesen, sondern belebende Lichter auf den ruhig dahinfließenden Wellen kon-templativer, man möchte sagen, andächtiger und heiliger Gedanken. Keine der 12 Nummern ist Schablone, wenn auch jede sehr gemessenen Charakter trägt und sich für den Vortrag in der Kirche ganz vorzüglich eignet; keine ist schülerhaft oder sogenannter Organistenzwirn, jede fleißig und sorgfältig, vielleicht noch von der Hand des berühmten Lehrers durchgesehen. Ich wünsche dieses Opus 19 unter den Händen eines jeden strebsamen und feinsinnigen Organisten.

b) Das Opus 56, Suite für Orgel, dem Orgelkonzertisten Mr. Clarence Eddy gewidmet, Preis 3 ℳ, 1903, besteht aus 6 Teilen, die auch einzeln zu beziehen sind, nämlich: Nr. 1 Präludium 1 ℳ 80 ₰ Nr. 2 Canzone, Nr. 3 Fughette, Nr. 4 Trio und Nr. 6 Romanze je 1 ℳ, Nr. 5 Elegie 1 ℳ 20 ₰. Referent hat im Laufe dieses Jahres Gelegenheit gehabt, die einzelnen Nummern auf der großen Orgel der St. Cäcilienkirche daher wiederholt und gut. außer dem Rahmen der Liturgie anzuhören und sowohl die Technik der Ausführenden als die Tonfarbenkunst des Komponisten aufrichtig zu bewundern; dennoch stellt er das Op. 19 weit über das Op. 56, denn ersteres ist für die Kirche, letzteres für die Konzertorgel geschrieben im allermodernsten Stile. Es hat jedoch Charakter und die ausgesprochene Tendenz nicht alle Takte in der Tonart zu bleiben und auch die schönsten Themate und Melodien durch die herbste Chromatik zu übertünchen oder zu bemalen. Zur Be-wältigung der überaus großen Schwierigkeiten dieses Opus 56 gehört ein virtuoser Spieler, eine registerreiche Orgel und ein eigener „Registrator".

Im gleichen Verlage erschien: **Stein Bruno**, Op. 28. „Leise, leise, fromme Weise", Mit Benützung der Melodie von Carl Maria von Weber für Violinchor und Orgel. Partitur (zugleich Orgelstimme) nebst Violinstimme 1 ℳ. Violinstimme einzeln 30 ₰, 1904. Daß solche Kompositionen nicht zur Aufführung während des Gottesdienstes bestimmt sind, liegt auf der Hand. Die dreizeilige Orgelpartie dieses *Adagio expressivo* ist sehr sorgfältig und schön ausgearbeitet. Erinnerungen an die Webersche Weise tauchen auf dem I. und II. Manual auf, der Violinchor, auch dreistimmig, umspielt die Gamben und Flöten der Orgel. Die Piece kann nicht nur in Lehrerseminarien, sondern eventuell auch bei Orgelproben als pikantes Zugstück verwendet werden.

Walczynski, Franc., Op. 55. *In hon. Immaculatae Conceptionis B. M. V. corona* 12 Praelu-diorum organo vel harmonio pulsandorum. Tarnov 1904. Preis 2 Kronen. Im Selbstverlag des Komponisten, Kanonikus an der Kathedrale in Tarnov, Galizien. Die 12 Tonsätze, jeder eine Druck-seite in Querquart umfassend, sind nicht schwer und in sehr gefälligem Stil verständlich komponiert. Über 3 ₰ und 4 ₰ ist der Autor nicht hinausgegangen, da er sich einfachen Verhält-nissen anbequemen wollte.

III. Bücher und Schriften: **Ulrich Kandeler**, Gesanglehrer in Stettin. Die Elemente der Tonbildung mit Berücksichtigung der Frauenstimme. Dresden. Verlag von Holze und Pahl vorm. E. Pierson. Preis 60 ₰. Die 24 Seiten starke Broschüre bespricht in Worten und illustriert durch so wichtigen Tonbildungslehren einführen und die elementaren Kenntnisse vermitteln, den fortge-schrittenen Schüler aber mit Übungen bekannt machen, welche als kurzes Repetitorium für eine richtige Verbindung zwischen Wort und Ton, für Bildung der Brust-, Mittel- und Kopfstimme und der Vokalgruppen dienen sollen.

Felix Ortiz y San Pelayo, Pío X. y la Música sagrada. Comentarios. 1904. Buenos Aires. Imp. de A Monkes—Lima 450. Preis unbekannt. Der Verfasser verbreitet sich in spanischer Sprache über den Inhalt des *Motu proprio* unseres Heil. Vaters auf 127 S. 8°. und ermuntert seine Landsleute, demselben nach allen Seiten Gehör zu schenken.

In Max Hesses Verlag in Leipzig erschienen:

a) **Paul Kirsten**, Kgl. Seminarmusiklehrer in Altdöbern. Die Elemente der Klaviertechnik. Preis 60 ₰. Die 24 Seiten starke Broschüre will den musiklehrenden Laien in die Aufgaben der Beispiele die äußere Haltung und den Anschlag des Klavierschülers und bringt Übungsstoff mit gefesselten und losen Fingern, über Tonleitern und Tonfiguren für Unter- und Übersetzen, sowie Spannübungen und Exerzitien in Terzen, Sexten und Oktaven, den vierstimmigen Dreiklang und den Septimenakkord.

b) Deutscher Musikerkalender 1905. 20. Jahrgang, mit Porträt von Eduard Hanslick und Anton Dvořák. In einem Band gebunden 1 ℳ 50 ₰; in zwei Teilen gebunden 1 ℳ 50 ₰. Das 594 Seiten umfassende Buch ist jedem Musiker bereits unentbehrlich geworden. Wenn man es als Taschenbuch gebrauchen will, so ist der I. Teil mit Kalendarium, Stundenplänen, Adressen, dem Berufsmusiker bequemer zur Hand; der 2. Teil bringt wie bisher die Konzertberichte aus Deutsch-land, sowie die Adressen der Musiker und Musiklehrer fast aller europäischer Städte, endlich ein alphabetisches Namensverzeichnis der im Kalender genannten Musiker Deutschlands. Es ist staunens-

wert, welch reiches Material um diesen billigen Preis zusammengetragen ist. Die kurzen Biographien von Dvořák († 1. Mai 1904) und E. Hanslick († 6. August 1904) scheinen von H. Riemann geschrieben zu sein.

c) **Hugo Riemann**, Katechismus der Musikinstrumente. (Kleine Instrumentationslehre). Broschiert 1 ℳ 50 ₰, gebunden 1 ℳ 80 ₰. 3. Auflage. In der 1. Auflage war bereits die Frage- und Antwortform fallen gelassen worden. Daß dieses inhaltsreiche Büchlein, in welchem die Musikinstrumente im allgemeinen klassifiziert und dann die Streich-, Harfen-, Holzblas-, Blechblas- und Schlaginstrumente (S. 8—116) einzeln beschrieben werden, viele Freunde gefunden hat, bezeugt die Tatsache die 3. Auflage nach 7 Jahren. 14 Illustrationen, viele Notenbeispiele, sowie ein alphabetisches Inhaltsregister erhöhen die Brauchbarkeit.

d) **Hugo Riemann**, Katechismus der Musik. Allgemeine Musiklehre. 3. Auflage. Preis broschiert 1 ℳ 50 ₰, gebunden 1 ℳ 80 ₰. Nach 15 Jahren hat dieses interessante Büchlein eine 2. Auflage erlebt. Es besteht aus 131 Seiten, von denen die ersten 17 in 10 Lektionen Anleitung zum Musikdiktate geben, während von Seite 18 angefangen nur Beispiele dieser interessanten Methode mitgeteilt sind. Die Aufmerksamkeit der Schüler wird auf diese Weise so angeregt, die Talentierten werden bald herausgefunden und die Vorzüge des bisherigen, vortrefflichen Notensystems dargelegt. Mit besonderem Wohlgefallen applaudiert Referent nachfolgendem Schlußsatz aus dem Vorwort: „Es wäre sehr zu wünschen, daß den unfruchtbaren Experimenten mit neuen Notierungsweisen und neuen Tonbenennungen an Stelle unseres wirklich durch und durch vortrefflichen Notensystems einmal von oben herunter ein Ende gemacht würde. Wenn die Kinder unsere heutigen Noten schwer lernen, so ist die Schuld daran einzig und allein dem Lehrer beizumessen."

f) **Karl Wüst**, Die zusammengesetzten Instrumentalformen. Erläuterungen für Schüler höherer Lehranstalten und jeden Musikfreund. Preis 40 ₰. Das Büchlein von 24 Seiten belehrt kurz und bündig, auch durch Notenbeispiele illustrierend, die zusammengesetzten Formen der Sonate, Kammermusik, des Konzerts und der Symphonie und speziell die ein- und zweiteilige Liedform, die Menuett-, Variations- und Hauptform der Sonate. Wem größere Werke nicht zu Gebote stehen, der wird aus dem Büchlein des schweizerischen Musikdirektors (Altdorf) Anregung und Belehrung finden. F. X. H.

Zur Hebung des deutschen Kirchenliedes.
Von P. A. M. Weiss, S. D. S.

Unser Heiliger Vater, Pius X., hat die schon in früheren Erlässen gegebene Verordnung, daß bei feierlichen liturgischen Funktionen nicht in der Volkssprache gesungen werden dürfe, in seinem Motu proprio (Art. 3, 7) von neuem eingeschärft. Es ist nicht abzuleugnen, daß gerade dieser Passus nicht wenigen Chorregenten Stirnrunzeln verursacht und in manches Herzens geheimsten Winkel ganz leise eine Saite anschlägt, die da tönt: „Das geht nicht; möchte doch wissen, warum das Deutschsingen verboten sein sollte?" Nun, ob es geht und auch, warum es nicht geht – nämlich das Singen in der Volkssprache bei feierlichen liturgischen Handlungen, dies zu erörtern ist hier nicht der Ort; darüber liegt eine nicht kleine Literatur vor.[1] Wir wollen uns hier mit dem **Wie** der rascheren Einbürgerung des deutschen Kirchenliedes bei den der Volkssprache zugänglichen kirchlichen Handlungen befassen.

Wohl kein Chorregent kann sich beklagen, daß er fast gar keine Gelegenheit habe, seinen Chor auch deutsch singen zu lassen. Die Nachmittagsandachten an Sonn- und Feiertagen, die mancherorts vielleicht tägliche Abendandachten, also auch Litaneien, Mai- und Kreuzwegandachten, Hochzeiten und Begräbnisse, bei letzteren aber nur vor oder nach den vorgeschriebenen Gesängen, außerliturgische Prozessionen bieten dem Chore das Jahr hindurch genügend Gelegenheit, das Lob Gottes und seiner Heiligen in der Volkssprache zu singen. Schon oft, wenn ich an einer Prozession, besonders an Bitt-

---

[1] Krutschek: Kirchenmusik nach dem Willen der Kirche. — Selbst: Der katholische Kirchengesang. — Witt: Gestatten die liturgischen Gesetze etc. bei Pustet. — Mitterer: Die wichtigsten kirchlichen Vorschriften für katholische Kirchenmusik bei Pawelek, Regensburg u. a. m.

gängen teilnahm, dachte ich mir, das ist doch eine trockene Veranstaltung; immer nur beten und wieder beten und sollte den Vorbetern die Zunge in Fransen gehn — gesungen wird nichts. Allerdings hängt dies nicht immer vom Chorregenten oder Lehrer ab, wie es ja auch nicht in seiner Macht steht, deutsch singen zu lassen, wenn der Kirchenvorstand starr darauf besteht: Es darf nur lateinisch gesungen werden. Unter solchen Umständen hilft auch der beste Wille nicht.

Gelegenheiten zum Singen in der Volkssprache bieten sich also genug. Eine haben wir noch nicht genannt, die wohl unserem Zwecke am weitesten entgegenkommt: Die stille heilige Messe. Wir wollen hier nicht vom Volksgesange reden, an dem sich das ganze in der Kirche anwesende Volk beteiligt; denn Orte, wo dieser schon eingeführt ist und in richtigem Geiste und Maße gepflegt wird, bedürfen keiner Aufmunterung; es soll hier nur von der Pflege des deutschen Kirchenliedes an jenen Chören gesprochen werden, die dasselbe bislange nur wenig oder gar nicht berücksichtigt haben. Durch die Chöre kann nämlich der Volksgesang dort, wo er noch nicht eingeführt ist, allmählich zur Würdigung gelangen und hiemit auch zur Einführung.

Es mag nun in Städten und großen Dörfern ein Leichtes sein, bei der Schulmesse die Schüler an gewissen Tagen deutsche Lieder singen zu lassen, besonders an Orten, wo die Kinder zum Besuche der heiligen Messe angehalten werden von seiten der Schulbehörde. Anders auf dem Lande und vor allem in Pfarreien, deren Angehörige weit entfernt von der Kirche wohnen; man kann dort von den Kindern nicht gut verlangen, täglich bei der heiligen Messe zu erscheinen, so entgeht also dem Lehrer und Chorregenten die beste Gelegenheit zur Pflege des deutschen Kirchenliedes. Muß aber dieses infolgedessen gänzlich vernachlässigt werden? Nein. Die Nachmittagsandachten sind unter normalen Verhältnissen die beste Gelegenheit zum Singen in der Muttersprache. Ein deutsches Lied zur Aussetzung, nach dem Rosenkranz oder der Litanei wieder ein passendes Lied dürfte dem deutschen Kirchenliede zu seinem Rechte verhelfen, wenn in den Liedern Abwechslung getroffen wird; denn stets das nämliche zu singen wird zum Leiern und macht Sänger und Zuhörer geist- und andachtslos. Doch gerade in Landpfarreien kann der Chorregent für die Nachmittagsandacht auf regelmäßiges Erscheinen nicht rechnen wegen des weiten Weges zur Kirche und dies oft gerade deshalb, weil die nachmittägige Andacht meist schon um 2 Uhr, an manchen Orten gar schon um 1 Uhr stattfindet, so daß die am Chore Beteiligten kaum, daß sie heingekommen vom Vormittagsgottesdienste, baldigst den Weg zur Kirche wieder machen müssen. Wäre es da nicht angezeigt und von praktischer Wichtigkeit, an gewöhnlichen Sonntagen, vielleicht alle vierzehn Tage, als Hauptgottesdienst eine stille heilige Messe zu lesen — wenn es sein muß bei ausgesetztem Ziborium — bei welcher der Chor deutsche Lieder singt. Schreiber dieses kennt einen sehr eifrigen Seelsorger, der dieses praktiziert und zwar zur Erbauung und Freude des Volkes; er kam auf dieses Mittel infolge der fast täglich abzuhaltenden Stift- und Manualämter, die eine stille heilige Messe fast an keinem Tage zulassen; da er nun dem deutschen Kirchenliede auf die Beine helfen will, gebraucht er vorbesagtes Mittel. Wer wird's ihm wehren? Es besteht kein Gesetz, nach welchem beim Hauptpfarrgottesdienste ein Amt zu singen wäre. Daß aber des Guten auch nicht allzuviel geschehen dürfe, versteht sich von selbst. Gerade dies öftere Singen in der Volkssprache bei nicht feierlichen liturgischen Funktionen läßt dem Volke dann ein feierliches Amt viel geheimnisvoller und festlicher erscheinen und seine Andacht wird tiefer werden. Ein Seelsorger, der die Kirchenmusik nicht zum Stiefkinde im Hause des Vaters aller degradiert, sondern gerade in ihr ein vorzügliches Mittel erblickt, auf seine Pfarrkinder in religiöser Hinsicht einzuwirken, wird gewiß mit seinem Chorregenten sich beraten und Schritte tun, um dem deutschen Kirchenliede im Volke Eingang zu verschaffen. Daß obiges Mittel praktisch ist, kann daraus ersehen werden, daß der Chorregent Sonntag vormittags infolge der Sonntagspflicht alle Sänger bekommen kann. Doch ein noch anderer Punkt beleuchtet das praktische Moment dieses Vorschlages. Dem Dirigenten stehen zu dieser Zeit auch die Schulkinder zur Verfügung, was für ihn, wenn er zugleich Lehrer ist, von besonderem Vorteil ist. Er kann aus den Knaben und Mädchen die für Gesang befähigteren auswählen, mit ihnen am Samstag nach der Schule die Lieder einüben und sich so zugleich einen Chor heranziehen für zweistimmige Lieder und auch für das Hochamt. Sehr gut wäre es, wenn der Lehrer die im Unterricht vorgesehene Gesangsstunde auch zur Einübung von Kirchenliedern benützen würde, weil dadurch mit der Zeit auch die weniger Befähigten die Lieder lernen würden und später am Chore zu gebrauchen wären. Man muß das Huhn rupfen, ehe man es in Händen hat. Diese Kinder werden zu Hause die Lieder für sich singen, gerade wie sie weltliche singen; die Erwachsenen hören sie, lernen sie auch und im Laufe der Zeit wird dem Volksgesange der Weg geebnet.

Ein weiterer Vorteil des deutschen Singens bei der heiligen Messe liegt in der reichen Mannigfaltigkeit der Lieder, die man gebrauchen kann. Es verriete Engherzigkeit, wollte ein Dirigent bei jeder Messe ausschließlich eine deutsche Messe singen lassen und noch dazu vielleicht stets die nämliche; das wäre langweilig und geisttötend. Sakramentslieder, Herz Jesu-, Marienlieder, Josephs- und andere Heiligenlieder, bei Requiemsmessen natürlich Totenlieder bieten reichliche Abwechslung zum Vorteil der Sänger und des andächtigen Volkes; denn auch hier *delectat variatio*. Die jetzt so zahlreichen Diözesan-Gesangbücher geben übergenug Sangesmaterial an die Hand, das durch andere vermehrt werden kann.[1])

Wie manche Seelsorger haben schon lange den Wunsch, in ihrer Kirche das deutsche Kirchenlied in erlaubter Weise zu pflegen und finden keine Gelegenheit; mögen diese einmal das angegebene Mittel versuchen. Ob es ihnen nicht Freude machen wird? Ob sie nicht auch zu anderweitigem Schaffen auf dem Gebiete der *Musica sacra* angeregt werden? Hat ein Dirigent das Verlangen, seinen Chor auch deutsch singen zu lassen, so setze er sich mit seinem Hochwürd. Pfarrvorstand ins Benehmen und beschreite mit ihm vereint die neue Bahn; er wird besonders in bezug auf die Einübung der Lieder von seite des Pfarrers wohl wenig Schwierigkeiten finden, da ja letzterer meist auch Lokalschulinspektor ist, als welcher er im Rahmen des Schulgesetzes dahingehende Maßnahmen treffen kann. Auch hier befolge man Österreichs Wahlspruch: *Viribus unitis!*

Allzuviel und ausschließlich stochert unsere Zeit an dem strengen Gebote der lateinischen Sprache bei feierlichen liturgischen Funktionen herum; allzuwenig beachtet man jene Momente, die den Gebrauch der Volkssprache nicht bloß zulassen, sondern gestatten. Würde das Erste ganz unterlassen, da es doch unnützes Tun ist, das Letzte mit mehr Liebe und Eifer erfaßt, dann würde gar bald dem deutschen Kirchenliede zu seinem guten Rechte verholfen werden, und es müßten auch, wohl oder übel, die Stimmen schweigen, welche die Cäcilianer als Gegner der Volkssprache bei kirchlichen Gesangsverrichtungen hinstellen.

Vermischte Nachrichten und Mitteilungen.

1. **Für den Vortrag altklassischer Musik** gelten folgende allgemeine Gesichtspunkte, deren Anwendung in praxi nicht dringend genug empfohlen werden kann.

So sehr jeder bessere Chor sich eines (wenn auch meist nur relativ) „künstlerischen" Vortrags befleißigen soll, so hüte er sich vor allem, denselben mit einem „künstlichen" Vortrag zu verwechseln.

Hauptsache ist und bleibt der heilige Text, die Musik ist die aus reiflicher Überlegung der Textesworte hervorgegangene Einkleidung der Töne, weshalb es Aufgabe jeder Reproduktion ist, die Musik aus dem Texte gleichsam herauszulesen und zu verstehen. Der Vortrag heiliger Musik ist demnach der äussere, in Tönen kundgegebene Ausdruck innerlicher Betrachtung der Textesworte, der Grundton ist heilige Gebetsstimmung, die Gefühle sind wesentlich Demut und kindliche Freude.

Zu vermeiden ist also vor allem ein auf Äusserlichkeiten bedachter Sinn. Kein Lärm, kein Geschrei, kein Poltern, nichts Grobes, nichts Oberflächliches, aber auch nichts Erkünsteltes, nichts Geziertes! Soweit der Vortrag durch Zeichen angegeben ist (er kann ja überhaupt nur angedeutet werden), möge er auch mit Verstand befolgt werden. Die Details, für welche vorliegende „Schattierung" noch genügend Spielraum läßt, mögen vom regens chori herausgearbeitet werden. „Die Direktion ist die Seele der Auffassung und Durchführung" sagt Dr. Proske.

[1]) Siehe Mohrs Gesangbücher bei Pustet.

Der durchschnittliche Stärkegrad des Gesanges ist *mf*. Steigen die Notenreihen, so ist meist ein *crescendo* am Platze, fallen die Notenreihen, so wird täglich ein *decrescendo* eingehalten.

Große Beschleunigungen (etwa zum Abschluß des Tonstückes) oder aber geradezu schleppende Verzögerungen sind in gleicher Weise fehlerhaft.

Die primitivsten Regeln des Gesanges verlangen singgemäße Deklamierung und vor allem korrekte Betonung des Textes.

Ist der Takt zugleich metronomisch fixiert, so ist dabei trotzdem ein elastisches Tempo, das von automatisch-gleichmäßigem Takthalten sich fernhält, nicht ausgeschlossen, vielmehr dem Texte entsprechend zu erstreben.

Unter Umständen können die gleichen Stellen einer Komposition verschieden aufgefaßt, daher verschieden wiedergegeben werden. Sicher muß es als ein eklatantes Vorurteil *in musicis* bezeichnet werden, die gleichen (besonders die mit liturgischen Aktionen ausgezeichneten Stellen, etwa „*adoramus te*", „*gratias agimus*", „*Jesu Christe*", „*Et incarnatus*" obligat nur *piano* oder gar regelmäßig *pp* vorzutragen. Man probiere hier und da zur Abwechslung das Gegenteil — und man wird angenehm überrascht sein. „Pianostellen suche man nicht um jeden Preis zu erzwingen" sagt Dr. Witt.

Für den Dirigenten sei noch die Warnung gegeben, sich in die Rolle eines Automaten einzuleben, d. h. eines Taktschlägers, der vor lauter Eifer für pünktliche Einhaltung der dynamischen und agogischen Zeichen sich in die Partitur so sehr vertieft, daß er für seine Sänger keinen Blick mehr übrig hat. Daß man (und zwar vorwiegend) auch mit den Augen dirigieren soll, scheint sehr vielen Dirigenten unbekannt zu sein.

„Reinheit der Intonation, Festhalten, Binden und Tragen des Tones sind hinreichende Stützpunkte eines richtigen, wahren und schönen Vortrages älterer Gesänge", — diesen Direktiven Dr. Proskes füge ich noch den praktischen Wink bei, den Sängern eine altklassische Komposition (wenn möglich) nicht am Klavier oder Flügel vorzuspielen, sondern eher auf Harmonium oder Orgel (etwa mit Äoline oder Salicional oder Vox coelestis). Bei der Einübung tut die Violine die entsprechendsten Dienste. So wird dann die himmlische Musik in ihrer ätherischen Reinheit und Feinheit alsbald unmittelbares, daher viel leichteres und wirksameres Verständnis finden. Am Ende gilt auch hier: „*Fides ex auditu*" („Der Glaube kommt vom Hören).

Regensburg. **Hermann Bäuerle.**

---

2. Am Samstag den 10. September starb in Laibach der Hochw. Herr Professor **Johannes Gajezda**, Präses des Laibacher Diözesan-Cäcilienvereins und Redakteur des „Cerkveni Glasbenik" Organ des Cäcilienvereins. Der sel. Verstorbene war ein begeisterter Kämpfer für die heilige Musik, zu deren Verbreitung er unermüdlich arbeitete und viele Opfer brachte. Welcher Beliebtheit er sich erfreute, zeigte sein Begräbnis am Montag den 12. September. Der hochwürdigste Fürstbischof selbst segnete die Leiche beim Trauerhaus ein; eine überaus große Anzahl geistlicher Mitbrüder, mehrere Vereine mit ihren Fahnen, und eine große Menge Volkes begleitete den Sarg zum Friedhofe. Vor 22 Jahren war der Verstorbene unter den fünf „internationalen" Sängern, welche beim Kongreß von Arezzo aus der Medicäausgabe bei dem von Dom Pothier gesungenen Hochamt als liturgischer Chor funktionierten. R. I. P.

---

3. ☞ Die Verhandlungen der 18. Plenarversammlung des Cäcilienvereins am 4. August 1901 zu **Rottenburg a. N.**, gewidmet den Mitgliedern des Vereins, sowie allen Freunden der heiligen Musik von E. Keilbach, Diözesanpräses, Pfarrer in Oeffingen sind in Stuttgart, Druckerei der Aktiengesellschaft „Deutsches Volksblatt" erschienen und können vom Herausgeber oder Drucker um den Preis von 25 (mit Porto 30) bezogen werden. Im Cäcilienvereinsorgan wird über diese Versammlung eingehender Bericht erfolgen. Der Herausgeber bemerkt: Das persönliche Erscheinen des Hochwürd. Bischofs Dr. Paul Wilhelm von Keppler, sämtlicher in Rottenburg anwesender Domherren, das Herbeiströmen einer großen Anzahl Geistlicher und Laien und Musikfreunde, der Schmuck der Feststadt gaben der Versammlung ein selten festliches Gepräge. Dazu kommen die herrlichen Gesänge des Domchors und des Chores von St. Moritz, des Konviktorenchores von Tübingen, der Zöglinge des Martinihauses und der Schulkinder, und die hochwichtigen Vorträge bei den Verhandlungen, die klassisch vollendete Predigt — sie alle verdienen der baldigen Vergessenheit entrissen zu werden."

4. ☞ Was L. Alt in Steppach in einem Artikel: „**Übertreibung in Schrift und Rede**" für alle Lebensverhältnisse geltend, gilt besonders auch bei Berichterstattungen über kirchenmusikalische Aufführungen. Der drastische Artikel lautet: „Es ist, als ob es keinen Positiv mehr gäbe, man scheint nur mehr den Superlativ zu kennen." Mit diesen Worten äußerte ein Herr von nüchterner, jedoch gesunder Denkungsart seinen Unwillen über jenen krankhaften Zustand in Schrift und Rede, immer und überall mit Vergrößerungsgläsern, gleichsam mit Fliegenaugen, zu sehen und demgemäß alles zu übertreiben und mit den höchsten Ausdrücken zu bezeichnen.

Es wird nun keinem vernünftigen Menschen mit noch so kritischer Veranlagung einfallen, gesteigerte Schrift- und Redewendungen überhaupt in Bausch und Bogen zu verwerfen. Als Redefiguren selten, aber nur selten gebraucht, um die Stärke des eigenen Gefühles und der inneren Begeisterung auszudrücken und andern mitzuteilen, wird man sie nicht beanstanden. Auch dem

Einen Nekrolog von **Peter Piel**, Seminaroberlehrer und Kgl. Musikdirektor in Boppard, geb. am 12. August 1835 in Kessenich bei Bonn, gestorben am 21. August 1904 zu Boppard a. Rhein, hat die Redaktion der *Musica sacra* bereits oben S. 111 gebracht. Im Vereinsorgan war das neueste Porträt des verdienten Meisters enthalten, das auch in

dieser Monatsschrift aufgenommen werden soll. Die Redaktion macht hier besonders auf den Nachruf aus der Feder P. Hövelers im Verlage von L. Schwann in Düsseldorf, der auf Verlangen umsonst und portofrei von genannter Firma versendet wird aufmerksam.

Requiescat in pace.
Amen.

Dichter ist „Hyperbolismus" gestattet; denn einerseits wird auf diesem Gebiete die Übertreibung nie ernst genommen, andererseits gehört zur Poesie poetischer Schwung, eine gewisse Fülle, ja Überfülle der Sprache. Kaufmännische Reklame im Annoncenwesen, um die Vortrefflichkeit der Ware hervorzuheben, ist entschuldbar, soweit die Übertreibung noch als „lauter" bezeichnet werden kann.

Außer diesen genannten Fällen kann indes der Übertreibung in Schrift und Rede keineswegs das Wort geredet werden.

Stil und Rede sollen nach den Grundregeln der Prosa einfach und natürlich sein; aber trotzdem stoßen wir gerade hier auf Überschwänglichkeiten, welche einen feineren Geschmack geradezu anekeln müssen.

Vor allem ist es ein geradezu lächerlicher „Personenkultus", der sich in allen Schichten breit macht und an die knechtische Gesinnung der morgenländischen Kaiserzeit erinnert. Man „erstirbt" noch heutzutage nur „alleruntertänigst" und in „allertiefster Ehrfurcht", und wenn man aufmerksam die Berichte über Kaiserzusammenkünfte und über vor Fürstlichkeiten gehaltenen Prunkreden verfolgt, wird man einen schwulstigen Salm der Redeweise finden, die jedem nüchtern Denkenden den berechtigten Ärger ins Gesicht treiben muß. Bei aller aufrichtigen Loyalität für die Glieder der Fürstenhäuser, namentlich solcher, welche schon Jahrhunderte in Liebe und Treue mit ihrem Volke verbunden sind, ist es aber sicherlich doch übertrieben, wenn man irgend eine Prinzessin stets als „entzückende, berückende Erscheinung", „liebreizendes Wesen", „herzig", „Bild von bezaubernder Anmut" und „huldvollstem Lächeln" geschildert findet. Wenn wir bedenken, wie in den wohl erzogenen höchsten Kreisen viel mehr Bescheidenheit und Demut herrscht, als wir glauben, so müssen wir doch überzeugt sein, daß derartige „Schmeichelblüten" von hochstehenden Personen oft peinlich empfunden werden müssen.

Und selbst in den niedersten Volksschichten treffen wir die Spuren der Übertreibungen. Der Bub wird zum „kleinen Mann", der größere Junge zum „jungen Herrn", das ordinäre Mädchen zum „Fräulein", der untergeordnete Ladendiener zum „Kaufmann", der Skribent und Veterinär zum „Herr Doktor", der Häusler mit seinen schlecht genährten Rossen und Rindern zum „Ökonomiebesitzer", der Bauer zum „Gutsbesitzer", der Wirt zum „Realitätenbesitzer". Wer diesen blühenden Stil nicht handhaben kann, — wehe ihm, er ist ungebildet, noch weit zurück, besser würde man heute sagen, er ist „inferior".

Ganz besonders aber zeitigt die heutige Berichterstattung die seltsamsten Blüten eines geradezu erfinderischen „Hyperbolismus". Ein jeder Korrespondent sucht seine Sache, seinen Ort, möglichst herauszustreichen.

Im Städtchen X. findet ein sogenanntes Volksfest statt. Schon wochenlang wurden in „fieberhafter Hast" bei „Tag und Nacht" in „vielen Komitees" unter der „allbewährten Leitung" des „unermüdlichen Herrn Meyer" die „umfassendsten Vorkehrungen" getroffen und „ungeheure Anstrengungen" gemacht, um das Fest "glanzvoll" zu gestalten. Der Verlauf war natürlich ein "imposanter"; die Häuser prangten im "reichsten Schmuck aller Farben" und des "duftigsten Waldesgrüns". Es war schwer, in den "geräumigen, konfortabel eingerichteten Gasthöfen" Platz für die "ungeheure Menschenmenge" zu finden, welche "herbeiströmte". "Nur eine Stimme des Lobes" herrschte über den "hochgelungenen Verlauf des Festes"; es wird "allen Teilnehmern unvergeßlich bleiben" und die Stadt hat wiederum ihren "glänzenden Ruf" als "Feststadt" "voll und ganz" bewährt. Wer muß nicht lachen über derlei übertriebene Phrasen und Hohlheiten. Es ist gerade, als hörten wir einen Klavierspieler, der stets seine Kunst nur im Fortissimo unter Beihilfe des Pedals produziert.

Doch es kommt noch schöner! Zum Beispiel hielt der und der Verein in N. N. eine Versammlung ab. Nach "unsäglicher Mühe" war es gelungen eine "vollbewährte Kraft" zu gewinnen, welche den "Hauptanziehungspunkt" bildet. Der Besuch war "kolossal". Herr X., bei seinem Erscheinen "stürmisch applaudiert", sprach zuerst. In "tief durchdachter", "nach Form und Inhalt gleich ausgezeichneter", bald von "köstlichstem Humor", bald von "tiefstem Ernste" getragener, "überaus lichtvoller" Rede verbreitete sich der "gottbegnadete" (!) Redner über "sein höchst zeitgemäßes" Thema. Die in "glänzendster Beredsamkeit" vorgetragenen, von "reichstem, vielseitigem Wissen", "tiefster Gelehrsamkeit" und von "gründlichstem Studium" der einschlägigen "Fragen" zeugenden "prächtigen" Darstellungen zeigten den Redner als "gewiegten Kenner und Politiker". Als Redner geendet hatte, ging eine "mächtige Bewegung" durch den Saal. "Mächtige Beifallssalven" brachen sich in "donnerndem Widerhall" an den Gewölben des Saales, "durchbrausten" und "erschütterten" ihn und "urkräftige Hochs" machten die Luft erzittern. Herr X. war und blieb der "Löwe", der "gefeiertste Held" des Tages.

Und erst so eine Rezension! Das Werk zeigt von "großer Erudition", "hochidealer Auffassung", "tüchtigster Schulung". Fast jede noch lebendige Leistung ergänzt eine "längst schmerzlichst empfundene Lücke". "In hohem Gedankenfluge" löst der Verfasser seine "schwierige" Aufgabe — und dazu noch die "splendideste Ausstattung" — ja das Werk ist "wahrhaft sensationserregend". — Nicht wahr, duftige Lobessträußchen!

Sehr heimisch auf diesem Gebiete sind die "Übertreibungen" in Abschiedsreden und Nachrufen. Kaplan V. wird nach halbjährigem Wirken in W. als Seelsorger und Präses des —Vereins nach D. befördert. Ein "rührendes" Abschiedsfest wird dem "allbeliebten", ob seiner "gewinnenden" Freundlichkeit und "vielem Leutseligkeit" hochverehrten Herrn, der "nur schwer zu ersetzen ist", bereitet. Sein "allseitiges, unermüdliches Wirken in der Schule und am Krankenbette" wird unvergeßlich sein. Ein "leuchtendes Vorbild" der Berufstreue, genoß er die "allgemeinsten", "angetiefsten Sympathien". Seine "vortrefflichen" Charaktereigenschaften, sein "äußerst mühevolles Walten", seine "großen Verdienste" lassen uns sein Scheiden "aufs schmerzlichste empfinden", "heiße" Dankestränen und "die noch heißeren" Segenswünsche folgen ihm nach. Der Gemeinde N. können wir zu dem "trefflichen", hochtalentierten" jungen Herrn nur gratulieren. Bei uns wird er "nie" vergessen werden.

Ebenso ergreifend, wie dieser Abschied unter den Lebenden, muß der Abschied der Lebenden von den Toten in Leichenreden und Todesanzeigen sein. Von "tiefstem", "namenlosem Schmerze" muß man "gebeugt" sein; wer die "treubesorgte Gattin", die "liebendste Mutter" und "größte Wohltäterin der Armen" gekannt hat, wird unsern "gräßlichen" Schmerz zu würdigen wissen. Selbst der Tod der — Schwiegermutter, deren Fehlen im Leben nicht immer schmerzlich empfunden wird, wird zum unersetzlichen Verlust".

Das Vorgeführte ist nun freilich ein schwaches, der Wirklichkeit noch lange nicht nahekommendes Bild der Leistungen auf dem Gebiete der Übertreibung in Schrift und Rede. Wäre es nicht einmal an der Zeit, daß eine gesunde Reaktion dagegen einträte. Bedenken wir doch die schädlichen Folgen für unser Geistes- und Kulturleben, die aus diesen Auswüchsen hervorgehen!

Vor allem wird das Abnehmen des Wahrheitssinnes durch solche fortgesetzte Wahrheitsverletzungen gefährdet. Übertreibungen sind allzeit der erste Schritt zur Unwahrheit.

Eine andere schlimme Folge ist der verderbliche Einfluß auf den Geschmack des Publikums. Die politische Tagespresse soll den literarischen Geschmack des Volkes bilden. Ist es aber nicht so weit gekommen, daß, was nicht in hochtragenden Ausdrücken dargestellt wird, was sich nicht "im Sumpfe der Phrase" bewegt, heute schon von vornherein keinen Anklang findet!?

5. **Inhaltsübersicht von Nr. 9 des Cäcilienvereinsorgans**: Die 17. Generalversammlung des Allgemeinen Cäcilienvereins. (Nach stenographischem Berichte.) † Peter Piel. (Mit Bild.) — Vermischte Nachrichten und Notizen: Die Generalversammlung des oberösterr. Diözesan-Cäcilienvereins; die Zukunft der katholischen Kirchenchöre im Schulgesangsunterricht: Balth. Feuersinger, Salzburg, Seminardirektor; Bezirksversammlung Herschbach (Diözese Limburg); Wiederwahl des Diözesanpräses Paderborn; Inhaltsübersicht von Nr. 9 der *Musica sacra*. — Anzeigenblatt.

Druck und Verlag von **Friedrich Pustet** in Regensburg, Gesandtenstraße.
Nebst Anzeigeblatt.

1904.   Regensburg, am 1. Dezember 1904.   N⁰ 12.

MUSICA SACRA.

Gegründet von Dr. Franz Xaver Witt († 1888).

Monatschrift für Hebung und Förderung der kathol. Kirchenmusik.

Herausgegeben von Dr. Franz Xaver Haberl, Direktor der Kirchenmusikschule in Regensburg.

Neue Folge XVI., als Fortsetzung XXXVII. Jahrgang.   Mit 12 Musikbeilagen.

Die „Musica sacra" wird am 1. jeden Monats ausgegeben, jede der 12 Nummern umfaßt 12 Seiten Text. Die 12 Musik-beilagen (48 Seiten) sind den Nummern 3 und 7 begelegt. Der Abonnementspreis des 37. Jahrgangs 1904 beträgt 3 Mark; Einzelnummern ohne Musikbeilagen kosten 30 Pfennige. Die Bestellung kann bei jeder Postanstalt oder Buchhandlung erfolgen.

Neu und früher erschienene Kirchenkompositionen.

Das erste *Requiem* mit *Libera*, Op. 22 von **Herm. Bäuerle,** ist im Cäcilienvereins-Katalog unter Nr. 2931 aufgenommen und auch in *Musica sacra* 1903, S. 26, aufs beste empfohlen worden. Die vorgelegte 2. Auflage kann ein Beweis der großen Beliebtheit und Brauchbarkeit des Werkes sein.[1]

Eine neue Messe von **Vinz. Goller** zu Ehren der heiligen Schutzengel, Op. 36. zweistimmig für vereinigte Ober- und Unterstimmen mit Orgelbegleitung zeichnet sich durch außerordentliche Sangbarkeit aus, hat den geringen Stimmenumfang von je 9 Tönen (*h—c* für Ober-, *c—d* für Unterstimmen), eignet sich also besonders für jugend-liche Sänger in den Mittelschulen, Präparandenanstalten usw., welche der Mutation nahe und im neuen Tonregister noch nicht gefestigt sind. Die Orgelbegleitung ist einfach, schön phrasiert und füllt in ihrer Selbständigkeit in gelungener Weise den 2stimmigen Satz. Die Messe wird voraussichtlich in und außerhalb Deutschland beliebt und ge-sucht sein, da auch die Deklamation des Textes überaus natürlich und fließend ist.[2]

Die Votivvesper zu Ehren der allerseligsten Jungfrau Maria, Op. 19 von **Oswald Joos,** liegt in 2. Auflage vor. Die erste ist in *Musica sacra* 1898, S. 39, und im Cäcillen-vereins-Katalog unter Nr. 2172 eingeführt worden. Einige Wünsche wurden in der 2. Auflage erfüllt, die hüpfende Schreibweise von ♪ ♪ ♩ bei den Choralantiphonen und -Versen ist geblieben, kann jedoch bei richtiger Deklamation verbessert und ver-deckt werden.[3]

Missa IV. in hon. Ss. Sacramenti betitelt sich eine Messe für 2 Männerstimmen mit Orgelbegleitung von **Jos. Kreitmaier,** S. J., Musikdirektor im Aloisius-Kolleg zu Sittard.[4] In neuerer Zeit werden Messen für 2 oder 3 Männerstimmen mit Orgel-begleitung besonders im Auslande außerordentlich häufig verlangt. Der Komponist bemerkt ganz richtig im Vorwort, daß zweistimmige Messen, die ursprünglich für Sopran und Alt geschrieben sind, nicht ohne weiteres auch für Tenor und Baß taugen, wenn

[1] *Missa pro Defunctis I* für vierstimmigen gemischten Chor. A. Coppenrath (H. Pawelek), Regensburg. 1904. Partitur 1 ℳ 80 ₰, 4 Stimmen à 20 ₰.
[2] Op. 36. Regensburg. Eugen Feuchtinger. 1904. Partitur 2 ℳ, 2 Stimmen à 25 ₰.
[3] Regensburg, Eugen Feuchtinger. 1904. Partitur 1 ℳ 60 ₰, 4 Stimmen à 35 ₰.
[4] Regensburg, Fr. Pustet. 1905. Partitur 1 ℳ 40 ₰, 2 Stimmen à 20 ₰.

die Orgelbegleitung (was selten der Fall ist) nicht eigens für diese Besetzung eingerichtet ist. Dieses Op. 8 ist ausgezeichnet geraten nach Seite der Melodie und Imitation,
des Rhythmus und der korrekten Orgelbegleitung, die durch reichere Ausschmückung
den zweistimmigen Satz belebt und noch wirksamer gestaltet.

Vom gleichen Autor ist im gleichen Verlage das pompöse *Tu es Petrus* von
Mich. Haller für gemischten Chor bearbeitet worden.[1] Das ist eine dankenswerte
und dankbare Gabe für unsere größeren Cäcilienvereine und -Feste!

Das 50jährige Jubiläum der Verkündigung des Dogmas der unbefleckten Empfängnis
Mariä hat in diesem Jahre mehrere kirchenmusikalische Werke veranlaßt, welche auch
für die Zukunft bleibenden Wert haben und von der Schaffenskraft ihrer Urheber ein
schönes Zeugnis ablegen. Zu diesen gehört die feierliche Jubiläumsmesse, Op. 33, für
vierstimmigen gemischten Chor und Orchester von Domchordirektor **Johann Meurer**
in Graz.[2] Die Messe ist nicht nach der Schablone eines vorher erfundenen musikalischen Satzes konstruiert, sondern steht mit dem liturgischen Text in innigem
Zusammenhange, so daß in den Singstimmen, wenn auch in modernem Stile, das
Hauptgewicht liegt. Die Orgel, noch mehr die in der Orgel als Direktionsstimme teils
in kleinen Noten eingetragenen oder durch Worte angedeuteten Instrumente, bilden ein
reiches Ornament um den Vokalsatz, ohne ihn zu unterdrücken oder zu schwächen. An
verminderten und alterierten Akkorden, scharfen Modulationen in die große Unter- oder
Oberterz und chromatischen Intervallen fehlt es in den Instrumentalstimmen nicht; sie
erleichtern jedoch die Einsätze für die Singstimmen, die einigemal auch, z. B. im *Et
incarnatus est*, geteilt sind. Niemals verfällt der Komponist in das Weichliche und behandelt den liturgischen Text mit größter Ehrfurcht und Andacht. Die Arbeit ist sehr
sauber ausgefeilt; zur Aufführung der Messe mit Orgel allein ist nicht zu raten. Solche
Messen erhalten ihre wahre musikalische Wirkung nur durch die Orchesterfarben.
Guten, im modernen Stile gewandten Kirchenchören, mit entsprechenden, den Instrumenten gegenüber in Proportion stehenden Sängerkräften, ist dieses Opus 33 nach sorg-
fältigen Proben gut zu empfehlen.

- - - Op. 36 bereichert die kirchenmusikalische Literatur mit einer neuen Instrumentalmesse zu Ehren der Muttergottes in Altötting.[3] Sie ist einfacher als Op. 33
gehalten, bringt in den Singstimmen wenig Chromatik, deklamiert den liturgischen Text
ungehindert durch übermäßige Einmischung der Instrumente, welche die Motive des
Vokalsatzes teils vorbereiten, teils nachahmen, vorzüglich erfunden und durchgearbeitet
sind. Die Partitur ist wirkliche Direktionsstimme, sie enthält für jedes Instrument
eine Notenzeile und den Orgelpart. Auch hier ist Aufführung mit Orgel allein nicht
zu empfehlen.[4]

8 Offertorien[5] zu den Hauptfesten des Kirchenjahres für vierstimmigen Männerchor mit obligater Orgelbegleitung komponierte **Pet. Meurers** als Op. 6. Festesstimmung
klingt aus jeder Nummer, wohlberechneter Wechsel zwischen Unisono, Gleichzeitigkeit
und einfacher Imitation beleben den rhythmisch gut deklamierten Text. Die Orgel

---

[1] Partitur 20 ₰, Singstimme à 5 ₰, Instrumentalstimmen (9 St. Blechmusik zusammen) 50 ₰. 1904.
[2] *Missa jubilaei solemnis de immaculata conceptione Beatae Mariae Virginis* für vierstimmigen
gemischten Chor: 1) mit Orchester (Streichquintett [Cello ad lib.], 2 Klarinetten oder 2 Oboen obligat,
2 Ventilhörnern oblig. und Orgel ad lib., Violoncello, 1 Flöte, 2 Fagotte, 2 Trompeten, 2 Posaunen und
Pauken ad lib.), oder 2) mit Streichquintett (Cello ad lib.) und Orgel oblig., oder auch 3) für gemischten
Chor mit Orgelbegleitung allein. Graz, „Styria". 1904. Partitur 2 ℳ 70 ₰, 4 Singstimmen à 35 ₰,
17 Orchesterstimmen à 35 ₰.
[3] Neu und fremdartig ist dem Unterzeichneten der lateinische Ortsname Vetoettingensis für Altötting! Die Jahreszahl der Publikation fehlt, ist aber ohne Zweifel 1904. Das Orchester besteht in
Streichquartett (Cello ad lib.), 2 Klarinetten oder Oboen, 2 Hörnern oblig. (Flöte, 2 Trompeten, 2 Posaunen
und Pauken ad lib.). Johann Groß (S. A. Reiß), Innsbruck. Partitur 10 ℳ, Orgelbegl. 1 ℳ 50 ₰,
Orchesterstimmen 10 ℳ, Singstimmen 4 ℳ.
[4] Der Autor bemerkt: „Wird die Messe mit Orchester aufgeführt und ist dasselbe genügend besetzt, so beschränke sich die Orgel auf das Mitspielen des Basses im Manual. Ist jedoch Chor und
Orchester nicht entsprechend besetzt, so spiele die Orgel mit nicht zu aufdringlichen Registern mit.
Bei einer eventuellen Aufführung mit Orgel allein richtet sich die Registrierung nach der Stärke des Chores."
[5] Partitur 2 ℳ 50 ₰, 4 Stimmen à 40 ₰. Junfermann, Paderborn. Ohne Jahreszahl. Die Texte
der Offertorien sind: *Tui sunt coeli*; *Reges Tharsis*; *Terra tremuit*; *Ascendit Deus*; *Confirma hoc Deus*;
Constitues eos (Peter und Paul); *Diffusa est* (Maria Lichtmeß); *Ave Maria* (Maria Empfängnis).

greift füllend, selbständig und vorbereitend ein. Für einigermaßen begabte Männerchöre bilden die 8 Nummern eine Festgabe.

Der unbefleckten Jungfrau hat **Ign. Mitterer** das Op. 122 gewidmet.[1]) Ein Blick in die Singstimmen zeugt von der Natürlichkeit und den schönen Linien der Mittererschen Melodiebildung, die es dem Sänger ermöglicht, mit voller Anteilnahme dem betenden Singen zu obliegen. Die Partitur weist außer dem Streichquintett je 2 Oboen, Fagotte, Hörner, Trompeten und die Baßtrompete auf, welche den Gesang nirgends stören, äußerst mild gehalten sind, und unter denen bei geringerer Besetzung des Gesangchores die Blechinstrumente (mit Ausnahme der Hörner) wegfallen können. Die imitatorische und kontrapunktische Arbeit ist nicht mühsame Mache. Diese Festgesänge, besonders das Graduale mit dem Allelujavers, versöhnen mit dem Gebrauch der Instrumente in der Kirche. Besonders zart ist das Offertorium *Ave Maria* gehalten, wenn die Instrumentalisten sich in den vom Komponisten gezogenen Schranken zu halten wissen. Die schöne Jubiläumsgabe möge noch Jahrhunderte im Dienste der Kirche und der unbefleckten Jungfrau Maria gebraucht werden.

Zwei außerliturgische lateinische Antiphonen zu Ehren der seligsten Jungfrau, nämlich Op. 38 *Sancta Maria, Virginum piissima* und Op. 39 *Signum magnum apparuit* von **Giov. Pagella**, Salesianerpriester in Turin, für gemischten vierstimmigen Chor, sind als Einlagen nach den Offertorien der Marienfeste sehr zu empfehlen. In wirklich kunstvoller Weise, mit von Erfahrung zeugender Berechnung schöner Stimmeneffekte und -Mischungen, mit rhythmisch kraftvoller Deklamation, in imitatorischen Formen, ohne Aufdringlichkeit gestalteten Perioden und packenden Melodien sind die schönen Texte kurz und bündig in passender Dynamik behandelt.[2])

Die *Missa sexta „Fidelis servus et prudens“* für 5 gemischte Stimmen (Bariton), Op. 25 von **Jak. Quadflieg**,[3]) verdient unter den besten Werken der jüngsten kirchenmusikalischen Vokalliteratur einen Ehrenplatz. Das Motett *Fidelis servus et prudens*, welches der gewandte Kontrapunktiker über die gregorianischen Motive der bekannten Communio *Fidelis servus* komponiert hat, dient ihm als Quelle wenn man will, Rüstkammer für den liturgischen Meßtext; es ist S. 41–45 der Partitur abgedruckt. Mit jener peinlichen Genauigkeit und Sorgfalt, welche die Referate Quadfliegs im Cäcilienvereins-Katalog zieren und berühmt gemacht haben, ist auch die Partitur dieses Op. 25 ausgearbeitet. Textunterlage, Atemzeichen, Tempoangaben, dynamische Vorschriften, Binde- und Phrasierungsbogen zwingen Dirigenten und Sänger, sich den Weisungen des Autors zu unterwerfen; sie werden es auch nicht bereuen, denn in den Motiven sowohl, als in der Verarbeitung derselben sind die Stimmungen des Textes so innig und glücklich verschlungen und zum Ausdruck gebracht, daß man sich gerne und begeistert den zahlreichen Weisungen hingibt. Der polyphone Stil des 16. Jahrhunderts ist hier nicht etwa sklavisch und schulmäßig nachgemacht, sondern noch weiter ausgebildet und in seinen Konsequenzen verfolgt. Der hiesige Domchor hat diese Messe jüngst zweimal nacheinander mit Begeisterung und Liebe gesungen, denn sie bietet einem polyphon erzogenen Chor infolge der natürlichen, durchaus diatonischen Melodiebildung und Rhythmik keinerlei Schwierigkeiten, ermüdet die Stimmen nicht und wirkt dennoch glanzvoll. Durch solche Werke werden sich die Meister des Cäcilienvereins auch die Achtung und Wertschätzung der modernen Musiker zu erringen wissen.[4])

Von der Messe zu Ehren des heil. Johannes des Täufers, 4 gemischte Stimmen mit Orgel oder Orchester des † Domkapellmeisters **Joh. Schweitzer**, Op. 18, ist die

---

[1]) *Virgini Immaculatae.* Festgraduale und Offertorium zur Feier des 50 jährigen Immaculata-Jubiläums am 8. Dez. 1904, für gemischten Chor und Orchester. A. Coppenrath (H. Pawelek). Regensburg. Partitur 2 ℳ 50 ₰, 4 Singstimmen à 20 ₰, Orchesterstimmen 1 ℳ 60 ₰.

[2]) Turin, Libreria Salesiana. Via Madama Cristina, Nr. 1. 1901. Preis je 80 Cent. Stimmen sind nicht erschienen.

[3]) Düsseldorf, L. Schwann. 1904. Partitur 3 ℳ 50 ₰, 5 Stimmen à 40 ₰.

[4]) Das Werk ist Sr. Eminenz dem Kardinal-Erzbischof Anton Fischer in Cöln gewidmet, der nach den Zeitungsberichten die Dedikation persönlich annahm und die Verdienste des Komponisten im Dienste der heiligen Cäcilia und zum besten der katholischen Kirchenmusik in begeisterten Worten anerkannte. Der Cölner Domchor wird die Messe am 8. Dezember zur Aufführung bringen.

5. Anlage erschienen.[1]) Das Werk hat im Cäcilienvereins-Katalog bereits unter Nr. 221 Aufnahme gefunden.

Die *Missa* „*O quam gloriosum est regnum*" für zwei Männerstimmen (Tenor und Bariton), Op. 20 von **P. J. Jos. Vranken**[2]) ist für unsere kleineren Chöre eine äußerst willkommene Publikation, gut gearbeitet, von geringer Schwierigkeit, mit leichter Orgelbegleitung, liturgisch durchaus korrekt.[3])

Op. 107 von **Aug. Wiltberger** ist der Hymnus *Te Deum laudamus* für zweistimmigen Wechselchor zwischen Ober- und Unterstimmen mit Orgelbegleitung. Sopran und Alt bilden den ersten, Tenor und Baß den zweiten Chor, eine Kombination, welche neu genannt werden kann, zu sehr lieblichen Stimmenmischungen und am Schluß zur vierstimmigen Vereinigung führt. Die Orgelbegleitung ist gewandt und nicht zu schwierig, jedoch ohne Angaben für Registrierung gemacht, da die Stärke der Begleitung von der des Sängerchores und der zur Verfügung stehenden Orgel abhängt. Bei dem großen Bedarf an *Te Deum* ist durch dieses Opus 107 eine den praktischen Chorregenten zweifellos sehr erwünschte Abwechslung geboten.[4]) Der Schlußsatz *In te Domine* ist in 3 facher Fassung, die letzte für 6 Stimmen, komponiert. F. X. H.

Im Lesezimmer.
Die 17. Generalversammlung des Allgemeinen Cäcilienvereins in Regensburg.
(Aus „Gregoriusblatt" Nr. 10.)

Der Name Regensburg hat in der kirchenmusikalischen Welt einen ganz besonderen Klang. Als Stätte der Wiedergeburt der klassischen Kirchenmusik, als Sitz der unter der hervorragenden Leitung des derzeitigen Generalpräses stehenden Musikschule, als Stadt mit einem der herrlichsten Dome und mit Kirchenchören, die ihresgleichen suchen, gehört die alte, träumerische Ratisbona zu den geeignetsten Städten für die Generalversammlungen des Allgemeinen Cäcilienvereins. Und doch hätten wir uns für diesesmal die Tagung in einer anderen Stadt gewünscht. Der selige Witt, der unvergeßliche Gründer des Cäcilienvereins, konnte sich damit befreunden, die Cäcilienvereinsversammlungen gleichzeitig mit den Katholikenversammlungen tagen zu lassen. Und mit Recht! Die Katholikentage haben sich allmählich zu so gewaltigen, mit einem fast unübersehbaren Arbeits- und Versammlungsprogramm ausgestatteten Veranstaltungen ausgewachsen, daß selbst eine so hochwichtige Versammlung, wie es doch die der Kirchenmusiker Deutschlands, Österreichs und der Schweiz ist, zurücktritt und in diesem Jahre nicht einmal in der Tagespresse erwähnt zu werden für würdig gehalten wurde. Dazu kam noch der unglückliche Umstand, daß, wohl mit Rücksicht auf die Katholikentage, die herrlichen Aufführungen des Domchores in der prächtigen Cäcilienkirche auf den Samstagnachmittag und die Sitzungen auf den Sonntag (morgens und nachmittags) gelegt werden mußten — Tage, an denen manche Geistliche und Chorregenten, denen die Ferien gewöhnlich nicht allzu reich zugemessen sind, nicht erscheinen konnten.

Darin wird auch wohl der Hauptgrund zu suchen sein, weshalb die Generalversammlung nicht so zahlreich besucht war wie in früheren Jahren. Vielleicht aber auch, daß der eine oder andere geglaubt hat, nach dem Erscheinen des päpstlichen *Motu proprio* gäbe es nicht viel zu raten und zu taten, und würden die Sitzungen nicht so interessant werden wie ehedem, als noch der Schlachtruf: „Hic Medicäa — hic Solesmes" die Worte scharf und die Zungen spitz und die Köpfe hitzig machte! Die Sitzungen verliefen allerdings — Gott sei Dank — sehr ruhig und sehr sachlich. Wenn auch unser temperamentvoller Generalpräses in seiner einleitenden Rede einige Wendungen gebrauchte, die zu sehr vom Augenblicke diktiert waren, so wußte er doch durch seine geschäftskundige und ruhige Leitung der Verhandlungen den Ganzen den Stempel der Sachlichkeit, der Prinzipienfestigkeit und vor allem der unverbrüchlichen Anhänglichkeit an die Gesetze der Kirche und an den Willen des Heiligen Vaters aufzuprägen. Mag also das Programm der Versammlungen nicht so reichhaltig gewesen sein und mögen die auf denselben gepflogenen Verhandlungen nicht so tiefgründige Bedeutung haben wie das in früheren der Fall war — um so interessanter, um so lehrreicher und wahrhaft herzerquickend waren die hervorragenden Aufführungen der vereinigten Chöre Regensburgs unter der Leitung Meister Engelharts!

---

[1]) Herdersche Verlagshandlung in Freiburg (Baden). 1904. Orgel- und Direktionsstimme 2 ℳ. Singstimmen 1 ℳ 50 ₰, Instrumentalstimmen (Streichquartett, je 2 Klarinetten, Hörner, Trompeten, Posaune, Pauken ad lib.) 3 ℳ.

[2]) Utrecht, J. R. van Rossum, für Deutschland Fr. Pustet. 1904. Partitur 2 ℳ 50 ₰, Stimmen zusammen 1 ℳ 05 ₰.

[3]) Auf Wunsch mehrerer Freunde der Kirchenmusik hat der Autor in holländischer Sprache Anweisung gegeben, wie die Messe auch dreistimmig zur Aufführung gelangen könne (für Sopran, Tenor und Baß), ohne die Orgelbegleitung abzuändern.

[4]) Düsseldorf, L. Schwann. 1904. Partitur 1 ℳ 20 ₰. 4 Stimmen à 15 ₰.

Nachdem am Samstag, den 20. August, einige Vorversammlungen der Diözesanpräsides[1]) und Referenten stattgefunden hatten, riefen uns um 5 Uhr die herrlichen Glocken[2]) der Cäcilienkirche zu der ersten Aufführung kirchlicher Gesänge durch den von der Alten Kapelle und St. Emmeram verstärkten Domchor. Das war in der Tat eine genußreiche Stunde! Die neue Cäcilienkirche in ihren ernsten, streng romanischen Formen, mit ihrer großen, klangvollen, neuen Orgel und ihrer guten Akustik ist recht geeignet zur Aufführung streng klassischer Kirchenmusik; für den mächtigen, dazu noch verstärkten Domchor hätten wir sie — im Moment, wo dieser seine ganze, glänzende Kraft entfaltete — allerdings etwas größer gewünscht. Herr Renner jun., der geistvolle Meister der Orgelkomposition und des Orgelspieles, leitete die Feier mit einem mächtigen, modulatorisch sehr kühnen Präludium ein. Und nun folgte eine ausgesuchte Blütenlese klassischer Kompositionen. Zuerst die einfachen und würdigen, aus dem Programm bekannten Kompositionen[3]) von Goller, Wagner und Haller und dann in fortwährender Steigerung das klare, ernste *Gaudent in coelis* von Vittoria, das an einzelnen Stellen (. . . *super coelos ascendisti* . . .; . . . *derelinquas nos orphanos* . . .) hinreißende *O Rex gloriae* von Luca Marenzio, das machtvolle *Exaltabo te* von Palestrina und als Kulminationspunkt das unvergleichliche und großartige sechsstimmige *Dum complerentur* von demselben. Zu Ehren der Muttergottes erklang dann noch zum Schlusse ein einfacheres, würdiges und schönes vier- bis achtstimmiges Marienlied von Gruber.

Was uns besonders auffiel, waren die markigen, runden und festen Stimmen der Knaben. Ein sehr musikverständiger Nachbar meinte: „man merkt, daß die Buben gut im Futter sind". Zwar drastisch, aber sehr treffend! In wenigen Städten liegen die Verhältnisse für die Bildung von Knabenchören so günstig, wie in Regensburg. Die Knabenseminare am Dom, an der Alten Kapelle und, irren wir nicht, auch an St. Emmeram, erziehen die Knaben, welche in ihren Chören wirken, sich selbst. Die kleinen Sänger bekommen eine höhere Bildung und haben, das sieht man ihnen an, auch eine vortreffliche körperliche Pflege. Welch hohe Bedeutung die letztere für eine schöne, klangvolle Knabenstimme hat, davon kann jeder Chorregent Klagelieder singen, der in unsern großen Industriestädten sich die Knaben gewöhnlich aus den ärmeren Volksklassen zusammensuchen muß. Die Knaben aus den gebildeten Kreisen besuchen die höheren Schulen und sind deshalb und auch leider aus anderen Gründen für die Pfarrkirchenchöre nicht zu haben. Man kann die Regensburger Chorregenten beneiden um ihr schönes Material, aber auch ihnen gratulieren zu der vorzüglichen Schulung, die sie in gesangtechnischer Beziehung ihren Buben angedeihen lassen. Die zuweilen hervortretende, etwas zu helle Färbung des a und e (auch bei den Männerstimmen) mag mit dem süddeutschen Sprachidiom zusammenhängen. Herr Domkapellmeister Engelhart, ebenso bescheiden als tüchtig, hat bei der Ouvertüre am Samstagnachmittag glänzend abgeschnitten und den Zuhörern, die auch an der Katholikenversammlung teilzunehmen Gelegenheit hatten, einen Ausblick auf große kirchenmusikalische Genüsse eröffnet. Herr Domorganist Renner jun. leitete die Gesänge mit frei erfundenen, teils sehr guten Vorspielen ein, in denen er die Themen der kommenden Gesänge meisterhaft zu verarbeiten verstand. Am wenigsten glücklich erschien uns das Intermezzo zwischen der (wenn ich nicht irre) zweiten und dritten Gesangsnummer. Das zu lang ausgesponnene Spiel der Soloklarinette auf einer zu dicken begleitenden Unterlage wirkte auf die Dauer ermüdend. Den glänzenden Schluß machte Renner mit seinem Präludium aus der Suite Op. 56, eine Komposition, welche auch im August auf dem Schlußkonzert im Gregoriushause sehr große Beachtung gefunden hat.

Nach all diesen geistigen, für den Referenten zugleich anstrengenden Genüssen, war es selbstverständlich, daß man sich in eines der vielen „Bräus" — im neuen Regensburg so zahlreich wie im alten die Stifte und Klöster — zurückzog, um seinem hungrig und durstig gewordenen Leibe zu seinem Rechte zu verhelfen. Eine ganz internationale Gesellschaft von Kirchenmusikern fand sich im Bräugarten von St. Klara „zu friedlichem Tun" zusammen: Pater de Santi aus Rom, Propst Mitterer aus Brixen (Tirol), Pater Horn aus Seckau (Steiermark), Prof. Dr. Wagner aus Freiburg (Schweiz), Domkapellmeister Dr. Victori aus Straßburg, Professor Grundmann aus Raab (Ungarn), ein Pater vom deutschen Orden aus Österreich, Stiftskapellmeister Dr. Weinmann (Regensburg), [dem wir übrigens auch an dieser Stelle herzlichst gratulieren zu seiner glänzenden Inangurierung der allgemeinen Katholikenversammlung.

In dem 9 Uhr im Dom beginnenden Hochamt sang der Domchor die fünfstimmige *Missa VIII toni* von Giov. Croce. Nach dem Offertorium *Ne timeas Maria*, vierstimmig von L. de Vittoria, nach dem letzten Evangelium: Marianische Antiphon *Haec est praeclarum vas*, fünfstimmig von Ign. Mitterer. Trotzdem der Standort des Chores, besonders wenn der gewaltige Dom besetzt ist, kein sehr glücklicher ist, kann Referent doch den Aufführungen des berühmten Chores, denen er im Dome selbst

---

[1]) Es waren persönlich erschienen die Herren Diözesanpräsides von Augsburg, Bamberg, Brixen, Cöln, Eichstätt, Freiburg i. Br., Limburg, Metz, Paderborn, Regensburg, Rottenburg, Sachsen-Bautzen, Speyer, Straßburg, Trient, Trier und Würzburg. Entschuldigt hatten sich: Basel-Solothurn, Breslau, St. Gallen, Leitmeritz, München, Münster, Passau, Salzburg, Sitten.
[2]) c, d, e, g, a: Motiv in Hallers Cäcilienmesse.
[3]) Vgl. Gregoriusblatt Nr. 8/9.

zum ersten Male beiwohnte, das beste Zeugnis ausstellen. Besonders überraschten die sehr schönen Ausklänge, die hier viel schöner zur Geltung kamen als gestern in der für den verstärkten Domchor zu kleinen Cäcilienkirche. Bei den Choralsätzen, besonders den reicheren (das Graduale wurde ganz gesungen), konnte man wieder die Richtigkeit des Gedankens bestätigt finden, der auch auf der Generalversammlung 1901 so oft zum Ausdruck kam, daß nämlich in praxi der Unterschied zwischen der heutigen Art, den Choral in Regensburg vorzutragen und zwischen der „Benediktiner Weise" kein so großer ist, wie man es bei den theoretischen Auseinandersetzungen vermuten sollte. Gäbe es in der bisher offiziellen Ausgabe Dehnungszeichen und Dehnungsnoten, so würde der Unterschied noch weniger hervortreten. Bei den syllabischen Gesängen wurden die betonten Silben nach unserer Auffassung zu sehr gedehnt. Im übrigen wurde der Choral würdig und schön gesungen. Zuweilen hätte z. B. beim Graduale und *Alleluja* etwas mehr Schwung und — *sit venia verbo* — etwas mehr Grazie den guten Eindruck sicherlich erhöht. Die letztere fehlte, um dieses gleich anzufügen, besonders nachmittags in der Vesper beim Vortrage der Choral-Psalmenverse durch die am Altare amtierenden Geistlichen. Der Vortrag war entschieden zu schwerfällig und stach unschön ab gegen die prächtige Wiedergabe der vier- bis fünfstimmigen Falsibordoni von Griesbacher. Herr Domorganist Renner zeigte auf der alten Domorgel, die übrigens einige sehr schöne Register hat, seine Meisterschaft im Einspielen der Gesänge, unter denen uns besonders das schön verarbeitete Vorspiel zum Choraloffertorium im Hochamte auffiel.

Nach dem Hochamte versammelten sich die Mitglieder des Vereins im Saale des Paradiesgartens, dessen Bühne mit einem Medaillon des seligen Frz. Xav. Witt, umgeben von Blattpflanzen, geschmückt war. Herr Generalpräses Dr. Haberl eröffnete kurz nach 10 Uhr die erste geschlossene Versammlung und begrüßte die etwas über 100 erschienenen Herren mit warmen Worten. Nach der Vorstellung der erschienenen Diözesanpräsides hielt Herr Dr. Haberl die einleitende Eröffnungsrede, die wir in der Beilage „Gregoriusbote" Nr. 11 (November) nach dem stenographischen Berichte des Cäcilienvereinsorgans Nr. 9 wiedergeben werden, um auch die vielen Sänger, welche nur Abonnenten des Boten sind, mit der Rede ihres Generalpräses bekannt zu machen.

Aus den nun folgenden Verhandlungen der Morgen- und Nachmittagsitzung, die nur einmal etwas lebhafter wurden, als der bisherige Titel des Vereins geändert werden sollte, sind folgende Punkte hervorzuheben und von Bedeutung:

1. Überreichung einer Huldigungsadresse an den Heiligen Vater. [1]

2. Eine Änderung der Statuten, dahingehend, daß in Zukunft der Generalpräses einzeln nach § 12 b der Statuten zu wählen ist; die beiden Vizepräsidenten können, wenn in der Versammlung sich kein Widerspruch erhebt, durch Akklamation gewählt werden.

3. Für die Geschäftsordnung zur Herstellung des Cäcilienvereins-Kataloges wird ein Zusatz genehmigt, „durch welchen es dem Generalpräses anheimgegeben wird, jene Kompositionen in deutscher Sprache, welche für den außerliturgischen Gottesdienst bestimmt sind, deren Texte jedoch keine oberhirtliche Approbation ausweisen, im voraus von der Annahme in den Cäcilienvereins-Katalog abzulehnen".

4. Die Wahl des engeren Vorstandes. Herr Dr. Haberl wurde mit 86 von 102 Stimmen als Generalpräses wiedergewählt. Als erster Vizepräses ging Herr Domkapellmeister Cohen aus Cöln mit 85 von 96 Stimmen aus der Wahlurne hervor, Herr Probst Mitterer wurde durch Akklamation zum zweiten Vizepräsidenten gewählt. [2] Der wiedergewählte Generalpräses erklärte auf die Frage des Wahlkommissars, ob er die Wahl annehme: daß er mit besonderer Rücksicht auf das Vertrauen, welches der Gesamtvorstand ihm entgegengebracht hätte, obwohl in einem Zirkular gebeten worden war, von seiner Wiederwahl abzusehen, und unter dem selbstverständlichen Vorbehalt, daß der hohe Protektor des Cäcilienvereins, Se. Eminenz Kardinal Andreas Steinhuber in Rom, die Wahl bestätige, sowie in der Hoffnung, daß die Mitglieder des Vereins und deren Diözesanvorstände ihn wirksam unterstützten, mit allen zu Gebote stehenden Kräften an den kirchlichen Vorschriften und dem *Motu proprio* Sr. Heiligkeit Papst Pius X., sowie den Anordnungen und Befehlen der hochwürdigsten Diözesanbischöfe unerschütterlich festhalten, die Wahl auf fünf Jahre wieder annehme.

Nachdem dann der erste Vizepräsident, Herr Domkapellmeister Cohen, dessen Wiederwahl verdientermaßen mit großer Freude begrüßt wurde, ein Hoch auf den wiedergewählten Generalpräses ausgebracht, schloß diese die 17. Generalversammlung, unter dem Segen Gottes und der Fürbitte der heil. Cäcilia auszuharren in unermüdlicher Arbeit für die heilige Musik.

Sonst war es Sitte, daß nach dem offiziellen Schlusse alte und neue Freunde sich zusammenfanden, um ihre Gedanken über Vergangenes und Zukünftiges auszutauschen — hier war dies nicht der Fall. Der Katholikentag warf schon seine Schatten voraus. Wer in der Eröffnungsversammlung sich ein Plätzlein erobern wollte, mußte sich sputen. Selbst unser „General" als Mitglied des Komitees mußte abzeichengeschmückt zur Halle eilen, um hier seines Amtes zu walten. Referent selber schnürte am anderen Morgen sein Wanderbündel, nachdem er die letzten Abendstunden des Versammlungstages mit dem lieben Freunde und Cölner Diözesanpräses, über dieses und jenes plaudernd, im „Grünen Kranze" gerastet hatte. Ein treuer Freund unseres Blattes übernahm es gern, über die kirchenmusikalischen Aufführungen der folgenden Tage zu referieren. Er schreibt: „Das Pontifikalamt am Montag wurde vom Hochwürdigsten Erzbischof von München-Freising abgehalten; der Domchor sang — verstärkt durch die Chorknaben der Alten Kapelle und St. Emmeram — Palestrinas sechsstimmige *Missa „Ecce ego Joannes"*. Diese Messe zeigt die gleiche formale Anlage

[1] Mitgeteilt in der Beilage „Gregoriusbote".
[2] Die Redaktion gratuliert den drei verdienten Cäcilianern zur fast einstimmig erfolgten Wahl von ganzem Herzen und wünscht ihnen Gottes reichsten Segen für die kommende Arbeit!

wie die sechsstimmige *Missa „Papae Marcelli"*; auch was Schwierigkeit der Ausführung anbelangt, stimmt sie mit dieser überein. Auch sie ist ein Werk von gewaltiger Wirkung, majestätisch erhaben und lieblich zugleich, würdig, ihrer Schwester an die Seite gestellt zu werden. Schade, daß die Komposition trotz ihrer vorzüglichen Ausführung wegen des überfüllten Domes eigentlich nur im Presbyterium recht zur Geltung kam. Die weiteren Gesänge, wie das sechsstimmige *Ecce sacerdos magnus* von Thielen, das Graduale *Propter veritatem*, vierstimmig von Mitterer, *Assumpta est*, achtstimmig von Ebner, und *Veni creator*, sechsstimmig von Griesbacher, machten dem Komponisten, dem Dirigenten und den Sängern alle Ehre.

Der folgende Tag gab den Cäcilianern reichliche Gelegenheit, ihre Disputierkraft zu zeigen: es stand Renners fünfstimmiges *Requiem* auf dem Programm. Wie anno 1901 desselben Komponisten *Te Deum* viel Staub aufwirbelte, wie damals heftig *pro* und *contra* gesprochen und geschrieben wurde, so auch jetzt. Wir wollen in die Arena nicht eintreten, sondern nur kurz unsere Meinung hierher setzen. Der Domorganist von Regensburg ist zweifellos ein Künstler von Gottes Gnaden; was er spielt und was er schreibt, hat Hand und Fuß. Daß er seine eigenen Wege geht, weiß jeder, der auch nur zwei Kompositionen aus seiner Feder kennt; aber wie überall, so auch hier: „*in medio virtus*". Manche Partien seines *Requiems* sind ohne Zweifel sehr ansprechsvoll in bezug auf die gesangliche Ausführung, verursacht vielleicht durch das Streben, ausgetretene Pfade zu meiden — wir möchten sie Orgelsätzchen, auf die Singstimmen übertragen, nennen —, aber die Komposition, in ihrer Gesamtwirkung genommen, ist ein Kunstwerk, welches unserer ganzen kirchenmusikalischen Literatur zur Ehre und zum Ruhme gereicht.[1]

Auf diesen Vertreter der modernen Schule kam am Mittwoch der Altmeister der klassischen Polyphonie zu Worte, Michael Haller mit seiner *Missa in hon. S. Caeciliae*. Dieselbe hat bekanntlich das Glockengeläute der neu erbauten Cäcilienkirche als musikalisches Motiv zur Grundlage: vielleicht ist gerade die Wahl dieses Motives daran Schuld, daß der Meister uns in dieser Messe nicht so zu begeistern vermag, wie in seinen anderen Meßkompositionen, z. B. in der Michaels-Messe oder in der Perle aller Messen dieser Stilgattung, der Heinrichs-Messe.

Die übrigen Nummern waren mit Ausnahme des bekannten fünfstimmigen *Laudate Dominum* von Palestrina ansprchsloser Natur: vergessen möchten wir nicht, zu erwähnen das sechsstimmige *Ecce sacerdos* des jungen Deggendorfer Chorregenten Vinzenz Goller. Überall, wo uns noch Goller begegnet ist, haben wir seine ungekünstelte Kompositionstechnik voll Anmut und Melodie bewundert; er ist auf dem besten Wege, der „bayrische" Mitterer zu werden.

Die fünfstimmige *Missa Laetentur coeli* des leider zu früh gestorbenen Amtsvorgängers Gollers, L. Ebner, brachte uns den Abschluß der anstrengenden Aufführungen. Eine prächtige Festmesse, dabei einfach und leicht. Wer die unstreitbar schönste Messe Mitterers, die fünfstimmige *Ascensio*, kennt und das dritte *Kyrie* und das *Agnus Dei* der beiden Messen vergleicht, wird eine wunderbare Ähnlichkeit der Auffassung bemerken; überhaupt scheint Ebner Mitterers Werk zum Vorbild genommen zu haben. Hallers Graduale und Offertorien aus den *Laudes Eucharisticae* sind wie diese ganze Sammlung schon längst eingebürgert und überall beliebte Nummern.

Was nun die musikalische Ausführung betrifft, so hieße es, „Wasser in die Donau" tragen, wollten wir hier viel Worte machen. Den Glanzleistungen des Domchores bei den Cäcilienvereinsversammlungen der Jahre 1894 und 1901 reiht sich das Jahr 1904 würdig an; ja, in der Tat, er steht noch auf seiner alten Höhe der berühmte Regensburger Domchor unter Leitung seines unübertrefflichen Dirigenten!

Wir gratulieren dem eifrigen Domchordirigenten und seinen Sängern, den großen und den kleinen, herzlichst zu ihren schönen Erfolgen. Mögen die vielen Anregungen, welche die Freunde ernster Kirchenmusik in Regensburg empfangen haben, fruchtbringend wirken auf die eigne Arbeit; dann wird die 17. Generalversammlung, die am Anfang einer neuen Aera für die Entwicklung der guten Kirchenmusik steht, würdig ihrer Vorgängerinnen, segenbringend sein für unsere Chöre und für das christliche Volk.   Br.

(Dem H. H. Bornewasser, Direktor des Gregoriushauses in Aachen, dankt die Redaktion für diesen durchaus selbständigen und unbeeinflußten Bericht.)

[1] Vielleicht dürfte es für die Leser des Gregoriusblattes interessant sein, das in manchen Punkten übereinstimmende geistreiche Urteil der von Pater M. Horn, O. S. B., redigierten „Gregorianischen Rundschau" zu hören. Sie schreibt: „Und was soll man sagen zu dem fünfstimmigen *Requiem* von Jos. Renner, das eben in der Öffentlichkeit erschienen ist? Die Urteile über dieses in vielen Teilen große, ja ganz bedeutende Schönheiten aufweisende Werk werden sehr verschieden sein. Dasselbe verwerfen, ist ebenso ungerecht, als unumwunden alles daran loben und bewundern. Manche zu weiche, an liederhafte Wendungen vertragen sich schwer mit der Würde des Gotteshauses, während vieles andere als Ideal eines modernen, so oft herbeigewünschten Kirchenstils gelten dürfte. Vieles erinnert an den Stil eines Tinel, dieselbe Frische, dieselbe knappe, klare Form, eine Vermengung von Händel und klassischer Polyphonie mit dem modernen Apparat neuesten Vokalsatzes, der nun einmal reiche Modulation, oft gewaltsam sich aufdrängend, nicht entbehren kann. Ist dies ein Übel? Wer soll das verbieten? Das Richtige liegt auch hier in der Mitte, und wir sollen uns freuen, in unserer aufgeregten Zeit solche Meister zu haben, die den Kontakt zwischen Vergangenheit und Jetztzeit herstellen, die mit ihrem Talent die Brücke für die Zukunft bilden. Solche Werke ignorieren, geht nicht an, es bedeutet dies Voreingenommenheit oder Gewissenheit. Das *Requiem* in der Dominikanerkirche bildete einen Glanzpunkt in den gesanglichen Darbietungen in Regensburg hinsichtlich der glänzenden Wiedergabe und des gehaltvollen Inhaltes."

Merkpunkte für Kirchensänger.

Zusammengestellt von P. A. M. Weiss, S. D. S.

I. 1. Habe stets vor Augen, daß der Chor ein Teil der Kirche ist, dort also dein Verhalten das gleiche sein muß wie unten im Schiffe! 2. Bereite dich zum heiligen Dienste durch einen Aufblick und ein Gebet zu Gott vor: Zur Ehre Gottes! zur Erbauung der Gläubigen! 3. Unterlasse alles Schwätzen auf dem Chore; das unbedingt Notwendige mache kurz und leise ab! 4. Lasse deine Augen nicht unten im Schiffe herumschweifen, ob nicht Bekannte dich bemerken; -- für Gott, nicht um Menschen zu gefallen, sollst du singen! 5. Suche den Text, den du zu singen hast, zu verstehen, dann wirst du auch betend singen und singend beten. *Qui cantat, bis orat!* Wer singt, betet doppelt!

II. 6. Dein Erscheinen auf dem Chore sei pünktlich, bleibe niemals ohne triftigen Grund und Entschuldigung weg! 7. Sei stets gehorsam dem Dirigenten; sei nicht empfindlich! — Fehlen kann ein jeder Sterbliche! 8. Gib auf den Dirigenten genau acht: auf Takt — Blick Bewegungen: nur dann wirst du richtig singen und zur Hebung der Kirchenmusik in deiner Kirche beitragen und dabei auch lernen! 9. Durchgehe in den Zwischenzeiten noch einmal deine Stimme; merke dir die Pausen, die Einsätze, die Vortragszeichen, dann werden dieselben dich auch nicht überraschen! 10. Verlange vom Dirigenten kein Solo und bestehe nicht hartnäckig auf deiner Meinung; der Dirigent weiß am besten, wem er schwierigere Stellen anvertrauen kann und darf! 11. Singe mit deiner natürlichen Stimme — vermeide alles gekünstelte Wesen — Gespreiztheit! — affektiertes Singen! 12. Sprich den Text richtig und deutlich aus; übe dich im Lesen!

III. 13. Betrage dich auch außerhalb des Gotteshauses so, daß deine Mitmenschen sich an den guten Folgen deines Mitwirkens am Chore erbauen können! 14. Nimm an den Proben nach tunlichster Möglichkeit freudig und opferwillig teil; bedenke, welche Mühe und Opfer der Dirigent bringt; unterstütze ihn also durch Fleiß und Bereitwilligkeit deinerseits! 15. Laß auch bei den Proben das Schwätzen sein! Es zerstreut, stört und nimmt viel Zeit weg! 16. Bete auch manchmal um Hebung der Kirchenmusik in deiner Pfarrkirche im Geiste und nach den Gesetzen der heiligen Kirche!

Vorstehend zusammengestellte Merkpunkte machen nicht den Anspruch auf Neuheit; denn die Pflichten eines Kirchensängers sind jetzt dieselben wie zu Anfang der Kirche und werden dieselben bleiben bis zum Ende der Zeiten. Weil aber gerade Kirchensänger und -sängerinnen unserer Zeit — über diejenigen früherer Jahrhunderte kann ich nicht urteilen — ganz auffällig vergeßlich sind, besonders *in puncto* Betragen auf dem Chor, glaubte ich, nicht vergebliche Arbeit zu tun, wenn ich alte Kost nochmal aufwärme; die Hunger danach spüren, werden sie wohl begierig schlucken und auch — wiederkäuen; die keinen Hunger haben, werden auch frische Kost nicht begehren. Doch hoffe ich zu Gott, daß auch von den letzteren wenigstens einige aus dem vorgesetzten Topfe, wenn sie auch nur nippen, das für sie heilsame Gericht erwischen und es gut in Geist und Herz verdauen. So hätte ich die große Freude, in etwa wenigstens an der Hebung der Kirchenmusik und an der würdigen Feier des Gottesdienstes mitgearbeitet zu haben. Das gebe Gott auf die Fürbitte der heil. Cäcilia!

Vom Bücher- und Musikalienmarkte.

I. Geistliche und weltliche Gesänge: Op. 69 von L. Bonvin, ein vierstimmig gemischter Chor mit Orgelbegleitung: „Heil dem Kaiser!" wirkt überaus festlich und steigert sich bei den Haupteffekten bis zur Sechs- und Achtstimmigkeit. L. Schwann, Düsseldorf. Partitur 1 ℳ, 1 Stimmen à 10 ₰.

20 Hymnen des römischen Breviers und Missale in deutscher, gereimter Übersetzung nach Art des geistlichen Volksliedes für einstimmigen Gesang mit Begleitung des Harmoniums (Orgel, Pianoforte etc.) bearbeitete mit oberhirtlicher Druckgenehmigung **Joseph Deischl**. Den Inhalt bilden: 8 Lieder zu Ehren des göttlichen Heilandes, 7 zu Ehren der Gottesmutter, 2 zu Ehren des heil. Joseph, 3 zu Ehren der heil. Familie. Melodie und Harmonisierung verdienen Lob, die Kirchenlieder selbst Einführung in Instituten, Schulen und beim Vortrag während der stillen Messe. Das

Haupterträgnis wird dem Kirchenbauverein St. Wolfgang in München zugewendet. Kommissionsverlag von Feuchtinger und Gleichauf in Regensburg. Partitur 1 ℳ, das Heftchen der Singstimme 30 ₰.

50 alte und neue Weihnachtslieder für Sonntagsschule, Schule und Haus, herausgegeben von **Dr. Ernst Gelderblom**, Pastor in St. Petersburg, für dreistimmigen Kinderchor gesetzt von dem Kgl. Musikdirektor **Th. Forchhammer** in Magdeburg, führen den Titel: „Euch ist heute der Heiland geboren!" Für die häusliche Andacht oder beim Christbaum können auch katholische Familien die meisten dieser Advents-, Weihnachts- und Epiphanielieder, besonders Nr. 50, die Weihnachtsszene für Soloquintett und dreistimmigen Kinderchor „Als ich bei meinen Schafen wacht," recht erbaulich verwenden. Die Sammlung ist von der deutsch-reformierten Kirche in Petersburg ausgegangen. Für den Gebrauch in der Kirche bedürften die Texte natürlich der oberhirtl. Approbation. Nach musikalischer Seite sind die 50 Lieder sehr gut gearbeitet. Heinrich Zimmermann, Leipzig und Petersburg. Preis 75 ₰.

Ein Weihnachtsspiel mit Musik nach Fragmenten eines uralten bayrischen Krippenspiels, hat **Jakob Gruber**, Stadtpfarrchorregent in München, als Op. 51 bei L. Schwann in Düsseldorf gedichtet und komponiert. Preis 1 ℳ, von 8 Stück ab à 60 ₰. Schon der Gedanke, wie der oberbayrische Dialekt im Munde all jener Aufführenden, die ihn nicht von Jugend auf gehört und geübt haben, klingen wird, reizt zur Heiterkeit. Das Spiel tritt ohne jede Scheu den heiligen Personen nahe, die Hirten verkehren mit den Engeln und mit der Majestät der Könige gleich zutraulich. „Ihr Männer sagt's, wer seid's denn ihr? Und sagt's, was wollt's denn bei uns hier?" so reden sie die heiligen drei Könige an, und der Gloria-Engel läßt sich folgende Ansprache gefallen:

„He! – Du! – Engl! – Sei so guat, | Und sag, was des bedeuten tuat!
Kummt's vom Himmel da herunter, | Habt's a G'schrea, macht's d'Leut all munter! —
Habt's denn a so große Freud, | Oder seid's no z'weni g'scheit?"

Aber es schaut ein Schalk aus dem Stücke, den wir lieb gewinnen, und gar ergreifend spricht seine herzliche Frömmigkeit in schlichten Worten zu uns, ausklingend in die Bitte des Hauern Lippl an das neugeborene Kindlein: „Dess is aber all mei' Bitt': wann I stirb, verlaß mi nit!" Was Handlung und Musik wundersam durchglüht, das ist die Ursprünglichkeit warmen, volkstümlichen Empfindens, an der sich gewiß tausende von Herzen erwärmen werden.

Die „Warte" lautet der Titel eines einstimmigen Männerchorliedes mit deutschem, dänischem und schwedischem Texte und großem Orchester, komponiert von **Johann Halvorsen**. Kopenhagen und Leipzig, Wilhelm Hansen. Aus dem vorliegenden Klavierauszuge kann über die mächtige Wirkung des urkräftigen Textes und der gewaltigen Melodie gut geurteilt werden. „Ja Warte!, o Warte, mit warmem Schimmer, schütze vor Feinden uns jetzo und immer!" Preis unbekannt.

Sechs Gesänge zu Ehren des allerheiligsten Altarsakramentes mit deutschen Texten (ohne kirchliche Approbation), Op. 7 von **Peter Menrers**, sind allen Frauen- und Klosterchören (3 Frauenstimmen mit Orgelbegleitung) aufs beste zu empfehlen. Schöne Vor-, Zwischen- und Nachspiele und eine gute Orgelbegleitung zieren die einfachen und edel gehaltenen Nummern. Paderborn, Junfermann. Partitur 2 ℳ 40 ₰, 3 Stimmen à 40 ₰.

Op. 27a ist ein Weihnachtslied für 3 und 4 Oberstimmen mit Klavier und Harmonium, komponiert von **Jakob Quadflieg**, „Strahlende Engelein steigen hernieder". Als Op. 27b ist das gleiche Lied für gemischten Chor umgearbeitet. Düsseldorf, L. Schwann. Partitur jeder Ausgabe 1 ℳ 20 ₰, jede Singstimme 15 ₰. Klavier und Harmonium stehen je auf zwei Liniensystemen. Zur Christbaumfeier von Cäcilien- und anderen Vereinen oder in Instituten ist die ebenso liebliche als korrekte Komposition der herannahenden Weihnachtszeit auf das Wärmste zu empfehlen.

Zu Gunsten des Maria-Empfängnis-Domes in Linz, dessen Grundsteinlegung nach der Verkündigung des Dogmas betätigt worden ist, hat die Verlagshandlung von Heinrich Dieter in Salzburg ein Marienlied zu Ehren unserer lieben Frau (6 oberhirtlich approbierte Strophen) einstimmig mit Orgelbegleitung von **Karl Santner** ediert. Preise: 1 Singstimme 6 h, mit Frankozusendung 9 h, 25 Singstimmen 1 K 20 h, mit Frankozusendung 1 K 35 h, 50 Singstimmen 2 K 50 h, mit Frankozusendung 2 K 90 h, 100 Singstimmen 5 K, mit Frankozusendung 5 K 20 h, 1 Orgelstimme 40 h, mit Frankozusendung 45 h. Für Außer-Österreich gelten dieselben Preise in Mark und Pfennigen. Se. Eminenz Kardinal-Fürsterzbischof Dr. Johannes Katschthaler hat das „Ave Maria" betitelte Lied zur Aufführung in Gotteshäusern, Schulen, marianischen Kongregationen usw. auf das Beste empfohlen.

Das Festlied zur unbefleckten Empfängnis: „O Maria, himmlisch reine, unbefleckte Königin!" (3 Strophen) hat J. G. Ed. Stehle für vierstimmig gemischten Chor mit Begleitung von 2 Trompeten und 2 Posaunen, die jedoch weggelassen werden können, komponiert. Wenn es bei Prozessionen, im Freien, bei genügend stark besetzten Chore gebraucht werden wollte, so wird die Metallharmonie von sehr guter Wirkung sein, denn sie ist ebenfalls gesangartig. Für die Festlichkeiten am 8. Dezember in Vereinen oder im Gotteshaus lasse man sich diese schwungvolle und durchaus populäre Komposition nicht entgehen.

„Das Kind der Witwe", melodramatische Episode mit vierstimmig gemischtem, oder mit dreistimmigen Frauen-, bezw. Knabenchor und Klavierbegleitung, nach Friedrich Halms gleichnamiger Dichtung, Op. 3 von **Karl Thiel**. W. Sulzbach (Pet. Limbach). Berlin W. 8, Taubenstraße 15. Klavierauszug 2 ℳ 50 ₰, 4 Stimmen für dreistimmigen Chor à 15 ₰) 60 ₰, für Frauenchor 45 ₰, ist eine für Institute, Vereine oder Versammlungen sehr empfehlenswerte, nicht schwer auszuführende Deklamation mit melodramatischer Begleitung und eingestreuten musikalischen Sätzen, für oben genannte Stimmenmischungen.

Op. 5 des gleichen Komponisten ist eine Kantate in 6 Bildern (Titel: „Maria") nach F. W. Webers „Marienblumen" für Sopran-, Alt- und Baritonsolo, Chor und Orchester. Klavierauszug 5 .ℳ, 4 Chorstimmen à 50 ₰, Textbuch 15 ₰ (in Partien billiger), Orchesterpartitur und Stimmen in Abschrift. W. Sulzbach (Pet. Limbach) Berlin, W. 8. Taubenstraße 15. Allen katholischen Gesangvereinen, den Instituten in größeren und kleineren Städten empfehlen wir die weihevolle Kantate K. Thiels, die auch musikalisch wertvoll, nicht übermäßig schwierig und eventuell auch nur mit Klavierbegleitung ausführbar ist.

Zwei Motetten für dreistimmigen Frauen- oder Kinderchor mit Klavier- und Harmoniumbegleitung, 1. Wer unter dem Schirm des Höchsten wandelt; 2. Wie lieblich ist deine Wohnung, o Herr, Partitur 2 .ℳ, 3 Stimmen à 15 ₰, komponierte **August Wiltberger.** (L. Schwann in Düsseldorf.) Dieses Op. 106 eignet sich für Institute bei Festlichkeiten oder Schlußfeierlichkeiten in hervorragender Weise.

II. Instrumentalwerke: Im Verlag von Chr. Friedrich Vieweg, Berlin-Großlichterfelde erschienen nachfolgende Werke: a) Violaschule für den Schul- und Selbstunterricht von Professor **Hermann Ritter.** Preis 3 .ℳ 50 ₰. b) Miszellen, Sammlung von Vortragsstücken verschiedener Tondichter für Altviola und Pianoforte, herausgegeben und bezeichnet vom gleichen Autor. Heft 1 und 2 je 2 .ℳ.

Der bekannte Lehrer an der Kgl. Musikschule in Würzburg hat eine größere Bratschenart erfunden und eingeführt (seit etwa 30 Jahren), welche sich im Bau der alten italienischen Viola nähert und volleren Ton hat als die gewöhnlichen Quartettviolen. Eine Schule für dieses Instrument, mit drei Seiten Vorwort in deutscher, englischer und französischer Sprache und eingestreuten Anweisungen, bringt auf 78 Seiten in Folio die notwendigen Vorübungen in den verschiedenen Lagen, Übungsstücke und auch Beispiele für eine fünfsaitige und für zwei Violen, sowie in allen Tonarten. In den Miszellen sind (1. Heft) Kompositionen von J. S. Bach, Gluck, Mozart und Beethoven, (2. Heft) Fr. Schubert, Robert Schumann und H. Reber vom Herausgeber arrangiert und mit einfacher Klavierbegleitung versehen. Manches Streichquartett kömmt nicht zustande, weil es an Altviolaspielern fehlt, und doch ist dieses Instrument ebenso wichtig als schön und ausdrucksvoll.

c) Suite für Streichorchester, Klavier und Harmonium von V. F. Skop. 1. Präludium, 2. Ländler, 3. Langsamer Walzer, 4. *Andante con variazioni,* 5. Finale. Op. 15. Partitur und Stimmen 2 .ℳ. Auch kleinere Kreise von Musikliebhabern werden sich mit diesen fünf Tonsätzen gut zurechtfinden. In Kreisen, wo Hausmusik gepflegt wird, in Vereinen, wo ein Klavier, ein Harmonium und ein Streichquintett zur Verfügung stehen, auch in Klerikal- und Lehrerseminarien ist die Suite oder einzelne Teile derselben sicher eine willkommene Bereicherung eines guten Musikrepertoirs für Unterhaltungszwecke.

III. Bücher und Broschüren: *Les Idées de S. S. Pie X. sur le Chant de l'Eglise* von **Pierre Aubry.** Paris, L. de Soye et Fils, Imprimeurs, Rue des Fosses-Saint Jacques, 18. Eine Artikelserie des Verfassers im „Correspondant" über das *Motu proprio* des Heiligen Vaters Pius X. ist als Einzelabdruck erschienen und verbreitet sich in geistreicher und trefflicher Weise über Inhalt, Bedeutung und Tragweite der päpstlichen Kundgebung mit besonderer Rücksicht auf französische Verhältnisse.

Über die Bildung der menschlichen Stimme und ihres Klanges beim Singen und Sprechen veröffentlichte der Professor und Direktor der Universitätsklinik für Ohren-, Nasen- und Halskrankheiten zu Leipzig Dr. **Adolph Barth** 1904, auf 71 Seiten in 8° Betrachtungen vom physiologisch-physikalischen Standpunkte aus mit 13 Abbildungen. Preis 1 .ℳ 20 ₰. Johann Ambros Barth, Leipzig. Soweit theoretische Beobachtungen und Anweisungen die menschliche Stimme zu bilden und zu regeln vermögen, wird sich jeder Lehrer oder Rhetorikprofessor, auch wenn er nicht Sänger ist, aus dieser Broschüre bewährte Grundsätze und Regeln erholen können.

Verbessert das Alter und vieles Spielen wirklich den Ton und die Ansprache der Geige? Eine ketzerische Studie von Sanitätsrat Dr. **Max Grossmann** in Friedrichsfeld bei Berlin, 82 Seiten in 8°, 1 .ℳ 50 ₰. Berlin, Verlag der „Deutschen Instrumentenbauzeitung". In Kommission: Breitkopf und Härtel, Leipzig. Die 82 Seiten sind im Grunde genommen persönlicher, aber nicht verletzender Streit gegen jene, welche annehmen und sagen: „Eine gute Geige ist auch gleichbedeutend mit einer alten Geige." Der Verfasser hat nach seiner Theorie die sogenannten Seifertschen Geigen bauen lassen und verteidigt dieselben. Er schließt u. a. mit den Sätzen: „Nichts hat dem Geigenbau so sehr geschadet, wie die Irrlehre vom Ausspielen, die jedes Streben nach Vervollkommnung lähmte ... Auch für den Geigenbau wird wieder eine bessere Zeit kommen, entsprechend der Blütezeit des altitalienischen Geigenbaues, das ist sicher, und die Geigen aus dieser besseren Zeit werden in nichts den alten guten italienischen Geigen nachstehen, auch ohne die gütige Mitwirkung des Alters und des Ausspielens."

Mich. Hallers Übungsbuch zum „*Vade mecum* für Gesangunterricht", eine praktische Lese-, Treff- und Vortragsschule, Regensburg, Fr. Pustet, ist in doppelter, (6. und 7.) Auflage erschienen, denn es hat sich bewährt und wird besonders für den Kirchengesang noch lange seine Dienste tun. Preis gebunden 1 .ℳ.

Im Verlag von J. J. Weber in Leipzig erschien J. C. Lobe, „Katechismus der Musik", neubearbeitet von **Friedrich Hofmann.** 28. Auflage. Preis gebunden 1 .ℳ 50 ₰. Er will in 40 Kapiteln auf 170 Seiten in Form von Frage und Antwort über alle Zweige der Musik belehren, natürlich kurz und nur für diejenigen, welche mitreden wollen, wenn es sich um Musik handelt.

165

„Unsere Lage." Ein Wort zur Choralfrage in Deutschland nach den neuesten Kundgebungen Pius X. und der Kongregation der heiligen Riten von P. **Raphael Molitor**, Benediktiner von Beuron. Mit oberhirtlicher Druckgenehmigung. Regensburg. Fr. Pustet. Preis 80 ₰. Verfasser stellt vier Fragen: „Was wird uns die Vaticana bringen? Welche Vorteile bietet eine allgemeine Ausgabe im Vergleich zu verschiedenen Diözesanausgaben? Sind die alten Melodien unseren Chören nicht zu schwer? Was soll in der nächsten Zukunft geschehen?" Er beantwortet sie in populärer Weise mit vielen Illustrationen aus 8 Drucken von 1490—1536 unter Vergleichung mit dem *Liber usualis* von Solesmes 1903 und kömmt bei der 4. Frage zu der Antwort, welche auch der Cäcilienverein bei der 17. Generalversammlung gegeben hat: „Bis die *Vaticana* erschienen sein wird, bleibe man ruhig bei seinen bisherigen Büchern, wenn nicht der Hochwürd. Diözesanbischof anders verfügt. Inzwischen kann und soll der Chorleiter womöglich über den alten Choral sich unterrichten. Bevor nicht wenigstens die ersten Schwierigkeiten überwunden sind, ist der Gebrauch der alten Melodien im Gottesdienste nicht zu empfehlen. Man würde sonst die schönen Gesänge verunstalten, den Chor an den schlechten Vortrag gewöhnen und ihm allerhand Fehler anerziehen. Ruhige, überlegte, fortgesetzte und immer mit weiser Berechnung seiner Kräfte vorgenommene Arbeit wird am ehesten Erfolg verheißen."

„Aber so haben wir doch dreißig Jahre umsonst gearbeitet!" — Nein, lieber Leser, es ist nicht umsonst gewesen, was man Gott zulieb mit solchen Opfern getan hat. Es ist dein Mühen auch der Kirchenmusik zugute gekommen. Aber jetzt glaubt der Heilige Vater mit den alten Melodien etwas noch Besseres zu erreichen, und das darf dich nicht mutlos machen. Im Gegenteil, wer es bis jetzt aufrichtig gemeint hat, wird sich gerne dem Willen des Heiligen Vaters fügen und tun, was er vermag. . . . So darfst du, lieber Leser, der Zukunft vertrauensvoll entgegensehen. Tut ein jeder, was er kann, so mag er das andere Gott überlassen."

Die Register der menschlichen Stimme und ihre Behandlung. Kurzgefaßte Anleitung zur Ausbildung von Singstimmen mit einer Notenbeilage zum praktischen Gebrauch von H. **Schmidt**, Hagen i. W. 1904. Kommissionsverlag von J. Fusangel. 12 Seiten Text, 4 Seiten Noten. 25 ₰. Im Hinblick auf die große Gesangschule von Nehrlich bringt der Verfasser wohlbegründete Bedenken über die Entwicklung der Stimmregister. Er spricht über das Wesen derselben und ihre Behandlung: a) Erziehung zur Normaltätigkeit, b) Ausdehnung, c) Ausgleich der Register. Für jeden Gesanglehrer ist die Broschüre nützlich, ja notwendig.

Festschrift zur Feier des 50jährigen Bestehens des Vereins für Kirchengesang zu Frankfurt a. M. Im Auftrage des Vorstandes verfaßt von J. Schneider, I. Vorsitzender. Anton Heil, Frankfurt a. M. Die Bildnisse von Johann Schneider und dem Dirigenten Georg Krug zieren diese Festschrift. (80 Seiten in 8°.) Dieselbe gibt Zeugnis von dem Eifer des unter dem Namen „Verein für katholischen Kirchengesang" 1851 gegründeten Vereins in der damals noch einzigen ehemaligen Reichsstadt a. M. Die Statistik stellt 53 Konzertaufführungen fest, die in der Stadt, in Cronberg, Homburg, Höchst a. M. in Konzertform stattfanden, zählt die aufgeführten Chorwerke, sowie die Namen der aktiven und passiven Mitglieder auf, endlich die seit 1878 beim Gottesdienste vorgetragenen Kompositionen.

Über die kirchliche Feier des Vereins im Frankfurter Dom wird die Redaktion unten berichten.

Kataloge. Der Redaktion liegen nachfolgende Musikkataloge vor, in denen teils antiquarisch, teils als Novitäten die verschiedensten theoretischen und praktischen Werke in reichster Auswahl, auch für Kirchenchöre, unter Preisangabe verzeichnet sind. Die betreffenden Buchhandlungen versenden dieselben franko und gratis auf Verlangen. 1. Lagerkatalog Nr. 48 von Rich. Bertling in Dresden A., Viktoriastraße 6. Daraus sind besonders hervorzuheben: Hymnologie. Liturgik. alte und neue Kirchenmusik. — 2. Die Monatsmitteilungen und Neuausgaben von Breitkopf & Härtel in Leipzig. — 3. Antiquariat Hermann Augustin, Berlin C 19, Gertraudenstraße 11—12. Ausschließlich Pianoforte zu zwei und vier Händen. — 4. Aus dem Antiquariatsanzeiger Nr. 13 von Viktor Eytelhuber, Wien VIII. I., Alserstraße 19., die Nummern 521—539, theoretische Werke über Musik. — 5. Die Antiquariatskataloge Nr. 144 (spanische und portugiesische Werke über Musik, Liturgie usw., Nr. 154 (Instrumentalmusik vom 16. bis 19. Jahrhundert) und Nr. 155 (Autographen von Musikern etc.) des Antiquariats Leo Liepmannssohn, Berlin SW., Bernburgerstraße 14. — 6. Die im August d. J. erschienenen Kataloge liturgischer Werke und über Kirchenmusikalien mit Druck-, Illustrations- und Musikproben von Fr. Pustet in Regensburg. — 7. Die Antiquariatskataloge von C. F. Schmidt, Heilbronn a. N., Cäcilienstraße Nr. 62 und 64, Musikalien aus allen Disziplinen und Fächern, und zwar Nachtrag von 1900 1904. Nachruf P. Hövelers an Pet. Piel und vollständiges Verzeichnis des † Meisters von L. Schwann in Düsseldorf. — 9. Die Mitteilungen Nr. 4 und 5 (Lehrpläne und Lehraufgaben für den Musikunterricht) von Chr. Fr. Vieweg, Berlin W, Großlichterfelde. **F. X. H.**

Vermischte Nachrichten und Mitteilungen.

1. **Frankfurt a. M.**, 8. Nov. Das 50jährige Jubiläum des Vereins für Kirchengesang. Zur Feier des 50jährigen Jubiläums des Vereins für Kirchengesang wurde heute im hohen Dome ein feierliches Hochamt von Hochwürd. Herrn Direktor Hilpisch von St. Leonhard zelebriert. Hochwürd. Herr Stadtpfarrer, Geistl. Rat Dr. Hilfrich hielt die Festpredigt, in welcher er in zu Herzen gehenden Worten das Wesen des Kirchengesanges schilderte und den

Vertretern desselben, besonders dem Jubiläumsverein seinen Dank aussprach. „Welches ist das Vorbild des Kirchengesanges, was ist sein Inhalt, und was sein Ziel?" Diese drei Fragen legte der Hochwürd. Herr zugrunde und schloß der schönen Ausführung die Bitte an, daß die Gläubigen der Pfarrgemeinde doch den Kirchengesang und die Vereine aktiv durch ihre Mitgliedschaft und passiv durch Beiträge unterstützen möchten.

Der Jubiläumsverein sang mit bekannter Meisterschaft eine Messe von Palestrina und einige Kompositionen von den Dirigenten des Vereins. Der Verein hat diesmal Aufstellung im südlichen Querschiff genommen, was ganz gewiß sehr gut war, denn er entwickelte eine Klangfülle und Kraft, welche alle Andächtigen aufs tiefste ergriff.

Nachmittags versammelte sich eine große Zahl von Freunden, Gästen und Mitgliedern des Jubiläumsvereins in dem schön geschmückten Saale der Alemannia.

Der Präsident des Vereins, Herr Johannes Schneider, begrüßte den Hochwürd. Herrn Stadtpfarrer und Kirchenvorstand als Vertreter der katholischen Gemeinde, sowie die zahlreichen Gäste, Damen und Herren. Im Verlauf seiner Rede wies er kurz auf die geschichtliche Entwicklung des Vereins hin und erwähnte, daß der Verein stets nur die Zustimmung, sondern auch die Liebe der kirchlichen Behörden und der Geistlichkeit gehabt habe; ein Beweis dafür sei die Tatsache, daß der Hochwürd. Herr Bischof Dr. Klein ihm wiederholt seine Anerkennung ausgesprochen habe.

Nach dem Hoch auf Papst und Kaiser ergriff der Herr Stadtpfarrer das Wort und brachte die Glückwünsche der katholischen Gemeinde dar. Er sprach vor allem dem Dank dem Vorstande, und in demselben dem Dirigenten, Herrn Gg. Krug, dem Präsidenten Herrn Johannes Schneider aus. Im Anschlusse an den Wunsch, daß auch in Zukunft nur Schönes und Gutes dem Vereine für Kirchengesang beschieden sein möge, verlas der Redner ein Schreiben des Hochwürd. Herrn Bischofs Dr. Dominikus Willi von Limburg.

Nach einer kurzen Einleitung fährt der Hochwürd. Herr Bischof fort: „Ich habe mich von dem verdienstvollen Wirken des Vereins für die Verherrlichung des Gottesdienstes wie für die Förderung caritativer Werke überzeugt. Diese Überzeugung hat mir hohen Genuß bereitet und läßt es mich als Bedürfnis empfinden, dem Verein meine herzlichsten Glückwünsche und meine oberhirtliche Anerkennung für sein treues Wirken auf einem der schönsten und edelsten Gebiete der Kunst auszusprechen. Möge der unermüdliche Künstler, der seit mehr als zwanzig Jahren den Verein in technischer Hinsicht so hingebend und erfolgreich leitet, der nun auch schon über sechzehn Jahre mit rühmlicher Ausdauer und tätigem Interesse für den Verein wirkende erste Vorsitzende die Erfüllung ihrer sehr berechtigten Wünsche bezüglich Vermehrung des Chores bei der ehrenvollen Jubelfeier des Vereins als schönstes Festgeschenk erfahren und der Verein, der Seelenzahl der heutigen katholischen Gemeinde Frankfurt entsprechend verstärkt, fortführen, seinen Idealen mit der in fünfzig Jahren bewährten Treue und immer reicherem Erfolge vorzustreben. Ich fasse meine Wünsche in der Erteilung des bischöfl. Segens zusammen und beharre mit dem Ausdrucke meines verbindlichsten Dankes für die freundliche Zusendung der Festschrift Euer Wohlgeboren ergebenster Dominikus Willi, Bischof von Limburg."

Am 9. November. Fünfzig Jahre der musikalischen, speziell der kirchenmusikalischen Kunst gedient zu haben, ist wahrlich ein schönes Verdienst, das jeden Jubelverein und jedes einzelne Mitglied mit dem Gefühl der Freude und des Stolzes erfüllen muß. Aus diesem Anlaß hat es darum auch der Verein für angezeigt erachtet, einmal über den Rahmen seiner gewohnten Veranstaltungen hinauszugehen. Im festlich geschmückten Saale des Zoologischen Gartens fand das Festkonzert statt. Es war ein guter Gedanke des musikalischen Leiters, das Programm in seiner ersten Hälfte den Meistern der altklassischen Polyphonie zu widmen. Palestrina, dessen unvergleichliches Meisterwerk Missa Papæ Marcelli am Sonntag im Dom zur Aufführung gelangt war, kam mit Hodie Christus natus est und Dum complerentur und Orlando di Lasso mit den beiden ersten Teilen aus der Messe: Bell amfitrit altera zu Wort. So unendlich weit beide im musikalischen Ausdruck sich voneinander entfernen, so harmonisch gehen sie doch in ihrer erhebenden Wirkung nebeneinander herzugehen. Der geistvolle Ambros hat dies so treffend in die Worte zu kleiden gewußt: „Wenn der eine auch die Engel hernieder führt, der andere die Menschen zu ewigen Höhen emporhebt — im Lichte des Ideals begegnen und einigen sich beide." Die herrliche sechsstimmige Pfingstmotette Dum complerentur, die der gleichnamigen sechsstimmigen Messe zugrunde liegt, wurde von dem trefflich geschulten Chor überaus schön gesungen, schlicht und bescheiden und doch getragen von jener hochzeitsvollen Stimmung. Auch von Gabrieli, dessen jauchzendes Jubilate frisch und klangvoll das Festkonzert einleitete, sind uns herrliche kirchliche Gesänge überliefert, und die Musikgeschichte hat von ihm als einem verdienstvollen Kirchenkomponisten ebenfalls Notiz genommen. — Alle diese im strengen a capella-Satz der alten Schule, nicht leichten Chöre wurden von dem Verein in subtiler Ausführung: rein im Ton und leicht beweglich in den Stimmen dargeboten. Herr Georg Krug, der nunmehr über 20 Jahre lang den Jubelverein leitet, hat es verstanden, gerade in diesem Gesange und Sängerinnen sattelfest zu machen und sie von Stufe zu Stufe zu ihrer heutigen Leistungsfähigkeit emporzuheben.

Der zweite Teil des Programms brachte Beethovens C-dur-Messe für Chor, Soli und Orchester, ein Werk, das zwar selten gehört wird, aber nichtsdestoweniger durch eine Reihe schöner Einzelheiten und kunstvoll gestalgerter Momente geadelt erscheint. Der Chor hatte auch hier wiederum Gelegenheit, seine rhythmische und tonale Sicherheit und Ausdrucksfülle in bestem Licht zu zeigen. Doch auch die Solopartien wurden korrekt und edel im Ton ausgeführt. (Die Redaktion der Musica sacra erlaubt sich nachträglich ihre besten Glückwünsche zum „Jubiläum des „Frankfurter Kirchenchores" an dieser Stelle auszusprechen. Ad multos annos; semper excelsior!)

2. ⊙ **Berlin.** Verein römisch-katholischer Organisten und Chordirigenten Berlins und der Vororte. Unter großer Teilnahme der Katholiken der Berliner und Vorortsgemeinden wurde das Jahresfest des Vereins am vergangenen Sonntag in der St. Ludwigskirche abgehalten. Der Festgottesdienst bestand in einer liturgischen Vesper, welche Herr Pfarrer Milz unter Assistenz in feierlicher Weise abhielt. Für die Besucher des Gottesdienstes waren die Texte der Vesper in lateinischer und deutscher Sprache mit liturgischen Erklärungen besonders gedruckt worden. Eine praktische, das Verständnis der Liturgie fördernde Einrichtung! Bei der Vesper sang der Kirchenchor von St. Ludwig die vom Heiligen Vater gewünschten traditionellen gregorianischen Gesänge. Es ist überraschend, wie schnell sich der Chor in die neuen Akzente und Rhythmen eingelebt hat. Der ausgezeichnete Dirigent, Herr Jos. Fitzen, hat bei Vorsängern und Chor Deklamation, Tempo und Vortrag bis ins einzelne sorgfältig geregelt. Mit den Choralversen in den Psalmen, im Hymnus und Magnifikat wechselten übrigens mehrstimmige Falsibordonisätze ab, welche vom gemischten Chor in lebhafter Schattierung vorgetragen wurden. Die Perle der Antiphonen, das *Salve Regina*, schloß — von der Orgel stimmungsvoll begleitet — die Vesper ab, *Tantum ergo* und sakramentaler Segen folgten. — Möchte es dem tüchtigen, für die Sache begeisterten Dirigenten recht bald gelingen, neben dem Kirchenchor noch einen starken Männerchor heranzuziehen, der etwa vom Schiff, oder vom Presbyterium der Kirche aus, die Psalmen, abwechselnd mit dem Chore singt, oder aber die Gemeinde aktiv an der Ausführung einzelner liturgischer Gesänge zu beteiligen. Dann würden die wirklich künstlerischen Leistungen des Kirchenchores noch intensiver hervortreten und volkstümlicher wirken. Beweis dafür ist der Vortrag eines fünfstimmigen *Et incarnatus* und *Crucifixus* nach dem Volksliede: O Christ hie merk', der in seiner Abtönung tiefen Eindruck auf alle Anwesenden machte. — Dem trefflichen Kirchenchore, der durch die Unterstützung des Hochwürd. Herrn Pfarrer Milz und die Tüchtigkeit seines Dirigenten Herrn Fitzen, eine so respektable Höhe erreicht hat, wünschen wir eine nachhaltige Förderung auch von seiten der Gemeindemitglieder. Eine solche Institution zu fördern, ist schließlich auch eine Pflicht gegen die Kirche selbst. — Mit Recht konnte bei dem nachfolgenden zwanglosen Beisammensein der Teilnehmer in den Prachtsälen des Westens Herr Chordirigent Pritze im Namen des Organistenvereins auf die sich stetig steigernden Leistungen und die wachsende Teilnahme an den Veranstaltungen des Vereins hinweisen. Mit Freude und Heifall nahmen die Anwesenden ferner die Nachricht von dem Wohlsein des Hochwürd. Herrn Protektors, des Herrn Prälaten Karl Neuber, auf und votierten später den Dank Herrn Pfarrer Milz, überhaupt der Geistlichkeit von St. Ludwig, dem Kirchenchor und seinem Dirigenten für den schönen Festgottesdienst. Für die musikalische Ausgestaltung des Zusammenseins hatte bestens der St. Dominikusgesangverein (Moabit) gesorgt, welcher unter der aufreuernden Leitung seines Dirigenten, Herrn Jos. Depène, die wirkungsvolle Commersche Festmotette: „Jerusalem, Freude ward dir verheißen", sowie mehrere weltliche Lieder in den lebhaftesten Beifallsbezeigungen der Zuhörer exekutierte und dadurch nicht wenig zur Erhaltung der festlichen Stimmung beigetragen hat. Die warmen Dankesworte des Vorsitzenden waren reichlich verdient.

3. ⚎ **Montabaur**, 14. Nov. Die gestrige Musikaufführung des Kgl. Lehrerseminars hatte sich eines so zahlreichen Besuches zu erfreuen, daß auch der letzte Platz der prächtigen Aula besetzt war. Der fremde Besucher, der zum ersten Male eintrat in den freundlichen, schmucken Raum, konnte sofort erkennen, daß sich die Musikaufführungen des Seminars einer weitgehenden Beliebtheit erfreuen.

Pünktlich um 5 Uhr nahm das Konzert seinen Anfang. Die vorzüglich ausgewählten und gewandt verteilten Volksweisen des Programms verdolmetschten uns nun die Gefühle und Regungen der Volksseele. Wie ergreifend berührten uns die schwermütigen schottischen Weisen. Zu bewundern war in diesen, wie auch in einigen anderen Nummern, besonders das reine, gleichschwebende *Piano*, das — oft bis zum *Pianissimo* sich steigernd — nicht zu unterschätzende Anforderungen an den Chor stellte.

In dem venetianischen Schifferliede zeigte sich besonders die gute Schulung des Chores, der mit anerkennungswerter Selbstbeherrschung auf die Intentionen des Leiters einging und in den Einsätzen sowohl als auch im Wechsel zwischen *Piano* und *Forte* pünktlich folgte. Von den beiden Chören „Der Schweizer" und der „Der Soldat" gefiel besonders der erstere an. Von besonderer Eigenart war die slavische Volksweise „Schwesterlein", in welcher das Wechselgespräch zwischen Bruder und Schwester gesanglich sehr gut wiedergegeben wurde. Das anmutige Wiegenlied, ein musikalisches Produkt nassauischen Volksempfindens, darf zu den schönsten Nummern des Programmes gerechnet werden. Wie angenehm empfand das Ohr die Abwechslung, welche durch das Hinzutreten der frischen Knabenstimmen geboten wurde! Wie einfach, schlicht und anheimelnd sprach dieses liebliche Wiegenlied zum Herzen! Mit Spannung erwartete man die folgende Nummer, ein Arrangement der Seminaristen der 1. Klasse. Wo auf dem Westerwalde der Laut man nicht singen: „Einst war ich so glücklich". Wie neu und doch, wie heimatlich traut stellte sich dieses Liedchen in geordnetem Gewande den Hörern vor. Besondere Anerkennung verdienen noch die Orgel- und Klaviervorträge einzelner Schüler des Seminares. Die schönen Register des Aulaorgel kamen besonders in dem Trio von Perosi zur Geltung. Von erfrischender Wirkung war der Schlußchor, ein Jägergesang, männlich-kräftig und von rechter Art. Wie stolz schritt der Baß auf den begleitenden anderen Stimmen dahin, wie freudig tönte das „Jägertrara!"

Der Leiter des Konzertes, Herr Seminarlehrer Karl Walter, darf mit voller Befriedigung auf die Darbietungen seiner Schüler zurückblicken und des wärmsten Dankes aller Besucher versichert sein. Er verschaffte uns einen Einblick in das Wesen des gerade in letzter Zeit so viel besprochenen

Volksliedes, der von höherem Werte ist und deutlicher spricht, als eine schriftliche Besprechung des Volksgesanges. Er ließ das Volkslied selbst zu uns sprechen, und bot damit Erläuterung und herrlichen, klaren Genuß zugleich. M.

4. ♈ Constanz. Bei der 300jährigen Jubelfeier des Constanzer Gymnasiums, die unter Beteiligung aller Stände am 18. Oktober stattfand, war auch die edle Musica in würdigster Weise vertreten. Besondere Erwähnung verdient die Aufführung der „Antigone" des Sophokles mit der Musik von Mendelssohn-Bartholdy (deutsche Übersetzung von Wendt). Die Constanzer Zeitungen waren voll des Lobes über die Leistungen der Schüler, welche unter Leitung des Rektors der Jubelanstalt, Herrn Hofrat Matthy, und für die Musik des Münsterchordirektors, Herrn Ernst von Werra, und einer Abteilung der Regimentsmusik jubelnden Beifall der Festgäste und Zuhörer ernteten. Die Chöre zeugten von eifriger Schulung und einsichtsvollem Eindringen in die Komposition; die Antigone-Aufführung erzielte überhaupt so großen Beifall, daß sie bei ausverkauftem Hause zum dritten- und letztenmal am 29. Oktober im Inselhotel stattfinden konnte.

Vom Festessen am 18. Oktober berichtet die „Constanzer Zeitung" in Nr. 292: Der Festsaal des Inselhotels sah kaum je so viele Tafelgäste; es mochten über 400 sein, fast alle in bunten Behauptungen. Der Speisezettel trug ein originelles Gewand nach einem Entwurf von Professor Gagg. Die Ätzung war darauf wie folgt verzeichnet:

Trachterodel.

Valsch schildkroteussuppe,
Forelle uzem Bodemese mit Herdepelin uude niderlendischer brüeje,
Kalbeshamme, ringe gepraten, mit maneger slahte bigerichte,
Kumpost mit schinken uude würstelin uz Frankfurten.
Gepraten rech mit pfeffer uude salat.
Ein kurche zer vrowen gedenknisse.
Obez uude allerleie naschunge.

Essen ze unserer Scharlen Hochgezite
18. Okt. 1904.
Kosteutz in der Insel sal.

Gegessen ohn getrunken, ist gehunken.
Getrunken ohn gegessen, zwischen zween Stühl g'sessen.

Auf der Rückseite folgte die lateinische Übersetzung dieses „Ordo Ferculorum" (Gerichtefolge). An letzter Stelle stand das Programm der Tafelmusik, welche die Regimentsmusik in altbewährter Güte darbot, und darunter war der markige Constanzer Pennäler-Marsch, den der Unterprimaner K. Janson komponierte."

5. ♅ Der Gesang in unseren Volksschulen. „Greif niemals in ein Wespennest, doch wenn du greifst, so greife fest!" Dies Dichterwort kam uns schon oft in den Sinn, wenn wir auf Grund einer reichlichen Erfahrung die weitverbreitete Vernachlässigung des Gesangs in unseren Volksschulen mit schmerzlichem Bedauern wahrnehmen mussten. Und doch regt nichts so sehr das Gemüt an wie das Lied, und ein rechter Gesang hat eine veredelnde, sittigende Kraft. Ja, sagt Keller, „gute Lieder sollen einen Schatz für das Leben bilden, so daß die Kinder auch über die Schuljahre hinaus noch gerne singen, was sie in der Schule gelernt haben. Durch die Verknüpfung des Singens mit dem Schulleben erfahren die Kinder, wozu man das Singen braucht, und so tragen sich die eingeübten guten Lieder leichter in das Familien- und Volksleben ein," und fügen wir hinzu, die rohen, vielfach geist- und gemütslosen Gassenhauer unserer Jugend würden und werden allmählich verschwinden, wenn in der Schule gehaltvolle Vaterlands- und Volkslieder richtig eingeübt und fleißig gesungen werden. Welch erbärmliches Gejohle kann man so oft in Wirtschaften, auf den Straßen usw. hören, ein bedauerliches und tiefbeschämendes Armutszeugnis für unsere so hochgepriesene Volksschulbildung! Zwar verlangt z. B. die schwäbische Lehrordnung (Seite 47): „Während der ganzen Schulzeit müssen die Kinder die nötigen Kirchenlieder und außerdem wenigstens zwölf andere Lieder dem Gedächtnisse einprägen und singen lernen," und ist hiefür eine Wochenstunde im Lehrplan festgesetzt sowohl für Winter- als auch Sommerschule. Allein wir fragen offen und ehrlich: In wieviel Landschulen wird die Gesangsstunde verkürzt oder überhaupt noch eingehalten und für andere Gegenstände verwendet? Nicht Animosität gegen den Lehrerstand veranlaßt uns, auf diese brennende Wunde den Finger zu legen, sondern die Liebe zum Volke, das singen will und in Ermangelung von guten und gehaltvollen Liedern zu gemüts- und schamlosen Gesängen greift. Soll es in diesem überaus wichtigen Punkte endlich einmal besser und unser Volk von Kindheit auf für edlen Gesang begeistert werden, dann muß die Pflege des Volksliedes in der Schule beginnen und von dort aus in das Volksleben eindringen. Ein ganzer Erfolg in dieser Richtung ist aber nur möglich, wenn zu Achst Lehrer und Schulbehörden einträchtig zusammenwirken. Hierzu rechnen wir vor allem eine verständnisvolle Auswahl wirklich schöner Lieder, wovon aber nicht bis zum Überdruß immer die gleichen gesungen werden dürfen, daß selbst die Spatzen auf dem Schuldach die Flucht ergreifen. Als Übungsinstrument verlangt die Lehrordnung eine Geige, aber eine vollbesaitete, oder ein anderes geeignetes Instrument, z. B. ein Schulharmonium, das um billigen Preis (80—100 M) käuflich, in den meisten Fällen recht erspreißliche Dienste leisten wird. Sache der Schulbehörden wird es dann sein müssen, durch entsprechende Kontrolle während des Jahres und besonders gelegentlich der Schulprüfungen das Verständnis und Interesse für dieses Volkserziehungsmittel zu bekunden; der Lehrer wird hiedurch auch wieder neue Lust und Liebe zu dem vielfach von oben herab vernachlässigten Volksgesange verspüren. Wir wissen, daß obige Zeilen vielleicht manche Erwiderung veranlassen werden. Aber wir sind gefaßt und sind der festen Überzeugung, daß diese Ausführungen, aus wohlmeinendem Herzen kommend, in den Herzen aufrichtiger Volksfreunde nicht mit Unmut aufgenommen, sondern ein freudiges Echo finden werden!

6. ? Regensburg. Turmuhr und Patrozinium der St. Cäcilienkirche. Acht Tage vor dem Feste der heil. Cäcilia ist die Turmuhr, deren vier zierliche Schilder die Besucher des Katholikentages und der 17. Generalversammlung stumm angeblickt haben, in Bewegung und Tätigkeit. Der Stadtmagistrat Regensburg hat diese öffentliche Uhr der Cäcilienkirche zum Geschenke gemacht. Das Werk ist von einem einheimischen Künstler, Herrn Mechaniker Johann Frischmann in Eisenhammer bei Laaber (Eisenbahnstation zwischen Regensburg und Nürnberg) gefertigt worden und zeichnet sich durch präzise Gang- und Schlagmechanik in hervorragender Weise aus. Alle Räder sind aus Bronze und aufs feinste poliert, die Hebdaumenkränze der Schlagwerksräder sind aus Tiegelstahlguß, während alle Wellen, Triebe und Quadraturhebel aus feinstem Gußstahl gefertigt und die Angriffsflächen gehärtet sind. Die Uhr besitzt Zeigerlaufwerk und konstante Kraft. Das Pendel ist mit den genauesten Reguliervorrichtungen versehen, so daß der Gang auf Sekundenbruchteile geregelt werden kann. Die Konstruktion der konstanten Kraft ist von überraschend einfacher Art; ein Sperrarm vermittelt jede Minute die Auslösung des Zeigerlaufwerkes, sodaß ein Versagen dieser Funktion niemals stattfinden kann. Der sauber gearbeitete und polierte Mechanismus ist in einem von allen Seiten durch Glas geschützten Holzverschlag eingeschlossen.

Eine Neuheit, welche die Bewohner des Ostenviertels überrascht hat, und die Spaziergänger in die Nähe der St. Cäcilienkirche führt, besteht in der Einrichtung, daß die fünf Glocken im Laufe jeder Stunde in Tätigkeit gesetzt werden. Beim ersten Viertel ertönt *a*, beim zweiten schlagen *a* und *g* an, beim dritten erklingen *a*, *g* und *e*, beim vierten vereinigen sich in abwärtssteigender Melodie die Töne *a*, *g*, *e*, *d*, und dann folgt in feierlichem Rhythmus die größte Glocke C in 1 bis 12 Schlägen.

Am Feste der heil. Cäcilia, als dem Patroziniumstage, war um 7 Uhr morgens Hochamt für alle Mitglieder des Cäcilienvereins und die Wohltäter des der Patronin der Kirchenmusik geweihten Gotteshauses. Der Domchor verherrlichte, unter Leitung des H. H. Domkapellmeisters F. X. Engelhart, das Fest durch die Aufführung der 5stimmigen Apostelmesse von Ign. Mitterer mit Choraleinlagen und einem mehrstimmigen Graduale und Offertorium. Am Schlusse der *Missa cantata* wurde der wunderliebliche „Englische Gruß" für 2stimmigen Knabenchor mit Orgel vorgetragen, die erste der zwei außerliturgischen Kompositionen, von welcher der „Regensburger Anzeiger" Nr. 594 geschrieben hat:

„Wohl selten werden religiöse Kompositionen schon bei ihrer erstmaligen Aufführung vor einer überaus zahlreich versammelten, andächtig lauschenden Zuhörerschar mit so großer Begeisterung aufgenommen worden sein, als die beiden von H. H. Domkapellmeister Fr. X. Engelhart komponierten deutschen Lieder: „Der Engel des Herrn" und „Abendgebet". Derselbe brachte sie gelegentlich der Jubiläumsandachten im hohen Dome mit seiner ausgezeichneten Kapelle zur Aufführung. Zwei, einem jeden Katholiken wohlbekannte Gebete sind es, welchen Herr Domkapellmeister für 2 Solostimmen und Chor mit Orgel- (oder Harmonium-) Begleitung eine ebenso schlichte und einfache, als innige und liebliche Vertonung gab. Mit Recht kann man sagen, der Komponist habe damit dem gläubigen Volke aus der Seele geschrieben, ja so recht den Volkston getroffen, so daß diese beiden Gesänge überall, wo Sinn und Verständnis für religiöse Lieder vorhanden sind, freudigen Anklang finden und daß sie auch in der christl. Familie sich einbürgern werden."

(Beide Gesänge sind einzeln in drei Ausgaben (A für 2stimmigen Knabenchor. B für Soli und 4stimmigen gemischten Chor, C für 4 Männerstimmen mit Orgel) bei Fr. Pustet erschienen. Die Partitur jeder Ausgabe 20 ₰; Einzelstimmen erscheinen nicht. Als Weihnachtsgesang wird „Der englische Gruß" nach dem liturgischen Hochamt, das „Abendgebet" nach der liturgischen Vesper hoffentlich die „Stille Nacht" oder andere „Wigalawaja-Weihnachtsweisen" aus dem Gotteshause verdrängen und andächtig singen machen! Aber recht andächtig singen müssen sie jedenfalls und deutlich aussprechen! F. X. H.)

7. ⚒ Patent-Coelesticon. Das österr. K. K. Patentamt erteilte dem Orgelbaumeister Albert Mauracher in Salzburg-Mülln das K. K. Patent Nr. 17170 für (transportable) zerlegbare Orgeln mit feststehenden Pfeifen, und sind selbe im Markenschutz Nr. 142 mit dem Schlagwort „Coelesticon" registriert. Diese Instrumente, pneumatisches System, sind so konstruiert, daß sie komplett und die größeren in 2 Teilen (mit Pedal in 3 Teilen) zu transportieren sind und zwar in der Mitte einfach zum abheben, somit ohne Fachmann zusammenzustellen. Die Pfeifen sind feststehend, dabei leicht zum anheben und halten gut Stimmung; die Diskantpfeifen sind nur aus Zinn. Für Institute, Kapellen und Filialkirchen wird sich das Coelesticon ganz besonders empfehlen, weil damit um niedrigen Preis eine hübsche Orgel beigestellt werden kann. (Ohne Verantwortlichkeit der Red.)

8. Berichtigung. In dem Artikel „Meine Reise nach Regensburg" sind hauptsächlich folgende sinnstörende Druckfehler stehen geblieben, die ich zu verbessern bitte: Seite 113 Zeile 5 und 6 von unten ist zu lesen *alleluja* und *qui propter*, S. 115 Z. 16 von oben „gesättigt" statt „gefällig", S. 115 Z. 34 von oben „eben" statt „oben", S. 116 Z. 31 von oben „im vollen Werke", S. 116 Z. 12 von unten „leisesten" statt „leichtesten", S. 117 Z. 4 von unten „die Orgel" statt „sie", S. 117 Z. 3 von unten „daher" statt „doch", S. 118 Z. 2 von oben „vielfach" statt „einfach".

Paul Krutschek.

9. ⚹ **Bamberg.** (Diözesan-Cäcilienverein.) Der Verein beging das Fest seiner heiligen Patronin kirchlich durch Aufführung der 5st. Messe *Quul domina* von Orlando di Lasso und eines Motetts *Cantantibus organis*, 5st. von Haller, seitens des Domchores, weltlich durch eine Festversammlung, in welcher der Diözesanpräses, H. H. Geistl. Rat und Domkapellmeister Thomas Adler vor den zahlreich erschienenen Mitgliedern das Tema behandelte: „Orientierung in der kirchenmusikalischen Frage", und dann mit Herrn Domorganist Höller je eine Sonate von Beethoven und Mozart unter allgemeinem Beifall zum Besten gab.

10. **Inhaltsübersicht** von Nr. 10 u. 11 des Cäcilienvereinsorgans: Vereins-Chronik: Bestätigung der Vorstandswahl durch Se. Eminenz den Kardinal-Protektor; Diözesanversammlung Rottenburg a. N. — Die 17. Generalversammlung des Allgemeinen Cäcilienvereins. Nach stenographischem Berichte. (Fortsetzung.) — Liturgische Festpredigt. (Von Dr. W. Koch.) Richard Wagner und die Reform der katholischen Kirchenmusik. — Inhaltsübersicht von Nr. 10 und 11 der *Musica sacra*; Partitur gesucht. — Cäcilienvereins-Katalog S. 81—88, Nr. 3151–3170. — Anzeigenblatt. - Nr. 11. Vereins-Chronik: Diözese Münster; Geldern; Düsseldorf; Gries (Diöz. Trient); das Kirchenmusikfest zu St. Martin in Freiburg; Jahresbericht des Cäcilienvereins der Diözese Straßburg pro 1903—1904. — Stenographischer Bericht der 17. Generalversammlung: Geschäftsordnung; Vorstandschaftswahl. (Schluß.) — Vermischte Nachrichten und Notizen: Berichtigung (P. R. Johandl); † Franz Xaver Brücklmayer; † Johann Georg Mayer; der Gesang in unseren Volksschulen. — Ein Fremdwörterbuch. (R. Walter.) — Cäcilienvereins-Katalog S. 89—96, Nr. 3171—3186. — Anzeigenblatt.

Offene Korrespondenz.

Bausteine für die Cäcilienorgel (-Kirche). Übertrag aus *Musica sacra* 1904, Seite 112: **9942** .K. J. B. in V. (Cis in Gamba 8′) 15 .K.; J. K. in T. (d¹ in Subbaß 16′) 3 .K.; am Cäcilienfeste, **Ungenannt** in R. 40 .K. **Summe: 10000** .K. — Demnach **Schuldrest: 2000** .K. Vergelt's Gott!

Die Huldigungs-Adresse an Se. Heiligkeit Papst Pius X., welche bei der 17. Generalversammlung in Regensburg beschlossen wurde (vgl. *Musica sacra* S. 107 und den Wortlaut in Cäcilienvereinsorgan S. 123) und durch den Hochwürdigsten Kardinal-Protektor und Protektor, Se. Eminenz Andreas Steinhuber in Rom, nach Unterzeichnung durch sämtliche Diözesanpräsides, in lateinischer Sprache dem Heiligen Vater überreicht worden ist, wurde, von der Hand Sr. Heiligkeit unterzeichnet, in **huldvollster Weise beantwortet.** Ein von Sr. Eminenz, dem Staats-Sekretär, Kardinal Merry del Val unterzeichneter Begleitbrief, Nr. 8969, dd. vom 23. Nov., gelangte mit dem päpstlichen Breve am Feste der heil. Katharina, 25. Nov., an den derzeitigen Generalpräses. Der Wortlaut des Breve wird in Nr. 12 des Cäcilienvereinsorgans vom 15. Dez. im lateinischen Original mit deutscher Übersetzung veröffentlicht werden.

Den P. T. Herren, welche für den **31. sächsmonatlichen Kurs an der hiesigen Kirchenmusikschule** vom 15. Januar bis 15. Juli 1905 aufgenommen sind, diene zur Nachricht, daß die Eröffnung des Kurses am Sonntag den 15. Januar (Namen Jesu-Fest) nach dem Hochamte in der Kathedrale und dem Gottesdienste in der St. Cäcilienkirche um 11¼ Uhr durch Vorstellung von Lehrern und Schülern stattfindet. Am 16. Januar beginnt der Unterricht.

> Mit antizipierten Glückwünschen zum neuen Jahre an die verehrlichen Abonnenten und Leser der *Musica sacra* verbindet der unterzeichnete Herausgeber dieser Monatschrift, welche 1905 im 38. Jahrgang erscheint, und seit 16 Jahren von ihm redigiert wird, die freundliche Einladung, der *Musica sacra* treu zu bleiben und ihr neue Abonnenten zuzuführen. Er betont neuerdings, dass die billigste, schnellste und sicherste Zustellung durch Postabonnement erzielt wird. Sämtliche Poststellen Deutschlands, Österreichs und der Schweiz vermitteln nach den offiziellen Zeitungskatalogen um den Preis von 3 Mark auch den 38. Jahrgang der *Musica sacra*, der wie bisher monatlich 12 Seiten Text und in zwei Lieferungen 48 Seiten Musikbeilagen enthalten wird. Voraussichtlich werden schon in den ersten Monaten des Jahres 1905 einige Publikationen der vatikanischen Choralbücher vorliegen und Gelegenheit geben, durch belehrende und praktische Anweisungen zum Vortrag der traditionellen Melodien aufzumuntern.
> F. X. Haberl.

Druck und Verlag von **Friedrich Pustet** in Regensburg, Gesandtenstraße.
Nebst Anzeigeblatt, Inhalts-Verzeichnis des 37. Bandes und Bestellzettel für den 38. Jahrgang 1905 der *Musica sacra*.

Adoremus!

Zehn lateinische eucharistische Gesänge

für vier gemischte Stimmen

(für einfachere und mittlere Chorverhältnisse)

komponiert

von

Hermann Bäuerle.

Opus 27.

(9.—12. Musikbeilage zur Musica sacra. XXXVII. Jahrgang. 1904.)

Druck von Friedrich Pustet in Regensburg.

Vorbemerkung.

Vorliegende zehn eucharistische Gesänge wollen im bekannten Sinne des Wortes „Vortragsstücke" sein, d. h. solche, die nicht mit rauher Hand angefasst oder mit überlegener Miene oberflächlich durchgespielt sein wollen, aus denen vielmehr der gewandte Dirigent trotz oder gerade wegen der einfachen, dem Gros der Chöre Rechnung tragenden Faktur etwas machen kann, wenn er nur darauf bedacht ist, die alltäglichen Mängel des Vortrages (nachlässige Aussprache, schleppendes Tempo, monotone Deklamation) fernezuhalten. Die häufigen zarten Stellen mögen in Anbetracht der eucharistischen Texte für delikaten Vortrag speziell empfohlen sein.

Noch sei bemerkt, dass bei Aussetzung des Allerheiligsten (nach römischem Ritus) nicht bloss *Pange lingua*, sondern auch andere heilige Texte vorgetragen werden dürfen: *O salutaris hostia, O esca viatorum, Panis angelicus* etc. Auch können diese sämtlichen Nummern (excl. *Pange lingua*) bei Spendung der heiligen Kommunion sowie bei theophorischen Prozessionen verwertet werden.

Mögen diese Gesänge recht viele Gläubige erbauen — zur Ehre und Freude des guten Hirten im heiligsten Sakrament!

H. Bäuerle.

Zehn lateinische eucharistische Gesänge.

1. Pange lingua.

H. Bäuerle.

Sopran. Alt.

1. Pan - ge lin - gua glo - ri - ô - si Cór - po - ris my-
2. No - bis da - tus, no - bis na - tus Ex in - tá - cta
3. Tan - tum er - go Sa - cra - mén - tum Ve - ne - ré - mur
4. Ge - ni - tó - ri, Ge - ni - tó - que Laus et ju - bi-

Tenor. Bass.

1. sté - ri - um, San - gui - nis - que pre - ti - ô - si,
2. Vir - gi - ne, Et in mun - do con - ver - sá - tus,
3. cér - nu - i: Et an - ti - quum do - cu - mén - tum
4. lá - ti - o, Sa - lus, ho - nor, vir - tus quo - que

1. Quem in mun - di pré - ti - um Fru - ctus ven - tris
2. Spar - so ver - bi sé - mi - ne, Su - i mo - ras
3. No - vo ce - dat ri - tu - i: Præ - stet fi - des
4. Sit et be - ne - di - cti - o: Pro - ce - dén - ti

174

1. ge - ne - ró - si Rex ef - fú - dit gén - ti - um.
2. in - co - lá - tus Mi - ro clau - sit ór - di - ne.
3. sup - ple - mén - tum Sén - su - um de - fé - ctu - i.
4. ab u - tró - que Com - par sit lau - dá - ti - o.

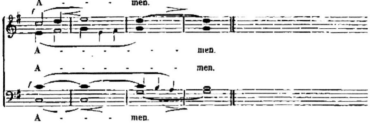

A - - - men.

A - - - men.

A - - - men.

A - - - men.

2. Pange lingua.

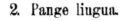

Zarter Vortrag.
mf

1. Pan - ge lin - gua glo - ri - ó - si Cór - po -
2. No - bis da - tus, no - bis na - tus Ex in -
3. Tan - tum er - go Sa - cra - mén - tum Ve - ne -
4. Ge - ni - tó - ri, Ge - ni - tó - que Laus et

1. ris my - sté - ri - um, San - gui - nis - que pre - ti -
2. tá - cta Vír - gi - ne, Et in mun - do con - ver -
3. ré - mur cér - nu - i: Et an - ti - quum do - cu -
4. ju - bi - lá - ti - o, Sa - lus, ho - nor, vir - tus

1. ó - si, Quem in mun-di pré - ti - um Fru - ctus
2. sá - tus, Spar-so ver-bi sé - mi - ne, Su - i
3. mén - tum No-vo ce-dat ri - tu - i: Præ-stet
4. quo - que Sit et be-ne-di-cti - o: Pro-ce-

1. ven - tris ge - ne - ró - si Rex ef-fú - dit
2. mo - ras in - co - lá - tus Mi - ro clau - sit
3. fi - des sup - ple - mén - tum Sén - su - um de-
4. dén - ti ab u - tró - que Com - par sit lau-

Ruhig.

1. gén - ti - um. A - men.
2. ór - di - ne.
3. fé - ctu - i.
4. da - ti - o.

3. Pange lingua.

Elastischer Vortrag.

1. Pan - ge lin - gua glo - ri - ó - si Córpo - ris my-
2. No - bis da - tus, no - bis na - tus Ex in - tá - cta
3. Tan - tum er - go Sa - cra - mén - tum Ve - ne - ré - mur
4. Ge - ni - tó - ri, Ge - ni - tó - que Laus et ju - bi-

6

1. sté - ri - um, San - gui - nis - que pre - ti - ó - si,
2. Vír - gi - ne, Et in mun - do con - ver - sá - tus,
3. cér - nu - i: Et an - tí - quum do - cu - mén - tum
4. lá - ti - o, Sa - lus, ho - nor, vir - tus quo - que

1. Quem in mun - di pré - ti - um Fru - ctus ven - tris
2. Spar - so ver - bi sé - mi - ne, Su - i mo - ras
3. No - vo ce - dat ri - tu - i: Præ - stet fi - des
4. Sit et be - ne - di - cti - o: Pro - ce - dén - ti

1. ge - ne - ró - si Rex ef - fú - dit gén - ti - um.
2. in - co - lá - tus Mi - ro clau - sit ór - di - ne.
3. sup - ple - mén - tum Sén - su - um de - fé - ctui.
4. ab u - tró - que Com - par sit lau - dá - ti - o.

A - - - - men.
A - - - men.
A - - - men.
A - - - men.

4. Pange lingua.

Feierlicher Vortrag.

1. Pan-ge lin-gua glo - ri - ó - - si Cór - po-ris my-
2. No - bis da - tus, no-bis na - - tus Ex in - tá - cta
3. Tan-tum er - go Sa - cra-mén - tum Ve - ne - ré - mur
4. Ge - ni - tó - ri, Ge - ni - tó - - que Laus et ju - bi -

1. sté - ri - um, San - gui - nis-que pre - ti - ó - - si,
2. Vir - gi - ne, Et in mun-do con - ver - sá - - tus,
3. cér - nu - i: Et an - ti-quam do - cu - mén - tum
4. lá - ti - o, Sa - lus, ho - nor, vir - tus quo - - que

1. Quem in mun - di pré - ti - um Fru - ctus ven - tris ge - ne -
2. Spar - so ver - bi sé - mi - ne, Su - i mo - ras in - co -
3. No - vo ce - dat ri - tu - i: Præ - stet fi - des sup - ple -
4. Sit et be - ne - di - cti - o: Pro - ce - dén - ti ab u -

1. ró - - si Rex ef - fú - dit gén - - ti - um.
2. lá - - tus Mi - ro clau - sit ór - - di - ne.
3. mén - - tam Sen - su - um de - fé - - ctu - i.
4. tró - - que Com - par sit lau - dá - - ti - o

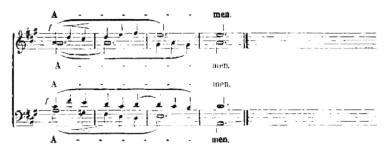

5. O salutaris hostia.

6. O esca viatorum.

1. Te quæ-rén-ti - um, Cor Te quæ-rén - - - tí - um.
2. u - na súf-fi - cis, His u - na súf - - - fi - cis.
3. ná-mus á-ci - e, Cer-ná-mus á - - - ci - e.

7. Panis angelicus.

Feierlicher Vortrag.

hó - mi -

Pa - nis an - gé - - li - cus fit pa - nis hó - mi -
pa - - - nis hó - mi

num, Dat pa - nis cœ - - li - cus fi - gú - ris tér - mi - num:
num;
num;

pp Sehr zart.

O res mi - rá - - bi - lis! O res mi -

rá - bi - lis! Man-dú-cat Dó - - mi-num
Dó - mi-num

Pau - per, ser - vus et hú - - mi - lis, Pau-per, ser - vus et

hú - mi - lis.

8. Jesu, dulcis memoria.

1. Je - su dul - cis me - mó - ri - a, Dans ve - ra cor - dis
2. Je - su, spes pœ - ni - tén - ti - bus! Quam pi - us es pe -
3. Sis, Je - su, no-strum gáu - di - um, Qui es fu - tú - rus

9. Quid retribuam Domino?

10. Domine, non sum dignus.

Inhaltsverzeichnis.

❧

9. In Festo Pentecostes.

1. u. 9. Musikbeilage zur Musica sacra. XXXVII. Jahrgang. 1904.

188

lú - - ja, al - le - lú - - - - ja. ℣. Ve - ni, sanc - te Spí -
Adagio.
p
Al - le - lú - - - - - - - - - ja. ℣. Ve - ni, sanc - te
p
lú - - - - ja, al - le - lú - ja. ℣. Ve - ni,
- - - ri - tus, re - ple tu - ó - rum cor - da, cor - da fi -
pp
accelerando.
Spí - - - - ri - tus, re - ple tu - ó - rum cor - da fi - dé - li - um,
sancte Spí - - ri - tus, re - ple tu - ó - rum cor - da fi - dé - li - um,
dé - li - um cor - da fi - dé - li - um, cor - da fi - dé - li - um: et
p
un poco
cor - da fi - dé - li - um, cor - da fi - dé - - - - li - um: et
cor - da fi - dé - li - um, cor - da fi - dé - - - - li - um: et

10. In Festo Ss. Cordis Jesu.
Missa: Miserebitur.

11. In Festo purissimi Cordis B. M. V.

et di-lé-ctus me-us mi-hi, qui pá-sci-tur, qui pá-sci-
lé-ctus me-us mi - - - hi, qui pá-sci-tur, qui pá-sci-tur
mi-hi, di-lé-ctus me-us mi-hi, qui pá - - sci-tur, qui pá-sci-
tur in-ter li - li - a. Al-le-lú-ja, al-le-lú - -
in-ter li - - li - a. Al-le-lú-ja, al-le-lú - - ja, al-le-
tur in-ter li - - li - a. Al-le-lú-ja, al-le-lú - -
- - - - - ja.
lú - - ja. Et ex-sul-
- - - - - ja. ℣. Ma-gni-fi-cat á-ni-ma me-a Dó - -

12. In Festo Ss. Apostolorum Petri et Pauli.
(29. Juni.)

13. In Festo Nativitatis et Ss. Nominis B. M. V.

14. In Festo Assumptionis et Ss. Rosarii B. M. V.

15. In Anniversario Dedicationis Ecclesiæ.

*) Zur österlichen Zeit wird statt des Grad. *Locus iste* nur *Alleluja, Alleluja.* ℣. *Adorabo* p. [42] und
℣. *Bene fundata est* gesungen.

16. Commune unius et plurimorum Martyrum temp. pasch.

') An Festen eines Martyrers. ') An Festen mehrerer Martyrer.

ja, al-le-lú - - ja. V. Posuisti, Dómine, su-per ca - - put e - jus

lú - - ja. V. Pretiósa in con-spé - - ctu Dó-mi - ni,

corónam de lá - pi - de pre-ti - ó - - - - so.
mora san - ctó - - - rum e - - - jus.
corónam de lá pi - de preti - ó - - so.

corónam de lá - pi-de pre - ti - ó-so. Al - le -
mora san - ctó - rum e - jus.

Man.   * Ped.

Al - le-lú - - ja. al-le-lú - - ja.

lú - - ja. al-le-lú - - ja.

¹) An Festen eines Martyrers. ²) An Festen mehrerer Martyrer.

209

17. Commune Confessoris Pontificis.

212

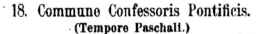

18. Commune Confessoris Pontificis.
(Tempore Paschali.)

214

19. Commune Confessoris non Pontificis.

In Missa: Os justi.

20. Commune Confessoris non Pontificis.

In Missa: Justus ut palma.

cor - de i - psí - us: et non sup-plan-ta-bún-tur gres - - - sus

et non sup-plan - ta - bún - - - tur gres-sus

e - jus. Al - le - lú - - ja, al - le - lú - - - ja.

e - jus.

Lento.

cu - pit ni - - -

℣. Beátus vir, qui ti-met Dó mi - num: in mandátis ejus cu - pit ni - -

Gesamtregister über die 20 Nummern der Gradualien von Peter Griesbacher.

MUSICA SACRA.

1. Februar 1904. Anzeigenblatt Nr. 2.

Inserate, welche man gefl. 8 Tage vor Erscheinen der betreffenden Nummer einsenden wolle, werden mit 20 ₰ für die 1spaltige und 40 ₰ für die 2spaltige (durchlaufende) Petitzeile berechnet. Es werden nur solche Inserate aufgenommen, welche der Tendenz dieser Zeitschrift entsprechen.

Verlag von **Friedrich Pustet** in Regensburg, zu beziehen durch alle Buchhandlungen:

Aus der Baltimorer Volkszeitung vom 26. Dezember 1903.

Responsorium „Ecce Sacerdos" auf fünf verschiedene Weisen zu singen, komponiert von P. Griesbacher, Op. 66. Partitur 2 ℳ 40 ₰, 4 Stimmen à 30 ₰.

Das erste dieser fünf „Ecce Sacerdos" welches Responsorium bekanntlich beim feierlichen Empfange eines Bischofes in der Kirche gesungen wird, ist für vierstimmigen gemischten Chor ohne Begleitung komponiert. Mächtiger und von schönerer Wirkung ist das zweite mit Orgelbegleitung; es weist interessante Züge auf und ist für unsere Durchschnittschöre sehr passend. Die folgenden Nr. 3 und 4 sind für fünfstimmigen gemischten Chor a capella geschrieben. Ungemein klangvoll und großartig ist von diesen beiden das vierte; für einen großen und geschulten Chor, der ohne die Stütze eines Instrumentes zu singen versteht, ein Paradestück! Das imposanteste, aber auch das schwierigste dieser Responsorien ist das fünfte, komponiert für sechsstimmigen gemischten Chor ohne Begleitung. Eine geradezu grandiose Wucht weist an einigen Stellen diese meisterhafte Komposition auf. Zu loben ist noch bei diesen fünf musikalisch unübertrefflich gearbeiteten Kompositionen die geradezu musterhafte Textunterlage.

XIV Magnificat in den acht Kirchentonarten für fünfstimmigen gemischten Chor, komponiert von P. Griesbacher, Op. 58. Partitur 2 ℳ, 5 Stimmen à 1 ℳ.

Für den Tonus I finden wir drei verschiedene, für Tonus II, III, IV, V und VII je eine, für Tonus VI zwei verschiedene und für Tonus VIII vier verschiedene Kompositionen, sogenannte Falsibordoni. Dieselben sind sehr reich und voller Leben und Bewegung gehalten und machen einen hochfeierlichen Eindruck. Praktisch hat die Verlagshandlung ein jedes dieser XIV Magnificat auf einer Seite gedruckt, so daß weder Organist noch Dirigent beim Vortrag desselben Blätter zu wenden brauchen.

Missa solemnis zu Ehren des heil. Franziskus Xaverius für vierstimmigen gemischten Chor mit Orgelbegleitung komponiert von P. Griesbacher, Op. 68. Partitur 2 ℳ, 4 Stimmen à 20 ₰.

Eine Festmesse ersten Ranges, die guten Chören aufs Beste empfohlen werden kann. Da vereinigt sich alles, um ein Werk zu einem wahrhaft künstlerischen, interessanten und gern gesungenen und gehörten zu machen: prächtige, klangvolle Stimmführung, großartige Orgelbegleitung, schöne Melodie und reiche Harmonie! Diese Messe wird bald von unseren besseren Chören in das Repertoir aufgenommen werden; sie ist es wert!

Te Deum für achtstimmigen gemischten Chor, komponiert von J. G. E. Stehle. Partitur 2 ℳ 40 ₰, 8 Stimmen à 10 ₰.

Meister Stehle hat in vorliegendem Te Deum ein Werk geschaffen, welches nicht leicht an Majestät und Schönheit übertroffen wird. Künstler, wie Prof. Albert Becker, Direktor des Berliner Domchores, Prof. Joseph von Rheinberger, Edgar Tinel, der berühmte Komponist des „Franziskus" und der „Godoleva", und viele andere sprechen in der lobendsten und anerkennendsten Weise von dieser Komposition. Wohl wenige Chöre hierzulande dürften sich an eine Aufführung derselben wagen. Chordirigenten, Organisten, überhaupt Kirchenmusikern sei dieses Te Deum jedoch zum Studium auf das Angelegentlichste empfohlen.

VIII Pange lingua et Tantum ergo für zwei- und dreistimmigen Frauenchor mit Begleitung der Orgel, komponiert von Joh. Meurer, Op. 30. Partitur 1 ℳ 20 ₰, Sopran I/II 30 ₰, Altstimme 20 ₰.

Nicht zu schwere, kirchlich ernste und klangvolle Gesänge, welche Schwestern-Genossenschaften und anderen weiblichen Chören zu empfehlen sind. Fünf sind für zwei- und drei sind für dreistimmigen Chor mit Orgelbegleitung komponiert.

Missa jubilaei solemnis für vierstimmigen gemischten Chor, ohne Begleitung eines Instrumentes, komponiert von Jos. Niedhammer, Op. 17. Partitur 2 ℳ 40 ₰, 4 Stimmen à 20 ₰.

Der verdienstvolle Domkapellmeister von Speyer hat in vorliegendem ein Werk geschaffen, das mehr als vorübergehende Beachtung verdient. Die ganze Komposition ist ungemein klangvoll und voller Leben, an einigen Stellen höchst originell. z. B. Hosanna im Sanctus und Benedictus. Tüchtige Chöre mögen zu dieser frischen und festlichen Komposition greifen.

Organist und Regenschori

mit guter Stimme, 26 Jahre alt, Absolvent der Kirchenmusikschulen Pelplin u. Regensburg, seit 7 Jahren mit Erfolg tätig, mit guten Zeugnissen versehen, sucht, um sich zu verbessern, Stellung.
Gefl. Off. u. F. P. 200 an die Exp. d. Bl.

Musikalien

aus dem Verlage von MARCELLO CAPRA in Turin,

zu beziehen durch alle Musik- und Buchhandlungen.

Neuigkeiten:

Ravanello, O., Op. 63. *Missa* in hon. S. Josephi Calasanctii für 2 stimm. Chor (gl. St.) mit Orgel.
Partitur u. Stimmen . 2.50
Jede Stimme . . . . —.25

Remondi, R., Op. 71. Empirische Begleitungsschule des Gregorianischen Chorals nebst

leicht und praktischen Leitfaden zur Transponierung der Gregorianischen Melodien . . . 3.20

Casimiri, R., Op. 5. Komplette Vesper für zwei Männerst. mit Orgel. (*Domine ad adjuvandum.- Dixit Dominus — Confitebor ... in consilio. — Beatus vir. — Laudate*

pueri. — Laudate Dominum. — Magnificat)
Partitur u. Stimmen . 2.90
Jede Stimme . . . . —.25

Pollori, G. B., 3 sehr leichte Harmoniumsstücke . . . 1.20

Walczynski, Mgr. F., Op. 51. 12 sehr leichte Harmoniumsstücke für Kirche und Haus 1.60

Empfohlene Werke:

Renner, Jos. jun., Op. 52. Zweite einstimm. Messe (d-d).
Partitur u. Stimmen . 1.85
Einzelne Stimmen . . —.25

Capocci, F., *Missa Mater amabilis* für 3 stimmigen gem. Chor, S., T., B., mit Orgelbegleitung.
Partitur u. Stimmen . 3.12
Jede Stimme . . . . —.24

Cicognani, O., Op. 16. *Missa* in hon. S. Caeciliae V. M. ad 3 voces viriles com. org. (**Preismesse.**)
Partitur u. Stimmen . 2.72
Jede Stimme . . . . —.24

Haller, Kan. M., Op. 69 a. *Missa duodetricesima in hon. S. Maximi, primi episcopi Taurinensis,* ad 3 voces inaeq. (altus, tenor et bassus) org. com.
Partitur u. Stimmen . 2.16
Jede Stimme . . . . —.24

Ravanello, O., Op. 34. *Missa* in hon. S. Petri Orseoli Ducis Venetiarum* ad 3 v. viriles, org. com.
Partitur u. Stimmen . 2.16
Jede Stimme . . . . —.24

Mitterer, Ig., Op. 76. *Missa* in hon. SS. Sindonis D. N. J. Ch. ad 4 voces viriles org. com.
Partitur u. Stimmen . 2.56
Jede Stimme 24

Ravanello, O., Op. 41. *Missa* in hon. S. P. Joseph ad 4 voces inaeq. com. org.
Partitur u. Stimmen . 2.56
Jede Stimme . . . . —.24

Foschini, G. F., Op. 128b. *Missa in hon. S. Augustini Ep. Conf.* für 3 Männerst. m. Orchesterbegl. (Orgel ad lib.) (Besetz.: Flöte, Oboe I, II, Klarinette I, II, Fagott I, II, Hörner I, II, Pauken, Geigen I, II, Bratsche, Cello u. Kontrabass.)
Partitur u. Stimmen . 10.—
Gesangstimmen . . je —.24
Streichquintettstim. je .24
Partitur mit Gesangst. 2.72

Ravanello, O., Op. 49. *Missa pro Defunctis cum Seq. Diesirae Responsorioque Libera ad 2 voces aeq. org. com.*
Partitur u. Stimmen . 2.64
Jede Stimme . . . . —.32

Bottazzo, L., Op. 119. *Missa pro Defunctis cum Seq. Diesirae Responsorioque Libera ad 3 voces aequ. org. com.*
Partitur u. Stimmen . 3.36
Jede Stimme 32

Ravanello, O., Op. 57. Der Pfarrkirchen - Organist. Eine Harmonium- oder Orgelsammlung enthaltend: 5 Messen (jede: Präld., Offertor., Elevation, Communio, Ite missa est). Zum Spielen währ. der Stillen Messe; ferner 5 Prälud., 1 Festmarsch und 1 Trauermarsch. 1 Band von ca. 50 Seiten 4.80

Ravanello, O., Op. 53 Nr. 1. *Die heilige Messe.* 5 Harmoniumstücke (Präludium, Offertorium, Ele-

vation, Communio, Postludium) 1.20

Italienisch-klassische Orgelanthologie. Sammlung von 10 Orgelwerken berühmter ital. Meister aus früherer Zeit. Von G. F. Foschini gesammelt, durchgesehen und auf Dreilinienorgelsystem gesetzt 3.20

L'Organista Italiano. *Der Ital. Organist.* Sammlung von 20 Orgelpräludien italien. Komponisten der Gegenwart. Ein Band 4.—

Ravanello, O., Op. 46. *Der liturg. Organist.* 30 Orgelpräludien u. Versetten zu gregorianischen Melodien komponiert: I. Zur Messe. II. Zur Vesper. III. Zum Segen . . 2.—

Bottazzo, L., Op. 113. *Präludium* für Orgel.

Bottazzo, L., Op. 123. *Elevation* . . . . —.80

Bottazzo, L., Op. 132. 4 *Orgelstücke:* 1. Preludio fugato. 2. Melodia. 3. Choral. 4. Preghiera (Gebet) . . 1.60

Bossi, M. E., Op. 113. *Offertorium, Graduale, Canzoncina a Maria Vergine, In memoriam, Laudate Dominum.* Sammlung von fünf Werken für Harmonium 3.20

Carlesimi, G., (1601—1674). 42 Harmonium-Versetten in den 8 Kirchentonarten 1.80

Verlag von **Friedrich Pustet** in **Regensburg,** zu beziehen durch alle Buchhandlungen:

Aus der „Baltimorer katholischen Volkszeitung" 1904, Nr. 12.

Missa „Ite missa est" (toni solemnis). Für vierstimmigen gemischten Chor, komponiert von Raphael Lobmiller. Op. 1. Partitur 1 ℳ 20 ₰, 4 Stimmen à 20 ₰.

Der Komponist hat als erstes Opus eine Messe publiziert, die anderen Komponisten mit großer Opuszahl zur Ehre gereichen würde. Kontrapunktisch ist dieselbe prächtig gearbeitet, beinahe zu schulmäßig abgerundet. Herr Lobmiller hat die „Alten" tüchtig studiert, das ersieht man aus dieser Komposition, und es gereicht ihm, da individuelle Originalität gewahrt ist, zur großen Ehre. Wenn auch vorliegende Messe nicht gerade sehr schwierig ist, so können doch nur Chöre, welche einen rationellen Gesangunterricht erhalten haben, dem schönen empfehlenswerten Opus 1 des genannten Komponisten gerecht werden.

Missa coronata (Preismesse) **Salve Regina,** für vier Männerstimmen und Orgel komponiert von J. G. Stehle. Part. 1 ℳ 40 ₰, 4 Stimmen à 20 ₰.

Welcher Organist und Chordirigent kennt nicht Stehles Preismesse? Durch vorliegendes Arrangement ist sie auch Männerchören zugänglich gemacht. Die Komposition noch loben, hieße „Eulen nach Athen" tragen! Nur sei gesagt, daß obige Ausgabe für Männerstimmen eine ganz vorzügliche ist, und daß von unseren Männerchören diese Erweiterung ihres Repertoirs gewiß mit Freuden begrüßt wird.

Missa quinta, für vier gemischte Stimmen von G. V. Weber. Partitur 1 ℳ 40 ₰, 4 Stimmen à 20 ₰.

Wie die in demselben Verlage erschienene Missa quarta, so zeichnet sich auch vorliegende fünfte Messe des Domkapellmeisters von Mainz, Hochwürd. G. V. Weber, als ein Muster des einfachen, reinen Kirchenstils aus. Schwierigkeiten sind für einen Chor kaum vorhanden; somit empfiehlt diese Komposition sich den besseren Chören für den gewöhnlichen Sonntag: schwächere finden darin eine klangschöne, kirchliche Messe für Festtage.

Sieben Offertorien zu den Hauptfesten der Mutter Gottes nebst einem Pange lingua für eine Ober- und eine Unterstimme mit obligater Orgelbegleitung, komponiert von J. Quadflieg, Op. 24. Part. 2 ℳ 40 ₰, Stimmen à 40 ₰.

Selten kommen dem Rezensenten solche gediegene, einzig schöne und wahrhaft kirchliche Kompositionen in die Hand, wie obige Offertorien! Das ist in der Tat ein Vergnügen, derartige Musterarbeiten durchzusehen und zu empfehlen! Viel zu wenig schätzt man die kirchlichen Musikstücke, welche für vereinigte Ober- und vereinigte Unterstimmen geschrieben sind. Ohne hinzuweisen auf die Klangschönheit, und auf die satte Stimmenentfaltung, sei nur auf den praktischen Wert aufmerksam gemacht. Leider sind manche Chordirigenten und noch viel mehr Sänger so vom „Größenwahn" eingenommen, daß eine derartige zweistimmige Komposition als ihrer nicht würdig angesehen wird. Greift zu obigem herrlichen Offertorien-Opus! Man wolle wie auf eine einfachere vierstimmige Komposition braucht bei der Einübung nicht darauf verwendet zu werden, — und ihr werdet sehen, welch großartigen Effekt ihr damit erreicht!

XII Cantiones ecclesiasticae, für drei gleiche Stimmen mit Orgel ad lib., von J. Auer, Op. 43. Part. 1 ℳ 60 ₰, 3 St. à 24 ₰.

Die vorliegenden 12 Gesänge können ausnahmslos ebenso von Ober- wie von Unterstimmen (Männern) und in beiden Fällen mit oder ohne Orgelbegleitung vorgetragen werden. Sechs Motetten sind bestimmt für den sakramentalischen Segen, drei zur Verehrung der Mutter Gottes; als Nr. 10 ist ein Hymnus zum heil. Joseph, als Nr. 11 das Gebet für den Heiligen Vater, und als Nr. 12 der Psalm 116: Laudate Dominum bezeichnet. Diese zwölf Kompositionen stellen keine hohen Anforderungen an die Leistungsfähigkeit der Sänger. Wegen ihrer Einfachheit, und Schönheit sollten sie recht oft gesungen werden.

Missa XXI zu Ehren des heil. Aloisius. Für zwei gleiche Stimmen mit Orgel, komponiert von M. Haller, Opus 87. Partitur 1 ℳ 20 ₰, Stimmen à 20 ₰.

An Leichtigkeit, Schönheit und kirchlichem Ausdruck kann man vorliegende jüngste Arbeit des fruchtbarsten und gediegensten Kirchenkomponisten der Jetztzeit mit dessen bekannten und sehr beliebten Missa tertia stellen. Allen Knabenchören ist diese Aloisiusmesse sehr zu empfehlen.

Zweistimmige Offertorien mit oblig. Orgelbegleitung. III. Band. Die Offertorien der Feste einzelner Diözesen und Orte. Zweites Schluß-Heft. Von Mai bis Dez. nebst 4 Pange lingua. 26 Original-Kompositionen. Partitur 1 ℳ 50 ₰, 2 Stimmen à 40 ₰.

Vorliegender dritter Band reihte sich den zweistimmigen Offertorien des ersten und zweiten Bandes, welche vom Unterzeichneten in dieser Zeitung höchst günstig rezensiert und empfohlen wurden, würdig an. Nichts unedles, nichts kommunes ist in diesen Kompositionen zu finden; alles haucht den Geist der Kirche und der Kunst aus!

H. Tappert.

Druck und Verlag von **Friedrich Pustet** in **Regensburg.**

MUSICA SACRA.

1. September 1904. ## Anzeigenblatt **Nr. 9.**

Inserate, welche man gefl. 8 Tage vor Erscheinen der betreffenden Nummer einsenden wolle, werden mit 20 ₰ für die 1spaltige und 40 ₰ für die 2spaltige (durchlaufende) Petitzeile berechnet. Es werden nur solche Inserate aufgenommen, welche der Tendenz dieser Zeitschrift entsprechen.

Aus der „Baltimorer katholischen Volkszeitung" 1904, Nr. 12.

VII Motecta a Luca Marenzio (Nr. 8—14) für gem. Stimmen, in moderner Notenschrift herausgegeben von Mich. Haller. Partitur 85 ₰, Stimmen à 20 ₰.

VII Motecta a Luca Marenzio (Nr. 15—21) für gem. Stimmen, in moderner Notenschrift herausgegeben von Mich. Haller. Partitur 85 ₰, Stimmen à 20 ₰.

Die beiden Musikhefte sind bestimmt, für gute Chöre, welche die „Alten" vorzutragen verstehen. Es finden sich darin wahre Perlen kirchlicher Kunst, welche von kundiger Hand herausgegeben und unsern modernen Chören zugänglich gemacht sind. Möge der Enthusiasmus für alles Schöne, Edle und wahrhaft Kirchliche unsere katholischen Chordirigenten und Sänger dazu begeistern, solche Meisterwerke zu studieren und kunstentsprechend vorzutragen, damit unsere heilige Kirche an Hochachtung und Größe auch in den Augen nicht katholischer Künstler gewinnt!

Requiem für achtstimmigen Chor a capella, komponiert von Joseph Niedhammer, Opus 18. Part. 5 ℳ, Stimmen à 1 ℳ.

Eine wahrhaft großartige Kunstleistung ist dieses Requiem! Der Domkapellmeister von Speyer,

Jos. Niedhammer, hat damit ein Werk geschaffen, welches ihn in die ersten Reihen der großen Komponisten der Gegenwart stellt und welches seinen Namen unsterblich macht. Wenn auch diese mächtige Komposition nur bei außerordentlichen Trauerentfaltungen aufgeführt werden kann, so wird ihr eingehendes Studium seitens unserer Kirchenmusiker doch höchst empfehlenswert sein.

„**Columbus**". Eine melodramatische Dichtung mit Chören von Julius Becker. Für höhere männliche Bildungs-Anstalten, sowie für Männerchöre bearbeitet von Karl Hegnauer. Partitur 4 ℳ, 4 Singstimmen 80 ₰, 5 Instrumentalstimmen zusammen 80 ₰, Textbüchlein 10 ₰.

Eine allerliebste, einfach schöne und kräftige Kantate ist die vorliegende. Wie mancher Vorstand von Studien-Anstalten, wie mancher Dirigent eines Männerchors hat schon oft gewünscht, etwas zum Einstudieren an Hand zu haben, welches nicht zu schwer und doch gefällig ist. Nun, hier ist es dargeboten! Kein Zweifel, die melodramatische Dichtung „Columbus" wird ihren Siegeslauf antreten, und verdient hat das klangschöne Werk oftmalige Aufführung von allen unseren Männerchören, welche nicht zu groß angelegten und schwierigen Kompositionen greifen können.

H. Tappert.

Verlag von **Friedrich Pustet** in **Regensburg** zu beziehen durch alle Buchhandlungen:

➤ Novität! ➤

DEUTSCHE ❦ ❦
CHORAL-
WIEGENDRUCKE

EIN BEITRAG ZUR GESCHICHTE DES
CHORALS UND DES NOTENDRUCKES
IN DEUTSCHLAND
VON
P. RAPHAEL MOLITOR
BENEDIKTINER IN BEURON.

Mit 20 polychromen Tafeln, einer Photogravure und 72 Seiten Text in gr. 4°.
Mit oberhirtlicher Druckgenehmigung.

━━ In Originalband 20 Mark. ━━

(Aus der Kölnischen Volkszeitung. Literarische Beilage 1904, Nr. 30.)

Zur Geschichte des Chorals und des Notendruckes in Deutschland liefert uns
der rühmlichst bekannte Musikhistoriker und Choralforscher P. Raphael Molitor, Benediktiner in Beuron, einen interessanten Beitrag durch das vorstehende Werk. Der Verfasser
will damit „dem Andenken Gregors des Großen eine bescheidene Huldigung darbringen"; in
Wahrheit präsentiert das Werk sich als eine prachtvoll ausgestattete Festschrift zum 13. Zen-
tenar des genannten Papstes, den die katholische Welt als den Begründer des musikalischen
Textes der Liturgie, als den Vater des Choralgesanges verehrt. Zugleich ist das Werk auch
ein glänzendes Denkmal dafür, daß deutsche Kunst und deutscher Fleiß auf dem Gebiete des
Notendruckes schon in sehr früher Zeit ganz hervorragende Werke lieferten und sich namentlich in Italien und Frankreich Ende des 15. und Anfang des 16. Jahrhunderts ehrenvoll her-
vortaten. Eine besondere Seite der Geschichte des gregorianischen Chorals in unserem deutschen
Vaterlande wird in dieser Schrift behandelt, da sie über die ältesten Erzeugnisse der Buch-
druckerkunst auf dem Gebiete des Chorals berichtet. Der Text ist reich illustriert und mit zahlreichen Druckproben alter Choralmelodien und Faksimiles von Holzschnitten ausgestattet. Im
Anhange sind, um die im Text gebotenen Beschreibungen und Erläuterungen anschaulich zu
machen, auf 20 Tafeln 26 polychrome Reproduktionen aus den ältesten, zum Teil höchst seltenen
Musikdrucken beigegeben. Der erste Teil der Schrift behandelt die Theorie über die gotische
Notation am Ausgange des Mittelalters. Es wird geschildert, wie sich aus der Neumenschrift
in Deutschland die gotische Notenschrift, welche die Hufnagelgestalt erhielt, herausgebildet hat,
die hier fast allgemein in den Choralbüchern zur Anwendung gelangte, während die wesentliche
Form der in Frankreich und Italien gebräuchlichen lateinischen Schrift die Quadratnote bildete.
Es folgt dann die Erklärung der gotischen Choralnotenschrift und ihrer musikalischen Bedeutung aus einigen spärlichen Abhandlungen mittelalterlicher Theoretiker. Ein daran sich an-
schliessendes Kapitel bringt die im Notensatz ausgeführte Darstellung der verschiedengestalteten

Neumen und einiger gebräuchlichen Zierformen aus deutschen Wiegendrucken mit entsprechenden Erläuterungen und dem Hinweis auf die Quellen. Im zweiten Teil geht der Verfasser näher ein auf die Technik im Musikdruck. Der Holzschnitt und der Typendruck wurden im Dienste der Tonkunst verwertet, und aller Wahrscheinlichkeit nach kam der Holzschnitt für den Musikdruck erst in Anwendung, nachdem bereits bewegliche Typen für den Musikdruck gebraucht wurden. Dieser von Dr. Riemann aufgestellten Ansicht schließt sich der Verfasser an, sich stützend auf die Tatsache, daß wir keinen in Holzschnitt gefertigten Musikdruck kennen, der alter ist als der erste Notentypendruck. Sodann werden die Merkmale, welche diese Holzschnitte als solche kennzeichnen, eingehend behandelt und durch Holzschnittproben dem Auge vorgeführt. Für den Notendruck mit beweglichen Typen wurden verschiedene Verfahren angewandt, der einfache Typendruck und der Doppeldruck; jedes Verfahren hatte seine Vorteile aber auch seine Schwierigkeiten und Mängel, dennoch, so äußert sich der Verfasser, überragen die ältesten Musiktypendrucke die meisten Choralausgaben aus der Mitte des 16. Jahrhunderts, während viele der jüngeren aus dem 17. und 18. Jahrhundert einen Vergleich nicht von ferne bestehen können. Sehr ehrenvolle Anerkennung erfährt die deutsche Kunst durch die Schilderung ihrer Leistungen im Auslande. Der älteste Musiktypendruck wurde von einem deutschen Meister in Rom vollendet. Ulrich Han aus Ingolstadt war der erste, welcher für den Notendruck bewegliche Typen gebraucht hat, und wie die beigegebene Tafel aus seinem Missale von 1476 zeigt, ist der Druck überaus sauber und klar. Unter den vielen deutschen Meistern in Italien, welche der Verfasser anführt, möge hier nur noch Peter Lichtenstein aus Köln erwähnt werden, der im Anfange des 16. Jahrhunderts am fruchtbarsten unter den deutschen Meistern in Venedig wirkte. Er besorgte Notendrucke mit gotischer und lateinischer Schriftform. Die für Deutschland bestimmten Bücher enthalten gotische, die für Italien quadratische Noten. Seine Werke, deren Zahl groß ist, gehören in Italien zu den besten Leistungen der damaligen Zeit. Das Schlußkapitel behandelt den Notendruck in Deutschland. Ein in Tübingen entdecktes Fragment von einem bisher unbekannten Graduale, aber hochinteressanten Graduale, das einen ganz eigenartigen Musikdruck darstellt, wird eingehend beschrieben. Zu den ältesten Meistern, die sich in Deutschland dem Musikdrucke widmeten, gehört Jörg Reyser in Würzburg. Die Druckproben seines in zwei Ausgaben hergestellten Missale Herbipolense geben als Jahr der Herstellung 1481 an. Aufgeführt wird dann noch eine Reihe von Offizinen für Musikdrucke in verschiedenen Städten Deutschlands mit Angabe der hervorragendsten Meister und mit genauer Darlegung der kunsthistorischen Bedeutung und der technischen Charaktereigentümlichkeiten ihrer Erzeugnisse. Für die Geschichte des Chorals und für das Studium der Inkunabeln ist dieses Werk von Wichtigkeit.

Msgr. C. Cohen, Domkapellmeister (Köln).

Druck und Verlag von **Friedrich Pustet** in Regensburg.

Doppel-Nummer.

MUSICA SACRA.

1. Okt. und
1. Nov. 1904. **Anzeigenblatt.** Nr. 10 & 11.

Inserate, welche man gefl. 8 Tage vor Erscheinen der betreffenden Nummer einsenden wolle, werden
mit 20 ₰ für die 1spaltige und 40 ₰ für die 2spaltige (durchlaufende) Petitzeile berechnet.
Es werden nur solche Inserate aufgenommen, welche der Tendenz dieser Zeitschrift entsprechen.

Aus der wissenschaftlichen Beilage zur Germania 1904 Nr. 34.

P. Raphael Molitor. Benediktiner in Beuron, „Deutsche Choral-
wiegendrucke. Ein Beitrag zur Geschichte des Chorals und des
Notendrucks in Deutschland." Gebunden 20 ℳ. Regensburg, Fr. Pustet.

Das vorliegende, vornehm ausgestattete Werk mit vielen Faksimilen aus den
ältesten deutschen Choralbüchern bietet ein eigenartiges Bild deutschen Fleißes. Die
Choralbücher des 9.–12. Jahrhunderts waren für die Nachwelt schwer zu entziffern.
Die kleinen Notenzeichen, die Neumen (vom griechischen Pneuma, der Hauch) waren ohne
Linien geschrieben, fast geisterhaft hingehaucht. Wer sie zum erstenmal sieht, hält
sie für leicht hingeworfene Andeutungen: er ahnt nicht, dass in diesen kleinen Zeichen
nicht allein eine besondere Welt heiliger Musik, sondern auch ein wissenschaftliches
System dieser gottgeweihten Kunst enthalten sei. Selbst für die Musikgelehrten an
der Schwelle des ersten und zweiten Jahrtausends waren sie mehr oder weniger rätsel-
haft. In den bisherigen Jahrhunderten waren die alten Gesänge weniger durch die
Schrift, als vielmehr durch den Usus, den unabänderlichen Gebrauch festgehalten. Die
Neumen, wie wir sie in den alten Codices finden, dienten praktisch nicht in dem Sinne
als Noten, wie das jetzt bei uns der Fall ist; nach ihnen wird wohl niemand „vom
Blatt gesungen" haben; sie waren vielmehr zur Kontrolle da und konnten bei einem
etwaigen Streite der Sänger über diese oder jene Lesart herangezogen werden; denn
sie zeigten wenigstens genau, wie viele Noten über einer Silbe standen, ob sie herauf-
oder heruntergingen u. dgl. Da kam denn im 10. Jahrhundert eine bedeutsame
Wendung. Ein Mönch aus dem Kloster St. Amand in Flandern mit Namen Hukbald
(starb 930) versuchte, die kleinen Neumen anders zu gestalten und durch eine Linie,
in oder unter oder über welcher er dieselben zeichnete, dem Verständnisse näher zu
bringen, später nahm er eine zweite Linie zu Hilfe, dann eine dritte, bis endlich ein
Jahrhundert später Guido von Arezzo ein System von vier Linien mit dem C-Schlüssel
und F-Schlüssel (die C-Linie gelb gezeichnet, die F-Linie rot) feststellte. Ihm war es
ein wahrer Triumph, als er sein neues in dieser Art geschriebenes Antiphonar dem
Papste Johann XIX. vorlegen und ihm ad oculos demonstrieren konnte, wie seine Chorknaben nun die ehrwürdigen Gesänge frisch vom Blatte herunter singen konnten. Nun
wurden die Antiphonare und Gradualien in den stillen Klosterzellen von neuem abge-
schrieben und so der Nachwelt überliefert. Jetzt sah man die Noten in den Linien,
man sah genau, wie weit die eine Note von der anderen abstand, man erfaßte leicht
die einzelnen Gruppen, in denen sich die Noten aneinander anschlossen, selbst die kleinen
Vortragszeichen kamen deutlicher zur Geltung. Freilich ging damit das leicht hinge-
hauchte Wesen der alten Neumen allmählich verloren; man hatte etwas mehr Greif-

bares, Körperliches vor sich, das jungfräulich Zarte der Neumenschrift verschwand. Wenn man in dem Werke des P. Molitor die ersten Notendrucke sieht, da fühlt man sofort den Unterschied. Die ersten Typen der Noten sehen aus wie kräftige Drahtnägel; sichtbar waren sie und das mochte auch zunächst für die deutschen Hünenjünglinge genügen, aber schön waren sie nicht. Es dauerte, wie wir aus dem vorliegenden Werke sehen, ein bis zwei Jahrhunderte, ehe die Kunst und speziell die deutsche Kunst auch auf diesem Gebiete etwas wahrhaft Schönes hervorzaubern konnte. Die Drucke eines Jakob von Kilchen aus dem 15. Jahrhundert, von dem uns P. Molitor ein Faksimile vor Augen führt, zeigen schon eine hohe Vollendung; ja wir können ruhig sagen: sie bilden den Höhepunkt in diesem Zweige der kirchlichen Kunst: sie sind nicht mehr übertroffen worden. Die Gradual-Ausgaben der Benediktiner in unserer Zeit haben deshalb auch nur diese Typen. Hoffentlich wird auch die neue offizielle Ausgabe des traditionellen Choralgesanges in denselben Typen gedruckt werden, wenn nicht inzwischen eine noch schönere, noch populärere Schrift erfunden sein sollte. Die moderne Notenschrift, besonders unsere eckigen Achtelnoten, wenn sie mit dem dicken Querstriche miteinander verbunden sind, haben etwas so Kaltes und Frostiges in sich, daß sie einen direkten Gegensatz zu den zarten Neumen der alten Zeit und zu dem Geiste des Chorals bilden. Wie die kirchlichen Melodien sich charakteristisch von den Melodien der weltlichen Musik unterscheiden, so muß auch die kirchliche Notenschrift sich charakteristisch von der weltlichen Notenschrift unterscheiden. Dabei kann dieselbe immerhin so gestaltet sein, daß sie auch für den weltlichen Musiker sofort ohne Schwierigkeit lesbar ist, ohne daß er erst durch eine lange Vorrede über die Bedeutung der Noten instruiert werden müßte. Das schöne und bedeutungsvolle Werk des P. Molitor regt in dieser Beziehung sehr zum Nachdenken an. V.

Verlag von **Friedrich Pustet** in **Regensburg**, zu beziehen durch alle Buchhandlungen:

Neue Auflagen:

Enchiridion für Pfarrkirchenchöre

31 Offertorien und 19 andere oft treffende lateinische Kirchengesänge für 4—6 gemischte Stimmen.

Opus 10. (C. V. K. Nr. 1239). **2. Auflage.**

Partitur .ℳ 1.40, 4 Stimmen à 40 ₰.

Daß in verhältnismäßig kurzer Zeit eine neue Auflage von dieser wirklich praktischen Sammlung notwendig wurde, ist wohl der beste Beweis für die Brauchbarkeit und empfehle daher dieselbe allen Chören für gemischten Chor bestens.

Lauda Sion.

Sammlung von hundertfünfzig 2-, 3- und 4stimmigen Gradualien, Offertorien, Hymnen und marianischen Antiphonen nebst fünf 3stimmigen Messen für das ganze Kirchenjahr.

Herausgegeben von **Emil Nikel**. Opus 7.

Zweiter unveränderter Abdruck.

(C. V. K. Nr. 676.) Partitur in Halbchagrin gebunden 12 .ℳ, Sopran, Alt und Baßstimme à 3 .ℳ, Tenorstimme .ℳ 1.60.

Das Kgl. Bayer. Staatsministerium für Kirchen- und Schulangelegenheiten hat laut Ministerialblatt 1883 N. 10 die Anschaffung dieses Werkes empfohlen und die Verrechnung der Kosten aus verfügbaren Mitteln der Kirchenstiftungen gestattet.

Urteile der H. H. Referenten der Cäcilienvereine über dieses Werk:

„Alle kleinen und alle schwächeren Chöre dürfen diese Sammlung mit Freuden begrüssen; darin ist für das ganze Kirchenjahr reichliche Vorsorge getroffen. Dass man es hier nicht mit Kunstwerken zu tun hat, ist aus dem Zwecke dieser Sammlung begreiflich; sie soll nur einem praktischen Bedürfnisse genügen und das tut sie vollkommen. Gleichwohl findet sich, abgesehen von den Kompositionen älterer Meister, darin eine erkleckliche Anzahl von Stücken neuerer Komponisteure, welche auch höheren Anforderungen gerecht werden und sich über das gewöhnliche Niveau bedeutend erheben. Ich empfehle diese Sammlung allen genannten Chören, zudem der Preis in Anbetracht des reichen Inhaltes und der schönen Ausstattung ein sehr billiger ist.“
P. U. Kornmüller.

„Diese reichhaltige und prachtvoll ausgestattete Sammlung von Motetten, Gradualien, Offertorien etc. umspannt das ganze Kirchenjahr. Ausser den schon seit langem mehr oder weniger bekannt gewordenen Komponisten des Cäcilien-Vereins erscheinen hier mehrere mit ihren Arbeiten, die bis dahin noch nicht an die Öffentlichkeit getreten sind; ein Zeichen, wie die lebensvolle Tätigkeit in unserem Vereine die Talente bildet und zum Schaffen drängt. Wenn der Ausdruck nicht zu profan klänge, möchte ich dieselbe ein Komponisten-Album des Cäcilien-Vereins nennen. Es offenbart sich in der Sammlung viel Geist und Geschicklichkeit, Kunst und Geschmack. Die Durchsicht derselben hat mich sehr befriedigt und gefreut. — Der Herausgeber hat kleineren — nicht im Können schwächeren Kirchenchören zu Hilfe kommen wollen, und zu diesem Zwecke herrscht in der Sammlung die Kombination von Sopran, Alt und Bariton vor. Es war das ein glücklicher Gedanke, indem bei kleineren Chören die Tenoristen und Bassisten sich zu einem angenehmen Bariton vereinigen können.“
Fr. Koenen.

„Ein bedeutendes und bedeutungsvolles Werk, das keinem Kirchenchore fehlen sollte. Die neueren Komponisten sind gegenüber den älteren in der Mehrzahl vertreten und es reihen sich die eigenen Kompositionen des Herausgebers den anderen sehr vorteilhaft an.“ H. Oberhoffer.

Druck und Verlag von **Friedrich Pustet** in Regensburg.

MUSICA SACRA.

Nr. 12. **Anzeigenblatt** 1. Dez. 1904.

Inserate, welche man gefl. 8 Tage vor Erscheinen der betreffenden Nummer einsenden wolle, werden mit **20 ₰** für die **1spaltige** und **40 ₰** für die **2spaltige** (durchlaufende) Petitzeile berechnet. Es werden nur solche Inserate aufgenommen, welche der Tendenz dieser Zeitschrift entsprechen.

233

Verlag von **Friedrich Pustet** in Regensburg, zu beziehen durch alle Buchhandlungen:

☞ Te Deum. ☜

Auer, J. (Op. 5), **Te Deum laudamus** 5 vocum (Sopran I u. II, Alt, Tenor u. Baß) cum. org. (C. V. K. Nr. 1527.) Part. 2 .ℳ 40 ₰. Stimmen 50 ₰.

Cohen, C. (Op. 3), **Te Deum** 5 vocum (Cantus I u. II, Alt, Tenor u. Baß) quibus sex tromboni vel Organum concinunt. (C. V. K. Nr. 1050.) Partitur 2 .ℳ. Singstimmen 50 ₰. Instrumentalstimmen 60 ₰.

Haller, Mich. (Op. 1), **Hymnus: Te Deum laudamus** ad 4 voces inaequales cum Organo vel 5 trombonis. Vierte Aufl. (C. V. K. Nr. 182.) Part. 1 ℳ 60 ₰. St. 60 ₰. Instrumentalst. 40 ₰.

Kaim, A. (Op. 6), **Te Deum laudamus.** Hymnus für 6 stimm. Chor (2 Sopran, 1 Alt, 1 Tenor und 2 Bässen). (C. V. K. Nr. 179.) Partitur 1 .ℳ 20 ₰. Stimmen 60 ₰.

Linden, Ant. van der, Hymnus „Te Deum laudamus" ad 2 voces aequales. Partitur 1 .ℳ 50 ₰. Stimmen zusammen 50 ₰.

Maas, Th. (Op. 4), **„Te Deum laudamus"** ad 4 voces aequales cum Organo. (C. V. K. Nr. 1391.) Partitur 1 .ℳ. Stimmen 40 ₰.

Molitor, J. B. (Op. 22), **Hymnus Ss. Ambrosii et Augustini „Te Deum laudamus"** ad 4 voces inaequales. (Für kleinere Stadt- und Land-Chöre berechnet.) (C. V. K. Nr. 502.) Partitur 80 ₰. Stim. 40 ₰. Volksstimme 10 ₰.

Quadflieg, Jak. (Op. 15), **Te Deum laudamus.** Für 5st. gem. Chor mit abwechselnden Choralstrophen. Partitur 1 .ℳ. Stimmen (à 15 ₰) 75 ₰.

— (Op. 17), **Hymnus Ss. Ambrosii et Augustini „Te Deum laudamus"** für 4 stimm. gem. Chor, abwechselnd mit Choralstrophen. Part. 1 .ℳ, Stimmen à 20 ₰.

Schalk, Ant. J. van, Hymnus Ambrosianus quem duplicis chori concentui accedentibus singulorum cantibus organisque comitantibus digestum Sacris solemnis semisaecularibus Hierarchiae Episcopalis in Neerlandiae regno faustissime instauratae dignissimo in Patri Henrico Pontifici Ultraiectensimo Neerlandiae Metropolitae. (C. V. K. Nr. 2951.) Partitur 2 .ℳ 50 ₰. Stimmen zusammen 1 .ℳ 70 ₰. Chorstimmen 25 ₰.

Singenberger, Joh., Te Deum laudamus et Tantum ergo ad 2 voces. Partitur 1 .ℳ. 2 Stimmen à 15 ₰.

Stehle, J. G. Ed., Te Deum für achtstimmigen gemischten Chor. (Sopran I und II, Alt I und II, Tenor I und II, Baß I und II.) Partitur 2 .ℳ 40 ₰. Stimmen à 10 ₰.

„Te Deum laudamus" in tono festivo et simplici. Imperial-Folio. (54×42 cm.) Auf italienischem Handpapier. Einzelabdruck aus dem großen Graduale zur Bequemlichkeit der Kirchenchöre. In Rot- und Schwarzdruck. 1 .ℳ.

— In Choralnoten. 8°. 10 ₰.

— Mit weißen Noten im Violinschlüssel. Nur in tono simplici. 16°. 3 ₰. Das Dutzend 24 ₰.

Vranken, P. J. Jos. (Op. 3), **Hymnus Te Deum laudamus** ad quatuor voces aequales organo comitante. Partitur 1 .ℳ 50 ₰. Stimmen 70 ₰.

Witt, Dr. Fr. X. (Op. 10a), **Hymnus Te Deum** ad 4 voces inaequales comitante Organo (mit Orchester ad libitum). Fünfte Auflage. (C. V. K. Nr. 694.) Partitur 1 .ℳ 20 ₰. Stimmen (à 10 ₰) 40 ₰. Instrumentalstimmen 1 .ℳ 20 ₰.

— (Op. 27), **Te Deum** für Sopran, Alt, 2 Tenöre und 2 Bässe. Partitur vergriffen. Singstimmen 40 ₰, Instrumentalstimmen 20 ₰.

— (Opus 27c), **Hymnus „Te Deum laudamus"** ad 4 voces aequales. (C. V. K. Nr. 1081.) Part. 40 ₰. 4 Stimmen (5 ₰) 20 ₰.

235

✒ Novitäten. ✒

Missa Quarta
in hon. Sanctissimi Sacramenti
a choro 2 vocum virilium cantanda conci-
nente organo
Auctore **Josepho Kreitmaier** S. J. Op. 8.
Partitur 1 .ℳ 40 ₰. Stimmen à 20 ₰.

Ein Herr Referent schreibt über dieses Opus
nachstehendes: Endlich einmal ein Opus, das ich
mit innerer Befriedigung zur Drucklegung empfehlen kann! Es ist ja nicht auf dem Fundamente
der altklassischen Theorie aufgebaut, vielmehr
bewegt sich der Autor durchweg in den Formen
des modernen, freieren Satzes; aber der Inhalt
der von ihm gebotenen Musik, die feine Wahl
und originelle Durchführung der Motive, die sorg-
fältige Textbehandlung, ganz besonders noch der
eigenartige, vielfach überraschende schöne Wohl-

klang verleihen der Komposition einen Wert, der
sie weit über die Durchschnittssphäre der gegenwärtigen kirchenmusikalischen Literatur erhebt.
Dem Werke wird ein entsprechender Absatz gesichert sein: denn erstens gibt es Messen für
2 Männerstimmen nur ganz wenige und zweitens
werden die vielen Vorzüge dieser Messe zweifellos bald allseitiges Interesse wachrufen.

Das Opus wird eine Zierde Ihres Verlages
werden — meine wärmste Empfehlung.

Tu es Petrus
nach Michael Hallers Op. 49
für vierstimmig gemischten Chor
bearbeitet von
Joseph Kreitmaier S. J.
Partitur 20 ₰, Singstimmen à 5 ₰, Instrumentalstimmen zusammen 50 ₰.

✒ Neue Auflagen. ✒

Es erschienen in **3. Auflage**
Ebner, Ludw., (Op. 14.)
Missa in hon. S. Josephi
ad 2 voces inæquales (Sopranum et Altum
vel Tenorem et Bassum) comitante organo
composita.
(C.-V.-K. Nr. 1484.)
Partitur 1 .ℳ 20 ₰. Stimmen (à 12 ₰) 24 ₰.

In **23. Auflage**
Haller, Mich., (Op. 7a.)
Missa Tertia
ad 2 voces cum Organo vel Harmonio com-
posita.
(C.-V.-K. Nr. 312.)
Partitur 1 .ℳ Stimmen (à 20 ₰) 40 ₰.

In **6. Auflage**
Haller, Mich., (Op. 50.)
Cantiones variæ de Ss. Sacramento.
(„Adoremus in æternum" et Ps. 116 „Lau-
date Dominum". — „Panis angelicus". —
„O salutaris hostia". — „O sacrum convi-
vium". — „Ave verum Corpus". — „Sacris
Solemniis". — „Verbum supernum". — „Adoro
te devote". — „O esca viatorum".
2 „Pange lingua".) Ad 2 voces æquales
organo vel harmonio comitante compos.
(C.-V.-K. Nr. 1436.)
Partitur 1 .ℳ 40 ₰. Stimmen (à 30 ₰) 60 ₰.

In **3. Auflage**
Haller, Mich., (Op. 70.)
Weihnachtsweisen.
9 Lieder zur heiligen Weihnachtszeit
für Sopran- und Altstimmen mit Begleitung
des Harmoniums oder des Klaviers.
(C.-V.-K. Nr. 2551.)
Partitur 70 ₰. 2 Stimmenhefte (à 24 ₰) 48 ₰.

In **7. Auflage**
Singenberger, Joh.,
Missa in hon. S. Aloisii
ad 3 voces æquales.
(C.-V.-K. Nr. 2003.)
Partitur 80 ₰. Stimmen (à 15 ₰) 45 ₰.

In **2. Auflage**
Singenberger, Joh.,
Missa in honorem Sanctæ Familiæ Jesu.Mariæ.Joseph.
Messe zu Ehren der hl. Familie. **Ausgabe A.**
für 3 Männerstimmen: 2 Tenöre u. Baß
mit Orgelbegleitung.
(C.-V.-K. Nr. 2221.)
Partitur 1 .ℳ 20 ₰. Stimmen (à 15 ₰) 45 ₰.

In **6. und 7. Auflage**
Haller, Mich.,
Übungsbuch zum Vade mecum.
Eine praktische Lese-, Treff- und Vortrags-
schule. 1904. IV und 116 Seiten. 8°.
(C.-V.-K. Nr. 680.)
Gebunden 1 .ℳ.

238